대통령 노무현의 3년

분열을 극복하고 상생의 정치를 하는
대통령 노무현

편집부 엮음

더휴먼

차례

대통령 3년의 기록

2005. 2 ~ 2006. 1

2월

3월

6월

10월

11월

12월

1월

대통령
3년의 기록

2005. 2 ~ 2006. 1

2월

설 메시지

2005년 2월 6일

안녕하십니까? 즐거운 설입니다.

벌써 마음은 고향에 가 계시겠지요. 고향 가는 길이 올해는 좀 수월 했으면 좋겠습니다. 어른들께 세배도 드리고 덕담도 나누는 뜻깊은 명절 되시기 바랍니다. 그런데 연휴에도 쉬지 못하는 분들이 많이 있습니다. 국군장병, 경찰관, 소방관, 그리고 산업현장의 근로자와 버스·택시 기사 여러분도 떡국만큼은 꼭 챙겨 드십시오. 해외에 계신 동포 여러분도 모두 즐거운 설 보내십시오.

국민 여러분,

올 설에도 경제 얘기를 많이 하시겠지요. 경제가 잘돼야 하고 그렇 게 되도록 최선을 다하고 있습니다. 다행히 올해 들어 조금씩 나아지고 있답니다. 그래도 걱정은 여전합니다. 경제가 나아지더라도 재래시장이

나 식당하시는 분, 자영업 하시는 분, 또 개인운수업하시는 분들은 여전히 어려울 것입니다. 이처럼 어려운 지대에 사시는 여러분들 형편이 피도록 올해부터는 각별히 신경 쓰겠습니다. 무엇보다도 일자리를 많이 만들고 물가와 집값 때문에 서민 여러분이 힘들어하지 않도록 잘 관리해 나가겠습니다. 올해는 참 중요한 한 해가 될 것 같습니다. 희망과 자신감을 가지고 선진한국을 함께 만들어 나갑시다. 2005년 새해를 우리 경제가 새롭게 도약하는 해로 그렇게 만들어 나갑시다. 어려운 이웃과 함께하는 따뜻한 설 되시기 바라며, 모두 건강하고 기쁜 마음으로 돌아오시기 바랍니다.

자이툰부대 장병에게 보내는 격려 서신

2005년 2월 9일

친애하는 자이툰부대 장병 여러분,

오늘은 우리의 큰 명절인 설입니다. 이국땅에서 보내는 명절이라 감회가 남다를 것입니다. 비록 가족들과 떨어져 있지만, 전우들과 함께 즐거운 시간 보내기 바랍니다. 두 달 전 여러분을 만났을 때의 감동을 지금도 잊을 수 없습니다. 짧은 만남이었지만 기쁘고 행복한 시간이었습니다. 우리 국군의 당당한 모습이 자랑스러웠습니다. 정말 잘하고 있었습니다.

여전히 긴장되고 힘든 일이 많지요? 수시로 보고는 받고 있지만, 건강은 괜찮은지 안전에는 문제가 없는지 늘 걱정이 되고 궁금합니다. 여러분의 노고에 각별한 치하와 위로를 보냅니다. 앞으로도 주어진 임무를 훌륭하게 수행할 것으로 확신합니다. 이라크의 평화와 재건에 크게 기여하고 우리 군의 위상을 한층 드높여줄 것으로 기대합니다. 나는 군 통수권자로서 여러분이 안전한 가운데, 임무를 성공적으로 마칠 수 있도록 최선을 다하겠습니다. 여러분이 평화를 지키고 있습니다. 여러분이 흘린 땀이 바로 대한민국의 힘이 됩니다. 그런 만큼 지금 여러분의 일 하나하나에 큰 자부심을 가지고 전력을 다해 주기 바랍니다.

　새해 복 많이 받으십시오.

동의·다산부대 장병에게 보내는 격려 서신

2005년 2월 9일

친애하는 동의·다산부대 장병 여러분,

얼마나 고생이 많습니까? 여러분 모두 건강하고 안전하게 잘 지내는지 늘 마음이 쓰입니다. 그래서 이번에 합참의장이 다녀오도록 했습니다. 여러분의 노고에 깊은 위로와 힘찬 격려를 보냅니다. 오늘은 우리의 큰 명절인 설입니다. 비록 가족들과 떨어져 있지만, 즐거운 시간 보내기 바랍니다. 떡국도 먹고 함께 차례도 지내면서 전우애를 더욱 두텁게 할 수 있었으면 좋겠습니다. 우리 동의·다산 부대가 아프가니스탄에 파병된 지 4년이 되었습니다. 그동안 여러분은 구호와 진료, 재건 활동을 성공적으로 수행해 왔습니다. 지역 주민은 물론 국제사회로부터도 많은 찬사를 받고 있습니다.

여러분은 세계 평화에 기여하는 대한민국 국군을 대표합니다. 앞으로도 지휘관을 중심으로 일치단결해서 아프가니스탄의 평화와 안정에 큰 힘이 되어 줄 것으로 믿습니다. 여러분의 가족은 물론 우리 국민 모두가 여러분을 자랑스럽게 생각합니다. 임무를 훌륭하게 마치고 건강한 모습으로 귀국하기 바랍니다. 다시 한번 여러분의 노고를 치하합니다.

새해 복 많이 받으십시오.

서부 사하라 의료지원단 장병에게 보내는
격려 서신

2005년 2월 9일

서부 사하라 의료지원단 장병 여러분,

우리 군을 대표해서 멀리 아프리카 대륙에서 고생하고 있는 여러분의 노고를 치하합니다. 오늘은 설인데, 워낙 낯선 곳이라 떡국이라도 먹을 수 있는지 모르겠습니다. 가족들과 떨어져 있지만 동료들과 함께 즐거운 명절 보내기 바랍니다. 우리 의료지원단이 유엔평화유지군의 일원으로 파병된 지 벌써 10년이 되었습니다. 그동안 모두 5만여 명을 진료하는 등 헌신적인 의료지원으로 유엔을 비롯한 국제사회의 찬사를 받았습니다. 비록 적은 인원이지만 여러분이 하는 역할은 결코 작지 않습니다. 우리 군의 위상을 드높이고 세계 평화에 기여한다는 큰 자부심을 가져 주기 바랍니다.

새해 복 많이 받으십시오.

전국 공무원에게 보내는 서신(1)

2005년 2월 18일

존경하는 공무원 여러분, 안녕하십니까?

참여정부가 출범한 지도 2년이 다 되었습니다. 그동안의 노고에 대해 여러분께 감사 인사를 드리고, 아울러 당부도 드리고자 펜을 들었습니다. 아니 컴퓨터 앞에 앉았습니다. 공무원 여러분, 정말 수고 많으셨습니다. 제 스스로 너무하는 것 아닌가 싶을 만큼 다그쳤습니다. 힘드셨을 것입니다. 그러나 잘해 주셨습니다. 변화가 점점 빨라지고 있는 것 같습니다. 저는 성공을 예감합니다. 기회가 있을 때마다 우리 공무원의 능력과 선의를 믿는다고 말해 왔습니다. 이 믿음은 지금도 변함이 없습니다.

사랑하는 공직자 여러분,

그럼에도 아직 마음이 답답한 것도 사실입니다. 느립니다. 가속페달을 더 세게 밟지 않으면 시동마저 꺼져 버릴지 모른다는 불안감이 들기도 합니다. 그래서는 안됩니다. 이유는 여러분도 잘 아실 것입니다. 지금 우리 정부의 경쟁력은 세계 40위권에 머물러 있습니다. 비교적 잘한다 하는 우리나라 기업의 경쟁력에 훨씬 못 미치는 수준입니다. 정부의 경쟁력이 낮은데 국가경쟁력이 앞서갈 수는 없습니다. 국가경쟁력이 우리들의 어깨에 걸려 있습니다. 좀더 분발합시다.

2003년에는 정부혁신 로드맵을 만들었습니다. 로드맵만 있고 실천은 없다는 소리를 듣기도 했지만 열심히 했습니다. 2004년에는 혁신관리 개념을 도입했습니다. 수많은 우수사례를 발굴하고 전파했습니다. 우수한 혁신사례에 놀라기도 하고, 부분적으로는 포상제도도 적용했습니다. 잘되겠구나 하는 믿음도 갖게 되었습니다. 지금 공직사회는 놀라운 속도로 변하고 있습니다. 올해에는 혁신의 성과를 매뉴얼로 정착시켜 나갑시다. 정책품질관리, 홍보관리를 통하여 일 잘하는 정부, 열심히 하는 공직사회의 역량을 증명합시다. 혁신의 흐름을 정착시켜 나가자면 무엇보다도 성과관리에 성공해야 합니다. 올해 초 목표관리방식의 업무보고를 준비하느라 고생들 많이 했습니다. 이미 시작한 일입니다. 더욱 다듬고 발전시켜 나갑시다. 그리하여 후배들에게 경쟁력 있는 제도를 물려주도록 합시다.

사랑하는 공무원 여러분,

반드시 보람이 있을 것입니다. 대통령도 열심히 하고 있습니다. 그리고 청와대는 의제관리, 문서관리, 과제관리, 기록관리 분야에서 모범을 만들어 보려고 합니다. 머지않아 결과를 여러분에게 선보이고 평가를 받도록 하겠습니다. 그렇지만 모두가 동참하는 직장 내 혁신문화를 만드는 일은 아무래도 여러분이 더 잘해낼 것으로 생각합니다. 청와대와 여러분 모두 모범을 만들기 위해 최선을 다해 봅시다. 노력하고 성공한 조직과 개인에게는 반드시 보상이 있도록 하겠습니다. 건강과 행운을 빕니다.

지역신문의 날 축하 메시지

2005년 2월 18일

오늘 지역신문의 새로운 도약을 다짐하는 뜻깊은 자리를 마련한 데 대해 축하의 말씀을 드립니다. 지역신문은 지방자치 발전에 큰 힘이 되어 왔습니다. 지역민들과 함께 호흡하며 지역 발전에 힘써 온 여러분의 노력을 높이 평가합니다. 정부는 지금 지방화와 균형발전전략을 강력히 추진하고 있습니다. 수도권과 지방이 윈-윈 하는 가운데, 선진한국을 향해 함께 나아갈 수 있도록 최선을 다할 것입니다.

지방의 문제는 지방에서 더 잘 볼 수 있습니다. 앞으로도 지역의 건강한 여론을 형성하는 풀뿌리 언론으로서 큰 역할을 기대합니다. 정부도 지역신문발전특별법 등을 통해 지역신문이 더욱 성장할 수 있도록 뒷받침해 나가고자 합니다. 지역신문의 무궁한 발전과 여러분의 건승을 기원합니다.

오마이뉴스 창간 5주년 축하 메시지

2005년 2월 22일

오마이뉴스 가족 여러분, 안녕하십니까? 창간 다섯 돌을 진심으로 축하드립니다. 오마이뉴스가 창간되고 한 달쯤 됐을까요. 오연호 대표와 인터뷰를 했습니다. 그 당시 오마이뉴스나 저에 대한 평가는 '과연 될까?'였습니다. 그러나 됐습니다. 저는 대통령이 됐고, 오마이뉴스도 큰 성공을 거두었습니다. 언론 발전의 새로운 지평을 열었습니다. 시민 참여에 있어서나 사회적 의제 발굴에 있어서 아주 좋은 모범을 보여 왔습니다. 과연 '대한민국 특산품'이라고 할 만합니다.

요즘은 언론환경이 많이 좋아졌습니다. 언론과 권력 간에 거래도 없어졌습니다. 건전한 비판은 정책에 반영하고 왜곡된 기사는 바로잡고 하는, 그런 문화가 정착되고 있습니다. 여러분이 제기한 '브리핑제도'도 정착되고 있습니다. 정부와 관련된 기사의 품질도 좋아졌다고 합니다.

정책비판 수준이 높아져 많은 보탬이 되고 있습니다. 무엇보다 정확도가 많이 높아진 것 같습니다.

이러한 변화의 선두에 오마이뉴스가 있었습니다. 앞으로도 우리 언론을 한 단계 더 업그레이드하는 데 크게 기여해 줄 것으로 믿습니다. 개혁에 대한 네티즌 여러분의 열망을 잘 알고 있습니다. 결코 중단하거나 좌절하지 않겠습니다. 임기를 마치는 날까지 뚜벅뚜벅 열심히 가겠습니다. 다시 한번 오마이뉴스 창간을 축하드리며, 무궁한 발전을 기원합니다.

취임 2주년 국회 국정연설

2005년 2월 25일

존경하는 국민 여러분, 그리고 국회의장과 의원 여러분,

저 자신에게 지난 2년은 참으로 다사다난했던 세월이었습니다. 선거 중에 북한의 우라늄 농축 의혹사건이 터지고, 이어서 미국은 중유공급을 중단했습니다. 이에 북한은 봉인 해제와 사찰단 추방으로 맞서고, 언론은 무력제재의 가능성을 연일 보도하는 긴박한 상태에서 저는 대통령에 당선되었습니다.

이미 한·미관계는 최악이라는 평가가 있는 가운데 미국 조야와 다른 목소리를 내지 않을 수 없었던 것이 제가 처해 있는 상황이었습니다. 미국에 한번 가 보지도 않은 대통령이 한·미 동맹관계를 파탄으로 몰아가지 않을까 하는 우려와 함께, 저의 한마디 한마디는 온갖 추측과 해석으로 여러 가지 파장을 일으키는 참으로 불안한 출발이었습니다. 북핵문

제, 이라크 파병문제, 대북송금 특검 모두 하나같이 찬반양론이 극명하게 갈리는 사안이었고, 저는 그 갈등의 틈바구니에 있었습니다. 이 처지에서 언론과의 갈등, 열린우리당 창당, 대선자금 수사, 그리고 탄핵이라는 전에 없던 일들을 저는 때로 결단하고 때로 감당해 왔습니다. 방사성 폐기물 처리장, 행정수도 위헌결정, 그야말로 파란만장의 2년이었다고 말할 수 있을 것입니다.

많이 느끼고 많이 배웠다고 생각합니다. 좀더 깊어지고 좀더 넓어지고자 노력했습니다. 힘들었던 지난날의 경험이 남은 3년의 국정을 보다 성숙하게 꾸려 갈 수 있는 그런 역량의 밑천이 되기를 소망해 봅니다. 지난 2년을 평가하고 남은 3년의 구상을 말씀드리려고 준비했으나, 이미 여러 언론을 통해서 국민 여러분이 내린 다양한 평가를 보았습니다. 생각이 다른 점이 없지는 않으나 이의를 달지 않고 수용하는 것이 저의 도리라고 생각합니다. 그래서 평가말씀은 따로 드리지 않겠습니다.

국민 여러분, 지난 2년 얼마나 힘드셨습니까?

참여정부는 가계신용 위기와 함께 출발했습니다. 늘어만 가는 신용불량자는 끝없는 소비위축을 불러왔습니다. 실업은 늘고 가계수입은 줄어만 가는데 부동산 가격 상승으로, 사교육비로 서민의 부담은 더 늘어만 갔습니다. 그 위에 북핵위기로 인한 불안심리, 이라크전쟁과 고유가, 카드채발 금융위기까지 겹치고, 위기설이 난무하는 불안한 상황에서 국민 여러분은 지난 2년을 견디어 오셨습니다. 비정규직이 늘고 장사는 안되고 소득격차는 더욱 벌어지는 고통스러운 일이 아직도 계속되고 있습니다. 진심으로 깊은 위로의 말씀을 드립니다. 정부로서는 최선을 다한다고 했으나 아직 좋은 결과를 내지 못하고 있으니 송구스럽기 짝이 없습니다. 경제가 좋아진다, 아직 아니다, 논란이 분분합니다. 정부는 아직 속단하지는 않겠습니다. 그러나 분명한 것은 달라지고 있다는 것입니다. 그리고 더디기는 하더라도 머지않아 반드시 달라질 것입니다.

참여정부 초기에 포퓰리즘을 이야기하고 남미형 파탄과 일본식 장기침체를 거론하며 우리 경제를 위기 또는 파탄으로 진단하던 사람들도 이제 우리 경제가 살아날 것이라는 데 대해서는 이론이 없는 듯합니다. 국민 여러분께서 열심히 노력해 주신 덕분이라고 생각합니다.

국민 여러분, 힘내십시오. 이제 얼마 안 남았습니다. 정부도 최선을 다하고 있습니다. 경제가 좋아진다고 해도 걱정하고 준비해야 할 일이 많이 있습니다. 먼저, 우리 경제의 경쟁력입니다. 고유가와 낮은 환율을 이겨낼 수 있는 경쟁력을 길러야 합니다. 정부는 기술혁신과 인재양성, 투명하고 공정한 시장, 기업하기 좋은 환경을 전략으로 채택하고 이미 전력투구하고 있습니다. 그리고 대체로 순조롭게 진행되고 있습니다. 이제 경제가 활력을 회복하면 힘차게, 그리고 길게 지속적으로 성장할 것입니다.

대기업과 중소기업, 첨단산업과 전통산업, 수출과 내수, 대형 할인점과 재래시장 간의 경쟁력 격차, 그리고 계층 간의 소득격차가 날로 벌어지고 있습니다. 이러한 양극화 문제를 해결해야 합니다. 이제는 경제가 좋아진다는 말뜻도 달라져야 합니다. 경기가 풀려도 여전히 많은 사람들이 고통받는 이 문제를 풀지 않고는 우리 경제가 좋아졌다고 말할 수 없을 것입니다. 우선 중소기업부터 살려야 합니다. 정부는 지난해 대대적인 실태조사를 거쳐 중소기업정책을 전면적으로 뜯어고쳤습니다. 앞으로는 좀 달라질 것입니다. 아울러 재래시장과 식당, 화물운송업 등 영세 자영업의 자생력을 높이기 위한 대책도 본격적으로 추진하고 있습니다.

고용 없는 성장의 문제에도 대처해 나가고 있습니다. 성장에 따른 일자리 창출 효과가 계속 낮아지고 있습니다. 서비스산업도 제조업과 같이 지원하겠습니다. 청년실업을 해소하기 위해서는 지식기반 서비스산업을 집중적으로 육성해야 합니다. 일자리야말로 최고의 복지전략이자 성장전략이라는 인식을 가지고 고용대책을 세워 나가고 있습니다. 빈부격차와 소득격차를 해소하는 데도 일자리가 가장 효과적입니다.

아울러 사회안전망도 더욱 확충해서 최소한 돈이 없어 병원에 못 가고 끼니를 걱정하는 일이 없도록 하겠습니다. 집값, 전세값, 사교육비, 신용불량자 문제도 신년회견에서 이미 말씀드린 대로 서민생활에 주름이 가지 않도록 지속적으로 챙기겠습니다. 서민들의 주거안정을 위하여 임대주택정책은 전면 재검토하겠습니다. 근본적인 대책을 다시 세우도록 하겠습니다. 금년 상반기 중으로 대책을 내놓도록 하겠습니다.

특히 부동산 문제만은 투기와의 전쟁을 해서라도 반드시 안정시킬 것입니다. 이미 투기를 막기 위한 세제가 완비되어 가고 있고, 올해 안에 모든 거래가 전산화돼서 부동산 거래가 100% 노출될 것입니다. 투기 조짐이 있을 때는 모든 수단을 동원해서 반드시 막겠습니다. 건설 경기를 걱정하는 분들이 있습니다. 건설 경기는 살리도록 하겠습니다. 부동산 투기와 건설 경기는 별개의 문제입니다. 부동산 투기는 반드시 잡고 건설 경기는 반드시 살려낼 것입니다.

존경하는 국민 여러분,

연초에 선진경제에 대해서 말씀드렸습니다. 이제 우리도 자신감을 가지고 선진경제를 얘기할 때가 되었고, 그에 따른 전략이 필요한 시점이라고 생각합니다. 수출이나 경제규모, 제조업 기반만 놓고 보면 우리는 이미 선진국 문턱을 넘어섰습니다. 반도체·정보통신 분야는 세계 최고 수준을 자랑하고 있습니다. 철강·조선·자동차·석유화학과 같은 업종도 세계 최고 수준이거나 이에 근접해 가고 있습니다. 앞으로 차세대 성장동력사업이 계획대로 추진되면 첨단산업의 경쟁력은 더욱 높아질 것입니다. 국민들의 소비생활도 선진국 수준에 다가가고 있습니다. 구매력 기준 국민소득은 거의 2만 달러에 육박한다는 평가도 이미 나와 있습니다. 분명한 것은 우리 경제가 곧 선진국 문턱에 들어설 단계에 와 있다는 것입니다. 우리의 생각과 행동도 그에 맞추어 나가야 할 것입니다.

반면에 선진경제가 되기 위해서는 반드시 갖추어 나가야 할 분야가 있습니다. 기업지원 서비스와 고급 서비스산업, 그리고 레저·문화 산업의 발전입니다. 금융, 법률, 회계, 연구개발, IT, 컨설팅, 디자인 등 기업지원 서비스산업을 발전시켜야 합니다. 이들 분야에서 해외로 나가는 돈이 연간 28억 달러에 이른다고 합니다. 그리고 이들 산업이 발전해야 기업하기 좋은 환경을 만들 수 있습니다. 또한 학력이 높은 우리 젊은이들에게 부가가치가 높은 일자리를 제공하는 지식기반산업이기도 합니다. 그 중에서도 특히 금융산업의 발전은 대단히 중요합니다. 금융의 수준이 높아야 기업의 수준도 높아집니다. 담보보다는 기술력과 신용도에 따라 자금이 분배되도록 하는 평가능력을 향상시켜 나가야 합니다. 그래야 실력 있는 기업이 성공하는 풍토가 조성될 수 있습니다. 물류산업도 빼놓을 수 없는 기업지원 서비스산업입니다. 지난해 우리나라 해운산업은 182억 달러의 외화를 벌어들였습니다. 물류비용은 경쟁력에도 심대한 영향을 미칩니다. 지난해부터 업종별 전담팀을 구성해서 경쟁력 강화대책을 하나하나 추진해 오고 있습니다. 빠른 시일 내에 일자리와 높은 부가가치를 창출하는 산업구조를 만들어 나갈 것입니다.

선진경제를 위한 또 하나의 과제는 고급 소비수요를 충족시킬 수 있는 서비스산업의 경쟁력을 강화하는 일입니다. 작년 한 해 유학비용으로 나간 돈이 70억 달러, 해외로 나간 의료비가 10억 달러가 넘는다고 합니다. 교육·의료 서비스의 경쟁력을 높여서 해외로 나가는 돈을 막아야 합니다. 우수한 인재가 의대로 몰린다고 한탄만 할 일이 아니라 의료산업을 전략산업으로 육성해서 돈이 들어오게 하고 일자리도 만들어 내야 합니다. 교육 분야도 마찬가지입니다. 개방할 것은 개방하고 규제도 풀 것은 과감하게 풀어야 합니다. 교육과 의료의 공공성을 지킬 것은 확실히 지키고, 확대할 것은 더욱 확대하겠습니다. 공공의료 30% 공약은 반드시 이행하도록 하겠습니다. 공공의료 서비스의 수준도 더욱 높여 나가겠습니다. 공교육의 가치와 제도가 무너지는 일은 없도록 하겠습니다. 그러나 교육과 의료 서비스의 산업적 성격은 그것대로 살려 나가야 합니다.

복합소비산업인 문화·관광·레저 산업도 내수 진작과 고용 창출효과가 매우 큽니다. 문화는 그 자체가 삶의 질입니다. 아울러 산업입니다.

이미 새로운 국가발전의 동력으로 떠오르고 있습니다. 상반기 중에 문화·관광·레저 서비스산업 육성에 대한 종합적인 청사진을 제시하고, 급증하는 이 분야의 수요를 국내에서 흡수하기 위해서 서남해안 등에 대규모 기반시설을 조속히 확충해 나갈 것입니다. 영화·음악·드라마 등 문화콘텐츠 산업도 더욱 발전시켜 나가겠습니다.

선진경제를 향한 마지막 관문은 '선진 통상국가'로의 도약입니다. 1990년대 WTO 체제 편입은 피할 수 없는 부득이한 선택으로 인식되었습니다. 이제 WTO, FTA는 우리 경제의 지속적인 성장을 위한 적극적인 전략으로 인식되고 있습니다. 우리 경제의 체질도 개방의 충격을 충분히 감당할 만한 저항력을 갖추고 있는 것 같습니다. 칠레와의 FTA 체결에도 많은 반대와 우려가 있었지만 1년이 지난 지금 그 우려는 현실로 나타나지 않았습니다. 긍정적 효과는 기대 이상으로 나타나고 있습니다. 이제 우리는 선진통상국가를 전략으로 채택해서 우리 기업들이 세계를 향해서 힘차게 뻗어 나갈 수 있도록 뒷받침해야 합니다.

한편 개방으로 어려움을 겪는 농어민대책도 적극적으로 마련해 나가겠습니다. 지난해 수립한 농어촌 종합대책을 내실 있게 추진해서 우리 농업을 경쟁력 있는 첨단농업으로 육성하겠습니다. 아울러 농어촌을 자연과 문화가 잘 어우러진 미래형 복합생활공간으로 발전시켜서 도·농 상생의 기반을 조성하고, 고령화에 대비한 복지대책도 착실하게 세워 나가겠습니다.

존경하는 국민 여러분,

선진경제를 하려면 먼저 선진사회로 가야 합니다. 투명하고 공정한 사회가 바로 그것입니다.

우리가 시장경제를 채택한 이유는 경쟁의 효율성 때문입니다. 경쟁하게 하면 생산성이 높아진다는 것입니다. 그렇다면 경쟁은 공정해야 합니다. 어떤 불법도 반칙도 용납되어서는 안됩니다. 그러자면 특권도 특혜도 없어야 합니다. 오로지 공정한 규칙에 따라 실력으로 경쟁하게 해야 합니다. 이것이 시장경제의 핵심입니다. 시장이 공정하자면 사회가 공정해야 합니다. 우리의 사고방식이 공정해야 합니다. 그런데 과거 우리 사회에는 여러 가지 특권과 유착, 불법과 반칙, 부정과 부패가 있었습니다. 정경유착, 정권과 권력기관, 권력과 언론 등의 유착과 공생관계들입니다. 우리가 선진사회로 가자면 이러한 유착과 공생의 관계를 청산해야 합니다. 그리고 여기에 젖어 있는 우리의 사고방식도 바꿔 나가야 합니다.

이 점에 관해서 우리 사회는 많은 진보를 이루어 냈습니다. 해답은 민주주의입니다. 과거 독재권력과 권력기관들은 공권력을 이용한 정보 통제와 조작, 고문과 협박으로 부당한 기득권을 지켜 왔습니다. 그래서 국민들은 싸웠고, 승리했습니다. 그리고 민주정부를 세우고, 국정원, 검찰, 경찰, 국세청의 정치적 중립과 정경유착의 청산을 줄기차게 요구했습니다.

그 결과 이제 권력문화는 빠르게 변하고 있습니다. 더 이상 정경유착은 없을 것입니다. 없게 해야 합니다. 권력기관들도 더 이상 정권에 봉사하지도 정권의 눈치를 살피지도 않을 것입니다. 오히려 검찰의 경우는 여당 의원들이 부당한 대우를 받고 있다고 불만을 토로할 정도로 확실한 독립의 길을 가고 있는 것 같습니다. 한때 일부 언론이 독재권력의 나팔수 노릇을 하고, 그 대가로 이런저런 특권과 특혜를 누렸던 시절이 있었습니다. 민주정부가 들어섰다고 하는 시대에도 권언유착의 관계는 지속되기도 했습니다. 그러나 지금 이 순간 적어도 권언유착은 해소된 것 같습니다.

국민 여러분,

요즘 우리 언론이 많이 달라진 것 같지 않습니까? 의원 여러분도 언론 대하기가 훨씬 편해졌다고 느끼지 않습니까? 적어도 이제 고위 공무원이 기사 빼달라고 언론인들에게 매달리는 일은 없는 것 같습니다. 언론은 언론으로서, 정권은 정권으로서 제 갈 길을 가면서, 건강한 긴장과 협력관계를 유지해 나가고 있습니다. 2년 전에 비해 정책 관련 기사의 정확성이 많이 높아졌습니다. 분석과 비판의 수준도 많이 높아졌다고 봅니다. 극단적이고 감정적인 비판이 없는 것은 아니지만 그것은 독자들이 잘 판단하고 있는 것 같습니다.

정부는 타당성 있는 비판은 정책으로 수용하고, 하나하나 회신까지 보내 주고 있습니다. 다만 사실을 왜곡하고 논리에 맞지 않는 기사가 있을 때는 바로잡아 줄 것을 요구하고 때로는 일일이 법적대응까지 합니다. 정부도 힘이 듭니다. 그러나 제대로 된 언론문화를 위해서, 선진언론으로 가기 위해서 힘들지만 일을 해 나가고 있습니다. 많이 달라졌습니다만 선진언론이 되기 위해서 우리 언론은 좀더 변해야 합니다. 그러나 이 문제는 대통령이 직접 나서지 않는 것이 좋다고 생각합니다.

돈으로 만드는 부정의 고리, 연고에 의한 유착도 해소되어야 합니다. 어려운 문제입니다. 적어도 돈으로 하는 부정부패는 제 임기 동안 확실히 한번 해소해 보도록 하겠습니다. 좀 억울하겠다, 좀 가혹하겠다, 그렇게 느껴질 때가 있습니다. 과거에는 관행으로 용납되던 일들이 시대가 바뀌면서 처벌의 대상이 되는 경우가 그것입니다. 몇 년 전 대전에서 어느 변호사의 장부가 공개되면서 법조인 몇 사람이 조사를 받는 일이 생겼을 때, 그때 조사받은 사람들이 그 조사를 받아들이기가 무척 힘들었다는 말을 들은 적이 있습니다. 관행상 허용된다고 생각했던 것이 조사의 대상이 됐기 때문입니다. 얼마 전 우리 군에서도 비슷한 일이 있었습니다. 이해가 가는 일입니다. 그러나 과거에 용납되던 관행이라 하더라도 그것이 법에 저촉되고 장래에는 용납될 수 없는 일이라면 어쩔 수 없는 일 아니겠습니까? 참고 감당해 가야 합니다.

법을 지키는 사람이 경쟁에서 불리한 경우는 없도록 하겠습니다. 이웃에서는 세금을 포탈하면서 장사를 하는데 나만 세금을 꼬박꼬박 다 내고 하자니 경쟁이 어렵습니다. 이런 경우와 같이 반칙을 하지 않으면 사업을 하기 어려운 조건에 놓여 있는 사람들이 많이 있습니다. 법을 지킬 수 있게 만들고, 일단 만들어 놓은 법은 반드시 지키게 해야 합니다. 지금 세금 부문에서부터 이 일을 시작하고 있습니다. 투명하게 신고하고 법을 지키는 사람이 세금에서 유리하도록 만들고 있습니다. 이제 모든 사람들이 털어도 먼지 안 나는 시민, 그래서 누가 좀 보자고 해도 오금이 저리지 않는 그런 떳떳한 시민으로 살아갈 수 있는 세상을 만들어 가야 합니다. 이것이 바로 선진한국입니다.

선진한국으로 가기 위해서는 정치도 선진정치가 되어야 합니다. 성숙한 민주주의로 가야 합니다. 민주주의의 요체는 대화와 타협의 정치입니다. 정쟁을 하지 않는 것이 아니라 상대를 인정하고 대화하고 타협하고 규칙에 따라서 경쟁하고 결과에 승복하는 정치입니다. 이것이 승자와 패자가 공존하고, 패자는 다시 도전할 기회를 갖는 포용과 상생의 정치의 본질입니다. 독재정권은 상대를 인정하지 않습니다. 규칙이 아니라 폭력과 공작으로 상대를 타도하고 패배자는 배제해 버렸습니다. 경쟁이 아니라 전쟁을 한 것입니다. 유감스럽게도 우리 정치에는 이러한 독재정치의 유산이 많이 남아 있습니다. 지역주의도 그중의 하나입니다. 지역대결은 감정싸움입니다. 감정싸움은 답이 없는 싸움입니다. 합리적인 정쟁과 타협의 소재가 아니기 때문입니다. 끝없는 싸움이 있을 뿐입니다. 이것은 분열로 이어지게 돼 있습니다. 불신과 적개심을 부추겨 편을 가르게 하고 분노와 증오로 반목하게 하는 것은 지금까지 정치인이 발명한 득표수단 중에서 가장 효과적인 방법입니다. 그러나 그렇게 분열해서 싸운 나라 치고 불행에 빠지지 않은 역사가 없습니다.

저는 그동안 끊임없이 지역주의와 맞서 왔습니다. 분열에 맞선 것입니다. 여러 차례 낙선의 고배를 마시기도 했고, 열린우리당 창당을 지지했다가 탄핵을 당하는 어려움을 겪기도 했습니다. 지난 대통령선거와 17대 총선에서는 어느 정도 표를 얻는 데는 성공하였으나 아직도 지역구도를 해소했다 할 만큼 성공하지는 못했습니다. 정말 안타깝게 생각합니다. 지난 총선에서 지역별 의석은 지역별 득표수를 반영하지 못했습니다. 각 당이 불리한 지역에서 받은 득표는 의석에 전혀 반영되지 않았습니다. 선거구제도가 지역주의를 오히려 강화한 것입니다. 이 제도는 바로잡아 주시면 좋겠습니다. 국회의원 수를 늘려서라도 지역구도를 해소할 수 있는 방안이 있다면, 그렇게 해서라도 지역구도는 반드시 극복해야 합니다. 국민들의 이해를 구할 수 있을 것입니다.

국민 여러분,

대화와 타협의 문화는 정치만이 아니라 시민사회에도 적용되어야 합다. 역사상 민주주의는 투쟁으로 태어났습니다. 독재권력이 가혹하고 강고할수록 타협 없는 투쟁의 필요성이 강조되고 또한 칭송되었습니다. 그러나 언제나 타협 없는 투쟁이 정당한 것은 아닙니다. 타협 없는 투쟁은 정통성 없는 권력이 민주주의를 짓밟고 있을 때, 이에 맞서 싸울 때에만 정당한 것입니다. 민주주의의 핵심은 거듭 말씀드립니다만 대화와 타협입니다. 그것이 자기지배의 원리에 맞고 국민주권의 원리에도 맞는 것입니다. 타협 없이 자기 주장만 관철하려고 하는 것은 그 자체가 비민주적인 독선입니다. 참여정부는 국민이 선택한 정통성 있는 정부입니다. 대화의 문을 언제나 열어 놓고 있습니다. 정부는 사회적 갈등 현안을 협의하고 조정해서 해결할 수 있는 갈등관리 시스템을 구축해 나가고 있습니다. 시민사회도 저항적 참여보다는 대안을 내놓는 창조적 참여에 중점을 두고 활동해 주시기를 당부드립니다.

지난 총선은 유례없이 모범적으로 치러졌다고들 합니다. 이 자리를 빌려 선거문화의 개혁에 앞장서 온 선거관리위원회와 경찰·검찰 관계자 여러분의 노고를 치하드립니다. 그리고 국민 여러분 모두의 노력에 대해서도 함께 감사를 드립니다. 그러나 아직 선거문화가 완전히 정착되었다고 보기는 어렵습니다. 정치선거뿐만 아니라 각종 선거에서 이런저런 부정이 자행되고 있는 것이 현실입니다. 아직도 당내 선거는 정치선거인 만큼 그렇게 좋아지지는 않았습니다. 선거문화는 바로 잡아야 합니다. 특히 매수와 거짓이 용납되어서는 안됩니다. 선거는 민주주의의 기초이자 신뢰의 기초입니다. 아울러 정통성의 기초입니다. 정부는 건강한 선거문화의 정착을 위해서 각별히 그리고 지속적으로 노력해 나갈 것입니다. 선거부정은 반드시 근절되어야 합니다. 그렇게 하겠습니다.

정부의 경쟁력도 높이겠습니다. 지금 우리 정부의 경쟁력은 세계 30위권에 머물러 있습니다. 며칠 전 제가 40위권이라고 얘기했는데 다시 확인해 보니까 30위권으로 평가된 자료도 있었습니다. 비교적 잘한다 하는 우리나라 기업의 경쟁력에 훨씬 못 미치는 수준입니다. 적어도 참여정부 내에 20위권, 10위권 안으로 들어간다는 목표를 가지고 혼신의 노력을 다하고 있습니다. 정부경쟁력도 전략은 역시 혁신입니다. 혁신의 목표는 일 잘하는 정부입니다. 효율적인 정부, 국민에게 봉사하는 정부, 투명한 정부, 국민과 함께하는 정부, 분권과 자율입니다.

2003년은 로드맵을 만들었습니다. 로드맵만 있고 실천은 없다는 꾸중도 많이 들었습니다. 2004년은 변화관리의 개념을 도입했습니다. 하나하나 점검하기 시작했습니다. 수십 건의 혁신 모범사례가 발표되고 이를 활발히 벤치마킹하고 있습니다. 올해는 이 혁신의 성과를 제도화하는 해로 만들어 가려고 합니다. 그리고 이 혁신을 공공기관과 지방자치단체까지 확산해 나가려고 합니다. 당장의 효율과 성과도 중요하지만 기본적인 행정 인프라를 완비하려고 합니다. 정부 기록보존이 부실하다는 지적을 여러 차례 받고 있습니다. 통계의 부실, 데이터베이스의 부실도 지적을 받습니다.

그 밖에도 여러 가지 제도에 관한 지적을 많이 받습니다. 먼저 문서관리, 기록물관리, 통계관리 등 기본부터 새롭게 정비하고 있습니다. 정보보호, 정보공개, 보안 시스템 등등 모든 인프라를 완비하려고 노력하고 있습니다. 저는 작은 정부를 공약하지 않습니다. 국민들이 필요로 하는 서비스를 충분히 하는 정부, 할 일을 가장 효율적으로 하는 정부를 만들겠습니다. 우리 정부와 공무원들이 확실히 달라졌다는 것을 우리 국민들이 피부로 느낄 수 있도록 하겠습니다.

존경하는 국민 여러분, 그리고 의원 여러분,

지난 2년 동안 국정을 이끌어 오면서 느낀 점 몇 가지를 말씀드리겠습니다. 가장 절실하게 느낀 것은 정부가 보다 진실되게 말하고, 보다 책임 있게 행동해야 한다는 것입니다. 지난 수십 년 동안 정부는 중소기업 육성을 외쳐 왔습니다. 그 결과로 우리 중소기업이 이만큼 버텨 왔다고 말할 수도 있을 것입니다. 그러나 지금의 수준이 목표였다고 말할 수는 없을 것입니다. 그렇다면 우리 중소기업정책은 성공하지 못했다고 말할 수밖에 없을 것입니다. 진실성도 책임감도 부족했다고 할 수밖에 없습니다. 정부는 지난 30년 동안 지역 간 균형발전, 그리고 수도권 과밀억제정책을 시행해 왔습니다. 그러나 상황은 계속 악화만 되어 가고 있습니다. 지금 우리가 고령사회대책, 저출산대책, 미래 에너지대책 등을 이야기하고 있지만, 10년 뒤에, 20년 뒤에 역시 비슷한 상황에 부닥치지 않을까 걱정됩니다. 진실된 자세와 책임으로, 새로운 각오로 임하겠습니다. 문제가 해결될 수 있도록 근본적으로 대처해 나가겠습니다.

지금 우리 사회는 경쟁력 강화의 수단으로 구조조정을 당연한 것으로 받아들이고 그에 따라 노동의 유연성을 강조하고 있습니다. 저도 부득이한 일이라고 해서 그 방향으로 가고 있습니다. 그러나 40대 후반, 50대 초반에 일자리를 떠난 사람들의 문제를 어떻게 해결할 것인지는 또 다른 숙제입니다. 사람을 축적하지 않는 기업이 높은 경쟁력을 유지할 것인지에 대해서는 아직도 논란이 있습니다. 이 문제에 대해서도 대답을 만들어야 합니다. 앞으로 대책을 마련하도록 하겠습니다. 정부만으로 해결하기 어려운 일들도 많습니다. 국회, 언론, 시민단체, 그리고 국민 여러분 모두가 함께 생각해 볼 문제입니다. 진실된 주장을 책임 있게 해야 합니다. 국민연금이 이대로 가면 몇십 년 후에는 고갈된다고 합니다. 모두가 경고하고 있습니다. 법률로 재정 재계산제도를 만들어 놓았습니다. 지급액을 낮추거나 보험료를 올리지 않고는 해결이 될 수가 없는 문제입니다. 한 푼이라도 수익을 늘려 가야 합니다. 그런데 투자는 자유롭게 하지 못하게 합니다. 아무도 믿을 수 없다는 것입니다. 그렇게 2년을 허비하고 있습니다.

교단이 붕괴했다, 교권이 땅에 떨어졌다는 말을 듣습니다. 그래서 공교육이 무너졌다는 노한 목소리를 들었습니다. 이 모두가 정부의 탓만은 아닐 것입니다. 교단을 맡고 계신 선생님들이 스스로 신뢰를 지키지 않으면 백약이 무효라고 생각합니다. 내신을 믿을 수 없는데 어찌 공교육을 존중하는 평가방법을 찾을 수 있겠습니까? 책임을 나누어 지고 함께 노력해야 합니다. 대정부 투쟁만으로 공교육을 바로잡을 수는 없을 것입니다. 비정규직 문제도 다르지 않습니다. 정규직에 대한 강한 고용보호를 양보하지 않고 비정규직의 보호만 높여 달라고 한다면 해결의 길이 나오기 어렵습니다. 연대임금제나 일자리 나누기에 대한 제안 없이 어떻게 노동자 간 임금격차를 해소할 수 있겠습니까? 가능한 방안을 찾고 수용할 것은 수용해야 합니다. 방사성 폐기물 처리장 건설이 19년째 표류하고 있습니다. 우리 동네 병원에는 사스 환자 못들어온다며 길을 틀어막기도 합니다. 모든 지역과 집단이 자신들에게 불리한 시설이나 개발사업에 다 반대하고 나선다면 정부가 과연 무슨 일을 해결할 수 있겠습니까? 이렇게 해서는 공동체가 설 땅이 없습니다.

'더불어 사는 사회' 이것이 명실상부한 선진사회라고 생각합니다.

과거사 진상규명 문제를 둘러싸고 갈등이 있습니다. 경제도 어려운데 대통령이 갈등을 일으킨다는 비난이 있습니다. 이 질문은 '역사는 왜 배우느냐.'는 것과 같은 질문이라고 생각합니다. 역사를 배우는 것이 마땅한 일이라면 과거사는 있는 그대로를 밝히는 것이 또한 마땅한 일이라고 생각합니다. 거짓을 배울 수는 없는 일이기 때문입니다. 아픈 상처를 건드리는 일입니다. 그러나 아픈 상처가 남아 있는 일이라면 더욱 진실을 밝히고 화해를 강구해야 합니다. 진실을 밝히고 화해를 강구하고 그렇게 하여 상처와 원한을 치유하는 것은 전 세계가 하고 있는 보편적인 과거사 청산의 방법입니다. 과거사 문제를 처리하는 독일과 일본의 서로 다른 태도는 우리에게 많은 교훈을 주고 있습니다. 두 나라의 다른 태도에 따라 이웃나라로부터 받는 신뢰가 다릅니다. 과거에 대해서 솔직해야 합니다. 그래야 과거를 떨쳐 버리고 미래로 나아갈 수 있습니다.

존경하는 국민 여러분,

세상은 빠르게 변하고 있습니다. 정치도 그렇고 대통령의 권력도 그렇습니다. 우리는 이 변화를 받아들여야 합니다. 변화된 세상은 변화된 눈으로 읽어야 합니다. 국민들은 대통령의 권한을 분산하고 줄이라고 요구했습니다. 그래서 대통령은 권력을 줄였습니다. 이제 대통령 말 한마디로 당과 국회가 일사불란하게 움직이는 시대가 아닙니다. 더 이상 군사독재 시절의 그 강력한 대통령을 기대해서는 안됩니다. 서로 다른 의견은, 공개한 상태에서 대화와 토론의 과정을 거쳐서 조율되어야 합니다. 당초에 부처 간, 당정 간 이견이 있는 것은 당연한 과정입니다. 국민에게 혼선을 줄 우려가 있는 의견이라도 공개를 거부하기가 어려운 경우가 많습니다. 웬만하면 이것은 결론을 내고 국민들에게 공개했으면 하는 문제들이 많이 있습니다만 번번이 공개하지 않다가 비난만 듣는 것이 일쑤입니다. 이제 우리가 국정을 읽는 방법도 새롭게 해야 한다고 생각합니다. 새로운 방식으로 우리의 국정을 평가해야 합니다.

국민 여러분,

북핵문제로 걱정이 크실 것입니다. 미처 예측하지 못했던 상황이 발생하기는 했습니다만, 근본적인 구조는 크게 변하지 않았다고 생각합니다. 일희일비할 일이 아니라 일관된 원칙에 따라 차분히 대처해 나가겠습니다. 유연성을 가지되 원칙을 잃지 않도록 하겠습니다. 의원님들께서 도와주시기 바랍니다. 외교에서 흔히 쓰는 전략은 상대의 분열과 갈등을 이용하는 것입니다. 우리가 이용당하는 일이 없도록 도와주시기 바랍니다. 모든 상황 변화는 선의로써 보고 드리도록 하겠습니다. 그리고 상의드리겠습니다.

한·미관계는 예나 지금이나 긴밀합니다. 한때 미국과의 관계를 걱정하는 목소리도 있었지만 지금 한·미관계는 그 어느 때보다 안정돼 있습니다. 앞으로도 잘 관리해 나가겠습니다. 저는 외교 당국자들에게 할 말은 하고 따질 것은 반드시 따지라고 합니다. 그것이 진지하고 책임 있는 태도이기 때문에 오히려 신뢰가 높아집니다. 저는 우리 국민의 역량을 믿습니다. 10년 후의 한·미관계는 지금보다 더 균형 있게 발전해 있을 것입니다. 우리 군대는 스스로 작전권을 가진 자주군대로서 동북아시아의 균형자로서 동북아 지역의 평화를 군건히 지켜낼 것입니다.

존경하는 국민 여러분, 그리고 의원 여러분,

지금 이 시점에서 대한민국 미래에 대한 제 느낌은 희망과 자신감입니다. 여전히 어려운 문제들이 없는 것은 아니지만 반드시 잘될 것이라는 확신이 섭니다. 저는 우리 국민들을 믿습니다. 우리 국민들의 역량을 믿습니다. 밖에서 보면 우리만큼 장래가 밝은 나라도 많지 않습니다. 세계가 부러워하고 칭찬을 아끼지 않고 있습니다. 유독 우리만 비관적인 전망을 가지고 있습니다. 저는 이것도 우리 국민의 높은 성취동기 때문이라고 생각하고 이것이 오히려 발전의 동력이 될 것이라고 믿고 있습니다. 우리 스스로를 너무 깎아내릴 일이 아닙니다. 긍정적인 사고와 자신감을 가지고 선진한국을 향해서 힘차게 달려갑시다. 저부터 최선을 다하겠습니다.

국민 여러분, 의원 여러분,

새해 여러분의 가정에 희망과 행운이 가득하기를 기원합니다. 그리고 각 당에 모두 희망찬 미래가 함께하기를 바랍니다. 또 여러분들의 당의 성취와 발전이 우리 국가의 발전으로 함께 가는 그런 새로운 해를 올해 꼭 한번 만들어 봅시다.

감사합니다.

3월

제86주년 3·1절 기념사

2005년 3월 1일

존경하는 국민 여러분, 독립유공자와 내외 귀빈 여러분,

여든여섯 돌 3·1절 기념식을 이곳 유관순 기념관에서 갖게 된 것을 기쁘게 생각합니다. 그날의 감동이 더 생생하게 느껴지는 것 같습니다. 3·1운동은 참으로 자랑스러운 역사입니다. 인간의 자유와 평등, 나라의 자주와 독립의 권리를 천명한 3·1정신은 지금도 인류사회와 국제질서의 보편적인 원리로 존중되고 있습니다. 또한 상해 임시정부에서 오늘의 참여정부에 이르는 대한민국 정통성의 뿌리가 되었습니다. 이러한 3·1운동의 위대한 정신을 이어 나가고 다시는 100년 전과 같은 잘못을 되풀이하지 않는 것이 애국선열에 대한 도리이자 3·1절에 되새기는 우리의 다짐입니다. 나라를 위해 희생하고 민주주의와 번영의 초석을 놓아주신 애국선열들께 머리 숙여 경의를 표합니다. 독립유공자와 가족 여러

분께 깊은 존경과 감사의 말씀을 드립니다.

국민 여러분,

저는 지난 일요일 독립기념관을 다녀왔습니다. 구한말 개화를 둘러싼 의견 차이가 논쟁을 넘어서 분열로 치닫고, 마침내 지도자들이 나라와 국민을 배반한 역사를 보면서 오늘 우리가 무엇을 해야 할 것인지 깊이 생각해 보았습니다. 아울러 우리 땅을 놓고 일본과 청나라, 러시아가 전쟁을 벌이는 상황에서 힘없는 우리가 어느 편에 섰던들 무엇이 달라졌겠는가를 생각하며 국력의 의미를 다시 한번 되새겨 보았습니다. 그리고 오늘의 대한민국이 정말 자랑스러웠습니다. 이제 우리는 100년 전 열강의 틈바구니에서 아무런 변수도 되지 못했던 그런 나라가 아닙니다. 세계에 손색이 없는 민주주의와 경제발전을 이루고 스스로를 지킬 만한 넉넉한 힘을 가지고 있습니다. 동북아의 균형자 역할을 할 수 있는 국방력을 키워 가고 있습니다. 선열들께서도 지금 우리의 모습을 매우 대견스러워 하실 것입니다.

국민 여러분,

올해는 한국과 일본의 국교정상화 40주년이 되는 특별한 해입니다. 한편으로는 한·일협정 문서가 공개되면서 아직 해결되지 못한 과거문제가 되살아나 또 다른 어려움이 제기되고 있기도 합니다. 그동안 한·일관계는 법적으로나 정치적으로 상당한 진전을 이뤄 왔습니다. 1995년 무라야마 일본 총리는 '통절한 반성과 사죄'를 했고 1998년에는 김대중 대통령과 오부치 총리가 신 한·일관계 파트너십을 선언했습니다. 2003년에는 나와 고이즈미 총리가 '평화와 번영의 동북아 시대를 위한 공동성명'을 발표했습니다. 한·일 두 나라는 동북아시아의 미래를 함께 열어 가야 할 공동운명체입니다. 서로 협력해서 평화정착과 공동번영의 길로 나아가지 않고서는 국민들의 안전과 행복을 보장할 수 없는 조건 위에 서 있습니다. 법적·정치적 관계의 진전만으로 양국의 미래를 보장할 수는 없을 것입니다. 만일 그렇다면 할 일을 다했다고 할 수 없습니다. 그 이상의 실질적인 화해와 협력의 노력이 필요합니다. 진실과 성의로써 양국 국민들 사이를 가로막고 있는 마음의 장벽을 허물고 진정한 이웃으로 거듭나야 합니다.

프랑스는 반국가행위를 한 자국민에 대해서는 준엄한 심판을 내렸지만, 독일에 대해서는 관대하게 손을 잡고 유럽연합의 질서를 만들어 왔습니다. 지난해 시라크 대통령은 노르망디 상륙작전 60주년 기념식에 처음으로 독일 총리를 초대해서 "프랑스인들은 당신을 친구로 환영한다."며 우정을 표했습니다. 우리 국민도 프랑스처럼 너그러운 이웃으로 일본과 함께 하고 싶은 소망이 있습니다. 그동안 우리 정부는 국민의 분노와 증오를 부추기지 않도록 절제하고, 일본과의 화해·협력을 위해서 적극적인 노력을 해 왔습니다. 실제로 우리 국민은 잘 자제하고 사리를 따져서 분별 있게 대응하고 있다고 생각합니다. 저는 그동안의 양국 관계 진전을 존중해서 과거사 문제를 외교적 쟁점으로 삼지 않겠다고 공언한 바 있습니다. 그리고 이 생각은 지금도 변함이 없습니다. 과거사 문제가 제기될 때마다 교류와 협력의 관계가 다시 멈추고 양국 간 갈등이 고조되는 것이 미래를 위해서 도움이 되지 않는다고 생각했기 때문입니다.

그러나 우리의 일방적인 노력만으로 해결될 수 있는 일이 아닙니다. 두 나라 관계 발전에는 일본 정부와 국민의 진지한 노력이 필요합니다. 과거의 진실을 규명해서 진심으로 사과하고 배상할 일이 있으면 배상하고, 그리고 화해해야 합니다. 그것이 전 세계가 하고 있는 과거사 청산의 보편적인 방식입니다. 저는 납치문제로 인한 일본 국민의 분노를 충분히 이해합니다. 마찬가지로 일본도 역지사지해야 합니다. 강제징용에서 일본군 위안부 문제에 이르기까지 일제 36년 동안 수천, 수만 배의 고통을 당한 우리 국민의 분노를 이해해야 할 것입니다. 일본의 지성에 다시 한번 호소합니다. 진실한 자기반성의 토대 위에서 한·일간의 감정적 앙금을 걷어내고 상처를 아물게 하는 데 앞장서 주어야 합니다. 그것이야말로 선진국임을 자부하는 일본의 지성다운 모습일 것입니다. 그렇지 않고는 과거의 굴레를 벗어날 수 없습니다. 아무리 경제력이 강하고 군비를 강화해도 이웃의 신뢰를 얻고 국제사회의 지도적 국가가 되기는 어려울 것입니다. 독일은 그렇게 했습니다. 그리고 그만한 대접을 받고 있습니다. 그들 스스로 진실을 밝히고 사과하고 보상하는 도덕적 결단을 통해서 유럽통합의 주역으로 나설 수 있었습니다.

존경하는 국민 여러분,

한·일협정과 피해보상 문제에 관해서는 정부도 부족함이 있었다고 봅니다. 국교정상화 자체는 부득이한 일이었다고 생각합니다. 언제까지 국교를 단절하고 지낼 수도 없고, 우리의 요구를 모두 관철시킬 수 없었던 사정도 있었을 것입니다. 그러나 피해자들로서는 국가가 국민 개개인의 청구권을 일방적으로 처분한 것을 납득하기 어려울 것입니다. 늦었지만 지금부터라도 정부는 이 문제를 해결하는 데 적극 노력할 것입니다.

국민 여러분의 의견을 모으고 국회와 협의해서 합당한 해결책을 모색해 나갈 것입니다. 이미 총리실에 민·관 공동위원회를 구성해서 여러 방안을 검토하고 있고, 좀더 포괄적인 해결을 위해서 국민자문위원회 구성을 준비하고 있습니다. 아울러 청구권 문제 외에도 아직 묻혀 있는 진실을 밝혀 내고, 유해를 봉환하는 일 등에 적극 나설 것입니다. 일본도 법적인 문제 이전에 인류사회의 보편적 윤리, 그리고 이웃 간 신뢰의 문제라는 인식을 가지고 적극적인 자세를 보여 주어야 할 것입니다.

국민 여러분,

3·1운동의 정신을 되새기면서 선열들이 꿈꾸었던 선진한국의 미래를 향해 힘차게 나아갑시다. 일제의 총칼에 맞서 일어섰던 선열들의 용기와 모든 것을 뛰어넘어 하나가 됐던 대동단결의 정신이 우리의 앞길을 이끌어 줄 것입니다.

감사합니다.

제37회 국가조찬기도회연설

2005년 3월 2일

여러분, 감사합니다.

여러분 모두가 다 잘 아시듯이 저는 교회에 나가지 않습니다. 그러나 저는 지금 이 순간, 이 방안에 가득한 하느님의 은총을 몸으로 느낍니다. 또한 하느님의 권능을 믿습니다. 여러분의 간절한 기도에 대해서 진심으로 감사드립니다. 멀리 해외에서 오신 동포 교인 여러분, 그리고 오늘 조찬기도회를 함께 축복하기 위해서 참석해 주신 외국인, 정치인 여러분, 그리고 종교인 여러분, 대단히 감사합니다. 제가 아직 교회에 나가지는 않지만 예수님의 가르침을 꼭 실천하겠다고 하는 의지는 간절합니다. 최선을 다해서 노력하겠습니다. 하느님께서 인류에게 허락하신 질서는 자유와 평등의 질서라고 생각합니다. 부당한 침략과 지배로부터 국민의 자유와 평등을 지키도록 국가를 만들게 하셨습니다.

일본의 침탈에 맞서 나라를 되찾고자 국민들이 일어섰을 때 우리 기독교 지도자들이 앞장섰습니다. 위험과 고난을 무릅쓰고 일어섰고 희생을 감수했습니다. 독재정권 아래에서 국민의 자유와 인권이 유린당할 때 기독교 지도자들은 분연히 일어섰습니다. 역시 많은 고난과 희생이 있었습니다. 참으로 고귀한 용기이고 또한 거룩한 인생이었습니다. 젊은 시절에 무관심과 안일에 빠져 있던 저를 일깨워서 양심에 눈뜨게 하고 옳은 일에 가담하도록 용기를 북돋우고 인도해 주신 분들도 역시 기독교 지도자들이었습니다. 참으로 고마운 인연입니다. 그 고마운 하나님의 명을 받으신 분들이 나라와 국민을 위해서 오늘 이 조찬기도회를 여셨으니 우리나라와 국민에게 크나큰 축복이 아닐 수 없습니다. 초대받은 저에게도 큰 영광이고 또한 큰 축복입니다. 거듭 감사드립니다. 앞으로도 나라를 위해서 또 저를 위해서 계속 기도를 부탁드리겠습니다.

최 목사님께서 방금 말씀하셨습니다. 조금 전에 저는 투쟁을 얘기했습니다만, 인권을 위해서 민주주의를 위해서 과거의 역사가 그랬듯이 그 투쟁은 또한 불가피했습니다만, 이제는 민주주의를 위협하는 어떤 세력도 없습니다. 또한 인권을 짓밟는 독재정권도 없습니다. 명실공히 국민이 다스리는 국민주권 시대가 실행되고 있습니다. 이제는 민주주의의 핵심은 대화와 타협, 그리고 화해와 포용입니다. 대통령도 그리하겠습니다. 나와 뜻이 다른 사람을, 나를 공격하는 사람을 인정하고 존중한다는 것이 결코 쉬운 일은 아닐 것입니다. 그러나 민주주의를 신봉하는 만큼 반드시 상대를 존중하겠습니다. 그리고 뜻이 다를 때는 대화와 타협으로 뜻을 맞추도록 노력하겠습니다.

그래도 사람 사는 역사가 이미 증명하고 있듯이 모든 사람의 뜻이 다 하나가 되기는 어려울 것입니다. 그래서 민주주의는 규칙을 만들었습니다. 규칙으로 선거하고, 규칙으로 표결하고, 그 결과에 승복하고, 다음 심판의 시기까지 기다리고, 패자는 그때 가서 다시 심판을 받아서 승자가 될 수 있는 기회를 가지는 것이 민주주의의 원칙이자 도리입니다. 이 민주주의의 원칙을 저도 충실히 따르려고 합니다. 항상 그렇게 할 수 있도록 제 양심이 깨어 있고 제 용기가 꺾어지지 아니하고 절제할 수 있도록 기도해 주십시오. 그렇게 하겠습니다.

제가 변호사를 하던 시절에 목사님들께서 인도해 주셨습니다만, 제가 강하고 교만한 사람 편에 서지 않고 가난하고 힘없는 사람의 편에 서서 짧은 기간이나마 일할 수 있게 해 주신 데 대해서 저는 무한히 감사하게 생각하고, 평생 그것을 저에 대한 축복으로 생각하고 살겠습니다. 정치가 지역으로 분열돼서 서로 반목하고 해결책 없이 다툴 때, 제가 지역감정의 한 편에 서지 않고 상대와 함께 분열에 가담하지 않을 수 있는 그런 용기를 주신 데 대해서 지금도 저는 감사하게 생각하고 있습니다. 지금은 갈등이 많습니다. 이 갈등을 잘 풀어 나가고 또 반목을 잘 아울러서 우리 국민들이 하나되게 할 수 있는 지혜와 힘을 제게 주십시오.

지금 우리는 위기라고 얘기합니다만 또한 아울러 기회를 맞이하고 있습니다. 나가보면 우리나라만큼 부러움을 사고 있는 나라가 그렇게 많지 않습니다. 되는 나라입니다. 또한 우리나라만큼 불평이 많은 나라도 그렇게 많지 않은 것 같습니다. 그것은 우리의 성취동기가 너무나 높고 강하기 때문에 그런 것이라고 생각합니다. 그것도 잘 이용하면 국가발전에 동력이 될 수 있다고 생각합니다. 우리 모두가 힘을 합치면, 또 지도자들이 잘하면 충분히 성공할 수 있습니다. 저는 축복받은 나라라고 생각합니다. 저는 여러 가지로 모자란 점이 많습니다. 그러나 항상 어려울 때 지금까지 크게 용기를 주고 또한 일어설 수 있는 기회를 주셨듯이 앞으로도 그와 같은 용기를 계속 주시도록 그렇게 기도해 주십시오. 최선을 다하겠습니다.

감사합니다.

전국 공무원에게 보내는 서신(2)

2005년 3월 3일

공무원 여러분, 안녕하십니까?

어제 아침에 출근하여 국내언론비서관실에서 올라온 언론보도 요약 보고를 보니 '혁신… 뭡니까, 이게'라는 중앙일보 기사가 실려 있었습니다. 그동안 원체 혁신에 공을 들이고 있던 터라 혁신이라는 제목에 이끌려 다른 기사 다 제쳐두고 그 기사부터 얼른 읽어 보았습니다. 참으로 억장 무너지는 기사더군요. 요지는 혁신의 '혁'자만 들어도 머리 아파하는 공무원이 많고, 성과는 생색용이고, 혁신동아리 활동이라는 것도 잡담이나 나누고 시간이나 보내는 데 불과하여 혁신이 공직사회에서 완전히 겉돌고 있다는 결론입니다. 그것도 공무원의 생생한 이야기를 인용한 것이니 나로서는 충격이 아닐 수 없었습니다. 마음이 상했지만, 대꾸하지 않기로 작정하고 덮어 버렸습니다. 그런데 일을 마치고 관저에 돌아오니 아내가 또 이 기사를 오려서 내 책상 위에 올려놓았습니다. 아내도 남편이 하는 일이 다 헛수고라고 하니 무척 마음이 쓰였던 모양입니다. 저야 확신을 가지고 하는 일이고 이미 상당한 성과를 확인하고 박차를 가하고 있는 터이니 이만한 기사에 마음 흔들릴 일 없습니다만, 대통령이 하자는 일이라서, 아니라도 당연히 해야 될 일이라서 열심히 혁신활동을 하고 있는 공무원 여러분이 마음에 상처를 입거나 회의를 갖는 일이 생기지나 않을까 걱정되어 이 편지를 씁니다.

공무원 여러분,

우리 공무원은 이미 수백 건의 혁신 성공사례에 관한 보고서를 내놓고 있고, 그중 수십 건의 모범사례가 「변화를 선택한 리더들」, 「정부가 변하고 있다」등의 책으로 출판되어 공무원 사회에도 널리 퍼져 있습니다. 그리고 지금 이 시간에도 많은 공무원들이 혁신활동에 열심히 참여하고 있습니다. 제가 받은 설문조사 보고서에 의하면 우리 공무원들의 70% 이상이 혁신활동에 참여하고 있고, 60% 이상이 혁신활동과 자기 업무와의 연계에 대해 긍정적인 평가를 하고 있다고 합니다. 힘들고 짜증스럽기도 하겠지만, 그래도 할 일은 하고 있는 것입니다.

냉소하고 비방하고 분위기를 깨는 사람도 있겠지요, 언제 어떤 일에나 그런 사람은 있는 법이니까요. 그러나 일부 그런 사람이 있다고 전부가 그렇다고 치부하거나 그 사업이 다 실패했다고 하는 것은 정확한 사실을 말하는 것이라 보기 어려운 것입니다. 과수원에 사과 몇 알 상한 것이 있다고 이 과수원 사과는 다 상했다, 사과 농사는 망했다, 이렇게 말할 수는 없는 일입니다. 누구도 공무원 100%가 혁신활동에 열심히 참여할 것이고, 또 그렇게 해야 혁신이 성공하는 것이라고 믿지는 않습니다. 그렇게 어리석거나 순진한 생각으로 이처럼 어렵고 힘든 일을 시작하지는 않습니다.

사랑하는 공무원 여러분,

저는 공무원 여러분을 믿습니다. 선의를 믿고 역량을 믿습니다. 냉소하고 불평하는 공무원들이 우리 공무원들의 보편적인 모습은 결코 아니라는 확신을 가지고 있습니다. 깊이 살펴보지도 않고 하는 이런저런 평가에 마음 상하지 않았으면 좋겠습니다. 힘드시더라도 열심히 합시다. 그리고 반드시 성공하여 자랑과 보람을 함께 나눕시다.

다시 한번 여러분의 건강과 행운을 빕니다.

디지털타임스 창간 5주년 축하 메시지

2005년 3월 3일

디지털타임스 창간 다섯 돌을 진심으로 축하합니다. 임직원과 애독자 여러분에게 따뜻한 인사의 말씀을 전합니다. 디지털타임스는 IT 전문 경제지의 대표주자답게 우리 IT 산업과 정보통신인들의 든든한 길잡이가 되어 왔습니다. 이제 우리 대한민국은 세계가 주목하는 IT 선진국으로 발돋움했습니다. 지난해 IT 분야는 전체 수출액의 30%를 차지하며 명실상부한 국가핵심산업으로 자리잡았습니다. OECD 평균의 두 배가 넘는 경쟁력을 가지고 있습니다. 오는 2007년에는 IT 분야 수출 1천억 달러 시대가 열릴 것입니다.

디지털타임스에 거는 기대가 큽니다. 지금까지 해 온 것처럼 정확한 기사와 깊이 있는 분석으로 IT 산업 발전을 선도하고 벤처 활성화에 기여해 주시기 바랍니다. 아울러 쉽고 친절한 정보 제공으로 우리 사회의 정보격차를 해소하고 정보화를 생활 속에 뿌리내리는 데 더욱 힘써 주실 것을 당부드립니다. 거듭 창간 5주년을 축하드리며, 젊은 신문 디지털타임스의 더 큰 발전을 기원합니다.

제10회 케이블TV의 날 축하 메시지

2005년 3월 7일

여러분, 안녕하십니까?

제가 관저에서 매일 보는 텔레비전도 케이블TV에 연결돼 있습니다. 다양하고 좋은 프로그램들이 참 많은 것 같습니다. 출범 10주년을 진심으로 축하드립니다. 케이블TV를 보는 가구가 1,200만을 넘었다고 들었습니다. 10년 전에 비해 60배나 늘었다니 참으로 놀랍습니다. 이제 케이블TV는 또 하나의 삶의 활력소가 되고 있습니다.

영화·음악·드라마·게임·애니메이션 같은 문화콘텐츠산업이 새로운 성장동력으로 떠오르고 있습니다. 창의적인 우리 국민들이 누구보다 잘할 수 있는 분야입니다. 발전가능성 또한 무한히 큽니다. 케이블TV는 이러한 문화산업 발전에 중요한 역할을 할 수 있을 것입니다. 이제 10주년을 맞는 케이블TV는 더욱 앞서 가는 방송으로 한 단계 더 도약해야 합니다. 올해부터 본격화되는 디지털 방송과 내년부터 도입되는 HD 서비스는 그 좋은 계기가 될 것입니다. 정부도 방송통신 융합시대에 맞는 제도정비와 기술 지원에 더 많은 노력을 기울이겠습니다. 다시 한번 출범 10주년을 축하드리며, 여러분의 큰 발전을 기원합니다.

제53기 공군사관학교 졸업 및 임관식 치사

2005년 3월 8일

친애하는 공군사관학교 제53기 졸업생 여러분, 학부모님과 내외 귀빈 여러분,

오늘 명예로운 대한민국 공군 장교로 첫발을 내딛는 졸업생 여러분의 임관을 진심으로 축하합니다. 이처럼 늠름한 정예 장교들을 길러낸 학교장 김명립 장군과 교수, 훈육관 여러분의 노고를 치하합니다. 수고하셨습니다. 아울러 이 자리에 함께하신 부모님들께 각별한 축하와 감사의 말씀을 드립니다. 정말 장한 아들딸들을 두셨습니다. 나는 군 통수권자로서 늘 무거운 책임감을 느끼고 있습니다. 한시도 마음의 긴장을 늦추기 어렵습니다. 그러나 오늘 저는 여러분의 당당하고 믿음직한 모습을 보면서 참으로 마음 든든함을 느낍니다.

졸업생 여러분,

우리 대한민국은 오랜 역사를 통해서 평화를 추구해 왔고, 또 앞으로도 그렇게 할 것입니다. 그런데 평화는 말로써 지켜지는 것이 아닙니다. 평화를 깨뜨리는 세력에 맞서서 이를 물리치고 응징할 수 있는 힘이 있을 때 비로소 평화는 지켜지는 것입니다. 100년 전에도 우리는 평화를 추구했습니다. 그러나 스스로를 지킬 힘이 없었던 우리의 평화주의는 그야말로 무의미했습니다. 우리 땅에서 일본과 청나라, 그리고 러시아가 전쟁을 벌이는 동안에도 우리는 그저 지켜봐야만 했고, 마침내 나라마저 강탈당하고 말았습니다.

그러나 이제 다릅니다. 우리를 지킬 만한 넉넉한 힘을 가지고 있습니다. 누구도 감히 넘볼 수 없는 막강 국군을 가지고 있습니다. 오늘 여러분을 보며 그것을 다시 한번 확인할 수 있습니다. 그래서 여러분의 졸업을 축하하는 마음이 더욱 기쁘고 자랑스럽습니다. 이제 우리 군은 한반도뿐만 아니라 동북아시아의 평화와 번영을 지키는 것을 목표로 하고 있습니다. 동북아시아의 세력균형자로서 이 지역의 평화를 굳건히 지켜 낼 것입니다. 이를 위해 동북아시아의 안보협력 구조를 만드는 데 앞장서고, 한·미동맹의 토대 위에서 주변국들과의 협력을 더욱 강화해 나갈 것입니다. 이러한 협력과 병행해서 자주국방역량을 갖추어 나가야 합니다. 앞으로 10년 이내에 스스로 작전권을 가진 자주군대로서 발전해 나갈 것입니다.

그리고 주한미군은 한반도의 평화와 안정을 위해서 매우 중요하고, 앞으로도 지속적인 역할을 해 나갈 것입니다. 최근 일부에서 주한미군의 역할 확대를 둘러싸고 여러 가지 우려의 목소리가 나오고 있습니다. 이른바 '전략적 유연성'에 관한 문제입니다. 그러나 분명한 것은 우리의 의지와 관계없이 우리 국민이 동북아시아의 분쟁에 휘말리는 일은 없다는 것입니다. 이것은 어떤 경우에도 양보할 수 없는 확고한 원칙으로 지켜나갈 것 입니다.

국군장병 여러분,

우리 군은 그동안 자주국방역량을 강화하고 그 면모를 일신하기 위해서 많은 노력을 기울여왔습니다. 지금까지 추진해 온 국방개혁을 더욱더 힘 있게 밀고나가야 합니다. 미래 안보환경에 능동적으로 대응할 수 있도록 한층 정예화해야겠습니다. 군 구조를 개편해서 각 군의 균형발전과 국방운영의 효율성을 높이고, 전시작전권 환수에 대비해서 독자적인 작전기획능력도 확보해 나가야 합니다. 인사를 비롯한 군의 모든 분야에 있어서 공정성과 투명성도 더욱 높여 나가야 합니다. 국방획득제도 개선을 위한 최근의 노력은 그 좋은 사례가 될 것입니다. 특히 국방개혁이 일회성에 그치지 않고 지속적으로 추진될 수 있도록 이를 법제화하는 데 더욱 힘써 줄 것을 당부합니다. 하나하나가 결코 쉬운 일은 아니지만 우리 군은 강력한 혁신의 의지로써 반드시 해낼 것으로 믿습니다.

신임장교 여러분,

이제 여러분은 용맹스럽고 사기충천한 보라매가 되어서 우리의 하늘을 수호할 것입니다. 현대전에 있어서 공군력은 전쟁억제의 핵심전력일 뿐만 아니라 전쟁승리의 결정적인 요소입니다. 공중조기경보통제능력, 정보·정찰 전력 등을 강화해서 자주국방의 선봉이 돼 줄 것으로 기대합니다. 나는 필승공군의 힘찬 기상과 명예를 더욱 높여 갈 여러분을 굳게 믿습니다. 조국을 위해 군인의 길을 선택한 여러분의 앞날에 나와 우리 국민이 함께할 것입니다. 여러분의 무운과 영광을 기원합니다.

감사합니다.

투명사회협약 체결식 연설

2005년 3월 9일

여러분, 대단히 감사합니다.

이처럼 뜻깊은 자리에 함께하게 돼서 매우 기쁩니다. 우리가 거국적이라는 말을 자주 써 왔는데 대체로 실감이 안 나는 경우가 많았습니다. 그런데 오늘 이 자리는 그야말로 거국적이라는 말을 써도 될 자리가 아닌가 싶습니다. 시민사회와 경제계, 정치권, 정부가 함께 손을 맞잡고 협약을 체결한 것은 정부 수립 이후 처음 있는 일이 아닌가 생각됩니다.

영상물과 서명하는 모습을 보면서 우리가 정말 성공적인 민주주의 모델 하나를 만들었구나 하는 생각이 들었습니다. 협약문의 내용이나 참여하신 분들을 봐도 그렇고 체결과정을 봐도 그렇습니다. 대화를 통해서 공동의 목표에 합의하고 그것을 사회적 약속으로 발전시키는 그런 모범을 세웠습니다. 이러한 협약이 노사관계 등 사회 각 분야로 확산돼서 국민의 힘을 한데 모으고 우리 사회를 한층 성숙시키는 계기가 됐으면 참 좋겠다고 생각합니다.

아일랜드의 경우 1987년 국가재건협약을 맺고 사회통합을 이루어 낸 결과 1만 달러 수준이던 국민소득이 2002년에 3만 달러로 올라섰고, 20%에 육박하던 실업률도 지금은 3~4%대에 머물러 있습니다. 오늘 우리가 서명한 협약도 더 투명한 사회, 선진한국으로 나아가는 디딤돌이 될 것이라고 확신합니다. 협약을 제안한 시민단체 여러분과 이에 흔쾌히 호응하신 정치권, 경제계 여러분 모두에게 깊은 감사와 치하 말씀을 드립니다. 정말 큰일을 해내셨습니다.

존경하는 각계 지도자 여러분,

지난 반세기 동안 우리가 이룩한 경제성장과 민주주의의 발전은 스스로 자부심을 갖기에 충분합니다. 그러나 부패문제에 있어서만은 큰소리하기가 어려웠습니다. 투명성지수가 아직도 세계 40위권에 머물러 있습니다. 물로 치면 아직 3급수 수준이라고 말할 수밖에 없을 것입니다. 물론 그동안에도 부패청산 노력이 없었던 것은 아닙니다. 1993년에는 금융실명제가 도입됐고, 국민의 정부 들어서는 관치금융의 폐해를 해소하기 위한 개혁이 이루어지기도 했습니다. 그리고 지난 대선과 총선을 거치면서 정경유착의 고리는 확실히 끊어진 것 같습니다. 이제 선거철에 기업들이 몸살을 앓는다는 얘기나 연말이 되면 해외로 나가는 그런 문화는 없어지지 않을까 생각합니다. 그야말로 경영활동에만 전념할 수 있는 여건이 마련됐다고 생각합니다. 그러나 지난 수십 년간 고질화된 부패문제를 근본적으로 해결하기 위해서는 사회 전반의 투명성을 획기적으로 높여 나가야 합니다. 행정과 시장 시스템을 개선해서 부패가 일어날 수 있는 소지를 아예 없애야 합니다. 공기가 잘 통하고 햇볕이 잘 들면 곰팡이는 자연히 스러지게 마련입니다.

무엇보다 시민이 적극적으로 참여하는 시민적 통제제도가 확립돼야 합니다. 모든 국민이 눈을 부릅뜨고 감시하는 것이야말로 가장 효과적인 부패추방의 방법입니다. 그랬을 때 우리 사회는 특혜를 줄래야 줄 수도 없는, 그리고 청탁을 해봤자 별 소용이 없는 그런 사회가 될 것입니다.

참석자 여러분,

오늘 맺은 투명사회협약은 정말 중요한 약속들을 많이 담고 있습니다. 이제 보다 구체적인 추진 로드맵을 통해서 하나하나 실천에 옮겨야 할 것입니다. 먼저 공직부패수사 전담기구가 조속히 설치됐으면 좋겠습니다. 이 문제는 국민적 공감대가 높고 권력기관을 견제할 수 있다는 점에서 반드시 필요한 일입니다. 이미 국회에 법안을 제출해 놓고 있습니다. 여야가 합의해서 잘 처리해 주시기를 기대합니다. 공직자 재산등록 제도도 좀더 실효성을 높이는 방향으로 개선해 나가야 합니다. 공직자윤리법을 개정해서 재산형성 과정에 대한 심사를 강화하고 주식백지신탁 제도 등을 추진해 나가야 될 것입니다. 최근 문제가 제기되고 있는 고위 공직자 인사검증제도에 대해서는 개선방안을 마련 중에 있습니다. 검증 대상과 절차를 법제화하고 국회 인사청문회 적용대상을 국무위원으로까지 확대하는 방향으로 개선해 나가고자 합니다.

공직사회나 정치권의 부패는 민간부문, 특히 경제계와 맞닿아 있습니다. 민간부문의 투명성이야말로 국가경쟁력이고 선진경제를 이루는 필수요건입니다. 외국인 투자자들은 코리아 디스카운트의 원인으로 분식회계와 지배구조, 그리고 규제문제를 들고 있습니다. 우리 기업의 지배구조가 개선되면 주식가격에 24%의 프리미엄이 더해질 것이고, 우리 경제가 싱가포르 수준으로 투명해지면 연평균 15조 원 이상의 달러가 국내시장에 들어올 것이라는 연구결과도 있습니다. 정부도 부패방지위원회를 중심으로 450개의 제도개선과 규제완화 과제를 도출해서 하나하나 개선해 나가고 있습니다. 앞으로 더욱 박차를 가해 나갈 것입니다.

참석자 여러분,

약속은 하는 것도 중요하지만 지키는 것이 더 중요합니다. 그런 점에서 협약실천위원회의 설치를 명문화한 것은 아주 잘된 일이라고 생각합니다. 범국가적인 부패방지 시스템의 중요한 한 축으로 작용할 수 있도록 국민적인 지원과 참여가 있기를 바랍니다. 투명사회는 반드시 가야 할 길입니다. 또 성공할 것이라는 확신도 있습니다. 한국이 산업화의 벤치마킹 모델이 됐듯이 부패청산과 투명화에 있어서도 또 하나의 본보기가 되도록 합시다. 저와 정부도 최선을 다하겠습니다. 그동안 수고하신 여러분께 다시 한번 감사말씀 드립니다.

감사합니다.

주르차니 헝가리 총리 내외를 위한 만찬사

2005년 3월 10일

존경하는 쥬르차니 총리 각하 내외분, 그리고 귀빈 여러분,

올해 첫번째 귀빈으로 총리 각하를 모시게 된 것을 매우 기쁘게 생각하며, 진심으로 환영합니다. 경제인으로 풍부한 경험을 쌓아 오신 각하에 대한 국민의 기대가 매우 크다고 들었습니다. 늦었지만 취임을 축하드립니다. '사회정의와 진보'라는 각하의 정치철학은 헝가리 국민의 복지와 삶의 질 향상에 크게 기여할 것입니다.

우리는 헝가리의 저력을 잘 알고 있습니다. 1989년 동독 난민들을 위해 국경을 개방함으로써 독일 통일과 냉전종식의 물꼬를 텄습니다. 체제전환 이후에는 민주주의와 시장경제를 성공적으로 받아들이고, 지난해에는 EU에 가입함으로써 새로운 도약의 전기를 맞고 있습니다. 나는 헝가리가 중부유럽의 핵심국가로서 더욱 왕성하게 발전해 나갈 것으로

확신합니다.

　총리 각하,

　헝가리는 옛 사회주의 국가 중에서 우리와 가장 먼저 수교했습니다. 우리나라가 냉전의 장벽을 허물고 세계로 나아갈 수 있는 길을 열어주었습니다. 그만큼 헝가리에 대한 우리 국민의 우정은 각별합니다. 우리 두 나라는 닮은 점도 많습니다. 언어와 매운 것을 좋아하는 식성까지 비슷합니다. 또한 두 나라 모두 주변 강대국들의 각축 속에서도 민족의 자존과 정체성을 지켜 온 역사를 가지고 있습니다. 경제적으로도 중요한 파트너가 되었습니다. 헝가리는 중부유럽 국가 가운데 우리의 최대 교역국이며, 세번째 투자대상국입니다. 이미 20개가 넘는 우리 기업이 진출해서 양국의 번영에 기여하고 있습니다. 앞으로도 EU와 동북아시아 시장의 전략적 파트너로서 상호협력이 더욱 확대되기를 기대합니다. 오늘 체결한 경제협력협정과 조속히 체결키로 합의한 사회보장협정도 좋은 계기가 될 것입니다.

　총리 각하, 그리고 내외귀빈 여러분,

　각하의 건승과 헝가리의 무궁한 발전, 그리고 우리 두 나라의 영원한 우정을 위해 축배를 들어 주시기 바랍니다.

　감사합니다.

3·15 의거 제45주년 기념 메시지

2005년 3월 15일

3·15의거 마흔다섯 돌을 매우 뜻깊게 생각합니다. 민주주의를 위해 고귀한 목숨을 바치신 영령들의 명복을 빕니다. 마산시민과 경남도민 여러분께 깊은 존경과 감사의 말씀을 드립니다. 3·15의거는 정의는 반드시 승리한다는 것을 확인시켜 준 자랑스런 역사입니다. 4·19혁명의 기폭제가 되었고, 부마항쟁과 5·18민주화운동, 그리고 6월항쟁으로 이어져 이제 세계가 인정하는 민주주의 나라를 이뤄 냈습니다.

참여정부 들어서도 우리의 민주주의는 많은 진전이 있었습니다. 돈선거가 사라지고 공작이나 매수는 생각도 할 수 없는 선거다운 선거가 치러지고 있습니다. 정경유착이 설 땅을 잃고, 검찰·국정원과 같은 권력기관들이 국민의 봉사기관으로 거듭났습니다. 이제 여기에 머물지 않고 한 단계 더 성숙한 민주주의 시대로 나아가야 합니다. 상대를 존중하고 대화와 타협으로 갈등과 차이를 극복하는 노력이 필요합니다. 당당하게 경쟁하고 결과에 승복하는 문화를 만들어 가야 합니다. 이것이 자유·민주·정의의 3·15정신을 오늘에 구현하고 선진한국을 열어 가는 길이라고 생각합니다. 여기에 마산시민과 경남도민 여러분이 또 한번 앞장서 주시기를 바라며, 여러분 모두의 건강과 행복을 기원합니다.

제21기 경찰대학 졸업 및 임용식 치사

2005년 3월 16일

친애하는 경찰대학 21기 졸업생 여러분, 학부모와 내외 귀빈 여러분,

먼저 어려운 교육과정을 성공적으로 마치고 대한민국 경찰 간부로 첫발을 내딛는 여러분의 졸업과 임용을 축하합니다. 패기 넘치고 늠름한 모습이 참으로 마음 든든하고 자랑스럽습니다. 특히 남학생과 똑같이 고된 훈련과정을 이겨 낸 11명의 여학생들에게 각별한 격려를 보냅니다. 이처럼 훌륭한 치안역군을 키워 낸 강영규 학장과 교직원 여러분의 노고를 치하하며, 귀한 아들딸들을 나라의 일꾼으로 맡겨 주신 학부모님께 감사와 축하의 말씀을 드립니다.

졸업생과 전국의 경찰관 여러분,

우리 경찰의 역량은 다른 어느 나라보다 우수합니다. 또한 헌신적으로 일하고 있습니다. 지난해 체감치안의 핵심인 절도범죄가 17% 넘

게 감소했습니다. 폭력시위도 32%나 줄어들어 길거리가 조용해졌습니다. 안전띠 매기와 정지선 지키기 운동은 교통사고 사망자를 획기적으로 줄이는 데 기여했습니다. 최근에는 3년 전에 일어난 살인사건의 범인을 DNA 분석을 통해서 검거했습니다. 우리 경찰의 과학수사 능력과 범인 검거에 대한 끈질긴 집념을 상징적으로 보여 준 사례라 하겠습니다. 저는 이 같은 노력이 우리나라를 세계에서 손꼽히는 안전한 나라로 만들고 있다고 생각하며, 15만 경찰관 모두에게 마음으로부터 치하와 감사를 드립니다.

그러나 경찰관 여러분,

우리를 둘러싼 치안환경은 날로 복잡해지고 있고, 치안 서비스에 대한 국민의 기대도 커지고 있습니다. 끊임없이 혁신하지 않으면 안됩니다. 역동적인 변화가 내부에서 일어나야 합니다. 변화와 혁신, 그 자체가 경찰의 직무가 되어야 합니다. 허준영 청장 취임 이후 치안 서비스의 품질을 높이고 경찰의 역량을 고도화하기 위해서 열심인 것으로 알고 있습니다. 무엇보다 법과 원칙이 바로 서고 모든 국민이 안심하고 생업에 종사할 수 있도록 해야 합니다. 민생과 경제질서 침해 범죄는 반드시 근절되어야 합니다. 또 우리 아이들이 마음 놓고 학교생활을 할 수 있어야 합니다. 그런 점에서 최근 강력하게 추진하고 있는 학교폭력 근절노력이 큰 성과를 거두도록 해야 하겠습니다. 질서 있고 안정된 사회야말로 선진사회로 가는 필수요건입니다. 더욱 분발해서 국민에게 더 큰 신뢰를 받는 경찰이 되어 주기 바랍니다.

친애하는 경찰관 여러분,

저는 어려운 여건에서 힘들게 근무하고 있는 우리 경찰을 보면 늘 안타깝고 미안한 마음입니다. 직무특성상 주 40시간 근무제 혜택도 누리기 어렵다는 것도 잘 알고 있습니다. 제도적인 뒷받침 없이 언제까지 사명감만 요구할 수는 없다고 생각합니다. 국민의 생명과 재산을 지키는 숭고한 책무에 걸맞은 권한과 복지가 갖춰져야 합니다. 저는 우리 경찰이 높은 긍지와 자부심을 가지고 당당하고 떳떳하게 일할 수 있는 여건을 만들어 갈 것입니다.

수사권 문제는 지금 활발한 대화가 이루어지고 있습니다. 이대로 가면 머지않아 매듭을 지을 수가 있을 것입니다. 민주사회에서 권력기관은 국민을 위한 봉사기관이 되어야 하고, 그러자면 견제와 균형의 원리가 작동되어야 합니다. 경찰이 책임감 있게 범죄에 대응할 수 있도록 제도를 정비할 필요가 있습니다. 경찰 스스로도 우수한 수사능력과 고품질의 수사 서비스를 통해서 국민에게 평가받겠다는 자세로 철저히 준비해야 할 것입니다.

지난해 우리는 사회적 합의를 통해서 주민생활 중심의 자치경찰제를 도입했습니다. 국민주권과 주민자치라는 측면에서 대단히 의미 있는 결정이었다고 생각합니다. 국가 전체의 치안역량과 국민편익을 크게 높이는 기회로 만들어 가야 할 것입니다. 경찰은 수요자인 국민의 관점에서 자치경찰과 유기적으로 협력하고 상호 경쟁을 통해 민생보호에 더욱 충실해 주기 바랍니다.

국민 여러분께서도 경찰에 대한 애정과 믿음을 가지고 적극적으로 성원해 주시기를 부탁드립니다.

사랑하는 졸업생 여러분,

이제 여러분은 힘들고 고되지만 명예로운 경찰의 길에 들어섰습니다. 온 국민이 여러분의 장도를 기대와 믿음으로 지켜보고 있습니다. 저는 여러분 모두가 국민과 고락을 함께 하는 진정한 공복이 되고, 선진한국을 앞당기는 주역이 되어줄 것으로 믿습니다. 다시 한번 졸업을 축하하며, 여러분의 앞날에 영광과 축복이 함께하기를 기원합니다.

감사합니다.

카빌라 콩고민주공화국 대통령을 위한 만찬사

2005년 3월 17일

존경하는 조세프 카빌라 대통령 각하, 그리고 내외 귀빈 여러분,

멀리 아프리카에서 오신 각하와 일행 여러분을 진심으로 환영합니다. 올해 우리나라 첫 국빈으로 각하를 모시게 된 것을 매우 기쁘게 생각합니다. 시장경제와 국제협력을 중시하는 각하께서는 콩고민주공화국에 희망을 심어 오셨습니다. 정치적 안정을 바탕으로 지난해 7%가 넘는 경제성장을 이룩했습니다. 특히 각하의 주도적인 노력으로 이루어 낸 '프레토리아 평화협정'과 '다레살렘 선언문'을 통해 평화 정착의 확실한 토대를 구축한 것은 그 의미가 매우 큽니다. 나는 국내외적으로 평화와 안정의 기반 위에 선 콩고민주공화국이 중부 아프리카의 중심국가로 떠오르게 될 것임을 확신하며, 각하께서 이룩한 큰 성과에 존경과 축하의 말씀을 드립니다.

대통령 각하,

나는 오늘 정상회담에서 우리 두 나라가 상호 협력할 분야가 매우 많다는 것을 거듭 확인했습니다. 콩고민주공화국의 석유·구리를 비롯한 풍부한 자원과 우리의 경험·기술·자본이 합쳐지면 서로에게 큰 도움이 될 것입니다. 오늘 체결한 투자보장협정을 계기로 전자·통신·건설 등에 있어서 활발한 상호협력이 이루어질 것으로 기대합니다. 최근 들어 양국 간 인적교류가 늘어나면서 서로에 대한 관심이 커지고 있습니다. 지난 1월에는 우리 정부사절단이 콩고민주공화국을 방문해서 실질협력방안을 모색하고 돌아왔습니다. 얼마 전에는 각하의 누님이신 자넷 카빌라한·콩고개발재단 이사장께서 우리나라를 방문해서 많은 활동을 하시고 명예박사학위도 받으셨습니다. 이번 각하의 방한을 계기로 양국 간 교류는 더욱 확대될 것입니다. 나는 우리 두 나라가 유엔을 비롯한 국제무대에서도 좋은 친구가 되기를 원합니다. 양국이 함께 추구해 온 민주·평화·번영의 이상을 아프리카와 아시아 모든 나라로 넓혀 가는 동반자가될 수 있기를 바랍니다.

대통령 각하, 그리고 내외 귀빈 여러분,

각하의 건승과 콩고민주공화국의 무궁한 발전, 그리고 양국의 영원한 우정을 위해 축배를 들어 주시기 바랍니다.

감사합니다.

아이뉴스24 창간 5주년 축하 메시지

2005년 3월 20일

아이뉴스24 창간 다섯 돌을 진심으로 축하드립니다. 임직원과 네티즌 여러분께도 반가운 인사말씀을 전합니다. 아이뉴스24는 빠르고 정확한 기사로 IT 전문인들이 가장 즐겨 찾는 사이트가 되고 있습니다. IT를 생활 속에 뿌리내리는 데에도 큰 역할을 해 왔습니다. 이제 우리나라는 명실상부한 IT 강국입니다. 광대역 인터넷망 보급률이 76%로서 세계 최고이고, 휴대전화 보급률도 선진국들을 크게 앞서고 있습니다. 최근 독일에서 열린 세계 최대 IT 전시회 세빗(CeBIT)은 우리 기업들에 대한 안팎의 평가를 재확인하는 자리였습니다.

이제는 소프트웨어와 디지털 콘텐츠에서도 최강국의 꿈을 키워 가야 하겠습니다. 이 분야는 우수인력이 많고 세계 최고 수준의 정보화 인프라를 갖추고 있는 우리에게 매우 유리합니다. 열정을 가지고 도전하면 반드시 성공할 수 있다고 확신합니다. 우리의 온라인 게임이 세계 시장에서 크게 각광받고 있는 것도 그 가능성을 말해 주고 있습니다. 그런 면에서 아이뉴스24의 창간 5주년 연중기획 '콘텐츠가 국력이다'는 대단히 의미 있고 시의적절하다고 생각합니다. 앞으로도 IT와 콘텐츠산업의 발전을 선도하는 길잡이가 되어 주길 바랍니다. 거듭 창간 5주년을 축하드리며, 네티즌 여러분의 건강과 행복을 기원합니다.

제40기 육군3사관학교 졸업 및 임관식 치사

2005년 3월 22일

친애하는 육군3사관학교 40기 졸업생 여러분, 학부모님과 내외 귀빈 여러분,

오늘 명예로운 대한민국 육군 장교로 임관된 여러분의 졸업을 진심으로 축하합니다. 어려운 교육과정을 성공적으로 마친 여러분의 늠름한 모습이 매우 자랑스럽습니다. 여러분 모두가 우리 땅을 수호하는 초석이 될 것입니다. 정말 마음 든든합니다. 여러분과 함께 밤낮없이 고생해 온 학교장 박종달 장군과 교수, 훈육관들의 노고를 치하합니다. 특별히, 자리를 함께하신 학부모님께도 축하를 드립니다. 귀한 아들들을 훌륭하게 길러 나라에 맡겨 주신 데 대해서 깊은 감사의 말씀을 드립니다.

졸업생 여러분,

여러분이 국방의 현장으로 나가는 지금 우리를 둘러싼 동북아시아

의 질서는 여전히 불투명합니다. 이런 때일수록 우리의 의지와 역량이 무엇보다 중요합니다. 어떠한 상황에서도 우리 스스로를 지킬 수 있는 강력한 힘이 있어야 합니다. 적어도 대외관계나 안보문제에 있어서는 국민의 뜻을 하나로 모아야 합니다. 그래야만 우리의 가치와 자존심을 지킬 수 있습니다. 이미 우리 국군은 누구도 넘볼 수 없는 강력한 군대로 성장했습니다. 경제력도 세계 열 손가락에 꼽힐 만큼 커졌고, 그리고 정치적으로 당당한 민주주의의 나라로 대접받고 있습니다. 또한 우리 대한민국은 동북아시아의 전통적인 평화세력입니다. 역사 이래로 주변국을 침략하거나 남에게 해를 끼친 일이 없습니다. 우리야말로 떳떳하게 평화를 말할 자격이 있다고 생각합니다. 이제 우리는 한반도뿐만 아니라 동북아시아의 평화와 번영을 위한 균형자 역할을 해 나갈 것입니다. 따질 것은 따지고 협력할 것은 협력하면서 주권국가로서의 당연한 권한과 책임을 다해 나가고자 합니다. 앞으로 우리가 어떤 선택을 하느냐에 따라 동북아의 세력판도는 달라질 것입니다.

　국군장병 여러분,

　우리 군은 지금 국방개혁에 매진하고 있습니다. 지속적인 구조개편을 통해서 현대화된 정예군으로 거듭나야 합니다. 또한 군의 경쟁력을 강화하기 위한 국방문민화와 3군의 균형발전도 함께 이루어야 합니다. 나는 군 통수권자로서 지난주에 구성한 대통령 직속의 국방발전자문위원회를 통해서 국방개혁을 적극 뒷받침해 나갈 것입니다. 부모들이 안심하고 자식을 군에 보낼 수 있는 여건을 만드는 것도 매우 중요합니다. 잘못된 관행은 하루속히 바꾸어야 합니다. 가혹행위나 장병들의 인격을 모독하는 일이 결코 있어서는 안될 것입니다. 신임 장교 여러분의 각별한 노력을 당부합니다. 군의 사기와 복지는 국방전력의 핵심입니다. 그동안 복무여건을 개선하고, 전역 후 사회진출 문제에 대해서도 많은 노력을 기울여 왔습니다. 앞으로도 간부들의 숙소와 병사들의 병영시설을 획기적으로 개선하는 등 최선을 다해 나갈 것입니다.

신임 장교 여러분,

여러분은 조국을 위해 힘든 길을 선택했습니다. 여러분이 소임을 다할 때 우리 국민은 최상의 명예를 여러분께 줄 것입니다. 나는 여러분이 3사관학교의 자랑스런 전통을 이어받아 자주국방의 간성이 되어 줄 것으로 굳게 믿습니다. 여러분의 무운과 건승을 기원합니다.

감사합니다.

국민 여러분께 드리는 글
- 행정수도 건설을 결심하게 된 사연 -

2005년 3월 22일

1975년 사법연수원에 다니던 시절이었습니다. 어느 날 서울시 도시계획국장을 지냈던 손정목 씨가 도시학이라는 생소한 이름의 강의를 한 일이 있습니다. 도시의 내력에 관한 여러 가지 새로운 이야기에 걸쭉한 입담까지 곁들여진 재미있는 강의였습니다.

그중 아직까지 잊혀지지 않고 무슨 일이 있을 때마다 떠오르는 인상적인 이야기 하나가 있습니다. "많은 사람들이 '서울은 만원이다. 서울 집중은 막아야 한다. 서울의 인구 집중을 유발하는 중요기관은 지방으로 보내야 한다.'고 말하지만, 막상 '당신이 가겠느냐?'고 물으면 이야기는 달라진다. 말하는 사람 대부분이 힘 꽤나 쓰는 사람들이고 그 사람들의 생각은 '나는 빼고 다른 사람들이나 보내라.'는 것이다." 대강 이런 내용이었습니다. 당시 그 말의 취지가 서울의 분산을 찬성하는 것이었는지 반대하는 것이었는지는 잘 알 수 없었지만, 어쩐지 나는 그 말이 오랫동안 잊혀지지 않았습니다. 1977년 대전지방법원에 초임 판사로 발령받았을 때 대전은 행정수도 바람으로 들떠 있다가 거품이 빠지면서 해약소송이 물밀듯 밀려들어 계약해제에 관한 법리 공부를 열심히 했던 기억이 있습니다. 그리고 1978년 초 연두기자회견에서 박정희 대통령이 행정수도 건설계획을 발표했습니다.

이 당시 나는 행정수도에 그다지 큰 관심을 갖고 있지 않았지만, 서울 집중의 폐해에 관해서 훨씬 이전부터 많은 문제 제기가 있었으므로 그저 좋은 일로만 생각했습니다. 여론도 별로 반대가 없었던 것으로 알고 있습니다. 그 때 나는 주말이 되면 경남 진영에 살고 계시는 어머니를 뵈러 대전과 부산을 자주 왕래하던 터라 기차를 탈 때마다 행정수도가 대전 부근에 오면 가까워져서 좋겠다는 생각을 하며 은근한 기대를 갖기도 했습니다.

1978년 부산에서 변호사 개업을 하고, 1980년 초 사회운동에 참여하면서부터 어려운 사람들에 대한 관심과 더불어 공해문제에도 눈을 돌리게 되었습니다. 1983년에는 젊은 청년들에 이끌려 공해문제연구소에 참여했는데, 얼마 안 있어 이 연구소가 내 사무실 한 편을 차지하고 들어오는 바람에 자연스럽게 공해문제에 관해 이런저런 생각을 많이 하게 되었습니다. 공해문제에 관심을 가지면서 대도시 문제가 보이기 시작했습니다. 1980년대 중반 부산 문현동 산비탈 마을에 산사태가 나서 수십 명이 사망하는 사고가 일어났습니다. 그때 산비탈에 판잣집을 짓고 기대어 살다가 흙더미에 깔려 참변을 당한 피해자들은 대부분 무작정 대도시로 몰려들어온, 그야말로 가난하고 힘없는 서민들이었습니다. 이미 연탄가스 사고에 관한 보도가 사라져 가던 시절이었으나 그들은 여전히 연탄가스의 공포와 더불어 살고 있었습니다.

도시문제에 대해 공부하기 시작한 것도 이 무렵입니다. 부산일보 도서실에 가서 스크랩을 뒤지고 일본어로 된 다섯 권짜리 도시학 시리즈를 뒤적여 보기도 했습니다. 정부는 1972년 국토기본계획에서부터 대도시 집중을 억제하기 위한 여러 정책을 마련해 두고 있었으나, 권력의 집중과 집중된 권력의 서울 집중으로 아무런 실효를 거두지 못하고 오히려 집중과 과밀현상은 더욱 악화되고 있다는 사실을 확인할 수 있었습니다. 나아가 대도시 집중은 단순히 공해와 비용의 문제만이 아니라 정신병, 마약, 청소년 범죄 문제에 이르기까지 인간의 삶을 뿌리째 황폐화시킬 수 있다는 사실도 그 때 알게 되었습니다. 이즈음부터 나는 부산의 인구를 늘려야 한다는 정책이나 운동에 반대하는 입장에 서 왔고, 지금까지 이 생각을 변함없이 지켜 오고 있습니다. 도시가 클수록 건강하고 쾌적한 삶을 누리기에는 적합하지 않습니다. 규모만 크다고 일류도시가 아닙니다. 인구가 많고 땅값이 비싸다고 살기 좋은 도시가 되는 것은 더더욱 아닙니다. 최근 세계 유수의 컨설팅업체가 조사한 살기 좋은 도시 순서에서도 서울은 세계 215개 도시 중 90위에 머물러 있습니다.

1991년부터 지방선거가 시작되었고, 나는 1993년에 지방자치연구소를 열었습니다. 1987년 대선을 앞두고 야당이 분열하였으나 통합의 희망은 있었습니다. 그러나 1990년 3당합당은 야당과 지역의 분열을 돌이킬 수 없는 상태로 만들어 버렸습니다. 김정길 의원과 나, 그리고 몇 사람이 통합의 깃발을 지키고 있었으나 역부족이었습니다. 다시 시작해야 했습니다. 분열의 원인이 된 정치·사회의 토대를 바꾸어야 했습니다.

관치경제라는 이름에서 알 수 있듯이, 당시에는 사업자금 몇 억 원 빌리는 것도 본점 승인이 있어야 했고, 승인을 좌우하는 힘은 권력이 가지고 있었습니다. 이처럼 모든 결정권을 권력이 가지고 있으니 권력을 둘러싼 투쟁은 사생결단이 될 수밖에 없었고, 이러한 권력의 편중과 소외가 지역으로 갈려서 장기화됨으로써 이른바 정치의 지역대결이 된 것입니다. '지금부터라도 권력을 지역으로 분산하자. 다행히 1991년부터 지방자치가 시작되었으니 지방자치를 통하여 권력을 지방으로 분산하면 지역대결도 좀 누그러질 것이다. 더욱이 지방자치는 민주주의의 풀뿌리라고 하지 않는가,' 이것이 내가 지방자치연구소를 세운 이유입니다.

그 다음은 돈 문제입니다. 지방자치 그냥 되는가? 예산이 있어야 합니다. 국세를 지방으로 넘겨주는 것도 생각해 볼 수 있을 것입니다. 그런데 어느 세금을 넘겨주어도 걷히는 세금의 절반 이상은 서울의 몫이 될 수밖에 없습니다. 지금도 세금을 지방으로 넘겨줘야 한다는 주장을 하는 사람들이 있는데 이것은 사정을 모르는 이야기입니다. 국가가 거두어서 지방으로 나누어 주기 전에는 세금도 지역편중을 벗어날 길이 없습니다. 말하자면 수도권에서 거둔 세금을 다른 지방으로 더 많이 나누어 주어야 하는 것입니다. 거의 모든 선진국들이 그렇게 하고 있습니다. 심지어 유럽연합은 개발기금을 조성해서 낙후된 신규 회원국을 지원하는 형태로 국가 간에도 유사한 일을 하고 있습니다.

그런데 문제는 우리나라가 이 일을 할 수 있을까 하는 것입니다. 결론은 불가능할 수도 있다는 것입니다. 몇 년 전 서울의 각 구청에서 재산세를 걷으니 강남은 세금이 넘치고 강북 여러 구는 돈이 없어 구청 살림이 말이 아니었습니다. 그래서 이 세금을 서울시가 걷어서 나누어 주는 방향으로 법 개정을 시도하였으나 결국 실패하고 말았습니다. 물론 강남 사람들의 강력한 반대 때문이었습니다. 같은 서울시 안에서도 일이 이렇게 돌아가는데 전국 단위에서야 오죽하겠습니까? 당연히 어려울 것입니다.

그러나 해답이 그렇게 나와서는 안됩니다. 해답이 그렇게 나오면 미래를 기약할 수가 없습니다. 격차는 갈등을 불러오고 갈등은 분열과 대립으로 이어집니다. 역사의 모든 분열이 그렇게 생겨났고, 분열한 역사는 모두 망하거나 엄청난 불행을 초래했습니다.

앞으로 이 문제의 해결은 국회의 입법권에 달려 있습니다. 국회가 잘하면 될 일입니다. 그런데 여기에도 걱정이 있습니다. 지금까지는 지방 출신이 수도권의 국회의원을 많이 했습니다. 유권자도 지방에서 태어나고 자란 사람이 많습니다. 그러나 앞으로 10년이 지나면 어떻게 될까요? 서울만 아는 서울 유권자와 서울 출신 국회의원이 지배하는 국회가 생산하는 지방정책, 지방자치정책 아래서 지방의 삶이 어떻게 보장될 수 있겠습니까? 나아가 국토와 생태계, 지방공동체의 전통은 또 어떻게 보장되겠습니까? 그래서 나는 그동안 각 지방이 균등한 숫자로 선출하는 상원을 만들어 지방과 다양성, 국토와 생태계를 보호해야 한다는 사견을 여러 차례 제시하기도 했습니다.

결국 지방자치연구소를 운영하는 동안 동서 갈등을 해소하고, 또

장차 수도권과 지방의 갈등과 대립을 예방하기 위해서는 지방자치의 발전, 지방분권, 재원배분, 균형발전 이런 정책을 통해서 지방을 살려 나가야 한다는 생각을 확고하게 가지게 되었습니다. 그래서 강력한 분권주의자, 균형발전주의자가 되었고, 이 생각은 지금도 변함이 없습니다.

그러나 결정적으로 행정수도 이전을 생각하게 된 것은 대통령 후보가 되고 난 후의 일입니다. 2002년 3월 대통령 후보가 되고 곧이어 6월 지방선거가 있었는데, 이 선거에서 진념 전 부총리가 민주당 경기도지사 후보가 되었고 나는 진념 후보를 지원했습니다. 당시 수도권 선거에서 가장 뜨거운 쟁점은 수도권 규제 문제였습니다. 이미 선거가 다가오기 전부터 '수도권 규제 때문에 투자를 하려던 외국 기업이 다른 나라로 간다. 한국 기업도 확장을 하려면 수도권을 떠나야 하는데 지방으로 가지 않고 중국으로 건너가니 제조업이 공동화되고 그에 따라 일자리가 줄어든다. 수도권 규제를 해제해야 한다.'는 목소리가 높았고, 수도권을 제외한 전국의 지방자치단체는 이에 반대하여 연일 강경한 성명과 시위를 쏟아내고 있었습니다.

그런 한편 용인 지역을 비롯한 수도권 지역은 난개발로 인해 많은 문제들이 야기되고 있어서 수도권 규제를 강화하지 않고는 규제의 실효를 거둘 수 없는 상황이 되어 있었습니다. 물론 수도권 규제를 더 강화할 수 있는 상황은 아니었습니다. 그런 가운데 나라는 날로 큰 소용돌이로 빠져들고 있었습니다.

나는 진념 후보에게 수도권 규제 해제 대신에 수도권의 계획적 관리 개념을 제시했습니다. 그리고 당 정책실에 행정수도 이전계획을 주문했습니다. 행정수도 충청 이전, 공공기관 지방 이전, 국가균형발전정책으로 지방을 발전시키고, 수도권은 계획적 관리를 통하여 동북아 경제 중심도시로 발전시킨다는 계획이었습니다. 당시는 행정 각부의 지방분산 이전 주장이 여러 곳에서 나와 있던 터라 행정수도 이전도 그리 생소한 개념은 아니었고, 행정수도 이전을 포함한 과감한 분권·분산 정책과 수도권의 계획적 관리 개념을 통한 규제개선은 수도권과 지방의 정치적 빅딜로, 함께 윈-윈 할 수 있는 정책으로 보았습니다.

그 이후부터 당 정책위는 이 정책을 적극적으로 검토하기 시작했습니다. 다만 최종적 검증과 발표시기의 전략적 선택을 위하여 대외비를 유지하다가 선거대책본부 발대식과 더불어 발표했습니다. 당시 한나라당은 이 정책을 강력하게 비판하다가 나중에는 행정 각부를 전국 각지로 분산하는 정책을 내놓았고, 나는 행정각부 분산은 국정의 원활한 통합·조정에 지장이 생긴다는 주장을 했습니다.

결국 지금 와서 보면 한나라당의 반대로 정부기능의 일부가 찢어지게 되었으니 결과적으로 양쪽의 주장이 다 받아들여진 셈이 되었습니다. 이제 이대로 해 보고 결과에 대한 평가는 훗날 국민들의 판단에 맡기면 될 것입니다. 지금 평가해 보니 나는 강력한 분권주의자, 분산주의자이기는 하나 행정수도 이전계획은 분권전략이라기보다는 수도권 문제를 해결하기 위한 전략적 성격이 더 강했다고 생각합니다.

많은 사람들이 캐나다 밴쿠버 같이 쾌적한 도시를 꿈꿉니다. 그러면서도 서울로, 서울로만 올라오고 있습니다. 수도권이 사람답게 사는 도시가 되게 하려면 더 이상의 인구증가는 막아야 합니다. 그것이 수십 년간 지속되어 온 수도권 규제의 이유입니다. 그러나 그동안의 수도권 규제정책은 수도권의 집중과 기형적 비대를 막지도 못하면서 오히려 수도권의 성장을 왜곡시켜 왔습니다. 그리고 이제는 경쟁력의 논리와 난개발에 밀려 더 이상 유지하기도 어려운 정책이 되어 버렸습니다.

풀어야 합니다. 그러나 함부로 풀려고 하다가는 지방이 들고 일어나 나라가 결단날 것 같은 싸움만 벌어지고 결국 규제를 풀기도 어려울 것입니다. 어찌어찌 밀어붙여 규제를 푼다고 해도 싸움의 와중에 제대로 된 준비도 없이 규제만 덜컥 풀어 버리면, 수도권은 그날로 난개발에 밀려 말 그대로 난장판이 되어 버릴 것입니다. 행정수도와 균형발전, 새로운 비전과 계획에 따른 수도권 규제개혁, 이것이 후보시절 수도권 문제 해결을 위한 나의 정책대안이었습니다. 실제로 대통령이 된 이후 바로 파주 LCD단지 건설 허가를 내주었고, 그해 연말 삼성전자의 기흥공장과 쌍용자동차의 평택공장 확장을 승인했습니다. 나는 행정수도 이전과 강력한 균형발전정책의 추진으로 지방을 설득하지 않았다면 이러한 허가가 불가능했을 것이라고 생각합니다. 말하자면 수도권은 행정수도 이전의 일부 대가를 미리 받았다고 볼 수도 있을 것입니다.

그리고 정부는 현재 동북아 경제 허브 도시, 국제적 비즈니스 도시로서의 수도권 관리계획을 세우고 있습니다. 그것은 양적으로 더 비대해져 교통, 공해, 과외와 학교폭력, 끝없이 올라가는 집값에 시달리는 도시가 아니라 질적으로 더 쾌적하고 경쟁력 있는 첨단 지식서비스 도시를 지향하는 계획입니다.

후보 시절, 그리고 당선자 시절 행정수도 이전과 관련한 국민투표를 하겠다고 약속했습니다. 그런데 2003년에는 다른 사안으로 국민투표 문제가 큰 시빗거리가 되어 있어 이야기를 꺼낼 형편이 아니었습니다. 연말에는 국회에서 여야 합의로 법이 통과되었으니 국민투표를 붙이자 할 일도 없어져 버렸습니다. 정부로서는 수십 번의 토론회와 공청회를 열었으나 여야 간 큰 충돌이 없었기 때문에 언론의 주목을 받지 못했고, 따라서 토론과 설득이 부족한 결과로 비춰지게 되었습니다.

행정중심복합도시 건설, 공공기관 지방이전으로 손해를 보게 되어 있는 분들에 대해서는 손해를 최대한 줄일 수 있는 대책을 세워 설득할 일입니다. 그렇지만 본인의 이해관계가 아니고 명분으로 반대하는 분들에게는 꼭 물어보고 싶은 말이 있습니다. 수도권 규제는 어떻게 해야 한다고 생각하는가? 행정수도 이전도 안 하고, 공공기관 이전도 안 하고 수도권 규제만 덜렁 풀자는 것인가? 그것이 타당한 일인가? 가능하기는 한 일인가? 아니라면 수도권 규제는 그대로 두자는 말인가? 그러면 수도권의 미래는 무엇인가?

나는 대한민국의 균형발전과 수도권의 새로운 비전은 우리들의 꿈의 크기이자 미래에 대한 상상력의 문제라고 생각합니다. 지금 행정수도를 반대하는 사람이라도 그가 국가적 지도자의 자리에 서게 되고 선거에서 표를 모을 일이 없다면 그 역시 이만한 꿈을 가질 것이라고 생각합니다. 나는 박정희 전 대통령의 독재를 지지하지는 않지만 그분이 행정수도 이전을 시도한 것은 사리사욕이 아니라 국가의 장래에 대한 지도자로서의 안목을 가지고 한 것이라는 믿음을 가지고 있습니다. 이제 여야 합의로 국회에서 통과된 행정중심복합도시특별법이 공포되었습니다. 앞으로 국회의 논의와 국민 여러분의 의견을 존중해서 수도권과 지방이 더불어 잘사는 나라를 만들어 나가도록 하겠습니다. 원칙을 가지고 차근차근 추진해 나갈 것입니다.

맥컬리스 아일랜드 대통령 내외를 위한 만찬사

2005년 3월 23일

존경하는 메리 맥컬리스 대통령 각하 내외분, 그리고 귀빈 여러분,

아일랜드 국가원수로는 처음 우리나라를 방문해 주신 각하와 일행 여러분을 진심으로 환영합니다. 각하께서는 지난해 재선되시고 국민의 90%에 이르는 지지를 받고 계십니다. 특히 화해와 통합을 위한 각하의 '가교 건설' 제안은 많은 국민들의 공감을 얻고 있습니다. 좋은 성과가 있을 것으로 기대합니다. 아일랜드는 '켈트의 호랑이'답게 정말 힘차게 발전하고 있습니다. 1987년 1만 달러 수준이던 국민소득이 지금은 3만 달러를 넘어섰습니다. 지난해에도 EU 평균의 두 배가 넘는 경제성장을 기록했습니다. 인재 육성과 투자 유치, 그리고 노·사·정이 함께 맺은 사회연대협약을 토대로 이뤄 가고 있는 이 같은 성공은 우리에게도 좋은 모델이 되고 있습니다. 각하와 아일랜드 국민의 저력에 깊은 경의

를 표합니다.

대통령 각하,

오늘 낮 각하와의 정상회담은 매우 유익했습니다. 우리 두 나라의 우호협력관계는 이제 한 차원 높은 미래지향적인 관계로 발전해 나갈 것입니다. 현재 양국은 IT·자동차·의약 등 다양한 분야에서 긴밀한 협력을 유지하고 있습니다. 특히 IT 분야의 교역은 전체 교역의 50%에 이릅니다. 앞으로 이 분야에서 협력을 더욱 강화해 나가기를 기대합니다. 교육·문화·스포츠를 비롯한 인적 교류도 활발히 추진해 나가야겠습니다. 지난 11월에는 아일랜드의 대규모 통상·교육 사절단이 방한해서 상호협력방안을 협의했습니다. 각하의 이번 방한은 이러한 양국 간 교류를 더욱 활성화하는 계기가 될 것으로 확신합니다.

귀빈 여러분,

맥컬리스 대통령 각하 내외분의 건강과 아일랜드의 번영, 그리고 우리 두 나라 국민의 우정을 위해서 축배를 들어 주시기 바랍니다. 감사합니다.

한·일관계와 관련하여
국민 여러분께 드리는 글

2005년 3월 23일

존경하는 국민 여러분,

보도를 통하여 국민 여러분의 분노를 생생하게 지켜보고 있습니다. 아울러 침묵하고 있는 많은 분들의 가슴속에 담겨 있는 답답함도 공감하고 있습니다. 여러분이 느끼는 노여움과 답답함을 조금이라도 풀어드리고자 이 글을 씁니다. 국민 여러분의 답답함은 많은 분노와 항의에도 불구하고 희망적인 결말을 예측하기 어렵다는 점일 것입니다. 그 동안 우리 국민들은 정부가 미온적으로 대응할 때에도, 또는 강경한 대응을 해놓고 이렇다 할 결과 없이 유야무야한다 싶을 때에도 우리의 의지를 관철할 만한 마땅한 수단이 없다는 상황을 이해하여 크게 탓하지 않고 마음을 삭여 왔습니다.

이번 정부의 대응에 대해서도 마찬가지일 것입니다. 그나마 시원하다 하시면서도 역시 마땅한 결과를 기대하기가 어려워서 답답해 하실 것입니다. 그러나 국민 여러분, 이번에는 다르게 할 것입니다. 올바르게 대응해 나갈 것입니다. 물론 감정적으로 강경대응을 하지는 않겠습니다. 전략을 가지고 신중하게, 그러나 적극적으로 대응해 나갈 것입니다. 가다가 유야무야하지도 않을 것입니다. 멀리 내다보고 꾸준히 대응해 나가겠습니다.

존경하는 국민 여러분,

일본은 그간 자위대 해외파병의 법적 근거를 마련해 놓고, 이제는 재군비 논의를 활발하게 진행하고 있습니다. 이 모두가 우리에게는 고통스런 과거를 떠올리게 하고 미래를 불안하게 하는 일들입니다. 그러나 이미 일본이 사과하고 우리가 이를 받아들여 새로운 파트너십을 선언한 마당에 보통의 나라들이 일반적으로 누리고 있는 국가의 권능을 일본만 갖지 못하게 하는 것은 일본 국민들이 납득하기 어려울 것입니다. 이러한 판단에서 우리는 걱정스러운 마음을 억누르고 하고 싶은 말을 참아 왔습니다. 한·일관계의 미래를 위해서였습니다.

따져 보면 사과는 진정한 반성을 전제로 하는 것이고, 또 그에 상응하는 실천이 따라야 하는 것이기 때문에 고이즈미 총리의 신사참배는 이전에 일본 지도자들이 한 반성과 사과의 진실성을 훼손하는 일입니다. 그러나 이에 대해서도 우리 정부는 직접적인 외교쟁점으로 삼거나 대응조치를 하지 않고 넌지시 자제를 촉구하는 데 그쳤습니다. 그야말로 일본 지도자들이 입버릇처럼 반복해서 말하는 바로 그 미래지향적 한·일관계를 위해서였습니다. 그런데 이제는 더 이상 묵과할 수 없는 사태에 이르고 말았습니다.

러·일전쟁은 그 이름대로 러시아와 일본이 영토를 놓고 싸운 전쟁이 아니라, 일본이 한반도를 완전히 차지하기 위하여 일으킨 한반도 침략전쟁입니다. 실제로 일본은 이 전쟁에서 승리한 후 바로 우리의 외교권을 강탈하고 사실상 식민통치를 시작하였습니다.

일본은 이 전쟁 중에 독도를 자기 나라 땅으로 편입하였습니다. 그야말로 무력으로 독도를 강탈한 것입니다. 일본 시마네 현이 '다케시마의 날'로 선포한 2월 22일은 100년 전 일본이 독도를 자기네 영토로 편입한 바로 그날입니다. 그야말로 지난날의 침략을 정당화하고 대한민국의 광복을 부인하는 행위입니다. 교과서 문제도 마찬가지입니다. 2001년 일본에서 왜곡된 역사 교과서가 거의 채택되지 않았을 때 우리는 일본의 양심에 기대를 걸었고, 동북아시아의 미래에 대하여 낙관적인 전망을 가지기도 했습니다. 그런데 이제 그 왜곡된 교과서가 다시 살아나려 하고 있습니다. 이 또한 침략의 역사를 정당화하는 행위입니다. 그리고 이러한 일들이 일개 지자체나 일부 몰지각한 국수주의자들의 행위에 그치는 것이 아니라 일본 집권세력과 중앙정부의 방조 아래 이루어지고 있기 때문에 우리는 이를 일본의 행위로 볼 수밖에 없는 것입니다. 이것은 또한 일본이 지금까지 한 반성과 사과를 모두 백지화하는 행위입니다. 이제는 우리 정부도 단호히 대응하지 않을 수가 없습니다. 침략과 지배의 역사를 정당화하고 또다시 패권주의를 관철하려는 의도를 이상 더 두고 볼 수만은 없게 되었습니다. 한반도와 동북아시아의 미래가 달린 문제이기 때문입니다. 아직 이러한 행위들은 대다수 일본 국민들의 생각과 다른 것이 사실입니다. 그러나 정치 지도자들이 부추기고 역사를 거꾸로 가르치는 일이 계속되면 상황은 금방 달라질 수 있습니다.

존경하는 국민 여러분,

정부가 적극적으로 나서겠습니다. 그 동안 정부는 일본에 대하여 해야 할 말이나 주장이 있어도 가급적 시민단체나 피해자의 몫으로 넘겨 놓고 말을 아껴 온 것이 사실입니다. 피해자들의 피맺힌 절규에도 거들지 않았고, 피해자들이 진상을 찾아서 이리 뛰고 저리 뛸 때에도 제대로 도와주지 않았습니다. 정부 간 갈등이 가져올 외교상의 부담이나 혹시 경제에 미칠지도 모를 파장도 고려했겠지만 무엇보다도 미래지향적인 한·일 관계를 생각해서 자제하였을 것입니다. 그러나 돌아온 것은 미래를 전혀 고려하지 않는 듯한 일본의 행동입니다. 지금은 오히려 정부가 나서지 않은 것이 일본의 방심을 불러온 것은 아닌가 하는 의문이 제기되고 있습니다. 이래서는 안 됩니다. 이제부터라도 정부가 할 수 있는 모든 일을 다할 것입니다.

우선 외교적으로 단호하게 대응하겠습니다. 외교적 대응의 핵심은 일본 정부에 대하여 단호하게 시정을 요구하는 것입니다. 일본 정부의 성의 있는 응답을 기대하기 어려울 것이라는 의구심이 있기도 하지만, 당연히 해야 할 일이라면 들을 때까지 멈추지 않고 끈기 있게 요구할 것입니다.

다음은 국제여론을 설득하는 일입니다. 국제질서는 힘의 질서이고 국가 간 관계는 이익을 우선하는 것이 현실이기는 합니다. 그러나 다른 한편 국제사회는 다 함께 존중해야 할 보편적 가치와 질서를 강조하는 방향으로 점차 나아가고 있는 것도 사실입니다. 일본이 보통의 국가를 넘어서 아시아와 세계의 질서를 주도하는 국가가 되려고 한다면, 역사의 대의에 부합하게 처신하고 확고한 평화국가로서 국제사회의 신뢰를 회복해야 할 것입니다. 국제사회도 일본으로 하여금 인류의 양심과 국제사회의 도리에 맞게 행동하도록 촉구할 의무가 있습니다. 우리는 국제사회에 이 당연한 도리를 설득해 나갈 것입니다.

이 모든 것보다 더 중요한 것은 일본 국민들을 설득하는 일입니다. 궁극적으로 문제가 풀리려면 일본 국민들이 역사를 바로 알고, 한·일 두 나라와 동북아시아의 미래를 위하여 일본이 해야 할 일이 무엇인지를 올바로 이해해야 합니다. 그래야 일본 정부의 정책이 올바른 방향을 잡을 수 있습니다. 이 일들이 결코 쉬운 일은 아닐 것입니다. 남의 잘못을 들추어 지적한다는 것은 힘든 일일 뿐만 아니라 거북한 일입니다. 서로 얼굴을 붉히고 대립하는 일도 많아질 것입니다. 다른 나라 사람들 앞에서 헐뜯고 싸우는 모습으로 비치는 것은 매우 민망한 일이기도 합니다. 각박한 외교전쟁도 있을 수 있을 것입니다. 그러다가 경제, 사회, 문화, 기타 여러 분야의 교류가 위축되고 그것이 우리 경제를 어렵게 하지는 않을까 하는 우려도 생겨날 수 있습니다. 그러나 이 문제에 관해서는 크게 걱정하지 않아도 좋을 것입니다. 이제 우리도 어지간한 어려움은 충분히 감당할 만한 역량을 가지고 있다고 생각합니다. 그리고 국가적으로 반드시 해결해야 할 일을 위해서 꼭 감당해야 할 부담이라면 의연하게 감당해야 할 것입니다. 그러나 한편으로는 감당하기 어려운 부담이 생기지 않도록 상황을 슬기롭게 관리해 나가도록 하겠습니다.

국민 여러분,

어떤 어려움이 있더라도 물러서거나 유야무야하지 않고 우리 국민들이 수용할만한 결과가 나올 때까지 꾸준히 대처해 나가겠습니다. 이번에는 반드시 뿌리를 뽑도록 하겠습니다. 어려울 때는 국민 여러분에게 도움을 청하겠습니다. 새로운 일이 벌어질 때마다 국민 여러분의 의견을 듣겠습니다.

이제 이 일을 결심하고 국민 여러분께 보고드리면서 몇 가지 당부를 드립니다.

첫째는 일부 국수주의자들의 침략적 의도를 결코 용납해서도 안되지만, 그렇다고 일본 국민 전체를 불신하고 적대해서는 안된다는 것입니다. 일본과 우리는 숙명적으로 피할 수 없는 이웃입니다. 두 나라 국민 사이에 불신과 증오의 감정을 키우면 또다시 엄청난 불행을 피할 수 없게 됩니다.

둘째는 냉정을 잃지 말고 차분하게 대응해 나가야 한다는 것입니다. 단호하게 대응하되 이성으로 설득하고 품위를 잃지 않아야 합니다. 어느 정도의 감정표현이 없을 수는 없겠지만 절제를 잃지 말아야 합니다. 힘으로 하는 싸움이 아닙니다. 명분을 잃으면 되잡히게 됩니다. 지나치게 감정을 자극하거나 모욕을 주는 행위는 특히 자제해야 할 것입니다.

셋째는 끈기와 인내심을 가지고 대응해 나가야 합니다. 싸움이라고 한다면 이 싸움은 하루 이틀에 끝날 싸움이 아닙니다. 지구전입니다. 어떤 어려움이라도 감수하겠다는 비장한 각오로 임하되 체력소모를 최대한 줄일 줄 아는 지혜와 여유를 가지고 끈기 있게 해 나가야 합니다.

넷째는 멀리 내다보고 전략적으로 대응해 나가야 합니다. 신중하게 판단하고 느리다 싶게 말하고 행동해야 합니다. 일희일비해서도 안 되고 중구난방해서도 안 됩니다. 그 동안 너무 많은 말과 행동이 쏟아져 나온 것은 아닌가 하는 불안이 없지 않습니다.

존경하는 국민 여러분,

우리 국민들의 요구는 역사의 대의에 기초하고 있습니다. 우리는 무리한 것을 요구하지도 않았습니다. 새로이 사과를 요구하지도 않았습니다. 부실한 사과마저 백지화하는 일을 바로잡도록 요구하고 있을 뿐입니다. 그리고 아직도 처리되지 않고 남은 문제들에 관하여는 사실을 시인하고 적절한 조치를 할 것을 촉구하고 있을 뿐입니다. 저는 사필귀정이라는 말을 믿습니다. 저에게는 이 일을 올바르게 처리할 소신과 전략이 있습니다. 결코 국민 여러분을 실망시키지 않을 것입니다. 믿음을 가지고 도와주시기 바랍니다. 그리고 용기와 자신감을 가져 주시기 바랍니다. 우리의 요구는 반드시 역사의 응답을 받을 것입니다.

이데일리 창간 5주년 축하 메시지

2005년 3월 27일

이데일리 창간 다섯 돌을 축하드립니다. 임직원과 네티즌 여러분께도 따뜻한 인사의 말씀을 전합니다. 이데일리는 국내 최고의 금융·경제 전문 인터넷 언론답게 경제인들의 훌륭한 길잡이가 되어왔습니다. 뿐만 아니라 하루 방문자 수가 40만 명에 이를 만큼 일반 독자들에게도 큰 사랑을 받고 있습니다. 이제 우리 경제는 세계 11위의 규모로 성장했습니다. 자동차·조선·철강·석유화학 등 우리의 수출 주력산업은 세계 4강 수준에 올라섰고, 반도체와 IT 분야는 단연 세계 최고입니다.

그러나 선진경제로 나아가기 위해서는 해야 할 일도 많습니다. 무엇보다 실력 있는 기업이 성공하고, 정직한 기업인이 손해 보지 않는 풍토가 마련되어야 합니다. 그런 점에서 최근 맺은 '투명사회협약'은 그 좋은 계기가 될 것입니다. 정부도 우리 경제가 감당할 수 있는 수준에서 금융 시스템 등을 하나하나 정비해 나갈 것입니다. 불합리한 규제도 지속적으로 개혁해 나가겠습니다. 모든 것을 국제기준에 맞게 선진국 수준으로 고쳐 나갈 것입니다.

이데일리에 거는 기대가 큽니다. 정확한 보도와 깊이 있는 분석으로 투명하고 공정한 시장을 만들고 우리 경제의 비전을 제시하는 데 더 많은 역할을 해 주기 바랍니다. 거듭 창간 5주년을 축하드리며, 이데일리 독자 여러분의 건강과 행복을 기원합니다.

부활절 축하 메시지

2005년 3월 27일

부활절을 맞아 하나님의 크신 은총이 함께 하기를 기원합니다.

예수님의 부활은 희망의 메시지입니다. 아무리 힘든 역경 속에서도 사랑을 실천하고 용기를 가질 수 있는 것은 부활의 믿음이 있기 때문일 것입니다. 한국 교회는 그동안 예수님의 가르침에 따라 시대가 맡긴 사명을 잘 감당해 왔습니다. 나라의 독립과 민주주의 발전, 그리고 경제적 번영을 이루는 데 큰 힘이 되어 주었습니다.

이제 한 단계 더 성숙한 선진한국을 만드는 일에 힘과 지혜를 모아 가야겠습니다. 무엇보다 대화와 타협으로 갈등을 극복하는 문화가 필요합니다. 편법과 반칙이 발붙이지 못하게 해야 합니다. 경쟁에서 낙오한 사람들과도 함께 가는 사회가 되어야 합니다. 이를 위해 우리 교회가 빛과 소금의 역할을 다해 줄 것으로 믿으며, 여러분의 많은 기도와 협력을 당부드립니다.

부활절을 거듭 축하드리며, 우리 국민 모두의 행복을 기원합니다.

제5차 유엔 아·태 환경과 개발
장관회의 개막식 축사

2005년 3월 28일

존경하는 김학수 유엔 아·태 경제사회위원회 사무총장, 클라우스 퇴퍼 유엔 환경계획 사무총장, 하루히코 구로다 아시아개발은행 총재, 각국 대표와 내외 귀빈 여러분,

제5차 유엔 아·태 환경과 개발 장관회의의 개막을 축하드립니다. 국제기구와 50여 개국에서 오신 참석자 여러분을 진심으로 환영합니다. 이 자리에는 작년 말 쓰나미로 인해 큰 피해를 입은 국가의 대표들도 참석하고 계십니다. 깊은 위로를 드리며, 우리 정부도 국제적인 지원활동에 계속해서 적극 동참해 나갈 것임을 다시 한번 말씀드립니다. 이 회의는 1985년 시작된 이래 지난 20년 동안 역내 환경협력의 중심에 서 있었습니다. 이제는 아·태 지역의 지속가능한 발전 비전을 제시하는 최대 회의로 발돋움했습니다. 이처럼 뜻깊은 회의가 대한민국 서울에서 열리

게 된 것을 매우 기쁘게 생각하며, 이번 회의를 주관한 유엔 아시아·태평양 경제사회위원회(ESCAP) 관계자와 여러분 모두에게 감사의 말씀을 드립니다.

내외 귀빈 여러분,

오늘 여러분은 '환경적으로 지속가능한 경제성장'을 논의하기 위해 이 자리에 함께했습니다. 저는 이 주제가 아·태 지역의 현재 상황과 미래를 놓고 볼 때 아주 시의적절한 것이라고 생각합니다. 아·태 지역은 매년 4~6%대의 경제성장률을 보이며 세계 경제를 선도하고 있습니다. 유구한 역사와 문화, 풍부한 인적자원 같은 잠재력이 충분히 발휘되면 앞으로 더욱 비약적인 발전을 하게 될 것입니다. 이렇게 세계가 주목하는 아·태 지역은 함께 풀어 가야 할 공통의 과제도 안고 있습니다. 무엇보다 인간다운 삶의 첫째 조건인 빈곤문제를 해결해야 합니다. 이 지역 전체 인구의 22%가 하루 1달러 미만으로 살아가고 있다는 가슴 아픈 통계를 보았습니다. 이 문제를 해결하기 위해서는 지속적인 경제성장을 통한 소득증대가 시급합니다.

한국은 지난 40여 년간의 경제성장과 가난극복의 역사를 통해서 누구보다도 이를 잘 경험했습니다. 그러나 한편으로 환경을 고려하지 않은 경제성장은 결국 환경복원에 막대한 비용을 지불하게 하며, 국가발전에도 장애가 된다는 사실을 실감했습니다. 뿐만 아니라 기후변화처럼 지구적 규모의 환경피해도 가져온다는 것을 분명히 인식하게 되었습니다. 이러한 경험이 비단 우리나라만의 것은 아닐 것입니다. 이제 우리 모두에게 환경과 개발은 선택의 문제가 아닙니다. 전 세계는 이미 '새천년 발전목표'와 2002년 '지속가능발전에 관한 요하네스버그 선언'을 통해 빈곤퇴치와 환경적 지속성을 함께 달성해야 할 당면과제로 제시한 바 있습니다. 이제는 이를 실천하는 구체적 방안을 모색해야 할 때입니다. 이번 회의에서 환경과 경제의 상생을 위한 구체적인 실천방안이 마련될 수 있기를 기대합니다.

존경하는 참석자 여러분,

한국은 '지속가능한 발전과 쾌적한 환경조성'을 목표로 환경을 고려한 경제성장의 패러다임을 사회 전 분야에 적용해 나가고 있습니다.

이미 1996년에 범정부적으로 '의제21 국가실천계획'을 수립했고, 2000년에 출범한 지속가능발전위원회는 환경문제를 비롯한 다양한 사회갈등을 조정하는 대표적인 국가기구로 자리매김했습니다. 사전예방적인 국토환경보전정책도 강화하고 있습니다. 대규모 개발사업의 계획단계부터 환경을 충분히 고려하고 이해당사자들을 참여시켜 최적의 대안을 마련토록 하고 있습니다. 뿐만 아니라 환경영향정보 DB와 국토환경성지도를 구축하고 이를 국민들이 활용토록 함으로써 개발과 보전 사이의 충돌을 미연에 방지해 나가고 있습니다.

또한 자원순환형 사회의 건설을 위해 제품의 설계단계부터 폐기물 발생을 최소화하고 재활용을 손쉽게 하는 다양한 정책을 시행하고 있습니다. 나아가 새로운 환경기술과 환경산업을 적극 육성해서 환경보전 노력을 경제의 새로운 성장 동력으로 만들어 가고 있습니다. 민간 부문에서도 환경친화적 기업경영이 시장경쟁력의 핵심으로 인식되고 있으며, 녹색소비가 일상생활 속에 자리잡아 가고 있습니다. 정부도 오는 7월부터 모든 공공기관들이 친환경상품을 의무적으로 구매하도록 할 것입니다.

이와 함께 환경에 대한 부담을 완화시키고 지속가능발전을 달성하기 위해서 국토의 균형발전전략을 추진하고 있습니다. 중앙에 집중된 행정기능을 지방에 분산하고 각 지방의 실정에 적합한 발전을 모색해 나가고 있습니다. 고도성장 과정의 부작용을 극복하고 지속가능한 발전을 추구해 나가는 우리의 노력이 큰 결실을 거둬서 회원국들에게 유용한 사례가 되었으면 좋겠습니다. 여러분의 많은 성원과 협조를 부탁드립니다.

내외 귀빈 여러분,

21세기는 지역협력을 통한 평화와 공동번영의 질서가 큰 흐름이 되어야 합니다. 오는 11월 부산에서 열리는 APEC 정상회의는 '하나의 공동체를 향한 도전과 변화'를 주제로 경제 분야에 있어서 아·태 지역의 협력을 강화해 나갈 것입니다. 이번 회의도 환경 분야에서 국가 간 협력과 파트너십을 한층 더 강화하는 계기가 될 것으로 믿습니다. 대한민국은 이번 회의의 성공은 물론 아·태 지역의 지속가능한 발전을 위해 적극적인 지원을 아끼지 않겠습니다. 다시 한번 이번 회의를 축하드리며, 머무시는 동안 즐겁고 보람된 시간이 되기를 바랍니다.

감사합니다.

대덕연구개발특구 비전 선포식 축사

2005년 3월 31일

대덕의 새로운 꿈, 그리고 대한민국의 희망을 함께 나누는 이 자리에 참석하게 된 것을 매우 기쁘게 생각합니다. 대덕연구개발특구 비전 선포식을 축하드립니다. 많은 분들이 애써 주셨습니다. 특구법 제정에 협조해 주신 국회의원 여러분, 과학한국을 이끌고 계신 과학기술인 여러분, 그리고 특구 지정에 큰 관심과 성원을 보내 주신 대전시민 여러분께 축하와 감사의 박수를 보냅니다.

왜 대덕인가? 60개의 연구기관, 5개의 대학, 800개가 넘는 벤처기업이 집적되어 있는 대한민국 과학기술 1번지이기 때문입니다. 세계에서 이만큼 많은 연구기관이 함께 모여 있는 곳이 없습니다. 지난 30년간 일구어 낸 연구성과들은 일일이 다 얘기할 수 없을 만큼 엄청난 것입니다. 최근에도 휴대 인터넷, 지상파DMB시스템과 같은 세계 최고의 기술들이 바로 이곳에서 나왔습니다. 지금 한국을 먹여 살리고 있는 기술 중에 CDMA 기술도 역시 이곳의 산물입니다.

오는 7월 특구법이 발효되면 대덕은 연구개발특구로서 새로운 출발을 하게 될 것입니다. 정부는 특구 육성계획에서 밝힌 대로 대덕이 가진 강점은 더욱더 살리고, 연구성과의 사업화 등 그동안에 미흡했던 부분은 신속하게 보완해 나갈 것입니다. 간판만 새로 다는 것이 아니라 명실상부하게 혁신 클러스터의 성공모델이 될 수 있도록 확실하게 지원해 나가겠습니다. 이것을 위해서 과학기술부가 부총리부로 승격되었고 과학기술혁신본부도 함께 만들어져 있습니다. 또한 이곳 대덕을 위해서 이제 대덕특구지원본부가 만들어질 것입니다. 그 본부를 통해서 대덕특구가 성공하도록 뒷받침할 것입니다.

그동안 연구개발에 대해서 많은 지원을 해 왔습니다. 여기에서 나온 높은 기술들이 대기업에 있어서는 세계 최고의 기술로 잘 발전해 가고 있지만, 대덕이 연구단지로만 존재하기 때문에 많은 훌륭한 기술들이 사업화되는 데 아직 성공하지 못했습니다. 여기에서 나온 훌륭한 기술들이 중소기업을 통해서 벤처기업을 통해서 사업화될 수 있도록, 그리고 시장에서 성공할 수 있도록 하자는 것이 바로 이 특구사업의 핵심입니다. 이를 위해서 금융도 바뀔 것입니다. 간접금융이 아닌 직접금융의 시장을 만들어야 한다는 생각 때문에 직접금융의 시장도 아울러서 만들 것입니다. 말하자면 벤처 생태계를 만들어서 그곳에서 금융과 자본과 기술사업화, 사업경영과 시장개척, 이 모든 것이 다 해결되도록 하겠다는 것이 이 특구계획입니다.

대덕에서 성공하고, 전국에 대덕을 본받아 만들어지는 수십 개의 클러스터가 성공할 때 대한민국은 이제 2만 달러가 아니라 3만 달러 시대로 가게 될 것입니다. 대한민국 전체가 3만 달러가 될 때에는 대덕은 아마 5만 달러, 10만 달러 대의 도시가 돼 있을 것입니다. 대전도 그때는 다른 어느 도시보다 앞서 나가는 도시가 될 것입니다.

대전시민 여러분께 당부드리고 싶습니다. 중앙정부만의 힘으로 되는 일은 아닙니다. 대전시장께서 방금 말씀하신 대로 대전시에서도 대덕 특구를 성공시키기 위해서 여러 가지 계획을 가지고 있고 또 열심히 노력하고 있습니다. 그러나 시민 여러분이 함께 지원해 주셔야 됩니다. 시민 여러분께서 열매만을 따려고 하지 말고 씨를 뿌려야 된다고 생각합니다. 꼭 유의하실 것 하나는 대전이 끊임없이 팽창하는 도시가 되기를 원하지는 않아야 한다는 것입니다. 소득은 높고, 삶의 수준과 문화수준이 높은 살기 좋은 도시를 만들려고 노력해야 합니다. 그저 인구가 지금 150만에서 300만, 400만으로 증가하는 그런 양적 팽창을 바라지 않는 현명한 지혜가 있어야 한다고 생각합니다. 그래서 가장 큰 도시, 팽창하는 도시, 숨 막히는 도시가 아니라 그야말로 가장 높은 기술이 있고 가장 살기 좋은 대전을 만들도록 방향을 잡아가 주시기 바랍니다.

다시 한번 약속드리겠습니다. 중앙정부로서는 신속한 행정지원 등을 해서 대덕이 필요한 모든 일들은 다 해결되도록 노력하겠습니다. 참여정부 임기가 끝나더라도 그와 같은 정책은 중단되지 않고 계속될 수 있도록 입법조치까지 필요한 것은 다 마무리해 놓겠습니다.

중앙정부와 지방정부가 함께 협력해서 아주 크게 성공하는 그런 모델을 한번 만들었으면 좋겠습니다. 성공을 기원합니다.

축하합니다.

4월

열린우리당 전국대의원대회 축하 메시지

2005년 4월 2일

전국의 당원 동지 여러분, 그리고 자리를 함께하신 1만 3천여 대의원 여러분,

열린우리당 전국대의원대회를 진심으로 축하드립니다. 지금 여러분은 대한민국 정당정치사에 새 역사를 쓰고 있습니다. 여러분은 자발적인 당원들입니다. 열린우리당은 여러분의 당입니다. 여러분이 바로 당의 주인입니다. 여러분은 지금 명실상부한 국민참여정당 시대를 열고 있습니다. 변화를 통해 새로운 희망을 만들어 가고 있는 여러분 모두에게 큰 칭찬의 박수를 보냅니다. 아울러 그동안 정정당당하게 경쟁해 온 후보자 여러분에게도 격려의 박수를 보냅니다. 수고 많이 하셨습니다.

존경하는 대의원 여러분,

지금 여러분은 뜨거운 경쟁의 와중에 있습니다. 감정과 갈등이 있

을 것입니다. 이러한 감정적 앙금이 당에 상처를 남기지 않을까 걱정하는 분들도 계십니다. 그러나 제가 보기에는 아무 걱정 없습니다. 여러분은 잘하고 있습니다. 제가 겪어온 그 어느 전당대회보다 훌륭하게 치러나가고 있습니다. 여러분이 정말 자랑스럽습니다.

후보들은 흔쾌히 승복할 것입니다. 그리고 하나가 될 것입니다. 그것이 우리가 물려받은 민주정당의 전통입니다. 한 걸음 더 나아가 우리는 그 전통 위에 참여민주주의의 새로운 역사를 창조해 가고 있습니다. 경선 결과 누가 승리하든 열린우리당은 21세기 변화의 시대를 이끌어갈 개혁의 정당, 국민 모두를 하나로 아우를 국민통합의 정당, 선진한국의 미래를 선도해 갈 책임정당으로 국민의 신임과 사랑을 받게 될 것입니다.

사랑하는 당원 동지 여러분, 그리고 대의원 여러분,

나는 열린우리당에 무한한 애정과 신뢰를 가지고 있습니다. 2003년 열린우리당을 창당할 때 아무도 그 미래를 낙관하지 않았습니다. 현역 의원 모두가 다음 선거에서 불리한 선택을 감당했습니다. 여당으로서는 탄핵소추 정족수를 야당에게 넘겨주었습니다. 왜 그랬습니까? 분열의 정치를 청산하고 국민통합의 시대를 열기 위해서, 이익만을 추구하는 기득권 정치를 뛰어넘기 위해서 역사적인 결단을 한 것입니다. 나는 당원 여러분에게 이 결단의 의미를 꼭 기억해 줄 것을 당부드립니다. 사리사욕, 당리당략이 아니라 국민과 역사를 위해서 자기희생을 각오한 결단, 그것도 한두 사람이 아니라 50명에 이르는 의원들의 집단적인 결단, 대한민국 헌정사에 유례가 없는 이 결단의 의미는 열린우리당의 역사 속에 살아서 면면히 계승되어야 할 것입니다. 바로 당원 동지 여러분이 이어 가야 할 것입니다.

사랑하는 당원 동지 여러분,

여러분은 그 위에 또 하나의 민주주의 역사를 만들어 가야 합니다. 바로 관용과 승복의 민주주의입니다. 여기저기서 불복이 횡행하고 있습니다. 선거 결과를 인정하지 않고, 국회의 결정에 불복하고, 폭력으로 의사를 방해하는 반민주적 독선이 아직도 사라지지 않고 있습니다. 이 오만과 독선의 문화를 반드시 극복해야 합니다. 누가 이 일을 하겠습니까? 열린우리당 당원 동지 여러분이 해야 합니다. 생각은 다를 수 있습니다. 그러나 더 중요한 것은 서로의 차이를 존중하는 것입니다. 다양성을 더 큰 관용으로 아우르는 일입니다. 그래도 해결이 안되는 일은 규칙에 따라 승부하고, 그 결과에 승복하고, 패자는 협력하면서 다음을 기약하는 것입니다. 여러분이 이 모범을 실천했을 때 열린우리당은 구시대의 정당과 분명하게 차별화될 것이며, 그것은 또 새로운 시대를 주도하는 당의 경쟁력이 될 것입니다.

사랑하는 당원 동지 여러분,

열린우리당은 국정을 책임지고 있는 집권정당입니다. 다시 한번 다짐합시다. 개혁과 통합을 이루는 국민정당, 국민과 당원이 주인이 되는 참여정당, 나라의 미래를 설계하고 준비하는 정책정당, 국민에 대한 소임을 다하는 책임정당이 됩시다. 저도 여러분과 함께 최선을 다하겠습니다. 오늘 대의원대회가 축제의 한마당이 되기를 바라며, 열린우리당의 큰 발전을 기원합니다. 감사합니다.

베를린 시청 환영식 답사

2005년 4월 11일

존경하는 클라우스 보베라이트 시장, 그리고 귀빈 여러분,

여러분의 따뜻한 환영에 진심으로 감사드립니다.

이곳에 오기 전에 시장님과 함께 브란덴부르크 문을 둘러보았습니다. 독일의 평화와 번영, 나아가 유럽통합 시대를 열어 가는 희망의 문으로 우뚝 선 모습은 무척 인상적이었습니다. 시장님 취임 이후 베를린 시는 새로운 도약의 계기를 마련해 가고 있습니다. 옛 동베를린 지역에 첨단산업단지를 유치해서 경제에 새로운 활력을 불어넣고 있으며, 지난해에는 사상 최대규모의 관광객이 베를린을 찾았다고 들었습니다. 베를린을 명실상부한 유럽 중심도시로 만들어가고 있는 시장님의 지도력과 베를린 시민의 저력에 경의를 표합니다.

내외 귀빈 여러분,

한국과 독일은 올해로 수교 122주년이 됩니다. 우리 국민이 유럽에서 가장 가깝게 생각하는 나라가 바로 독일입니다. 나의 이번 방문으로 양국 우호협력관계가 더욱 증진되기를 희망합니다. 수도 베를린은 이러한 협력의 중심적 역할을 하게 될 것입니다. 특히 9월에 이곳 베를린에서 열리는 아·태주간행사에서 한국을 포커스 국가로 선정해 주신 데 대해서 감사드립니다. 서울에 베를린 광장이, 베를린에는 서울공원이 조성되는 것도 매우 뜻깊은 일입니다. 우리 두 나라 국민들이 더욱 가까워지는 기회가 될 것이라고 믿습니다.

현재 베를린에 살고 있는 6천여 우리 동포들은 두 나라 국민의 유대를 강화하는 가교 역할을 다하고 있습니다. 여러분의 변함없는 관심과 배려를 부탁드립니다. 베를린 시의 무궁한 발전과 여러분 모두의 건강과 행운을 기원합니다.

감사합니다.

쾰러 독일 대통령 내외 주최 국빈만찬 답사

2005년 4월 11일

존경하는 호르스트 쾰러 대통령 각하 내외분, 그리고 귀빈 여러분,

나와 우리 일행을 따뜻하게 맞아 주시고 성대한 만찬을 베풀어 주셔서 감사합니다.

각하께서는 IMF 총재로서 두 차례나 한국을 방문해서 훌륭한 조언과 함께 우리 경제에 자신감을 심어 주셨습니다. 독일 통일 당시에는 동·서독 화폐통합 등에 중심적 역할을 하셨습니다. 뿐만 아니라 유럽부흥개발은행과 IMF 총재로 재직하시면서 동유럽의 경제부흥과 세계 경제 발전에 크게 기여해 오셨습니다. 각하의 오랜 신념처럼 독일이 보다 평화롭고 개방되고 자유로운 나라가 될 것임을 확신합니다.

대통령 각하,

대한민국은 독일의 경험에서 많은 교훈을 얻고 있습니다. 전쟁의

폐허 위에서 이룩한 경제와 민주주의 발전, 그리고 통일과 EU 통합에 이르기까지 훌륭한 본보기가 되고 있습니다. 독일은 또한 우리에게 늘 고마운 친구였습니다. 경제개발과 민주화 과정에서는 물론 1997년 외환위기 때에도 가장 적극적으로 도와준 나라가 바로 독일입니다. 한반도의 평화와 안정을 위한 우리의 노력도 한결같이 지지해 주었습니다. 지금도 북핵문제의 평화적 해결을 적극 돕고 있습니다. 다시 한번 감사의 말씀을 드립니다.

대통령 각하,

이제 우리 두 나라는 정치·경제·문화 등 모든 분야에서 긴밀한 우호협력관계를 발전시켜 나가고 있습니다. 독일은 유럽 국가 가운데 우리의 가장 중요한 경제협력 파트너입니다. 지난해 교역량 168억 달러, 독일의 우리나라에 대한 투자는 60억 달러에 이릅니다. 특히 '한국의 해'인 올해에는 독일 전역에서 다양한 행사가 펼쳐지고 있습니다. 우리나라는 오는 9월 베를린 아·태주간 포커스 국가, 10월 프랑크푸르트 도서전 주빈국으로 참여하게 됩니다.

2002년 우리나라에서 열린 월드컵에서 독일은 준우승, 우리는 4강에 들었습니다. 2006년 독일 월드컵도 성공적으로 개최되고, 우리 두 나라가 더 좋은 성적을 거뒀으면 좋겠습니다. 아울러 양국의 가교 역할을 하고 있는 우리 동포들에 대해서도 각별한 관심과 배려를 부탁드립니다.

내외 귀빈 여러분,

각하 내외분의 건강과 우리 두 나라 국민의 영원한 우정을 위해 축배를 들어주시기 바랍니다. 감사합니다.

한·독 경제인 오찬간담회 연설

2005년 4월 12일

존경하는 하인리히 폰 피에러 아·태경제위원회 위원장, 그리고 강신호 회장을 비롯한 양국 경제계 지도자 여러분,

자리를 함께하게 되어 매우 기쁩니다. 전경련과 아·태경제위원회 관계자 여러분께 감사드립니다. 오전에 개최된 한·독경제인회의도 좋은 성과가 있기를 바랍니다. 저는 오늘 한국 경제의 잠재력과 역동성에 대해 말씀드리고, 독일 기업인 여러분이 한국에서 새로운 기회를 찾게 되기를 희망합니다.

독일 경제인 여러분,

최근 한국 경제는 견실한 수출 증가세를 유지하며 내수 부문도 회복세가 가시화되고 있습니다. 그러나 이러한 거시지표의 개선보다 더 중요한 것은 동북아 경제 허브로 도약할 한국 경제의 가능성과 비전입니

다. 한국은 우선 동북아시아의 하이테크 산업과 R&D 허브로 성장할 수 있는 여러 조건을 갖추고 있습니다. 무엇보다 우수한 인력이 많습니다. 세계 최고의 대학진학률이 보여 주듯 우리 국민의 높은 교육열은 잘 알려진 사실입니다. 이제는 질적으로도 세계 최고가 되기 위해 인재육성과 과학기술혁신을 국가 최우선 과제로 추진해 가고 있습니다.

세계 최고 수준의 인터넷 보급률과 초고속 통신망 등 IT 인프라도 손색이 없습니다. 이와 함께 끊임없이 새로운 것을 추구하는 두터운 소비자층은 한국을 첨단 신제품의 시험무대로 만들고 있습니다. 지멘스, IBM, 인텔 등 세계 초일류 기업들이 한국에 R&D센터를 설립한 것도 이러한 장점을 높이 평가한 결과일 것입니다.

한국은 또한 동북아의 금융 허브로 도약해 나가고자 합니다. 세계 열한번째의 경제규모, 축적된 연·기금 자산, 인구 고령화에 따른 풍부한 자산운용 수요를 가지고 있습니다. 이를 바탕으로 올해 중에 한국투자공사를 설립하고 기업연금을 도입하는 등 자산운용업에 특화된 금융 허브 전략을 추진해 나갈 것입니다. 인천공항과 부산·인천·광양항 등 잘 갖춰진 물류 인프라와 중국·일본 시장에 인접해 있는 지정학적 여건도 한국에 대한 투자를 늘려야 하는 이유가 되고 있습니다. 앞으로 남북한을 잇는 철도와 도로가 개통되고 시베리아 횡단철도와 연결되면 한국은 중국·러시아·일본을 잇는 명실상부한 동북아 물류 허브로 성장할 것입니다.

참석자 여러분,

한국은 능동적인 개방정책을 통해서 선진 통상국가를 지향하고 있습니다. 세계 각국과의 자유무역협정을 적극적으로 추진하고 있으며, 외국인 투자 유치를 위해서도 많은 노력을 기울이고 있습니다. 칠레에 이어 싱가포르와 자유무역협정이 타결되었고, 유럽자유무역연합(EFTA)·ASEAN·일본 등과도 협상을 추진 중입니다.

인천·부산·광양 등 세 곳을 경제자유구역으로 지정해서 외국인 생활환경을 획기적으로 개선하고, 외국인 투자에 대해 조세감면 등 포괄적인 인센티브를 제공하고 있습니다. 지난해 외국인 투자 누계액이 1천억 달러를 넘어서 이미 한국은 아시아에서 가장 개방된 경제 중의 하나가 되고 있습니다. 포춘지 선정 세계 500대 기업 중에 절반 이상이 진출해 있고, 주식시장의 42%는 외국인 소유로 되어 있습니다.

한국 경제는 또한 1997년 말 외환위기 이후 강도 높은 개혁을 추진해 왔습니다. 글로벌 스탠더드에 부합하는 선진경제를 목표로 시장의 공정성과 투명성을 대폭 높이고 불필요한 규제는 과감히 철폐해 나가고 있습니다. 저는 자신 있게 말씀드릴 수 있습니다. 이제 한국은 세계 어느 곳보다 효율적이고 역동적인 시장으로 변모했습니다. 경쟁력 있는 기업이라면 누구나 큰 이익을 낼 수 있는 매력적인 투자처입니다. 독일 기업인 여러분도 적극적으로 참여해서 성공의 결실을 함께 나눌 수 있게 되기를 바랍니다.

독일 경제인 여러분,

저는 한국 경제가 온통 장밋빛이라고 주장하는 것은 아닙니다. 북핵문제를 걱정하는 분들이 적지 않다는 것을 잘 알고 있습니다. 그러나 이 문제는 대화를 통해 평화적으로 해결할 수밖에 없기 때문에 반드시 그렇게 될 것입니다.

우리는 북한의 핵 보유 불가, 6자회담을 통한 평화적 해결이라는 분명한 원칙을 가지고 있습니다. 6자회담 참가국들도 한반도 비핵화, 평화적 해결, 포괄적·단계적 해결 등에 공감하고 있습니다. 무엇보다 우리국민의 평화에 대한 의지와 역량이 북핵문제를 지혜롭게 해결해낼 것입니다. 북핵문제에도 불구하고 개성공단 건설, 남북한 철도·도로 연결, 금강산 관광 등 3대 경협사업은 예정대로 진행되고 있습니다. 여러분이 우려하는 노사관계도 급속도로 개선되고 있습니다. 과거의 투쟁일변도에서 대화와 타협의 노사문화가 자리잡아 가고 있습니다. 근로손실일수가 매년 감소하고 있으며, 불법쟁의도 현저히 줄어들었습니다. 현재 진행 중인 노·사·정 대타협이 성공적으로 마무리되면 노사관계는 훨씬 안정될 것입니다.

양국 경제인 여러분,

한국은 동북아 경제 허브, 선진통상국가로 나아가는 데 있어 독일과의 긴밀한 협력을 필요로 합니다. 독일도 한국과의 협력을 통해 세계경제의 지도국가로서 그 위상을 더욱 확고히 할 수 있을 것입니다. 이미 독일은 EU 국가 중 두번째로 한국에 투자를 많이 하고 있습니다. 과거 외환위기 극복과정에서도 독일의 여러 은행과 기업들이 채무재조정과 투자를 통해 도움을 주신 데 대해 지금도 감사하고 있습니다. 우리 입장에서도 독일은 유럽 지역 제3위의 투자대상국입니다. 양국 간 교역규모도 지난해 36%나 늘어나 올해에는 200억 달러를 넘어설 전망입니다. 그러나 EU 확대와 동아시아 경제의 역동성을 감안할 때 양국간 협력은 아직 시작에 불과합니다. 상호간의 투자 확대를 통해서 독일은 중국을 비롯한 동북아 진출의 교두보를 마련하고 한국 역시 유럽 시장 진출의 거점을 확보할 수 있을 것입니다.

독일의 자본, 금융, 기술력과 한국의 우수인력, IT 인프라, 비즈니스 여건 등이 합해지면 서로에게 큰 시너지효과를 창출할 수 있다고 확신합니다. 한국 시장에 성공적으로 진출한 알리안츠, 바스프, 지멘스 등 많은 독일 기업들이 이를 입증해주고 있습니다. 아울러 IT·에너지 기술 같은 첨단산업과 과학기술 분야에서 협력을 강화하고, 특히 중소기업 간의 기술협력이 더욱 활성화되기를 기대합니다.

양국 경제인 여러분,

이 모든 것을 이루기 위해서 가장 중요한 것은 여기 계신 여러분들의 협력입니다. 지금까지 그래 왔듯이 앞으로도 더 새로운 방식, 더 긴밀한 협력을 통해 서로에게 도움이 되는 길을 찾아 주시기 바랍니다. 여러분의 창조적인 협력이야말로 공동의 이익창출은 물론 두 나라 간의 유대를 더욱 돈독히 해 주는 튼튼한 기반이 될 것입니다. 다시 한번 초청에 감사드리며, 여러분의 큰 성공을 기원합니다.

감사합니다.

독일연방 하원인사 초청 만찬사

2005년 4월 12일

존경하는 코쉬크 독·한의원친선협회장, 젬브리츠키 경제협력개발위 부위원장, 그리고 의원 여러분,

여러분의 환영과 두 분의 따뜻한 말씀에 감사드립니다.

오늘이 독일 방문 사흘째입니다. 이번 방문에서 나는 세계 일류국가 독일의 저력을 거듭 확인했습니다. 그 중심에 독일 의회가 있었다는 것은 두말할 필요가 없을 것입니다. 여러분이 이루어 온 위업에 경의를 표합니다.

존경하는 의원 여러분,

독일은 수출 세계 1위의 경제대국입니다. 뿐만 아니라 인권과 민주주의, 경쟁과 연대의 조화, 그리고 환경문제에 이르기까지 세계의 모범국가로 찬사를 받고 있습니다. 이처럼 독일이 이루어 낸 성공에 대해서

는 오늘 저녁 내내 말씀드려도 시간이 부족할 것입니다. 그래서 우리 국민이 가장 부러워하는 세 가지만 말씀드리고자 합니다. 그것은 바로 독일 통일과 EU 통합, 그리고 과거사 청산입니다. 나는 1989년 11월 9일 베를린 장벽이 무너지던 순간을 지금도 생생히 기억합니다. 그리고 어제 브란덴부르크 문을 보면서 역사의 진보에 대한 확신과 함께 대결과 분단의 상징이었던 그곳을 자유와 평화의 광장으로 바꿔 놓은 독일의 힘을 느낄 수 있었습니다.

대한민국은 지금 세계 유일의 분단국가입니다. 아직도 우리는 가야 할 길이 많이 남아 있습니다. 그러나 서두르지도 좌절하지도 않습니다. 독일의 통일에서 희망과 교훈을 얻게 됩니다. 독일은 또한 세계 역사에 남을 EU 통합을 주도적으로 이뤄 냈습니다. 최근 EU 확대와 헌법조약의 타결에도 중심적인 역할을 해 왔습니다. 유럽은 이제 전쟁과 대결의 역사를 마감하고 평화와 번영의 공동체로 다시 태어나고 있습니다. 나는 하나의 유럽을 만들어 가는 이 과정을 보면서 동북아시아에도 화해와 통합의 질서가 구축될 수 있기를 희망합니다. 또 그렇게 되도록 앞장서 노력할 것입니다.

의원 여러분,

나는 이와 함께 독일의 과거사 청산방식을 존경합니다. 부끄러운 과거를 솔직히 인정하고 진정으로 반성할 줄 아는 양심과 용기, 그리고 그에 상응하는 실천을 통해 국제사회의 신뢰를 회복했습니다. 전쟁이 끝난 지 60년이 지난 지금까지 피해자들에 대한 배상을 계속하고 있으며, 역사 교과서 또한 이웃나라들과 협의를 거쳐 편찬하고 있습니다. 독일의 이런 노력이 주변국과의 화해를 이뤄 내고 오늘의 EU 통합을 가능하게 했을 것입니다. 동북아시아에 평화와 번영의 질서를 만들어 가야 할 우리로서는 참으로 부러운 일이 아닐 수 없습니다.

의원 여러분,

나는 이번 방문을 통해 우리 두 나라가 평화와 번영의 동반자로서 이루어 갈 미래에 대해 큰 희망을 확인했습니다. 특히 올해 한·독 간 '입국 및 체류 양해각서'가 발효됨으로써 양국 국민 간 교류가 더욱 활발해지게 됐습니다. 이 자리를 빌려 코쉬크 의원을 비롯한 의회 지도자와 독일 정부에 깊은 감사의 말씀을 드립니다. 여러분의 변함없는 우정 속에 양국 관계는 더욱 돈독하게 발전해 나갈 것이라고 확신합니다. 독일연방 하원의 무궁한 발전과 양국 관계의 미래, 그리고 여러분의 건강과 행복을 위해서 건배를 제의합니다.

감사합니다.

헤센 주 총리 내외 주최 만찬 답사

2005년 4월 13일

존경하는 롤란트 코흐 총리 각하 내외분, 그리고 내외 귀빈 여러분,

따뜻한 환영에 감사드립니다. 유서 깊은 비브리히 성에서의 만찬은 오래도록 아름다운 기억으로 남을 것 같습니다.

헤센은 세계 유수의 금융기관이 모여 있는 유럽의 금융중심입니다. 자동차·화학 등 헤센의 주력산업은 독일을 세계 최대의 수출국으로 이끌고 있습니다. 훌륭한 문화예술 전통도 현대에 맞게 새롭게 창조해내고 있습니다. 프랑크푸르트 도서전과 카셀의 도쿠멘타는 모든 면에서 세계 최고입니다. 헤센의 발전을 이끌고 계신 총리 각하께 경의를 표합니다.

존경하는 귀빈 여러분,

독일은 우리의 진정한 친구입니다. 한국이 어려울 때마다 큰 힘이 되어 주었고, 비슷한 역사적 경험 속에서 언제나 모범을 보여 주었습니

다. 헤센은 이러한 양국의 우호협력에 든든한 다리가 되고 있습니다. 독일에 진출한 대다수 우리 기업이 헤센에 자리잡고 있고, 최근에도 한국의 자동차 회사들이 유럽지역본부를 이곳에 두기로 결정했습니다. 총리께서도 2001년에 경제사절단을 이끌고 한국을 방문해 주셨습니다. 증가하는 양국 교역규모에 비춰 볼 때 헤센의 역할은 더욱 커지게 될 것입니다. 특히 프랑크푸르트 도서전에 우리나라가 주빈국으로 참가하게 된 것은 큰 기쁨이 아닐 수 없습니다. 여러분의 큰 관심과 성원을 부탁드립니다.

내외 귀빈 여러분,

헤센이 낳은 대문호 괴테는 "꿈이 있으면 반드시 실현할 때가 온다."고 했습니다. 독일과 한국은 함께 꾸는 꿈이 있습니다. 세계 평화와 번영입니다. 같은 꿈을 꾸고 있기에 앞으로도 두 나라의 우정은 더욱 굳건해질 것입니다. 그리고 그 꿈은 반드시 이루어질 것입니다.

귀빈 여러분,

총리 내외분의 건강과 우리 두 나라의 영원한 우정을 위해 건배를 제의합니다.

감사합니다.

프랑크푸르트 시청 환영식 답사

2005년 4월 14일

존경하는 페트라 로트 시장님, 그리고 귀빈 여러분,

이처럼 따뜻하게 맞아 주셔서 감사합니다. 프랑크푸르트의 역사가 살아 있는 이곳 황제실에서 여러분과 자리를 함께하게 된 것을 기쁘게 생각합니다. 프랑크푸르트는 1848년 국민의회가 소집된 독일 민주주의의 산실입니다. 유럽의 관문이자 경제·금융 중심지로서의 위상은 더 설명을 필요로 하지 않습니다. 이 모두가 자유와 개방의 시대정신을 앞서 실현한 결과라고 생각하며, 프랑크푸르트 시민들의 창조적 역량과 의지에 경의를 표합니다.

귀빈 여러분,

프랑크푸르트는 우리 국민에게도 각별한 도시입니다. 1960~70년대 우리 광산근로자와 간호사들이 이곳을 중심으로 자리잡기 시작해서 현재 5천여 명에 이르는 한인사회를 이루고 있습니다. 독일에서 가장 많은 60여 개의 우리 기업들이 진출해 있는 곳이기도 합니다. 다가오는 10월에는 문화 올림픽으로 불리는 프랑크푸르트 도서전에 우리나라가 주빈국으로 참가하게 됩니다. 이곳에 오기 전 도서전 관계자들을 만나 유익한 대화를 많이 나누었습니다. 시장께서도 조만간 우리나라를 방문하실 계획인 것으로 알고 있습니다. 아는 만큼 보이고, 보이는 만큼 가까워질 수 있다고 했습니다. 우리의 문학과 예술작품이 지닌 독창성과 깊이를 독일뿐 아니라 세계에 널리 알릴 수 있는 소중한 기회가 되기를 기대합니다.

귀빈 여러분,

오늘로서 4박 5일간의 독일 방문을 모두 마치게 됩니다. 나는 이번 방문을 통해 우리 두 나라의 돈독한 협력관계와 공동번영의 미래를 거듭 확신하게 되었습니다. 우리 일행에게 베풀어 주신 독일 국민의 각별한 환대에 다시 한번 감사의 말씀을 드리며, 프랑크푸르트의 무궁한 발전과 여러분 모두의 행운을 기원합니다. 감사합니다.

세제르 터키 대통령 내외 주최 만찬 답사

2005년 4월 15일

존경하는 세제르 대통령 각하 내외분, 그리고 귀빈 여러분

나와 우리 일행을 환대해 주신 각하와 터키 국민 여러분께 감사드립니다. 대한민국 국가원수로는 처음 터키를 방문하게 된 것을 매우 영광스럽게 생각합니다. 오늘 각하를 비롯한 터키 지도자들을 만나면서 오랜 친구처럼 반갑고 편안했습니다. 오히려 한국의 대통령이 너무 늦게 왔다는 죄송한 마음마저 듭니다.

터키는 동서 문명의 가교로서 위대한 역사와 문화를 꽃피워 왔습니다. 지금도 중동과 중앙아시아, 유럽과의 긴밀한 협력을 통해 역내 평화와 안정에 기여하고 있습니다. 또한 각하께서는 법과 원칙을 중시하는 철저한 민주주의 신봉자로서 자유와 인권신장에 많은 노력을 기울여 오셨습니다. 각하의 지도력과 국민의 저력으로 터키가 크게 발전해 나갈

것임을 확신합니다.

대통령 각하,

나는 많은 터키 국민들이 한국을 친구 이상의 형제국가로 생각한다는 것을 잘 알고 있습니다. 우리 국민 또한 조금도 다르지 않습니다. 매우 각별한 나라로 생각합니다. 2002년 월드컵 당시 우리 두 나라의 경기는 감동 그 자체였습니다. 승자도 패자도 없는 축제의 한마당이었습니다. 세계인들에게 양국의 우의를 과시한 뜻깊은 자리였다고 생각합니다. 이것은 단지 언어와 관습이 유사해서 그런 것만은 아닐 것입니다. 6·25전쟁 당시 터키는 세번째로 많은 1만 5천 명의 병력을 보내 주었고 우리와 함께 자유와 평화를 위해 싸웠습니다. 우리는 이분들의 고귀한 희생을 결코 잊지 않을 것입니다. 이제 우리 두 나라는 더욱 긴밀한 동반자 관계로 발전해 나갈 것입니다. 나의 이번 방문을 계기로 교역과 투자의 증진은 물론 문화·관광 등 인적교류도 한층 더 활발해질 것입니다. 특히 자동차·전자·IT 분야에서 실질적인 협력이 가속화되기를 기대합니다.

내외 귀빈 여러분,

각하 내외분의 건강과 터키의 무궁한 번영, 그리고 우리 두 나라의 영원한 우정을 위해 축배를 들어 주시기 바랍니다.

감사합니다.

한국전 참전탑 헌화 연설

2005년 4월 16일

존경하는 첼렌크 참전협회장님, 그리고 한국전 참전용사 여러분,

대단히 반갑습니다. 여러분께서 베풀어 주신 고마움에 비하면 너무 늦게 이곳을 찾았다는 생각이 듭니다. 건강하신 모습을 뵈니 조금은 마음의 짐을 더는 것 같습니다. 우리 국민을 대신해서 진심으로 감사드리고 깊은 경의를 표합니다. 여러분은 자유민주주의와 평화를 지키기 위해서 우리와 함께 싸웠습니다. 수많은 분들이 머나먼 이국땅에서 고귀한 목숨을 잃고 부상당했습니다. 터키 용사들의 용맹성은 지금도 우리 국민들에게 전설처럼 살아 있으며, 우리는 여러분의 헌신을 영원히 잊지 않을 것입니다.

존경하는 참전용사 여러분,

여러분의 희생은 결코 헛되지 않았습니다. 대한민국은 이제 세계

11위의 경제와 민주화를 이룩하고 세계의 평화와 번영에 기여하는 나라가 되었습니다. 나는 이러한 대한민국의 성공이야말로 바로 여러분의 성공이라고 생각하며, 다시 한번 깊은 감사의 말씀을 드립니다. 여러분은 위기에 내몰린 한국만을 구한 것이 아닙니다. 당시 한반도의 안정은 동북아시아는 물론 세계의 평화와도 직결되어 있었습니다. 그런 면에서 여러분은 세계의 평화를 지켜낸 진정한 용사들입니다.

참전용사 여러분,

터키에 대한 우리 국민의 우정은 참으로 각별합니다. 2002년 월드컵 당시 양국 응원단이 한 덩어리가 되어 치른 3·4위전은 말 그대로 축제의 한마당이었고, 이를 지켜 본 전 세계인을 감동시켰습니다. 양국 관계는 앞으로 더욱 긴밀하게 발전해 나갈 것입니다. 반세기 전 여러분이 뿌린 우정의 씨앗이 우리 두 나라 국민의 가슴속에서 무럭무럭 자라고 있기 때문입니다. 더 아름다운 열매를 맺을 수 있도록 여러분께서 많이 도와주시기 바랍니다. 나와 우리 정부도 최선을 다하겠습니다.

다시 한번 한국전 전몰용사들의 명복을 빌며, 참전용사 여러분의 건강과 행복을 기원합니다. 감사합니다.

한·터키 경제인 초청 오찬 연설

2005년 4월 16일

존경하는 경제인 여러분,

반갑습니다. 일부러 일어나 따뜻하게 박수로 환영해 주셔서 감사합니다.

경제외교라는 것을 오늘날 국가원수의 중요 임무로 생각하고 있습니다. 오늘 이 자리도 그런 뜻을 가진 것으로 생각합니다. 그러나 이번 방문은 경제외교보다 우리 국민들의 감사의 마음과 따뜻한 인사를 터키 국민들에게 전달하는 것이 더 큰 방문 목적입니다.

그래서 경제 얘기를 하기 전에 55년 전 터키 국민들이 우리 한국을 도와줬던 일부터 여러분께 말씀드리고, 경제 얘기로 들어가는 게 좋겠습니다. 55년 전 우리 한국이 전쟁으로 어려움을 당했을 때 터키 국민들은 1만 5천 명의 군대를 한국에 보내 줬습니다. 그중 741명이 목숨을 잃었습니다. 407명이 실종되거나 포로로 붙잡혔습니다. 2천 명이 넘는 사람이 부상을 당하는 엄청난 피해를 입었습니다. 그와 같은 희생을 감수하고 용감하게 싸워 줬고, 그 용감성은 한국에서 전설처럼 내려오고 있습니다.

그 덕분에 한국은 세계 어디 내놓아도 부끄럽지 않을 정도로 자유민주주의를 발전시켰고, 경제에서도 세계 11위의 경제를 말할 정도로 발전했습니다. 한국민은 터키에 대해 진정으로 감사하는 마음을 갖고 있습니다.

서울 여의도에 제가 살던 집 바로 옆에 앙카라 공원이 있어서 자주가 보곤 했습니다. 오전에는 앙카라에 있는 한국공원을 방문해 참전기념탑에 헌화하고 왔습니다. 근래에 와서 한국 사람들이 터키 여행을 참 많이 갑니다. 작년에만 5만 7천 명 정도가 터키를 다녀왔습니다. 다녀온 사람 모두 터키 국민들이 한국 국민을 좋아한다는 말을 합니다. 거의 대부분이 터키 국민들이 한국을 형제의 나라라고 말한다는 소식을 전해 줍니다. 지금 통역을 하는 분이 쓴 책에도 터키가 피를 나눈 형제의 나라라는 말을 강조하면서 그렇게 한국을 사랑한다고 쓰여 있습니다.

그동안 국회의장이나 국무총리는 여러 번 다녀갔지만 한국 국가원수가 오지 못한 것을 매우 미안하게 생각합니다. 여러 가지 다른 볼일도 있었지만 이번에는 정말 뒤로 미룰 수 없고 꼭 가서 인사해야 한다고 외교부 장관이 강력히 주장했습니다. 백번 옳은 소리여서 가자고 했고, 인사드리러 왔습니다. 양국 국민들 사이에 이 같은 우의에 비춰 볼 때 양국 경제교류, 무역, 투자 등이 충분치 못해 항상 마음에 아쉬움을 갖고 있었습니다.

터키도 지리적으로 매우 중요한 위치에 있고 한국도 지리적으로 경제적으로 중요한 위치에 있는데 왜 양국의 교류와 협력이 활발하지 않느냐고 물어봤습니다. 한국의 처지로 보면 1989년에 한·터키 간 경제협력위원회가 만들어지기 전까지는 한국의 역량이 터키 시장을 넘겨다보거나 투자할 만한 여력이 안 됐다고 합니다. 1990년대 들어와서 한국 경제가 획기적인 개방을 하면서부터 이제 교역이 확대되려고 했는데 1997년에 그만 외환위기를 맞아 2001년, 2002년까지 외국투자라든지 이런 것을 할 수 없는 어려움에 빠져버렸습니다. 2003년에도 그 후유증이 남아서 또 한번 어려움을 겪기도 했습니다.

그러나 이제 극복됐습니다. 물가든 외화든 경제성장률이든 실업률이든 모든 측면에 있어 한국 경제는 회복됐습니다. 지금 아주 탄탄한 경제체력을 갖고 빠른 속도로 성장을 다시 시작했습니다. 그리고 이 성장은 지속될 것입니다. 터키는 한국보다 앞서 급속히 안정되고 빠른 속도로 성장하고 있다는 얘기를 들었습니다. 어제 에르도안 총리를 만났을 때에도 경제를 주제로 얘기를 나눴지만 매우 희망찬 터키 경제를 말씀해 주셨습니다.

앞으로 어떤 분야에서 협력을 할 것인지, 서로 협력을 하면 어떤 이익이 있을 것인지 오전에 여러분이 많은 대화를 나눈 것으로 알고 있습니다. 저와 동행한 산업자원부 장관, 정보통신부 장관으로부터도 여러 가지 보고를 받았지만 여러분이 이미 다 알고 있을 것이라 생각해서 일일이 말씀드리지 않겠습니다. 그래도 경제수석비서관에게 앞으로는 경제 교류와 협력이 되는 게 아니냐고 다시 물었더니 그것은 틀림없다고 했습니다.

여러분이 이미 아시겠지만 한국 경제를 이끌고 있는 5개 경제단체 대표들과 한국 경제를 실질적으로 주도하고 있는 기업 대표들이 모두 이 자리에 참석했습니다. 저는 경제를 잘 모릅니다만 제 눈에도 터키 경제가 아주 활발하게 발전하고 있다는 느낌을 받았습니다. 자리를 함께한 경제인들도 이번 터키 방문을 통해, 이 자리에서의 대화를 통해 터키 경제의 가능성과 어떤 일을 함께 할 수 있을지 상당히 많은 것을 발견했을 것입니다. 제가 발견한 가능성 한 가지는 길거리에서 저와 얼굴을 마주치는 터키 국민들의 표정이 매우 밝고 활력이 넘친다는 것입니다. 한번 해 보겠다는 의지와 자신감을 갖고 있는 사람이 어떤 자원보다도 큰 자원이라고 생각합니다. 오늘 이 자리에는 100명 정도의 양국 경제인과 함께 대화를 할 것이라고 사전에 보고를 받았습니다. 그런데 제가 미처 예상하지 못한 많은 분들이 자리를 함께하게 계십니다. 앞으로 한국과 터키 간 경제 교류와 협력이 이처럼 예상하는 범위를 항상 뛰어넘는 폭발적인 수준으로 발전하기를 바랍니다.

꼭 한 말씀을 더 드리고 제 말을 마치겠습니다. 한국 기업이 터키 시장 가능성을 보고 투자를 많이 하면 할수록 자꾸 한국에서 수입이 늘어날 수밖에 없게 돼있는데, 그러면 무역 불균형이 많아질 우려가 있어서 그런 것이 걱정입니다. 앞으로 무역 불균형을 시정하는 방법으로 수입을 줄이려고 하지 말고 할 수입은 하고 그러면서 한국 기업이 상품을 많이 사는 방향으로, 말하자면 양쪽 다 확대하는 쪽으로 방향이 잡혔으면 좋겠습니다. 또, 터키가 다른 쪽에 많이 수출하기 위해서 한국에서의 수입이 늘어나는 것도 환영해 주십사 말씀드립니다. 우리도 최선을 다하겠습니다. 무역수지로 균형을 잡지 못하면 무역외수지까지 총동원해서 균형을 잡을 수 있도록 최선을 다하겠습니다.

감사합니다.

나라와 민족을 위한 기원법회 연설

2005년 4월 20일

존경하는 법장스님, 그리고 불교계 지도자 여러분,

오늘 '나라와 민족을 위한 기원법회'에 참석해서 인사드리게 된 것을 기쁘게 생각합니다.

불교는 오랜 역사를 통해서 우리 국민의 삶과 함께해 왔습니다. 빛나는 문화를 꽃피우고 나라가 어려울 때마다 국민들에게 힘과 용기를 북돋워 주었습니다. 여러분의 지극한 정성과 노력이 편안하고 번영하는 나라를 만들어 가고 있습니다. 거듭 감사의 말씀을 드리며, 부처님의 큰 가르침이 이 땅 위에 반드시 실현될 것으로 믿습니다.

불교계 지도자 여러분,

먼저 산불로 인해 천년 고찰 낙산사가 크게 훼손된 것을 매우 안타깝게 생각합니다. 제대로 복원될 수 있도록 최선을 다해 지원하겠습니다. 아울러 사찰과 문화재를 보존하고 관리하는 데 더욱 세심한 정성을 기울이겠습니다.

불자 여러분,

불교는 우리에게 매우 각별한 종교입니다. 저도 어릴 적에 어머니의 염불소리를 들으며 자랐습니다. 사법고시를 준비하며 찾았던 곳도 제 고향에 있는 장유암 이라는 절이었습니다. 절에서 공부하면서 스님들의 청빈하고 엄격한 삶을 보았습니다. 욕심을 버리고 보다 큰 가치를 추구하는 법, 절제하며 순리에 따라 사는 법을 조금이나마 배웠던 것 같습니다. 그것이 지금 대통령직을 수행하는 데도 많은 도움이 되고 있습니다. 후보 시절 법전 종정 스님께서 주신 세 가지 말씀도 늘 마음에 새기고 있습니다. "세상의 거울이 되라, 살기 힘든 사람들의 문제를 해결하라, 정치하는 사람들끼리 서로 칭찬하고 북돋워 줘라."는 말씀이셨습니다. 이러한 가르침들을 잊지 않고 더욱 열심히 노력하겠습니다. 여러분께서도 더 많이 도와주시기를 부탁드립니다.

불자 여러분,

저는 지난주에 독일과 터키를 방문하면서 달라진 한국의 위상과 우리 국민의 저력을 다시 한번 실감했습니다. 우리가 선진국 문턱에 와 있다는 것을 확인했습니다. 이제 우리의 생각과 행동도 선진국 수준으로 올라서야 합니다. 무엇보다 상대를 존중하는 가운데 대화하고 타협하면서 뜻을 맞추어 나가는 관용의 문화를 뿌리내려야 하겠습니다. 이와 함께 경쟁과 연대가 조화를 이루는 사회가 되어야 하겠습니다. 성공한 사람이 존경받고 경쟁에서 낙오한 사람들도 다시 일어설 수 있는 기회를 가질 수 있어야 합니다.

    화합과 상생의 불교정신이야말로 이러한 사회를 만드는 밑거름이 될 것입니다. 그런 점에서 저는 우리 불교가 더욱 융성해서 부처님의 가르침이 국민들 가슴속에 가득하기를 바랍니다. 오늘 법회를 준비하시고 자리를 함께해 주신 모든 분들께 다시 한번 감사드리며, 불교계의 큰 발전을 기원합니다. 감사합니다.

제3회 경기도 세계도자비엔날레 축하 메시지

2005년 4월 22일

제3회 경기도 세계도자비엔날레 개막을 진심으로 축하합니다. 준비하느라 애써 주신 모든 분들께 감사드립니다. 해외에서 오신 여러분께도 따뜻한 환영의 인사를 전합니다.

도자비엔날레는 명실상부한 세계 도예인의 축제로 자리잡았습니다. 67개국에서 3천여 명의 작가들이 참가하는 올해에는 더욱 풍성한 볼거리와 행사들이 준비되어 있다고 들었습니다. 이러한 성공은 도민 여러분의 지속적인 관심과 문화예술인들의 헌신적인 노력 때문일 것입니다. 우리 도자예술을 한층 발전시키고 세계 도예인 간의 교류를 증진시키는 데 크게 기여할 것으로 기대합니다.

지금은 문화가 국력을 좌우하고 경제의 핵심이 되는 시대입니다. 특히 지역의 고유한 문화와 전통은 지방화 시대의 핵심적인 성장동력이 되고 있습니다. 이곳 이천·광주·여주 지역을 첨단 도자산업 클러스터로 육성해 나가는 것은 그런 의미에서 매우 뜻깊은 일입니다. 세계적인 경쟁력과 높은 부가가치를 가진 도자산업이 경기도의 발전은 물론 우리나라 문화·관광·산업을 이끌 수 있도록 함께 힘을 모아야겠습니다. 정부도 문화산업 발전의 토대가 되는 순수예술·전통문화의 진흥과 함께 지역문화산업 육성에 정책적인 노력을 다하겠습니다. 이번 행사의 큰 성공을 기원하며, 이곳을 찾는 모든 분들이 도자예술의 정수를 느낄 수 있기를 바랍니다.

살레 예멘 대통령을 위한 만찬사

2005년 4월 26일

존경하는 알리 압둘라 살레 대통령 각하, 그리고 내외 귀빈 여러분,

오늘 저녁 귀한 손님을 모시게 되어 매우 기쁩니다. 예멘 국가원수로는 처음 방한하신 각하와 일행 여러분을 진심으로 환영합니다. 1990년 예멘 통일을 이끄신 각하께서는 정치적 민주화와 경제·사회 개혁을 통해서 국가발전의 힘찬 도약대를 마련해 가고 계십니다. 뿐만 아니라 적극적인 평화정책으로 이웃나라와의 우호 증진에도 힘을 쏟고 있습니다. 각하의 지도력과 국민의 저력으로 예멘이 평화롭고 번영된 나라로 크게 발전할 것임을 확신합니다.

대통령 각하,

오늘 각하와의 정상회담은 양국간 실질협력을 확대하는 좋은 기회가 될 것으로 생각합니다. 예멘의 풍부한 자원과 우리의 자본·기술은 서

로에게 큰 도움이 될 수 있습니다. 특히 에너지는 상호 윈-윈 할 수 있는 대표적인 분야입니다. 우리는 예멘의 석유뿐만 아니라 매년 130만 톤이 넘는 천연가스를 2008년부터 수입할 계획입니다. 마리브 유전을 비롯한 에너지 개발에 대한 투자도 적극 확대해 나갈 것입니다. 또한 정보통신·건설 분야에서도 협력 가능성이 매우 큽니다. 예멘의 LNG 프로젝트 사업, 초고속 통신망 구축 등에 우리 기업들이 기여할 수 있기를 희망합니다. 각하와 예멘 정부의 큰 관심과 배려를 부탁드립니다.

대통령 각하,

세계 유일의 분단국가인 우리에게 예멘의 통일이 주는 시사점은 매우 많습니다. 오늘 각하의 서울대학교 강연에 우리 학생들의 호응도 컸다고 들었습니다. 앞으로도 우리의 평화번영정책에 대한 변함없는 지지를 당부드립니다.

귀빈 여러분,

각하의 건강과 예멘의 무궁한 발전, 그리고 우리 두 나라의 우의를 위해서 건배를 제의합니다. 감사합니다.

민단신문 2,500호 발행 축하 메시지

2005년 4월 27일

민단신문 지령 2,500호를 진심으로 축하합니다. 동포사회의 화합과 발전을 위해 애써 오신 여러분의 노고에 깊은 감사의 말씀을 드립니다.

70만 재일동포 여러분은 우리 민족의 저력을 잘 보여 주고 계십니다. 맨주먹으로 시작해서 눈물겨운 노력과 불굴의 도전정신으로 오늘의 성공을 이뤄 냈습니다. 일본 사회의 당당한 일원으로 뿌리내리고 있습니다. 뿐만 아니라 조국이 어려움에 처할 때마다 내 일처럼 앞장서 힘을 모아 주셨습니다. 이제 여러분의 조국 대한민국은 세계 11위의 경제력을 가지고, 세계 어디에도 뒤지지 않는 민주주의의 나라가 되었습니다. 동포 여러분 한 분 한 분께 마음으로부터 감사드리며 큰 격려의 박수를 보냅니다.

올해는 광복 60주년이자 한·일 국교정상화 40주년이 되는 특별한 해입니다. 그러나 최근 일본의 역사인식을 둘러싸고 많은 어려움이 제기되고 있는 것도 사실입니다. 누구보다 재일동포 여러분의 염려와 안타까움이 크실 것입니다. 한국과 일본은 동북아시아의 미래를 함께 열어 가야 할 공동운명체입니다. 그 미래는 의심할 바 없이 평화와 공존입니다. 역사문제이든 그 밖의 문제이든 새로운 미래를 구축하는 데 도움이 되는 방향으로 나아가야 합니다. 그렇게 되도록 최선을 다해 나가겠습니다. 한·일관계 발전의 가교로서 70만 동포 여러분과 민단신문의 큰 역할을 기대합니다. 다시 한번 민단신문 지령 2,500호를 축하드리며, 동포 여러분의 가정에 건강과 행복이 가득하기를 기원합니다.

위성DMB방송국 개국식 축하 메시지

2005년 4월 27일

'손안의 TV'가 현실이 되었습니다. 역사적인 위성DMB 시대의 개막을 진심으로 축하합니다. 그동안 애써 오신 관계자 여러분께 치하의 말씀을 드립니다. 위성DMB는 IT 강국 한국이 이뤄 낸 또 하나의 쾌거입니다. 방송과 통신이 융합된 새로운 미디어 세상이 만들어 갈 변화에 기대가 큽니다. 무엇보다 우리의 생활방식을 크게 바꿔 놓을 것입니다. 이동하면서 즐기는 생생한 정보와 다양한 콘텐츠는 생활의 활력소는 물론 지식정보사회를 앞서 가는 경쟁력이 될 것입니다.

경제적 효과 또한 막대합니다. 향후 10년간 9조 원의 생산유발과 연인원 18만명의 고용창출효과가 기대되고 있습니다. 지금 우리의 DMB 기술력은 세계 최고입니다. 이 기회를 살려 나가야 합니다. 시장을 선점할 수 있도록 장비와 서비스 개발에 더욱 박차를 가해 나가야 하겠습니다. 콘텐츠 개발에도 힘을 기울여야 할 것입니다. 새로운 미디어에 걸맞은 참신한 내용으로 전 세계 사람들을 우리의 고객으로 삼아야 하겠습니다. 이제 시작입니다. 우리의 휴대폰이 IT 코리아의 위상을 드높이고 있듯이, DMB가 유비쿼터스 코리아를 세계에 알리는 자랑스런 아이콘이 되기를 바랍니다. 다시 한번 개국을 축하드리며, 위성DMB의 큰 발전을 기원합니다.

한국국제전시장 개장식 축사

2005년 4월 29일

존경하는 경기도민 여러분, 특히 고양시민 여러분, 진심으로 축하드립니다.

정말 웅장하고 아름답습니다. 보기에만 좋은 것이 아니라 구석구석 최첨단 시설을 갖추고 있다니 더욱 훌륭합니다. 대한민국을 대표하는 또 하나의 명소가 될 것 같습니다. 다시 한번 축하드립니다. 전시장 건설을 위해 중앙정부와 지자체가 함께 힘을 모은 것도 뜻깊은 일입니다. 그동안 애써 주신 손학규 지사님, 강현석 시장님, 그리고 공사 관계자 여러분 모두에게 치하의 말씀을 드립니다. 아울러 해외에서 오신 페트라 로트 프랑크푸르트 시장님을 비롯한 내빈 여러분께도 환영과 감사의 인사를 드립니다.

내외 귀빈 여러분,

지금 우리는 선진경제로의 진입을 눈앞에 두고 있습니다. 반도체·
정보통신·자동차·조선·철강 산업 같은 제조업만 보면 이미 선진국 문
턱을 넘어섰습니다. 그러나 서비스산업은 그렇지 못합니다. 작년 한 해
동안 관광·교육·지적재산권·컨설팅 등의 분야에서 87억 달러의 서비
스 수지 적자를 기록했습니다. 우리 젊은이들에게 고급 일자리를 더 많
이 제공하고 기업경쟁력을 높이기 위해서는 금융·법률·전시 산업 등 기
업지원 서비스산업을 한층 발전시켜야 합니다. 그중에서도 전시산업은
선진경제 도약을 위해서 매우 중요합니다. 비즈니스와 관광이 결합된 고
부가가치 산업일 뿐만 아니라 신기술 제품의 전시를 통해서 첨단산업
발전의 토양이 되고 있습니다. 정부는 구체적인 계획을 마련해서 전시·
컨벤션 산업을 국가전략산업으로 키워나갈 것입니다. 아울러 한국국제
전시장이 동북아 최대 전시장으로 성장할 수 있도록 적극적인 지원을
아끼지 않겠습니다.

내빈 여러분,

앞으로 수도권은 동북아의 경제 허브, 국제적인 비즈니스 중심도시
로 발전해 나갈 것입니다. 특히 서북부 지역은 그 발전 가능성이 매우 큽
니다. 이미 인천국제공항이 전 세계 123개 도시를 연결하면서 동북아
교통과 물류의 핵심거점으로 자리잡았습니다. 외국인 투자의 중심이 될
인천경제자유구역도 이제 그 모습이 드러나고 있습니다. 조만간 착공하
는 제2연륙교 건설과 함께 인천공항 2단계 확장사업, 공항 내 자유무역
지역 개발도 차질 없이 추진될 것입니다. 특히 오는 6월 준공되는 파주
LCD산업단지는 첨단 IT 제품의 세계적인 생산거점이 될 것입니다.

그렇게 되면 이곳 서북부 지역은 명실상부한 동북아 교통과 물류·비즈니스 허브로 발전해 갈 것이며, 한국국제전시장은 그 중심적인 역할을 담당하게 될 것입니다. 오늘 개장행사로 열리는 '서울모터쇼'에 대한 기대도 큽니다. 크게 성공해서 프랑크푸르트나 디트로이트 모터쇼처럼 세계적인 모터쇼로 발전하기를 바랍니다. 다시 한번 한국국제전시장의 개장을 축하드리며, 여러분 모두의 건강과 행복을 기원합니다.

감사합니다.

제5회 한국수산업경영인대회 축하 메시지

2005년 4월 29일

제5회 한국수산업경영인대회를 축하합니다. 수산업 발전을 위해 땀 흘리고 계신 여러분께 격려의 말씀을 드립니다. 우리 수산업에 대해 걱정하는 목소리가 적지 않습니다. 지난 수년간 수산물 생산량은 줄어들었고, 수산 분야 무역적자는 커지고 있습니다. 그러나 저는 희망을 보고 있습니다. 자율관리어업공동체가 올해 300개소를 넘어설 전망입니다. 소형기선저인망을 비롯한 불법어업이 근절되고 있고, 정부의 수산자원 회복계획도 올해부터 본격적으로 추진될 것입니다.

무엇보다 가장 확실한 희망의 근거는 바로 수산업 경영인 여러분입니다. 이미 여러분은 선진기술 개발과 혁신적인 경영전략을 통해서 큰 성공을 이뤄내고 있습니다. 이러한 성공의 노하우를 공유하고 확산시켜 나가야 하겠습니다. 한 발 한 발 나아가다 보면 머지않아 우리 수산업은 반드시 경쟁력 있는 산업으로 거듭나게 될 것입니다. 자신감을 가집시다. 희망과 열정으로 풍요로운 바다, 살기좋은 어촌을 만들어 갑시다. 저와 정부도 최선을 다해 여러분을 돕겠습니다. 다시 한번 대회를 축하드리며, 여러분 모두 즐겁고 뜻깊은 시간 되시길 바랍니다.

5월

청소년위원회 출범 축하 메시지

2005년 5월 2일

청소년위원회의 출범을 축하합니다.

청소년은 우리의 희망입니다. 청소년이 꾸는 꿈이 바로 우리의 미래입니다. 세계와 호흡하는 건강한 민주시민으로 성장할 수 있도록 돕는 일은 국가와 사회의 당연한 책무이자 미래를 위한 가장 값진 투자입니다. 저는 우리 청소년들을 만날 때마다 무한한 신뢰와 함께 무거운 책임감을 느낍니다. 우리 청소년들은 생각이나 역량, 이 모든 면에서 세계 최고라고 생각합니다. 그러나 아직도 우리의 환경은 청소년들에게 많이 불편하고 미흡합니다.

오늘 청소년위원회가 새롭게 출발하는 뜻도 여기에 있습니다. 청소년의 보호와 육성, 인권문제에 이르기까지 명실상부한 국가 청소년정책의 중심 역할을 다해 줄 것으로 믿습니다. 하나하나 개선하고 바꿔 나갑시다. 우리 청소년들이 마음껏 역량을 키우고, 무엇보다 행복할 수 있도록 더 큰 관심과 사랑을 기울여 나갑시다. 청소년위원회의 출범을 거듭 축하드리며, 큰 발전을 기원합니다.

고려대학교 개교 100주년 기념
세계대학총장포럼 축사

2005년 5월 4일

존경하는 어윤대 총장님, 국내외 대학총장 여러분, 그리고 귀빈 여러분,

세계대학총장포럼을 진심으로 축하드립니다. 세계 지성을 대표하는 여러분과 자리를 함께하게 된 것을 매우 기쁘게 생각합니다. 특별히 해외에서 오신 총장 여러분께 따뜻한 환영의 인사를 드립니다. 아울러 내일 개교 100주년을 맞이하는 고려대학교에도 축하의 말씀을 드립니다.

존경하는 총장 여러분,

저는 인류 역사에서 가장 큰 혁명의 하나로 민주주의를 꼽습니다. 민주주의야말로 인간의 존엄을 높이고 창의를 발현할 수 있는 가장 성공적인 제도라고 믿기 때문입니다. 대학은 이러한 민주주의 발전의 산실이 되어 왔습니다. 대학의 자유로운 정신은 인권·정의·평등·평화와 같

은 인류의 보편적 가치를 개발하고 확산시키는 데 결정적인 역할을 했습니다. 또한 대학은 상아탑 속에만 머물지 않았습니다. 변화의 시기마다 도덕적 결단으로 역사를 진보시키는 힘이 되었습니다. 이러한 실천이 오늘날 인류가 누리는 자유와 인권의 토대가 되었다고 생각합니다.

내외 귀빈 여러분,

우리 한국의 대학도 다르지 않습니다. 일제 식민지배와 불의한 독재권력에 맞서 민족정신과 민주주의 이념을 지켜 냈습니다. 1960년 4·19혁명, 1987년 6월항쟁 등은 우리 민주주의 역사에 자랑스런 기록으로 남아 있습니다. 한강의 기적을 이뤄 내고 세계 11위의 경제로 도약하는 데에도 대학의 역할이 컸습니다. "한국이 발전할 수 있었던 동력이 무엇인가?"라는 질문을 받을 때마다 저는 주저 없이 우리 국민의 높은 교육열이라고 말합니다. 지금도 우리의 대학진학률은 81%로서 세계 최고입니다. 뿐만 아니라 우리 대학들은 대단히 빠르게 혁신을 이뤄 가고 있습니다. 그런 점에서 저는 우리 대학에 많은 기대를 걸고 있고, 한국의 미래가 밝다고 믿고 있습니다.

존경하는 총장 여러분,

우리는 21세기를 맞으면서 세계가 평화와 공존의 질서로 나아갈 것이라는 희망을 가졌습니다. 그러나 지금도 세계 도처에는 대립과 분쟁이 끊이지 않고 있고, 명분보다는 국가 이익만을 앞세우는 힘에 의한 질서가 관철되고 있습니다. 이곳 동북아만 해도 제국주의 시대의 아픈 상처가 아물지 않은 채 국가 간 갈등의 요인이 되고 있습니다. 심지어 패권주의적 경향이 다시 부활하는 것 아니냐는 우려마저 나오고 있습니다.

이러한 상황에서 지성인의 공동체인 대학사회에 거는 기대는 매우 큽니다. 적어도 대학은 국가 이익에 종속되기보다는 인류사회의 보편적 가치를 발전시키는 근거지가 되어야 합니다. 민주주의에 대한 확고한 신념, 역사에 대한 깊이 있는 통찰, 세계 평화에 대한 의지는 무엇과도 바꿀 수 없는 지성인의 자존심입니다. 인류 양심의 보루인 대학이 흔들리지 않는다면 우리의 미래는 분명히 희망적일 것입니다.

존경하는 총장 여러분,

이러한 소명을 다하기 위해서는 무엇보다 대학과 대학인들이 교류와 협력을 강화해 나가야 합니다. 특히 지금과 같은 지식기반사회에서는 더욱 그렇습니다. 그런 점에서 세계 250여 개 대학이 참가하는 이번 포럼은 매우 뜻깊은 일이 아닐 수 없습니다. 세계 지성의 지혜를 모아 나간다면 대학의 발전은 물론 세계가 고민하고 있는 많은 문제들을 해결해 나갈 수 있을 것입니다. 좋은 토론과 큰 성과를 기대합니다. 다시 한 번 이번 포럼을 축하드리며, 여러분 모두 유익하고 보람된 시간 보내시기 바랍니다.

감사합니다.

새 세브란스병원 개원 축하 메시지

2005년 5월 4일

새 세브란스병원 개원을 진심으로 축하드립니다.

120년 전 이 땅에 현대의학의 불씨를 지핀 세브란스병원은 국민건강과 의학 발전에 크게 이바지해 왔습니다. 뛰어난 의료기술은 물론이고 사랑과 봉사로 늘 고마운 이웃이 되어 왔습니다. 오늘 새롭게 출발하는 세브란스병원이 교육과 연구, 진료 등 모든 분야에서 세계적인 의료기관으로 더욱 발전해 가기를 바랍니다. 이제 우리도 고도 소비사회에 걸맞은 선진 의료 서비스를 갖출 때가 되었습니다. 정부는 의료 서비스 분야를 국제경쟁력을 가진 전략산업으로 육성해 나가고자 합니다. 이를 통해 국민의 삶의 질을 높이고 보다 많은 고급 일자리를 만들어 나갈 것입니다. 세브란스병원이 이 일에 선도적인 역할을 해 주실 것으로 기대합니다. 새 병원 개원을 거듭 축하드리며, 여러분의 건강과 행복을 기원합니다.

고려대학교 개교 100주년 축하 메시지

2005년 5월 5일

고려대학교 개교 100주년을 진심으로 축하드립니다.

고려대학교는 지난 한 세기 동안 '행동하는 지성'으로서 우리 민족과 함께 해왔습니다. 자유와 정의를 향한 고대인들의 꺾이지 않는 의지는 역사의 고비마다 큰 힘이 되어 주었습니다. 이제 고려대는 세계 속의 대학으로 힘차게 도약하고 있습니다. 역점적으로 추진하고 있는 글로벌 프로젝트와 산·학·연 협력사업은 우리 대학이 어디로 나아가야 하는지를 잘 보여 주고 있습니다. 크게 성공해서 세계 100대 명문대학의 목표를 꼭 이루시기 바랍니다.

다시 한번 개교 100주년을 축하드리며, 여러분 모두의 건승을 기원합니다.

카리모프 우즈베키스탄 대통령 내외
주최 국빈만찬답사

2005년 5월 10일

존경하는 카리모프 대통령 각하 내외분, 그리고 귀빈 여러분,

우리 내외와 일행을 환대해 주시고, 성대한 만찬을 베풀어 주신 데 대해 감사의 말씀을 드립니다. 이번 방문의 감회는 매우 큽니다. 오랫동안 보고 싶었던 친척집에 온 것 같습니다. 20만 고려인이 살고 있는 우즈베키스탄에 대한 우리 국민의 우의는 그만큼 각별합니다. 우즈베키스탄은 과거 실크로드의 요충지로서 유구한 역사와 찬란한 문화를 꽃피웠습니다. 지금도 중앙아시아 평화와 안정에 중심적인 역할을 하고 있습니다. 특히 각하께서는 경제개발에 전력을 기울여 지난해 7%의 고도성장을 이루었습니다. 각하의 탁월한 지도력과 우즈베키스탄 국민의 역량에 깊은 경의를 표합니다.

대통령 각하,

나는 조금 전에 있었던 각하와의 정상회담을 매우 만족스럽게 생각합니다. 이번에 채택한 공동성명과 여러 협정은 양국 간 실질협력을 크게 확대하는 토대가 될 것입니다. 특히 자원개발협력약정으로 양국이 에너지·광물 자원 개발에 적극 협력하기로 한 것은 서로에게 큰 이익이 될 것입니다. 이미 우리 전자제품이나 자동차, 드라마가 우즈베키스탄에서 많은 사랑을 받고 있다고 들었습니다. 각하께서도 세 차례나 방한해서 한국에 큰 관심을 보여주셨습니다. 양국이 수교 13년의 짧은 기간에도 불구하고 긴밀한 우방으로 발전하게 된 것입니다. 역사적으로도 우리 두 나라는 오랜 인연을 갖고 있습니다. 각하의 고향인 사마르칸드 아프로시압 벽화에는 1,300여 년 전 이곳을 찾은 한국인의 모습이 새겨져 있다고 들었습니다. 내일 사마르칸드 방문에 대한 기대가 매우 큽니다.

대통령 각하,

70년 전 이 땅에 이주한 고려인들은 우즈베키스탄의 모범적인 시민으로 자리 잡았습니다. 이들의 오늘이 있기까지 여러분은 좋은 친구가 되어 주었습니다. 앞으로도 더 많은 배려를 부탁드립니다.

내외귀빈 여러분,

각하 내외분의 건강과 우즈베키스탄의 번영, 그리고 우리 두 나라의 영원한 우정을 위해서 건배를 제의합니다.

감사합니다.

한·우즈베키스탄 경제인 초청 오찬 연설

2005년 5월 11일

안녕하십니까?

이처럼 따뜻하게 맞아 주셔서 감사합니다. 나지모프 대외경제청장과 김용구 중소기업중앙회장을 비롯한 양국 경제인 여러분께 감사드립니다. 특히 자리를 함께해 주신 카리모프 대통령 각하께 깊은 감사의 말씀을 드립니다. 카리모프 대통령 각하와는 어제 몇 개의 일정을 함께 했는데, 그때 제 느낌은 따뜻한 분이라는 것이었습니다. 오늘 이 자리에서 말씀하시는 것을 들으니까 따뜻함을 넘어서 뜨거운 분인 것 같습니다. 양국 관계에 아무런 갈등이나 장애사유가 없습니다만, 혹시 경제협력을 하다보면 더러더러 장애사유가 생기는 경우가 있는데, 어떤 어려움이 있더라도 카리모프 대통령 각하의 뜨거운 열정으로 다 녹여 주실 것 같은 그런 느낌을 받았습니다.

저는 어제 이곳 타슈켄트에 도착해서 거리에 있는 우리 광고물과 자동차들을 많이 만났습니다. 반가웠습니다. 반가움을 넘어서 우리 기업과 상품을 따뜻하게 사랑해 주시는 우즈베키스탄 국민께 감사하는 마음을 가지게 되었습니다. 우리에게도 우즈베키스탄은 친숙한 나라입니다. 수교한 지 13년에 불과하지만 1,300여 년 전부터 실크로드를 통해 교류한 역사를 가지고 있습니다. 무엇보다 이곳에 살고 있는 20여만 명의 우리 동포들이 양국 관계 발전의 통로 역할을 하고 있습니다. 특히 카리모프 대통령 각하께서 우리 한국에 대해서 각별한 관심을 가지고 계십니다. 어제는 정치에 대해 한국의 전문가보다 더 소상하게 알고 계시고 많은 언급을 해 주셨습니다. 이렇게 많은 애정과 관심을 보여 주신 데 대해서 감사드립니다.

그러나 이러한 관심과 우의에 비해 실질 경제협력은 아직 미약한 것이 사실입니다. 이제 두 나라 간 교류·협력을 한 단계 더 끌어올릴 시점이 되었다고 생각합니다. 여건도 갖추어지고 있는 것으로 보입니다. 1997년 외환위기를 계기로 줄어들던 교역규모가 2003년부터 다시 늘어나고 있으며, 작년에는 34%나 증가했습니다. 이러한 증가추세는 앞으로 가속화될 것입니다.

우리 기업들의 우즈베키스탄에 대한 투자도 아시아 국가 중에서 가장 많은 10억 달러를 기록하고 있습니다. 현재 200여 개의 크고 작은 기업들이 1만여 명의 이곳 근로자들과 함께 일하고 있고, 수출에도 적지 않은 기여를 하고 있다고 들었습니다.

경제인 여러분,

우즈베키스탄과 한국은 서로에게 도움을 줄 수 있는 경제구조를 가지고 있기 때문에 협력의 잠재력이 매우 큽니다. 그중에서도 석유·천연가스·광물 개발 등 에너지·자원 분야 협력에 관해서는 오늘 오전 여러분의 대화를 통해서 확인한 것으로 들었습니다. 어제 서명한 자원협력약정과 앞으로 설치될 자원협력위원회가 이 분야에서의 협력을 제도화하고 구체적인 사업기회를 만드는 좋은 계기가 될 것이라고 생각합니다. 정보통신 분야에서도 우리는 모범적인 협력모델을 만들어 낼 수 있을 것입니다. 한국은 세계 1위의 초고속 인터넷 보급률을 기록하고 있고 어느 나라보다 앞서 전자정부를 실현해 가고 있습니다. 우즈베키스탄 역시 중앙아시아의 정보통신 발전을 초고속 통신 인프라와 전자정부 구축사업을 의욕적으로 추진하고 있습니다. 저는 이러한 분야에서도 양국 간 협력이 보다 더 긴밀해질 수 있을 것으로 기대합니다. 이와 함께 이번에 체결한 사회보장협정과 섬유기술협력약정, 그리고 민간경제공동위원회 설립 등이 양국 간 무역과 투자를 크게 확대하는 계기가 되기를 바랍니다.

양국 경제인 여러분,

우즈베키스탄은 동아시아와 유럽을 잇는 지리적 이점을 활용해서 신 실크로드의 중심지로 부상하고 있습니다. 동북아시아의 관문에 위치한 우리도 이 지역의 금융·물류·R&D 허브 도약을 목표로 열심히 뛰고 있습니다. 이러한 양국의 노력이 서로 결합된다면 상대방에게 동북아와 중앙아시아로 진출하는 교량 역할을 할 수 있을 뿐만 아니라 아시아를 동서로 연결하며 세계 경제에도 이바지하게 될 것입니다.

경제인 여러분,

지금까지 양국 간 협력의 가능성을 말씀드렸습니다. 그러나 구슬이서 말이라도 그것을 꿰는 것은 결국 기업인 여러분입니다. 여러분에게 크게 기대를 가지고 있습니다. 특히 이번 우즈베키스탄 방문에 중소기업인들이 함께 동행했습니다. 저는 한·우즈베키스탄 협력에 있어 중소기업인 여러분에게 거는 기대가 매우 큽니다. 우즈베키스탄 경제인 여러분, 한국의 기업인들에게 관심을 가져 주시기 바랍니다. 우리 기업인들은 전쟁의 폐허 위에서 맨주먹 하나로 성공을 일구어 낸 가장 최근의 경험을 가지고 있습니다. 오래 전 산업화에 성공한 나라의 기업들에 비해 훨씬 더 도전적이고 기술과 노하우를 나누어 가지는 데도 인색하지 않습니다. 그런 점에서 한국 기업은 여러분의 좋은 친구가 될 수 있을 것으로 생각합니다. 조금 전에 제가 특별히 소개한 우리 중소기업인들이야말로 바로 이와 같은 단단한 경험을 갖추고 있는 실력자들입니다.

아무쪼록 저의 이번 방문이 양국 간 경제협력을 더욱 심화시키는 기회가 되기를 바라며, 여러분의 사업이 크게 번창하시기를 기원합니다. 여러분의 오전 대화가 매우 성공적이었다는 보고를 받았습니다. 오후에 남은 대화도 매우 큰 성과를 거두시기를 바랍니다. 그리고 한국과 우즈베키스탄 기업인 여러분이 이곳 우즈베키스탄에서, 또 한국에서 서로 든든한 동반자가 되기를 바랍니다.

감사합니다.

스승의 날 사랑의 사이버 카네이션 메시지

2005년 5월 13일

선생님, 안녕하십니까?

스승의 날을 맞아 선생님 모두에게 축하의 인사를 드립니다. 아울러 감사 인사도 함께 드립니다. 참으로 수고 많으십니다. 감사합니다. 제게는 존경하는 선생님이 계십니다. 여러분이 계십니다. 그분들께 가르침을 받고 있을 때는 미처 깨닫지 못하고 때로는 흉을 보기도 했습니다. 하지만 세월이 흘러 저도 성장하고 남의 본보기가 되어야 하는 위치에 다가갈수록 지난날 제게 어려움에 굴하지 않는 도전정신과 불의에 굽히지 않는 용기를 심어 주신 선생님들의 가르침이 가슴에 되살아납니다. 엄했던 꾸짖음도 따뜻한 사랑도 가슴에 생생하게 살아 있습니다. 그리고 선생님 모습은 애틋한 그리움으로 남아 있습니다. 지나고 나서 생각해 보면 저는 무척 행복한 학생이었던 것 같습니다. 어려운 일에 부닥칠 때마다 힘을 주셨던 선생님들이 계셨습니다.

선생님, 요즈음 대학 입시 개선안을 놓고 또 세상이 시끄럽습니다. 어지간히 많은 토론도 거쳤고 교육에 관계하시는 분들과 타협도 이루었다고 생각했습니다만, 또 많은 문제가 제기되고 있습니다. 앞으로 많은 논의를 거쳐 합당한 방법을 찾게 될 것입니다만, 분명한 것은 교육은 학교에서 이루어져야 한다는 것입니다. 아이들은 선생님이 가르쳐야 합니다. 그래야 사람다운 사람을 키우고 창의력 있는 인재를 키울 수 있습니다. 우수한 학생을 키우는 일보다 시험성적이 좋은 학생을 뽑는 데만 치중하는 일부 대학교의 욕심이 우리 공교육의 근간을 흔들어서는 안될 것입니다.

저는 우리 선생님들을 믿습니다. 저를 가르치신 선생님들이 주신 그 믿음입니다. 일부 교사들의 잘못으로 선생님들이 불신받고 나아가 학교 교육까지 불신받는 현실을 매우 안타깝게 생각합니다. 그러나 저는 이러한 왜곡된 현실이 오래 가지 않을 것이라는 희망을 가지고 있습니다. 대다수 선생님들이 긍지와 사명감 하나로 힘든 길을 가고 계십니다. 교육을 혁신하고 교단의 신뢰를 회복하기 위해 많은 선생님들이 애쓰고 계십니다. 이 같은 노력들은 반드시 열매를 거두게 될 것입니다. 꼭 그렇게 되도록 저도 힘껏 돕겠습니다. 다시 한번 스승의 날을 축하드리며, 선생님 한 분 한 분께 감사와 존경의 마음을 담아 카네이션을 드립니다.

선생님 여러분, 힘내십시오.

지역민영방송 창사 10주년 축하 메시지

2005년 5월 13일

여러분, 안녕하십니까?

PSB 부산방송, TBC 대구방송, KBC 광주방송, 그리고 TJB 대전방송 창사 10주년을 진심으로 축하드립니다. 지역민영방송은 시민들의 가까운 이웃으로서 지역사회와 지방문화 발전에 크게 기여해 왔습니다. 특히 지역 관심사에 대한 깊이 있는 보도는 시청자들의 큰 호응을 얻고 있다고 들었습니다. 앞으로 더 좋은 방송, 더 사랑받는 방송이 될 것으로 믿습니다.

이제 지방의 혁신역량이 국가경쟁력을 좌우하는 시대입니다. 지방대학과 기업, 언론, 시민단체, 그리고 지자체가 함께 협력해서 지방발전의 동력을 만들어 나가야 합니다. 지역민방이 그 중심적인 역할을 해 주실 것으로 기대합니다. 지방과 수도권이 함께 발전하는 대한민국을 만들

어 나갑시다. 다시 한번 창사 10주년을 축하드리며, 시청자 여러분의 건

강과 행복을 기원합니다.

2005 전국 국민생활체육대축전 축하 메시지

2005년 5월 14일

생활체육 동호인 여러분, 안녕하십니까?

2005 전국국민생활체육대축전을 진심으로 축하합니다. 행사 준비를 위해 애써 오신 충청남도와 대회 관계자 여러분께 감사를 드립니다. 아울러 올해도 변함없이 참가해 주신 일본 선수단 여러분께도 각별한 환영의 인사를 전합니다. 생활체육은 이제 자연스런 일상으로 자리잡아 가고 있습니다. 주5일근무제가 확산되고 삶의 질에 대한 관심이 커지면서 생활체육에 참여하는 사람들이 나날이 늘어나고 있습니다. 보는 즐거움을 넘어 참여해서 즐기는 생활체육의 혜택은 한두 가지가 아닙니다. 건강과 삶의 활력을 지켜 줄 뿐만 아니라 가족의 화목, 직장이나 지역의 단합, 나아가 사회통합을 이루는 데 크게 기여하고 있습니다. 말 그대로 건강한 사회를 이끄는 동력이 되고 있습니다.

정부도 의지를 가지고 생활체육 진흥에 더 많은 노력을 기울여 나가고자 합니다. 체육시설을 지속적으로 확대하고 다양한 프로그램을 보급해 나갈 것입니다. 특히 자라나는 청소년과 연세 많은 어르신들이 체육활동에 더욱 적극적으로 참여할 수 있는 환경을 조성하는 데 역점을 두도록 하겠습니다. 이번 축전이 그동안 갈고닦은 기량을 마음껏 발휘하고 생활체육 동호인 간의 우의와 화합을 다지는 축제의 한마당이 되기를 바랍니다. 축전의 개막을 거듭 축하드리며, 여러분 모두의 건강과 행복을 기원합니다.

불기 2549년 부처님 오신 날 봉축 메시지

2005년 5월 15일

부처님 오신 날을 진심으로 축하드립니다. 인류의 위대한 스승이신 부처님의 높은 공덕을 기립니다. 부처님께서는 고행과 큰 깨달음으로 중생들에게 자비와 공생의 정신을 일깨워 주셨습니다. 이러한 가르침은 2,500여 년 동안 한결같이 우리 인류가 따르고 실천해야 할 삶의 지침이 되고 있습니다.

지금 우리는 선진국 문턱을 넘어서기 위해 국가적인 노력을 기울이고 있습니다. 기술혁신과 인재양성, 산업의 질적 고도화를 통해 선진경제로 나아가는 일은 힘차게 추진될 것입니다.

그러나 더 중요한 것은 신뢰와 관용의 사회를 만드는 일입니다. 원칙이 반칙에 의해 좌절되고 상식이 특권에 의해 훼손되는 사회에서는 신뢰가 피어나지 않습니다. 원칙이 바로 서고 정정당당하게 승부하는 사람이 성공하는 사회가 되어야 합니다. 이와 함께 상대를 존중하는 관용의 문화를 뿌리내려야 합니다. 나와 다른 사람, 나와 다른 의견을 인정하고 받아들일 때 대화와 타협이 가능하고 서로의 차이를 극복할 수 있습니다. 갈등과 대립을 뛰어넘어 합의의 수준을 높여 갈 수 있습니다. 이렇게 성숙한 민주사회의 경험들을 하나하나 쌓아 가다 보면 반드시 더불어 잘사는 대한민국으로 나아가게 될 것입니다. 항상 나라와 국민을 먼저 생각하며 화합과 상생을 실천해 온 우리 불교가 선진한국을 앞당기는 데 큰 역할을 해 주실 것으로 믿습니다.

다시 한번 부처님 오신 날을 봉축드리며, 부처님의 자비광명이 온 누리에 가득하기를 기원합니다.

전국중소기업인대회 축사

2005년 5월 17일

여러분, 반갑습니다.

방금 수상하신 분들께 다시 한번 축하드립니다. 얼마나 힘든 노력을 하셨는지 저도 짐작이 갑니다. 각별히 성공에 대해서 축하를 드립니다. 여러분, 얼마나 힘드십니까? 많은 얘기를 들었고, 저도 한때 사업이라는 데 손을 댔다가 혼이 난 일이 있어서 중소기업하는 분들이 얼마나 어려운지 잘 알고 있습니다. 그러나 전체로서 대한민국 경제를 돌이켜보면 한 시기도 어렵지 않은 때가 없었던 것 같은데, 또한 지나고 보면 매 시기마다 우리가 기적을 만들어 왔던 것이 우리 한국의 경제사이고 기업사 아닌가 생각합니다.

물론 개별 기업이야 수없이 명멸합니다. 어느 나라 어느 시장 없이 성장하고 성공하는 기업이 있는가 하면 실패하고 좌절하는 기업이 있습니다. 그러나 그 가운데서도 전체적으로 시장이 크게 성공한 곳에서는 대개의 기업들이 다 성공을 누립니다. 총체적으로 봐서 우리 한국의 시장은 성공과 기적을 연속적으로 이루어 온 역사라고 말해야 옳다고 생각합니다. 여러분도 지금 이 순간 모두들 힘겹고 또 미래가 불안하시겠지만 5년, 10년 뒤에 다시 돌이켜 볼 때 여러분 개인적으로 또는 한국의 경제시장 전체를 "아, 그래도 우리가 기적을 이뤘구나." 이렇게 평가하실 수 있을 것이라고 저는 생각합니다.

지금 여러 가지 상황을 둘러보면 어려움이 없지는 않지만, 그와 같은 성과를 이루어 가는 데 크게 차질은 없을 것 같다는 것이 우리의 판단입니다. 그럼에도 불구하고 여러분이야 얼마나 어려우시겠습니까? 수출은 많이 되는데 중소기업은 계속 어렵습니다. 소위 양극화라는 말로 표현했습니다. 일일이 말씀드리지 않겠지만 그러한 가운데 중소기업인 여러분이 고통의 중심에 서 있습니다. 또한 여러분의 문제가 풀리지 않으면 나머지 소비진작의 문제라든지, 국민들의 소득에 있어서의 격차 문제라든지, 경제활성화 문제라든지, 이 모든 것이 다 잘 안되게 돼 있습니다. 교차로 또는 병목이랄지 하는 그 위치에 중소기업이 있습니다.

수출실적이 좋은데도 소득이나 일자리가 그렇게 많이 늘지 않는 것은 소위 대기업이 중소기업과 함께 동반해서 성장을 이루어 내지 못하는 데서부터 비롯되는 현상이라고 생각합니다. 그래서 중소기업에 정책의 승부를 걸어야겠다, 이것이 우리 정부의 생각입니다. '중소기업, 여기서부터 모든 문제를 풀어 나가야 된다. 핵심적인 열쇠는 여기에 있다.' 이렇게 생각하고 중소기업정책을 합니다. 잘 하겠습니다.

그런데 제가 아무리 이렇게 다짐해도 여러분은 실감이 안 나실 것입니다. 1960년대, 1970년대, 그 이후 지금까지 역대정권이 중소기업이 중요하다고 말하지 않은 정권이 없지 않습니까? 중소기업정책 없었던 때가 없습니다. 수백 가지의 중소기업정책이 있었고, 그 덕분에 중소기업이 여기까지 온 것 또한 사실입니다. 그럼에도 불구하고 지금도 중소기업에 우리 경제의 문제가 다 맺혀 있습니다. 풀어야 될 문제가 맺혀 있고, 이 문제를 풀어야 우리가 다음 단계로 도약한다는 이 현실에는 변함이 없다는 것입니다. 여전히 중소기업이 어렵다는 현실에는 변함이 없습니다. 언제나 모든 경제가 다 그런 것인가? 그런 경제도 많지만 그렇지 않은 경제도 많이 있습니다. 특히 중소기업이 어렵지 않은 경제도 많이 있고, 좋은 경제일수록 중소기업이 튼튼하고 중소기업을 중심으로 해서 모든 산업들이 균형 있게 동반성장해 가고 있는 것 아닙니까? 우리도 그리로 가야 됩니다. 정책에 대해서, 정부의 말에 대해서 반신반의하는 상황이 여러분의 상황이라면, 지금까지 성장하지 못한 것을 참여정부가 외친다고 되리라는 보장이 있는가, 정말 이 상황을 극복할 수 있는가 하는 것이 진심으로 저의 고민입니다.

2003년 대통령이 되고 난 뒤에 산업자원부 보고 외에 중소기업청과 중소기업특별위원회 합동보고를 따로 받았습니다. 중소기업이 중요하기 때문입니다. 보고를 받아 보니까 그럴 듯한 정책들이 참 많이 있었습니다. 그래서 그렇게 하면 되는가 보다 하고 1년 지나고 2004년 초에 다시 중소기업정책에 관해서 따로 보고를 받았습니다. 물론 중소기업에 문제가 많다고 해서 보고를 받았던 것입니다. 그때 올라온 보고를 보면 새로운 것도 좀 있기는 있었지만, 상당수 아니면 거의 대부분이 2003년도에 저 정책 효과 있느냐고 하나하나 물어보고 재검토했으면 좋겠다고 지시했던 정책들이 고스란히 그대로 올라왔습니다.

말하자면 1980년대에 나온 정책, 1990년대에 나온 정책이 지금도 그냥 쓰이고 있는 것입니다. 몇몇 중소기업에게는 그나마 도움이 될지 모르지만, 총체적으로 중소기업정책으로서 효과가 있느냐고 질문하면 자신 있게 대답하지 못하는 정책들이 그냥 올라오고 있었습니다. 그래서 정책을 다시 만들기로 했습니다. 6천여 개 중소기업을 대상으로 실태조사를 했습니다. 그것이 2004년 초입니다. 이렇게 해서 정책을 세웠는데, 대개 그때는 중소기업 금융정책을 중심으로 해서 하게 됐습니다. 왜 그랬느냐 하면, 2003년 6월 말경에 일부 업종에 대한 집중적인 대출증가로 인해서 소위 중소기업발 금융위기 신호가 포착돼서 그때부터 중소기업 금융에 대해서 단속을 하기 시작했습니다. 이미 가계부채발 금융위기가 와 있는 상태에서 중소기업발 금융위기 신호가 오고 있었습니다. 그래서 중소기업에 대해서 그 문제를 중심으로 해서 전체적으로 실태조사를 했습니다. 그 결과를 가지고 2004년 초에 중소기업정책을 완전히 새로 가져왔는데 토론 결과 일부만 채택하고 다시 하자고 되돌려 보냈습니다. 그렇게 해서 2004년 7월에 중소기업종합대책회의라는 것을 일단 열었습니다. 이때는 약 1만 개의 중소기업에 대한 조사를 했습니다. 중소기업도 다 같은 중소기업이 아니고, 규모도 다르고 업종도 다르고 업태도 다릅니다. 여러분이 잘 아시듯이 천차만별의 업종업태를 놓고 각기 형편에 따라서 대책을 세워야 될 것 아니냐, 그렇게 해서 소위 말해서 맞춤식 정책을 한번 만들어 보자고 해서 2004년 7월에 첫 정책을 내놓았습니다. 이 과정에서는 정부 공무원들이 기왕에 있는 정책들을 그냥 집대성한 것이 아니라 하나하나 검토해서 털어 버릴 정책은 다 털어 버리는 것을 전제로 해서 그렇게 정책을 짰습니다. 중소기업협동조합중앙회, 각 업종별 단체, 그 밖에 크고 작은 많은 중소기업 대표들을 만나서 실제로 필요한 정책을 한번 해 보자, 이렇게 해서 정책을 만들었습니다.

여러 가지 애로가 나왔지만 무엇보다도 사람이 없다고 했습니다. 일류 기술자를 구할 방법이 없고, 현장에서 연구개발과 혁신활동을 하고 현장혁신을 이끌 만한 주도적인 인재도 구하기가 어렵고, 은행돈도 빌리기 쉽지 않고, 출자를 받기도 쉽지 않고 자연히 사람 없고 돈 없으니 기술도 그렇고, 시장개척의 어려움이 있다고 합니다. 각 기업마다 다르긴 하지만 이런 문제 하나하나에 대해서 문제를 풀려고 노력했습니다. 물론 중소기업대책을 이렇게 세우기 이전인 2003년 초부터 우리 정부의 핵심적인 경제전략은 기술혁신과 인재양성이었습니다. "기술혁신의 수단, 그 중에서도 중소기업의 기술혁신을 지원한다는 것을 핵심전략으로 삼고, 대학이 중소기업과 제휴하면 무슨 핑계를 대서라도 무조건 밀어준다. 그것이 지방이면 거기에다 더욱더 우대한다. 그래서 중소기업의 연구혁신 또는 기술개발의 과정과 결합된 프로젝트이면 대학교에 우리가 가지고 있는 돈을 무제한 주겠다. 어떤 예산을 끌어대서라도 주겠다." 그 시기 저는 그런 얘기를 했습니다. '예산은 한정돼 있지만 효율적으로 쓸 수 있는 방법이 오히려 더 모자란다. 효율적으로 쓸 수 있다는 확실한 프로젝트만 가지고 오면 예산은 무슨 돈을 뽑아서라도 반드시 밀어준다.'

그 정책을 이미 하고 있던 중이었습니다.

실제로 많은 중소기업이 대학교와 제휴해서 이와 같은 기술개발계획을 세울 수 있는 능력이 안된다는 것입니다. 그래서 석사 과정에 있는 대학생들이 중소기업 현장에 가서 일하면 그것을 학점으로 쳐주는 제도를 개발해라, 이런 등등의 지원책을 해 왔지만, 그러나 그것으로서는 일부 기술혁신을 추구하는 중소기업에 한해서 약간의 도움이 될 수 있을 뿐이어서 본격적으로 중소기업정책을 다시 검토하게 된 것입니다.

요즘에 와서는 금융에 있어서 지원을 호소하지만, 경쟁력이 없는, 이자보상배율 이하에 장기간 머물러 있는 중소기업에까지 돈 줘라, 보증해 줘라, 빌려 줘라, 이것은 정부에서 할 수 없습니다. 일시적인 애로에 걸려 있다면야 그것은 미래를 보고 할 수 있겠지만 전망도 없는 중소기업에 그때그때 목숨만 연명해서 하루라도 더 이어가기, 이것도 경기를 위해서 필요할 때 일시적으로 쓸 수 있는 수단일 뿐이지 장기적으로 그것은 정책이 될 수 없습니다.

기술을 중심으로 해서 금융지원을 해야 하는데 우리나라의 금융기술 수준이라든지 중소기업의 기업문화라든지 이런 것이 기술 중심으로 금융을 하기가 어렵고, 선진국에서도 이것이 100% 되지 않는다는 것이 현실입니다. '기술을 보고 소위 모험투자를 하는 자본이 있어야 된다. 그래서 벤처 생태계를 한번 구성해 보자. 흔히들 이야기하기를 벤처는 성공률이 10% 미만의 시장인데, 특별히 잘 분석하고 엄선하면 확률을 높일 수 있지 않겠느냐. 그래서 정부가 앞장서서 들어가자. 아예 한 다리 끼어 들어가자. 공무원들의 판단능력에는 한계가 있으니까 기업하는 전문 투자자들하고 함께 가자.' 그렇게 해서 소위 벤처 생태계를 형성하기 위한 방향으로 열심히 노력하고 있습니다. 그래서 혁신 다음에 생태계, 인력지원에 관한 문제, 그 다음에 내일 모레는 영세 상공인들, 혼자서는 어떻게 대책이 마련되지 않는 그런 업종들에 대해서 대책을 세우도록, 말하자면 중소기업정책에 관한 시리즈판을 결과적으로 내게 됐습니다. 작년 7월에 종합판을 내고 10월인가 해서 벤처시장을 형성하는 문제 등을 시리즈로 내고 있습니다.

하나하나의 정책과정에서 중소기업하는 여러분과 끊임없는 대화를 통해서 아이디어를 모두 정책화하고 있습니다. 한편으로는 중소기업에서 좀 섭섭해 하는 부분이 있을 것입니다. 기존에 하던 지원책을 끊어 버린 것이 있습니다. 일부에서 일시적으로는 도움이 되지만 전체를 위해서 장기적으로는 도움이 되지 않는 지원수단이 그것입니다. 고금리 시대에 만들어진 금융지원수단은 저금리 시대에는 큰 도움이 되지 않으니 바꿔야 합니다. 이런 과정에서 좀 불편을 겪고 있는 분들도 없지 않아 있겠지만 전체적으로 중소기업을 운영하는 분들의 의견을 모아서 그렇게 하고 있습니다. 한번 해 보겠습니다.

내가 국무회의를 할 때나 참모회의를 할 때나 거듭거듭 다짐하는 것이 있습니다. '노래는 불러도 성과가 없는 정책은 하지 말자. 국민들 앞에 이것은 안되는 것이라고 고백을 하자.' 지난 수십 년 동안 우리가 균형발전을 외쳐 왔지만 총론에서는 다 찬성하고 각론에 가면 다 반대하지 않았습니까? 그래서 균형발전 안됐습니다. 앞으로 이 결과가 어떻게 나타나게 될지에 대해서 여러 가지 우려만 있을 뿐이지 아무도 단언

할 수 없는 이런 특수한 수도권 집중현상을 만들어 놓고 있습니다. 나름대로 열심히 대처해 가고 있습니다.

이 또한 성공할지 못할지에 대해서는 확신할 수 없으나 30년 동안 총론적으로 '한다, 한다.' 노래만 부르고 결과 없는 정책은 안됩니다. 물론 이전 정부도 성심껏 했으나 역부족이라 그랬겠지만 장기적으로 보면 정부의 정책이라면서 결국 책임을 안 지는 정책 아니냐는 말입니다. 우리 정부에서는 이것만은 마감하자, 안되는 것은 포기하자는 것입니다. 중소기업정책도 마찬가지입니다. 될 수 있게 한번 해 보고 싶습니다. 지금까지 최선을 다해 노력하고 있습니다. 올해부터는 어떤 정책이 어느 정도의 실효성이 있는지를 하나하나 점검해 나가는 작업을 할 생각입니다.

그러나 정부의 정책만으로는 한계가 있습니다. 인센티브만으로는 한계가 있습니다. 문화가 형성돼야 합니다. 대기업들이 중소기업과 상생하는 전략이 장기적으로는 승리할 수 있는 전략이라는 믿음을 우리 정부는 가지고 있습니다. 당장은 원가경쟁을 시키고 아웃소싱하고 덤핑 들어온 물건을 쓰면 원가가 절감되겠지만 장기적으로 봐서 한국의 중소기업이 실질적인 기술력과 경쟁력을 가지고 있지 않을 때 결국 대기업의 경쟁력도 불리해지는 것 아니겠습니까? 그렇다면 대기업과 중소기업 사이에 서로 믿고 협력하는 문화가 형성돼 있을 때 협력이 가져오는 시너지가 있지 않겠느냐? 대기업들도 이제 전략을 우리 중소기업과 함께 살아가는 전략으로 바꾸자. 이미 대기업이 상당 부분 그렇게 하고 있습니다.

그런데 기업이라는 것이 묘해서 조직이 크다 보면 관료조직화되어서 한쪽에서는 상생원리에 의한 거래라든지 규칙을 적용하고, 한쪽에서는 골병드는 중소기업 아주 어렵게 하는 정책이 진행되는 경우가 있을 수 있습니다. 우리 정부도 일을 해 보면 한 부처에서는 균형발전한다고 정부기관을 바깥으로 내보낸다고 열심히 하고 있는데, 또 다른 어느 부처에서는 균형발전과 관계없이 수도권 한복판에 새로운 시설을 만들겠다는 계획을 딱 세워 가지고 발표해 버리는 이런 일이 생깁니다. 그렇듯이 대기업들도 그런 일이 생기지 않겠습니까? 이미 상생협력의 전략을 가지고 나선 기업도 있지만 아직 따르지 않는 기업도 있고, 또 같은 기업 안에서도 어떤 조직의 성과논리가 달라서 엇박자가 나는 경우가 있기 때문에 '이것을 우리 모두 함께 인식을 공유하고 뜻을 한번 모아보자. 손을 맞잡아서 한번 같이 해 보자.' 그래서 동반성장, 상생협력의 다짐을 어제 했습니다. 여러 가지 새로운 아이디어도 내놓고 다짐을 하고 이렇게 했습니다.

우리 정부 정책 어느 구석에서라도 중소기업을 도울 수 있는 방법이 있으면 하나하나 하겠습니다. 대통령이 하려고 한다고 다 되는 것은 아니겠지요. 장관이 하려고 한다고 공무원들이 다 그렇게 움직일지는 미지수지만, 올 연말쯤 가서는 아마 중소기업 육성정책에 적극적이지 않고 해야 될 일을 내팽개쳐 놓고 있는 공무원들은 입장이 곤란해질 것입니다. 그렇게까지 철저히 다그치고 해서 우리 정부 전 조직이 함께 뜻과 힘을 모아서 중소기업을 살려내고, 그 중소기업을 통해서 우리 경제 전체의 균형 있는 발전을 꾀해 나가고, 그를 통해서 소득분배도 이뤄 나가고 소비 진작도 이뤄지는 그런 경제를 한번 만들도록 최선을 다하겠습니다.

지금까지의 중소기업정책이 결코 효과가 없었던 것은 아닙니다. 많은 도움이 됐지만 아직도 구조적인 문제들을 극복하지 못했다, 이렇게 말할 수 있지 않겠습니까? 참여정부도 이 구조적인 문제까지 극복할 수 있을지에 대해서 정말 장담은 못하지만 이번에는 정말 우리 경제에서 악순환의 구조만은 한번 꼭 좀 끊어 보자는 의지를 가지고 최선을 다해 볼 생각입니다.

감사합니다.

5·18민주화운동 25주년 기념식 연설

2005년 5월 18일

존경하는 국민 여러분, 광주시민과 전남도민 여러분,

우리는 오늘 5·18민주화운동 25주년을 기념하기 위해 이 자리에 함께했습니다. 자유와 민주주의를 위해, 그리고 이 나라를 위해 고귀한 목숨을 바치신 5·18영령들의 명복을 빕니다. 그날의 상처로 지금 이 순간까지 고통받고 계신 유가족과 부상자 여러분께 충심으로 위로의 말씀을 드립니다. 아울러 분노와 슬픔을 승화시켜 민주주의 발전을 이끌고 계신 위대한 광주시민과 전남도민 여러분께 깊은 존경과 감사의 말씀을 올립니다.

광주시민과 전남도민 여러분,

5·18은 승리의 역사입니다. 군부독재의 무자비한 폭력도 민주주의를 향한 광주시민들의 열정만은 꺾지 못했습니다. 광주의 용기와 희생은

민주화의 불꽃이 되어 1987년 6월항쟁으로 타올랐고, 마침내 군부독재를 무너뜨렸습니다. 시민의 힘이 얼마나 위대한지를 분명하게 보여주었습니다. 광주시민 여러분은 목숨이 오가는 극한 상황에서도 절제력을 잃지 않았습니다. 모두가 한마음으로 부상자를 치료하고 어려움을 나누었습니다. 약탈도, 방화도, 보복도 없는, 그야말로 민주질서를 유지했습니다. 평화적인 사태 해결을 위해 끝까지 대화하고자 노력했습니다. 이것은 세계 역사를 봐도 유례가 없는 일입니다. 우리가 세계에 손색이 없는 당당한 민주주의를 하게 된 토대에 바로 광주가 있었음을 우리 국민은 영원히 기억할 것입니다.

존경하는 국민 여러분,

1980년대 민주화 이후 시민사회의 성장은 괄목할 만한 것이었습니다. 시민사회가 국정을 이끌어 가는 핵심적인 주체로 등장했고, 우리는 아시아에서 가장 활발한 시민사회를 가진 나라가 되었습니다. 이제 그 위상에 걸맞게 한층 더 성숙한 모습으로 발전해 가야 하겠습니다. 무엇보다 대안을 내놓는 창조적인 참여를 통해서 우리 사회의 합의 수준을 높여 나가야 합니다. 반대를 용납하지 않고 폭력과 공작으로 경쟁을 무력화시켰던 독재의 역사는 결코 되풀이되지 않을 것입니다.

이제 상대를 존중하면서 대화와 타협으로 문제를 풀어 나가고 규칙에 따라 정정당당하게 경쟁하고, 결과에는 반드시 승복하는 성숙한 민주주의 문화를 만들어 가야 합니다. 감정적 대립을 뛰어넘어 합리적 사고가 지배하는 사회가 되어야 합니다. 이것이 사회적 갈등을 효율적으로 극복하고 국가경쟁력을 한 단계 더 높이는 길이 될 것입니다.

존경하는 국민 여러분,

5·18의 숭고한 뜻을 오늘에 되살려 냅시다. 성숙한 민주주의를 꽃 피우고 선진한국을 향해 힘차게 나아갑시다. 그래서 우리 아이들에게 떳 떳하고 자랑스런 역사를 물려 줍시다. 5·18영령들이 우리의 앞길을 밝 혀 주실 것입니다.

감사합니다.

미디어오늘 창간 10주년 축하 메시지

2005년 5월 18일

미디어오늘 가족 여러분, 안녕하십니까? 창간 열 돌을 진심으로 축하드립니다.

'언론 속의 언론'을 표방한 미디어오늘은 우리 언론사에 새로운 장을 열었습니다. 그래서 저도 창간 때부터 관심 있게 지켜보고 있습니다. 4년 전쯤에 미디어오늘과의 인터뷰가 생각납니다. 일부 언론의 왜곡보도로 마음고생이 심했던 시절이었는데, 미디어오늘은 제 생각을 가감 없이 전달해 주셨습니다. 그때 저는 언론이 달라지면 정치도 달라지고 국민도 달라질 것이라고 말했습니다. 이 생각은 지금도 변함이 없습니다.

이제 언론환경이 많이 달라졌습니다. 정부와 언론 모두 각자의 역할에 충실하면서 건강한 긴장과 협력 관계를 유지하고 있습니다. 정부정책에 대한 기사들도 수준이 많이 높아진 것 같습니다. 미디어오늘의 역할이 컸다고 생각합니다. 참다운 언론문화 창달을 위한 여러분의 노력에 큰 박수를 보냅니다. 저는 대한민국의 미래에 대해 확신을 가지고 있습니다. 언론이 지금보다 좀더 정확한 보도, 올바른 여론 형성에 노력해 간다면 우리가 목표하는 선진한국은 더욱 앞당겨질 것입니다. 미디어오늘이 지금까지와 마찬가지로 앞으로도 언론 발전에 크게 기여해 줄 것으로 믿습니다. 거듭 창간 열 돌을 축하드리며, 미디어오늘의 무궁한 발전을 기원합니다.

2005 서울디지털포럼 개막식 축사

2005년 5월 19일

안녕하십니까? 뜻깊은 자리에 초청해 주셔서 감사합니다.

서울디지털포럼과 월드 ICT 서밋 개막을 축하드립니다. 해외에서 오신 참석자 여러분을 진심으로 환영합니다. 세계 정보통신계를 이끌고 계시는 기업인과 석학, 그리고 정부 지도자들이 모두 함께 하신 것 같습니다. 가히 'IT 분야의 다보스포럼'이라고 불릴 만하다는 생각이 듭니다. 특히 여기 계신 앨 고어 전 부통령은 '정보고속도로 구상'을 통해 인터넷 발전에 선구적인 역할을 해 오신 것으로 알고 있습니다. 이어서 있을 기조연설에 대한 기대가 매우 큽니다. 아울러 이번 회의가 큰 성과를 거둘 것으로 믿습니다.

내외 귀빈 여러분,

정보화 혁명의 현재와 미래에 대해서는 이 회의에서 깊이 있게 논의될 것입니다. 그래서 저는 오늘 정보통신 강국을 향한 우리의 노력에 대해 말씀드리고자 합니다. 여러분도 아시는 대로 한국은 디지털 혁명이라는 시대 변화에 세계 어느 나라보다 발 빠르게 대응해 왔습니다. 그 결과 전 국민의 3분의 2 이상이 인터넷을 활용하고 있고, 초고속인터넷 보급률은 세계 1위를 기록하고 있습니다. 메모리 반도체, CDMA 휴대폰을 비롯한 다양한 IT 제품들이 세계 시장을 이끌고 있습니다. 핵심기술 개발에도 박차를 가해 세계 최초로 휴대인터넷 기술을 개발하고, 얼마 전에는 위성DMB 시대를 열었습니다.

행정의 효율성과 투명성을 높이는 전자정부 구축도 빠르게 추진되고 있습니다. 제가 일하는 청와대만 해도 디지털 근무환경으로 완전히 탈바꿈했습니다. 대통령과 참모들이 온라인을 통해 격의 없이 토론하고, 모든 보고와 기록관리가 디지털 방식으로 이루어지고 있습니다. 단순히 종이를 없애는 차원이 아니라 일하는 방식 자체를 바꿔 나가고 있습니다.

이제 대한민국은 가장 역동적으로 발전하는 정보통신국가로서 세계의 인정을 받고 있습니다. 그러나 우리의 도전은 앞으로도 계속될 것입니다. 우리 국민의 높은 성취동기와 첨단 IT인프라, 그리고 늘 새로운 것을 추구하는 넓은 소비자층을 바탕으로 더욱 가속화될 것입니다. 이번 회의의 주제인 유비쿼터스 시대를 준비하는 작업도 이미 시작되었습니다. 광대역통합망을 비롯한 차세대 정보 인프라 구축사업이 본격적으로 추진되고 있습니다. 내년이면 100만 원대의 지능형 로봇이 나옵니다. 장애인, 맞벌이 부부, 노인들을 도와 집안일을 하는 것은 물론이고, 방범·

정보제공과 같은 역할도 하게 될 것입니다. 뿐만 아니라 행정과 국방·교육·의료 등 국가 중추 분야에도 유비쿼터스 기술을 접목해서 국가운영 시스템을 혁신해 나갈 것입니다. 우리는 이러한 노력을 통해 국가경쟁력을 획기적으로 높이고 유비쿼터스 시대의 벤치마킹 모델국가로 발전해 나가고자 합니다. 여러분의 적극적인 관심과 협조를 당부드립니다.

존경하는 참석자 여러분,

한국은 정보격차 문제나 개인정보 침해와 같은 정보화 시대의 그늘을 결코 간과하지 않을 것입니다. 차가운 디지털에 온기를 불어넣어 모두가 함께하는 디지털 복지사회를 구현해 나갈 것입니다. 나아가 지구촌의 모든 사람들이 정보화 혜택을 고루 누리게 하는 데도 적극 동참해 나갈 것입니다. 그 일환으로 UN ESCAP의 ICT 훈련센터를 인천 송도에 설립해서 각국의 정보통신 정책 담당자와 엔지니어들에게 정보화 교육 기회를 제공해 나가고자 합니다. 아무쪼록 오늘 이 자리가 새로운 유비쿼터스 시대의 비전을 공유하고, 더 편리하고 풍요로운 세계로 나아가는 소중한 기회가 되기를 바랍니다.

감사합니다.

제40회 발명의 날 축하 메시지

2005년 5월 19일

제40회 발명의 날을 진심으로 축하합니다. 남다른 창의와 도전정신으로 신기술 개발에 헌신하고 계신 발명인 여러분께 감사와 격려의 말씀을 드립니다.

발명은 더 나은 세상을 만들어 가는 동력입니다. 새로운 것을 창조하기 위한 열정과 노력이 인류 문명의 발전을 이끌고 상상 속의 일들을 현실로 바꿔 놓고 있습니다. 발명에 관한 한 우리는 자랑스런 역사를 가지고 있습니다. 금속활자·측우기와 같은 뛰어난 발명품들이 참으로 많습니다. 지금도 IT를 비롯한 여러 산업과 과학기술 분야에서 세계가 놀라는 업적들을 쌓아 가고 있습니다. 창의적이고 성실한 우리 국민의 역량을 살려 나간다면 수년 내에 반드시 선진국 반열에 올라서게 될 것입니다.

정부는 발명의 토양이 되는 기술혁신과 인재양성을 국가 최우선 전략으로 추진하고 있습니다. 특히 산·학·연 협력체계 구축, 핵심·원천 기술 개발 등에 적극적인 지원을 아끼지 않을 것입니다. 이와 함께 발명강국의 위상에 걸맞은 환경을 만들기 위해 최선을 다하고 있습니다. 2006년까지 세계 최고 수준의 특허심사 서비스를 갖추도록 하겠습니다. 이를 위해 올해에만 200명이 넘는 신규 특허심사인력을 충원하고 첨단 특허정보시스템을 구축할 것입니다. 지적재산권의 보호와 사업화를 촉진하기 위한 다각적인 대책도 차질 없이 추진해 나가겠습니다. 발명인 여러분이 바로 국가경쟁력입니다. 대한민국의 희망찬 미래를 열어간다는 큰 자부심으로 각자의 분야에서 최선을 다해 주기 바랍니다. 발명의 날을 거듭 축하드리며, 여러분 모두의 건승을 기원합니다.

제41차 한·일/일·한 협력위원회 합동총회 축하 메시지

2005년 5월 20일

존경하는 나카소네 야스히로 일·한 협력위원회 회장, 남덕우 한·일 협력위원회 회장, 그리고 양국 위원 여러분,

양국 협력위원회 합동총회를 진심으로 축하합니다. 1969년 창립된 이후 양국 관계 발전을 뒷받침해 온 협력위원회의 노력에 깊은 감사의 말씀을 드립니다. 이제 우리 두 나라는 한 해 400만 명이 넘게 왕래하는 긴밀한 이웃입니다. 또한 서로에게 너무도 중요한 교역과 투자의 파트너가 되었습니다. 그러나 양국이 평화와 공존의 미래를 열어 가는 진정한 동반자가 되기 위해서는 더 많은 노력이 필요합니다. 무엇보다 역사에 대한 올바른 인식의 토대 위에서 서로를 신뢰하며 존경하는 이웃이 되어야 합니다. 이것이 이 시대의 양국 지도자들이 함께 풀어 가야 할 최우선의 책무라고 생각합니다.

오랜 경륜을 가진 양국의 원로 여러분이 두 나라 관계 발전에 더 큰 힘이 되어주실 것으로 기대합니다. 다시 한번 합동총회의 개최를 축하드리며, 협력위원회의 무궁한 발전을 기원합니다.

개미고지 자유평화의 빛 기념비
제막식 축하 메시지

2005년 5월 20일

오늘 개미고지에 '자유평화의 빛 기념비'를 제막하게 된 것을 뜻깊게 생각합니다. 자유와 평화를 지키기 위해 고귀한 목숨을 바치신 전몰용사들의 명복을 빕니다.

참전용사 여러분의 숭고한 희생이 있었기에 우리 대한민국은 전쟁의 폐허를 딛고 세계 11위의 경제대국으로 성장할 수 있었습니다. 남북분단의 상황에서도 당당한 민주주의 국가가 될 수 있었습니다. 우리는 참전용사 여러분을 결코 잊지 않을 것입니다. 주한미군은 우리 군과 함께 한반도에서 전쟁을 막고 동북아의 평화와 안정을 지키는 데 크게 기여해 왔습니다. 이러한 한·미동맹은 앞으로도 변함없이 굳건할 것입니다. 기념비 제막을 위해 애써 오신 관계자 여러분의 노고를 치하하며, 거듭 미군 전몰용사들의 명복을 빕니다.

제6차 정부혁신 세계포럼 개회식 환영사

2005년 5월 24일

존경하는 룰라 브라질 대통령, 라흐모노프 타지키스탄 대통령, 탁신 태국 총리, 오캄포 유엔 사무차장, 그리고 각국 대표와 내외 귀빈 여러분,

제6차 정부혁신 세계포럼 개막을 축하드립니다. 세계 140개 나라와 국제기구에서 오신 참석자 여러분을 진심으로 환영합니다. 정부혁신 세계포럼에 대한 관심과 열기가 해를 거듭할수록 뜨거워지는 것 같습니다. 이제는 각국 정부의 경험을 공유하는 지구촌 최대의 혁신축제가 되었습니다. 이처럼 뜻깊은 포럼이 대한민국 서울에서 열리게 된 것을 매우 기쁘게 생각하며, 포럼을 공동 주관한 유엔 관계자와 여러분 모두에게 감사의 말씀을 드립니다.

존경하는 내외 귀빈 여러분,

우리 한국은 지난 반세기 동안 급속한 경제발전을 통해서 세계 10위

권의 경제규모를 가진 나라로 성장했습니다. 이 과정에서 정부는 인적·물적 자원을 일사불란하게 동원하면서 경제성장을 이끌어 왔습니다. 그러나 우리는 1997년 말 외환위기를 맞으면서 이러한 요소투입형 성장전략의 한계를 절감하게 되었습니다. 혁신주도형 발전의 필요성을 깨닫게 된 것입니다. 이제 정부는 물론 정치·경제·사회 모든 분야가 혁신을 통해 국가발전의 동력을 만들어 가고 있습니다.

우리가 추진하고 있는 정부혁신의 목표는 효율적인 정부, 봉사하는 정부, 투명한 정부, 국민과 함께하는 정부, 그리고 분권화된 정부입니다. 이를 통해 세계 10위권의 경쟁력을 갖춘 일 잘하는 정부를 만드는 것입니다. 참여정부는 대통령 직속의 정부혁신지방분권위원회를 중심으로 혁신관리체제를 구축하고, 100대 혁신과제 로드맵을 만들었습니다. 그리고 이에 따라 하나하나 가시적인 성과를 거둬 나가고 있습니다. 무엇보다 시스템에 의한 행정이 구현되면서 행정의 효율성과 예측가능성이 높아졌습니다. 사회적 갈등관리·위기관리 시스템 등이 한층 강화되었고, 정책품질관리·성과관리·홍보관리 시스템도 새롭게 구축해 가고 있습니다.

예산편성이 톱다운(top down) 방식으로 전환되는 등 정부부처의 자율권도 크게 확대되었습니다. 공직의 개방과 교류도 전문성을 높이고 인력풀을 최대한 활용하는 방향으로 개선되고 있습니다. 제가 많은 노력을 기울이고 있는 전자정부 구축도 현재 세계 5위의 경쟁력을 가진 것으로 평가받고 있지만 더욱 내실 있게 추진될 것입니다. 지방분권도 구호만이 아니라 실질적인 성과들을 이뤄 내고 있습니다. 656개의 중앙정부 권한이 지방으로 이양되었고, 국가균형발전을 위한 중앙부처와 공공기관의 지방 이전도 확실한 의지를 가지고 추진하고 있습니다.

참석자 여러분,

이러한 정부혁신과 함께 사회 전 분야의 혁신노력도 가속화되고 있습니다. 우선 지속적인 시장개혁으로 투명하고 공정한 시장 시스템을 만들어 가고 있습니다. 불합리한 규제를 없애고 외국인 투자 환경을 개선하기 위한 노력도 착실히 진행되고 있습니다. 부패 없는 투명사회 건설은 그야말로 획기적인 진전을 보았습니다. 이제 더 이상 정경유착은 없습니다. 지난 3월에는 시민사회와 경제계, 정치권, 정부가 함께 손잡고 투명사회협약을 체결했습니다. 대화를 통해서 공동의 목표에 합의하고 사회적 약속으로 발전시키는 이러한 노력이 앞으로 노사관계 등 사회 각 분야에 더욱 확산될 것으로 기대합니다.

내외 귀빈 여러분,

저는 우리의 정부혁신이 반드시 성공할 것이라는 믿음을 갖고 있습니다. 학습하는 문화가 공직사회에 뿌리내리고 있고, 혁신의 성공사례들이 빠르게 확산되고 있기 때문입니다. 저와 국무위원을 비롯한 리더들이 강력한 의지를 가지고 혁신에 앞장서고 있습니다. 무엇보다 가장 큰 믿음의 근거는 역시 우리 국민입니다. '한번 해 보자'고 마음먹으면 반드시 해내고야 마는 높은 성취동기, 그리고 늘 새로운 것을 추구하는 우리 국민의 창조적 역량이 성공을 이끌어낼 것입니다.

존경하는 참석자 여러분,

지구촌 공동체를 이루고 있는 우리는 경쟁할 일도 있지만, 함께하는 이웃으로서 힘을 모아야 할 일이 참 많습니다. 대한민국은 정부혁신을 위한 국제적인 노력에 적극 동참해 나갈 것입니다. OECD 정부혁신 아시아 센터를 다음달에 개설할 예정이고, 각국의 거버넌스 발전을 지원하는 국제기구 설립에도 각별한 관심을 기울여 나갈 것입니다. 이번 포럼이 더 좋은 정부, 보다 나은 미래를 설계하는 소중한 기회가 되기를 기대하며, 여러분 모두 머무시는 동안 즐겁고 보람된 시간 보내시기를 바랍니다.

감사합니다.

제6차 정부혁신 세계포럼 참석자를 위한 만찬사

2005년 5월 24일

존경하는 룰라 브라질 대통령, 라흐모노프 타지키스탄 대통령, 탁신 태국 총리, 라자팍사 스리랑카 총리, 오캄포 유엔 사무차장, 그리고 내외 귀빈 여러분,

오늘 저녁 정말 귀한 손님들을 청와대에 모시게 되어 매우 기쁩니다. 다시 한번 따뜻한 환영의 인사를 드립니다. 저는 이번에 정부혁신에 대한 각국의 높은 관심과 열정을 거듭 실감했습니다. 룰라 대통령을 비롯한 여섯 분의 기조연설도 매우 훌륭했습니다. 혁신박람회에 소개된 여러 성공사례 또한 인상 깊었습니다. 이번 포럼을 빛내 주신 모든 분들께 깊은 감사의 말씀을 드립니다.

내외 귀빈 여러분,

이곳 청와대는 대한민국 혁신본부라고 할 수 있습니다. 저는 취임

당시부터 원칙과 신뢰, 공정과 투명, 대화와 타협, 분권과 자율을 국정원리로 삼아 왔습니다. 이번 포럼의 주제인 '참여와 투명'이 바로 우리 국정원리의 핵심인 것입니다.

우선 청와대부터 일하는 방식 자체를 바꾸었습니다. 모든 보고와 기록관리가 온라인으로 이루어집니다. 또 이러한 정보들은 투명하게 공개되고 있으며, 청와대 홈페이지를 찾는 하루 방문자만 2만 명이 넘습니다. 국민의 참여가 일상화되고 있는 것입니다. 우리는 이러한 혁신을 국정 전반의 새로운 패러다임으로 정착시켜 나가고자 합니다. 이번 포럼은 여기에 박차를 가하는 좋은 기회가 될 것입니다.

내외 귀빈 여러분,

대한민국은 지난 40여 년 동안 100배가 넘는 경제성장과 눈부신 민주주의 발전을 이룩했습니다. 이것은 세계와 함께 호흡하는 가운데 거둘 수 있었던 성공이라고 생각합니다. 우리는 글로벌 스탠더드에 부합하는 선진경제를 지향하고 있습니다. 투명하고 공정한 경제시스템을 구축하고 개방형 통상정책을 적극 추진해서 기업하기 좋은 나라, 투자하기 좋은 나라를 만들어 갈 것입니다. 나아가 동북아의 금융과 IT, 물류 허브로 발전해 나가고자 합니다. 이것이 우리 경제를 한 단계 더 도약시키는 것은 물론 세계 경제 발전에 기여하는 길이라고 믿습니다.

내외 귀빈 여러분,

우리는 이와 함께 자유와 인권, 평화와 같은 인류 보편의 가치를 지키는 데 더 많은 역할을 해 나가고자 합니다. 특히 평화에 대한 우리의 소망은 절실합니다. 6·25전쟁의 참화를 겪은 한국은 세계에서 유일하게 남은 분단국입니다. 한반도의 평화는 동북아시아, 나아가 세계 평화와 직결되어 있습니다. 당장 여러분이 우려하는 북핵문제를 평화적으로 해결하는 데 최선의 노력을 다하고 있습니다. 지난주에 남북 당국자회담이 열렸고, 다음달에는 장관급회담이 개최됩니다. 6자회담 참가국 간에도 활발한 접촉이 계속되고 있습니다. 이러한 노력에 여러분의 적극적인 협력을 당부드립니다.

내외 귀빈 여러분,

여러분의 이번 방문이 아름다운 추억으로 남게 되기를 바라며, 여러분의 건강과 우리 모두의 우정을 위해서 건배를 제의합니다.

감사합니다.

룰라 브라질 대통령을 위한 만찬사

2005년 5월 25일

존경하는 룰라 대통령 각하 내외분, 그리고 귀빈 여러분,

오늘 저녁 브릭스(BRICs) 국가로 세계의 주목을 받고 있는 브라질의 귀한 손님을 모시게 되어 매우 기쁩니다. 각하 내외분과 일행 여러분의 방한을 진심으로 환영합니다. 6개월 만에 각하를 다시 뵙게 되었습니다. 지구 반대쪽에 있는 두 나라가 이제는 가까운 친구가 된 것입니다. 어제 각하의 정부혁신 세계포럼 기조연설은 감동적이었습니다. 아울러 이틀 동안 세 차례나 우리 기업인들을 만난 열정적인 활동은 우리에게 깊은 인상을 심어 주었습니다. 각하의 이런 노력이 브라질 경제를 10년 만에 가장 높은 성장으로 이끈 원동력이 되었을 것입니다. 이런 성장 추세는 지난해에 이어 앞으로도 계속될 것으로 믿습니다. 국제사회에서의 역할은 더욱 눈부십니다. 남미대륙의 지역통합뿐만 아니라 아시아, 중

동, 아프리카까지 교류·협력을 확대하고 있습니다. 얼마 전에는 '남미·아랍국가 정상회의'를 성공적으로 이끌었습니다. 각하의 지도력과 브라질 국민의 저력에 경의를 표합니다.

대통령 각하,

오늘 각하와의 정상회담은 매우 만족스러웠습니다. 지난해 합의한 '21세기 공동번영을 위한 포괄적 협력관계'의 성과를 다시 한번 확인할 수 있었습니다. 한·메르꼬수르 무역협정 추진은 물론 자원·에너지·IT·건설 등 여러 분야의 협력이 하나하나 가시화되고 있습니다. 이번에 양국 자원협력위원회가 처음 열리고 전력·광물 분야의 민간 협력채널도 구축되었습니다. 우리 두 나라는 지난해 교역량이 44%나 증가할 정도로 실질협력의 새로운 도약기를 맞고 있습니다. 특히 190여 명의 대규모 경제사절단을 이끌고 오신 각하의 방한이 이를 가속화하는 전기가 될 것입니다. 한국은 이제 남미를 넘어 세계의 중심으로 도약하고 있는 브라질과의 협력이 한층 더 확대되기를 희망합니다.

내외 귀빈 여러분,

룰라 대통령께서는 '모든 일을 철저한 윤리관에 입각해서 실행한다.'고 강조하셨습니다. 나는 각하의 이러한 신념이 인류보편의 가치인 인권과 자유, 평화를 실현하는 데 크게 기여할 것으로 믿습니다. 각하 내외분의 건강과 브라질의 발전, 우리 두 나라의 영원한 우정을 위하여 건배를 제의합니다.

감사합니다.

한·중·일 공동역사교재 출판기념회 축하 메시지

2005년 5월 26일

「미래를 여는 역사」출판기념회를 진심으로 축하드립니다. 사실은 지금 저도 이 책을 읽고 있는 중입니다. 공동 집필자와 관계자 여러분, 정말 수고 많으셨습니다. 한·중·일 세 나라 학자들이 모여 공동의 역사 교재를 만든 것은 그 의미가 매우 큽니다. 4년이 넘는 긴 연구기간에서 보듯이 많은 어려움이 있었을 것입니다. 역사가로서의 양심과 사명감이 있었기 때문에 가능한 일이었다고 생각합니다. 역사는 미래를 보는 창입니다. 한·중·일 국민들이 올바른 역사인식을 함께 가질 때 평화와 공존의 동북아 시대는 앞당겨질 것입니다. 이번 출판을 계기로 정부 차원의 공동연구가 큰 진전을 이루고, 자라나는 아이들에게 있는 그대로의 역사를 가르치는 날이 하루빨리 오게 되기를 바랍니다. 다시 한번 출판기념회를 축하드리며, 참석자 여러분 모두의 행복을 기원합니다.

주린다 슬로바키아 총리를 위한 만찬사

2005년 5월 27일

존경하는 미쿨라쉬 쥬린다 총리 각하, 그리고 내외 귀빈 여러분,

오늘 저녁 멀리서 오신 귀한 손님을 모시게 되어 매우 기쁩니다. 슬로바키아 총리로는 처음 대한민국을 방문하신 각하와 일행 여러분을 진심으로 환영합니다. 각하께서는 개혁과 개방에 대한 강한 신념을 바탕으로 슬로바키아의 번영을 이끌고 계십니다. 특히 세제와 연금·보건·교육 등 4대 개혁을 성공적으로 추진해 오셨습니다. 각하의 지도력에 경의를 표하며, 반드시 큰 결실을 거둘 것으로 확신합니다.

총리 각하,

슬로바키아는 유럽 심장부에 위치한 지리적 이점과 우수한 인적자원, 그리고 적극적인 투자유치정책을 통해서 유럽의 자동차 생산 허브로 부상했습니다. 지난해에는 EU 가입을 통해 새로운 도약의 전기를 마련

하고, 5%가 넘는 성장률을 기록하면서 '타트라 호랑이'의 무서운 저력을 보여 주고 있습니다. 우리 기업들도 이러한 잠재력에 주목하고 이미 자동차·전자 산업 분야에서 대규모 투자를 하고 있습니다. 높아진 관심에 비춰 볼 때 더욱 늘어날 것으로 보입니다. 총리께서도 우리 기업에 깊은 관심과 애정을 보여 주고 계신 줄 알고 있습니다만, 앞으로 더 많은 배려를 당부드립니다.

내외 귀빈 여러분,

우리 두 나라 국민은 강대국들 사이에서 시련을 극복하고 고유한 언어와 문화를 지켜 온 역사를 가지고 있습니다. 또한 민주주의와 시장경제라는 공통의 가치를 추구하면서 국제사회에서 긴밀히 협력해 왔습니다. 오전에 가진 정상회담은 양국 간 협력의 지평을 더욱 넓히는 기회가 되었다고 생각합니다. 이번에 체결된 투자보장협정은 실질협력을 보다 구체화하는 기반이 될 것입니다. 아울러 지난 3월 브라티슬라바에 상주공관을 개설한 것도 양국 관계발전에 크게 기여할 것입니다. 나는 각하의 이번 방문이 무역과 투자 확대는 물론 문화·교육 등 모든 분야에서 동반자 관계를 더욱 굳건히 하는 중요한 계기가 될 것으로 믿습니다.

존경하는 총리 각하,

슬로바키아는 아름다운 고성과 온천이 많다고 들었습니다. 마침 우리나라도 1년 중 가장 좋다는 신록의 계절입니다. 머무시는 동안 우리 국민의 따뜻한 우정을 확인하시고, 기억에 남는 여정이 되시기를 바랍니다.

귀빈 여러분,

각하의 건강과 슬로바키아의 무궁한 발전, 그리고 양국 간의 영원한 우의를 위해서 축배를 들어 주시기 바랍니다.

감사합니다.

2005 한국은행 국제 컨퍼런스 축하 메시지

2005년 5월 27일

안녕하십니까?

한국은행 국제컨퍼런스 개최를 축하드립니다. 각국 중앙은행과 국제금융기구 관계자, 학자 여러분을 진심으로 환영합니다. 창립 55주년을 맞는 한국은행에도 축하의 인사를 드립니다. 한국 경제는 지난 반세기 동안 여러 어려움을 극복하고 세계 10위의 규모로 성장했습니다. 반도체·자동차·조선 등 주력 산업은 이미 세계적인 경쟁력을 확보하고 있습니다. 외환보유액과 외국인 투자도 각각 2천억 달러와 1천억 달러를 넘어섰습니다.

이제 한국은 글로벌 스탠더드에 부합하는 개방형 선진경제를 향해 나아가고 있습니다. 시장의 공정성과 투명성을 대폭 높이고 불합리한 규제는 과감히 철폐해나가고 있습니다. 더 이상 외국 금융기관이라고 해서 차별받는 일은 없을 것입니다. 이와 함께 우리는 금융산업을 적극 육성하고, 풍부한 연·기금 자산을 바탕으로 자산운용업에 특화된 동북아 금융 허브로 발전해 나가고자 합니다. 이러한 노력에 여러분의 많은 관심과 성원을 부탁드립니다. 이번 회의의 큰 성공을 기대하며, 한국에 머무시는 동안 즐겁고 보람된 시간되시기 바랍니다.

제58차 세계신문협회 총회 개회식 축사

2005년 5월 30일

존경하는 게빈 오렐리 세계신문협회 회장, 장대환 한국신문협회 회장, 그리고 내외 귀빈 여러분,

제58차 세계신문협회 총회의 개막을 축하드립니다. 세계 각국에서 오신 신문발행인과 편집인, 기자 여러분을 진심으로 환영합니다. 올해는 인쇄신문이 탄생한 지 400주년이 되는 해입니다. 한국은 이미 13세기 초에 세계 최초로 금속활자를 발명한 바 있습니다. 이러한 역사를 가진 대한민국 서울에서 뜻깊은 행사가 열리게 된 것을 매우 기쁘게 생각합니다. 이번 총회를 준비하신 관계자와 여러분 모두에게 깊은 감사의 말씀을 드립니다.

내외 귀빈 여러분,

신문은 인류 역사상 가장 오래되고 친숙한 매체입니다. 지구촌의

수많은 사람들이 매일 아침 신문을 통해서 세상과 만나고 있습니다. 저 또한 신문과 함께 하루를 시작합니다. 신문의 역사는 민주주의와 인권신장의 역사라고 할 수 있습니다. 기사 한 줄, 사진 한 장이 인류 역사를 바꿔 놓은 사례가 많습니다. 지금 이 시각에도 많은 언론인들이 세계 곳곳에서 자유와 정의, 평화를 위해 땀 흘리고 있습니다. 이 자리에 계신 여러분, 그리고 세계의 모든 언론인들께 깊은 감사와 경의를 표합니다.

우리 신문도 역사의 질곡 속에서 맡겨진 사명을 다하기 위해 노력해 왔습니다. 일제와 독재정권에 맞서 싸우다가 신문이 폐간되기도 했고, 수백 명의 기자들이 한꺼번에 해직당하기도 했습니다. 그럼에도 정의로운 펜을 꺾지 않은 신문과 언론인들이 있었기에 우리는 지금 세계 어디에 내놓아도 손색없는 민주주의를 하고 있다고 생각합니다.

존경하는 참석자 여러분,

이번 총회에서는 신문의 위기와 혁신전략에 대해 논의하는 것으로 알고 있습니다. 먼저 제 결론부터 말씀드리면, 신문의 민주성과 책임성을 한 단계 더 높이는 것이 성공의 열쇠라는 것입니다. 많은 사람들이 신문의 위기를 얘기하지만, 여전히 신문은 막강한 영향력을 가지고 있습니다. 그것은 권력이라고 표현해도 지나치지 않을 것입니다. 정부 권력이 모든 것을 지배하던 시대는 지났습니다. 정부의 지배구조는 투명해졌으며 참여적 거버넌스로 전환되고 있습니다. 이제 사회공론의 장에서 의제를 독점적으로 주도하는 주체는 없습니다. 정부, 기업, 시민, 네티즌, 신문과 방송이 함께 의제를 이끌어 가고 있습니다. 그중에서도 신문은 공론의 장에서 가장 잘 짜인 조직입니다. 제도적인 집행력이 없다는 점에서는 정부보다 취약하지만, 국가나 공동체의 의제를 주도하는 데 있어서는 오히려 더 강한 힘을 가지고 있습니다.

18세기 시민사회 이후 정치권력에 대한 언론의 견제역할이 강조되고 그에 따라 언론의 자유에 대한 보호는 강조되었지만, 언론 자체가 시장의 독점과 독점적 지배구조를 통해 권력화할 수도 있다는 사실은 고려되지 않았습니다. 이에 따라 독자가 언론을 통제할 수 있는 제도적 대안이나 시장의 메커니즘은 크게 발전하지 않고 있습니다. 그런 점에서 언론권력의 남용을 제어할 수 있는 제도적 장치와 언론인의 윤리적인 자세와 절제는 매우 중요한 일이라고 생각합니다.

민주적인 지배구조를 갖추는 것이 그중의 하나입니다. 의사표현의 자유와 다양성을 담보할 수 있는 합리적인 내부구조를 갖추고 있을 때 신문은 민주주의의 당당한 주체로서 우리 사회를 감시하고 비판할 자격이 있을 것입니다. 또한 다양하고 균형 있는 공론의 장을 만들어야 합니다. 특정한 지배집단의 가치나 이해관계에 치우친 언론이 시장을 지배하면 사회적 약자의 이익은 설 땅을 잃게 됩니다. 의제선정의 책임감도 매우 중요합니다. 신문이 미래를 말할 때 시민들은 희망을 갖게 되고, 신문이 불신과 증오를 말하면 사회는 대립과 갈등으로 치달을 수 있습니다. 지금도 한편으로는 평화를 주장하면서도 다른 한편으로는 대량살상 무기와 같은 민감한 문제에 관해 끊임없이 의혹을 부풀려 불신을 조장하고, 그 결과로 국가 간 대결을 부추기는 일은 없는지 되돌아보아야 할 것입니다.그리고 자유와 인권이 위기에 처한 사회에서 언론의 비판적 기능은 여전히 강조되어야 하지만, 민주주의의 위기가 아니라 통합의 위기가 문제되고 있는 사회에서는 갈등을 조장하는 언론이 아니라 미래지향적이고 창조적인 대안을 제시하는 언론이 필요할 것입니다. 저는 이러한 노력을 통해 독자의 신뢰를 회복하는 것이 신문의 위기를 극복할 수 있는 길이 될 것이라고 믿습니다.

내외 귀빈 여러분,

지난 수년 동안 우리나라의 언론환경은 정말 많이 달라졌습니다. 이제 정부가 언론에게 부당한 압력을 행사하는 일은 없습니다. 정부에 대한 언론의 비판은 지나칠 정도로 자유롭습니다. 정부는 타당성 있는 비판이면 적극 수용하되, 사실과 맞지 않는 내용은 바로잡도록 요구하고 있습니다. 정부는 또한 행정정보를 최대한 투명하게 공개해서 국민의 알 권리와 국정참여 기회를 확대해 오고 있습니다. 아울러 언론의 자유롭고 공정한 경쟁을 위한 제도적 기반을 마련하고, 신문발전기금 설치 등 신문산업진흥방안도 착실히 추진해 나갈 것입니다.

존경하는 세계 언론인 여러분,

신문의 미래는 민주주의의 미래입니다. 여러분이 민주주의에 대한 확고한 신념을 가지고 진실과 정의, 그리고 희망을 써내려 갈 때 인류는 더 평화롭고 행복한 세상을 맞이하게 될 것입니다. 이번 총회가 이러한 신문의 역할과 사명을 재확인하고 희망찬 미래를 열어 가는 소중한 기회가 되기를 기대합니다. 여러분 모두 한국에 머무시는 동안 즐겁고 보람된 시간 보내시기 바랍니다.

감사합니다.

제10회 바다의 날 축하 메시지

2005년 5월 31일

해양수산가족 여러분, 안녕하십니까?

제10회 바다의 날을 진심으로 축하드립니다. 이번 행사를 적극 지원해 주신 울산시민 여러분께도 감사의 인사를 드립니다. 바다는 희망의 터전입니다. 우리는 바다로 나아가면서 발전의 전기를 마련했습니다. 조선업이 부동의 세계 1위를 달리고 있습니다. 해운업에서 벌어들인 외화가 지난해 180억 달러를 넘어섰고, 우리의 항만은 세계 다섯번째 규모로 성장했습니다. 이 자랑스런 역사를 더욱 발전시켜 나가야겠습니다.

이미 많은 변화가 이루어지고 있습니다. 어업인 스스로 수산자원을 관리하면서 바다가 되살아나고 있습니다. 태평양 한가운데에서는 심해저 광물자원 확보를 위한 탐사와 기술개발이 한창입니다. 해양 에너지, 해양 바이오 기술 등 청색혁명을 선도할 연구개발들도 가시적인 성과를 내고 있습니다. 무엇보다 우리는 분명한 의지를 가지고 해양주권을 지켜 나갈 것입니다. 동·서·남해와 5대양, 남극과 북극에 이르기까지 바다를 향한 우리의 도전은 선진한국을 열어가는 힘찬 동력이 될 것입니다. 자신감을 가지고 힘차게 도전합시다. 동북아 물류 허브, 세계 5대 해양강국의 꿈을 반드시 이뤄 나갑시다.

바다의 날을 거듭 축하드리며, 여러분 모두의 건승을 기원합니다.

6월

제10회 환경의 날 기념
국가지속가능발전 비전 선언식 연설

2005년 6월 4일

존경하는 국민 여러분, 환경인과 내외 귀빈 여러분,

안녕하십니까? 제10회 환경의 날을 진심으로 축하드립니다. 아울러 국가지속가능 발전 비전을 선언하게 된 것을 매우 뜻깊게 생각합니다. 참여정부는 그동안 '지속가능발전과 쾌적한 환경 조성'을 핵심 국정과제로 삼고 많은 노력을 기울여 왔습니다. 사전예방 중심의 환경정책을 대폭 강화하고, 국민건강 보호를 위한 환경보건정책도 새롭게 도입했습니다. 백두대간 보호법 제정, 환경영향평가 확대, 실내 공기질 개선대책 등이 그 대표적인 예입니다. 지속가능발전에 대한 사회적 공감대도 널리 확산된 것 같습니다. 지난 반세기동안의 빠른 경제성장 못지않게 환경에 대한 우리의 인식도 빠르게 바뀌어 가고 있습니다. 개발 우선의 논리 앞에 환경이 뒷전으로 밀려나던 시대는 확실히 지나갔습니다. 이 모두가 환경인 여러분의 열정과 헌신적인 활동 덕분이라고 생각하며, 깊은 감사와 큰 격려의 박수를 보냅니다.

내외 귀빈 여러분,

세계는 이미 2002년 '요하네스버그 선언'을 통해 지속가능발전을 당면과제로 제시한 바 있습니다. 지난 2월에는 온실가스 감축을 위한 '교토의정서'가 발효되었습니다. 이제 우리도 지속가능발전을 한 차원 더 끌어올려 국가경쟁력을 높여 나가야 합니다. 저는 오늘 이러한 의지를 담아 '국가지속가능발전 비전'을 밝히고자 합니다. 우리의 목표는 '경제와 사회·환경이 균형 있게 발전하는 선진국가'입니다. 경제성장과 환경보전, 사회통합을 삼각축으로 해서 건강한 성장을 지속하는 것입니다.

먼저, 개발과 보전을 통합적으로 고려하는 국토관리체계를 만들어 가겠습니다. 국가환경종합계획을 올해 말까지 수립하고 국토통합정보시스템을 구축해서 각종 개발사업들이 이를 토대로 추진되도록 할 것입니다. 보전해야 할 곳은 확실히 보전하고, 개발이 필요한 곳은 충분한 환경성 검토와 사회적인 협의를 거쳐 개발해 나가겠습니다. 우리의 생활환경도 10년 내에 선진국 수준으로 개선하겠습니다. 무엇보다 맑은 물의 안정적 공급에 주력하겠습니다. 수질오염총량관리제를 더욱 내실 있게 추진하고, 공급위주의 물관리 정책을 절약과 재사용에 중점을 두는 수요관리정책으로 전환해 나가고자 합니다. 이와 함께 대기환경개선 특별대책을 본격 추진하고, 철도를 비롯한 저공해 대중교통에 대한 투자를 확대해서 국민 여러분이 보다 쾌적한 환경에서 생활할 수 있도록 하겠습니다.

다음으로, 환경친화적인 경제구조를 정착시켜 나가겠습니다. 이미 새로운 환경기술과 환경산업을 우리 경제의 성장동력으로 적극 육성해 가고 있습니다. 폐기물 발생을 최소화하고 재활용을 일상화하는 자원순환형 사회를 만드는 일도 착실히 추진하고 있습니다. 조세체계도 에너지 과소비와 오염배출을 억제할 수 있도록 개편해 나갈 것입니다. 환경보전을 위한 범지구적인 노력에도 적극 동참해 나가고자 합니다. 에너지 효율을 높이고 신·재생 에너지 보급을 확대하는 등 교토의정서 발효에 적극 대처하겠습니다. 또한 황사·산성비와 같은 환경문제를 해결하기 위해 역내 국가 간 협력도 강화해 나갈 것입니다.

사회적 합의를 촉진하기 위한 갈등관리체계 구축에도 더욱 힘쓰겠습니다. 높아진 권리의식에 비해서 다양한 욕구를 조화시키는 우리의 역량은 아직도 부족한 것 같습니다. 정부는 그동안 지속가능발전위원회의 위상을 강화하는 등 효율적인 갈등관리 시스템을 만들기 위해서 노력해왔습니다. 앞으로도 에너지정책을 비롯해서 공공정책과 관련한 갈등을 예방할 수 있는 제도적 기반을 지속적으로 확충해 나갈 것입니다. 그러나 정부의 노력만으로는 어렵습니다. 기업, 시민사회, 언론 등이 참여와 대화를 통해 사회적 합의수준을 한 단계 더 높여 나가야 하겠습니다. 후손들에 대한 우리의 책임을 생각한다면 모든 차이와 갈등은 충분히 극복될 수 있을 것입니다.

존경하는 국민 여러분,

지금 우리의 실천이 자라나는 아이들의 미래입니다. 지속가능한 발전을 이뤄가는 선진한국 건설에 함께 힘을 모아 나갑시다. 그래서 더 건강하고 풍요로운 미래를 우리 아이들에게 물려줍시다. 오늘 이 자리가 우리의 다짐을 새롭게 하는 계기가 되기를 바라며, 여러분 모두의 건강과 행복을 기원합니다.

감사합니다.

제50회 현충일 추념사

2005년 6월 6일

존경하는 국민 여러분, 국가유공자와 유가족 여러분,

오늘 제50회 현충일을 맞아 순국선열과 호국영령들의 거룩한 희생을 기리며, 삼가 명복을 빕니다. 국가유공자와 유가족 여러분께 깊은 존경과 감사의 말씀을 드립니다. 선열들의 뜨거운 애국심이 있었기에 우리는 식민통치와 6·25전쟁, 군사독재의 숱한 시련을 극복하고 자랑스런역사를 만들어올 수 있었습니다. 오늘 우리가 누리는 자유와 평화, 번영은 선열들의 불굴의 노력 덕분입니다. 이러한 공헌을 기리고 받드는 일은 우리들이 해야 할 최소한의 도리입니다. 자주독립의 역사와 민족자존의 가치를 한층 드높이고, 국가유공자와 보훈가족에 대한 예우를 다하는데 더 많은 노력을 기울여 나갈 것입니다. 나라를 위해 헌신하신 모든 분들이 대한민국 국민임을 큰 자랑으로 여기실 수 있도록 최선을 다하겠습니다.

국민 여러분,

그동안 우리는 해방과 건국, 경제와 민주주의 발전에 이르기까지 많은 것을 이뤄 냈습니다. 2차대전 이후 수많은 나라가 독립했지만 우리만큼 큰 성취를 이뤄낸 나라는 없습니다. 이대로 가면 머지않은 장래에 선진국 대열에 당당히 진입하고 분단을 극복하는 날도 반드시 올 것입니다. 그렇다면 지금 우리에게 가장 중요한 숙제는 무엇입니까? 저는 공동체적 통합을 이루는 일이라고 생각합니다. 내부 분열과 갈등을 넘어서고, 변화가 필요할 때 국민적 합의로 결정할 수 있는 역량을 갖추는 것입니다. 통합의 첫째 조건은 균형사회를 만드는 것입니다. 통합은 말로써 되는 것이 아닙니다. 상생과 공존의 환경이 조성되고, 더불어 사는 것이 이익이 된다는 인식을 공유할 때 가능한 일입니다. 참여정부가 국가균형발전을 역점적으로 추진해 온 이유도 여기에 있습니다. 행정중심복합도시 건설, 공공기관 지방 이전, 그리고 수도권 문제 해결을 통해 지역불균형을 해소하고자 하는 것입니다. 또한 양극화 문제를 풀고 동반성장을 이루는 것도 중요합니다. 갈수록 격차가 벌어지는 중소기업과 영세 자영업자, 농어민, 비정규직 근로자들의 성장을 지원해야 합니다. 각 부문의 소외와 차별을 해소하는 데도 더 많은 관심을 기울여야 합니다. 이를 통해 그늘진 곳, 억눌린 곳 없이 모두가 함께 행복한 삶을 누리는 균형사회를 만들어 가야 할 것입니다.

국민 여러분,

통합을 이루기 위한 또 하나의 토대는 성숙한 민주주의입니다. 대화와 타협, 공존의 문화를 뿌리내리는 것입니다. 지금은 과거 권위주의 시대처럼 저항하고 투쟁해야만 권익을 지킬 수 있는 시대가 아닙니다. 집단적인 이기주의나 이해관계를 앞세운 대안 없는 반대로는 어떠한 문제도 풀어 갈 수 없습니다. 대화와 타협을 통해 갈등을 풀어 가야 합니다. 특히 합리적인 절차를 거쳐 결정된 사항에 대해서는 적극적으로 수용할 줄 아는 관용의 정신이 필요합니다. 그런 점에서 노사·교육·환경 등 여러 갈등요인을 해소하기 위한 사회적 합의수준을 더욱 높여 가야 하겠습니다. 이러한 공동체적 통합이야말로 현재 직면하고 있는 문제를 해결하고, 우리 사회를 한 단계 더 진보시키는 길이 될 것입니다.

국민 여러분,

저는 이번 주에 미국을 방문해서 부시 대통령과 정상회담을 갖게 됩니다. 얼마 후에는 남북 장관급 회담도 개최될 예정입니다. 이러한 노력을 통해서 북핵문제의 평화적 해결 등 국민 여러분의 걱정을 덜어 드릴 수 있도록 최선을 다하겠습니다.

존경하는 국민 여러분,

선열들께서는 맨주먹으로 대한민국의 초석을 놓았습니다. 지금 우리에게는 스스로를 지키고 미래를 열어 나갈 충분한 힘이 있습니다. 자신감을 가지고 선진한국을 건설해 나갑시다. 선열들께서 우리를 이끌어 주실 것입니다. 다시 한번 순국선열과 호국영령들의 애국헌신을 추모하며, 영원한 안식을 빕니다.

감사합니다.

시민의 신문 600호 발행 축하 메시지

2005년 6월 6일

시민의 신문 지령 600호를 진심으로 축하드립니다. 임직원과 애독자, 그리고 시민단체 여러분께 따뜻한 인사를 전합니다. 시민의 신문은 참여민주주의와 인권신장에 크게 기여해 왔습니다. 특히 기획보도와 칼럼은 시민운동의 생생한 현장을 전달하면서 사회적 의제 설정의 중요한 통로가 되고 있습니다.

2002년 봄 여러분이 주최한 초청토론회에 참석했던 기억이 납니다. 그때 저는 "민주주의가 제도적으로 정착되면 비판적 참여에서 창조적이고 대안적인 참여로 한 단계 더 나아가야 한다. 시민사회가 이러한 시대를 여는 데 앞장서 주어야 한다."고 강조했습니다. 이제 시민사회는 정부, 기업, 언론과 함께 국정을 이끌어 가는 핵심적인 주체입니다. 시민사회의 도덕성과 열정, 전문성은 우리 사회의 수준을 한층 높이고 혁신을 촉진하는 큰 동력이 될 것입니다. 그런 점에서 시민의 신문은 우리 사회의 큰 자산이 아닐 수 없습니다. 앞으로도 건전한 비판은 물론 적극적인 대안 제시로 우리 사회의 희망을 만들어 가는 주역이 되어 주기를 바랍니다.

다시 한번 지령 600호를 축하드리며, 여러분 모두의 건승을 기원합니다.

충청투데이 창간 15주년 축하 메시지

2005년 6월 10일

충청투데이 창간 15주년을 진심으로 축하합니다. 임직원과 애독자 여러분에게 따뜻한 인사의 말씀을 드립니다.

충청투데이는 생생한 이웃의 소식을 전달함은 물론 건강한 공론의 장으로 지역발전에 크게 기여해 왔습니다. 개최하는 문화행사마다 시민들의 호응도 매우 크다고 들었습니다. 대통령 후보 시절 충청투데이와의 인터뷰에서 지방화·분권화 전략으로 대한민국을 혁신해 가겠다는 포부를 밝힌 바 있습니다. 그리고 충청권이 그 중심에 설 것이라고 말했습니다. 지금 행정중심복합도시 건설과 국가균형발전정책이 착실히 추진되고 있습니다. 충북은 IT·BT 산업의 중심으로, 대전과 충남은 우리나라 기술혁신 1번지로 선진한국을 이끌어 갈 것입니다. 무엇보다 중요한 것은 지역민 스스로의 혁신의지입니다. 지방 대학과 기업, 지자체, 시민단체, 그리고 언론이 함께 힘을 모아 지역발전의 동력을 만들어 가야 합니다. 충청투데이가 선도적인 역할을 해 주실 것으로 기대합니다.

다시 한번 창간 열다섯 돌을 축하하며, 충청투데이의 무궁한 발전을 기원합니다.

6·15공동선언 5주년 기념 국제학술회의 축사

2005년 6월 13일

　존경하는 김대중 전 대통령님 내외분, 구스마오 동티모르 대통령님, 그리고 내외 귀빈 여러분,

　오늘 6·15공동선언 5주년을 기념해서 열리는 국제학술회의를 매우 뜻깊게 생각합니다. 해외에서 오신 참석자 여러분을 진심으로 환영합니다. 2000년 6월 남북 정상회담은 대립과 갈등으로 점철되어 온 반세기 분단 역사에 획기적인 전환점이 되었습니다. 우리 겨레가 화해와 협력으로 나아갈 것이라는 큰 희망을 안겨 주었습니다. 나아가 전 세계에 한반도의 미래가 훨씬 안정되고 밝을 것이라는 믿음을 주었습니다.

　실제로 6·15공동선언 이후 연간 2만여 명이 남북을 왕래하고 있고, 금강산 관광객만 100만 명을 넘어섰습니다. 남북 당국자회담이 120여 차례나 열렸습니다. 지금 이 시간에도 우리 기업인들이 개성공단에서 북

한 근로자들과 함께 땀 흘리고 있습니다. 당초의 기대만큼 진전되지 못한 부분이 있고 그래서 답답해 하는 분들도 있지만, 6·15공동선언이 없었다면 과연 이러한 성과가 가능했겠는가, 북핵문제가 불거진 이후에도 지금과 같은 상황을 유지할 수 있었겠는가를 생각할 때 그 역사적 의미는 참으로 크다 하겠습니다. 이처럼 큰 업적을 이뤄 내시고, 평생을 남북화해·협력에 헌신해 오신 김대중 전 대통령님께 깊은 경의를 표합니다.

내외 귀빈 여러분,

그러나 지금까지의 성과에 만족할 수는 없습니다. 앞으로 더 나아가야 합니다. 무엇보다 중요한 것은 약속의 실천입니다. 북핵문제가 걸려 있지만, 이것이 남북 간 기존 합의의 이행을 지체하거나 무산시킬 이유는 아니라고 생각합니다. 합의한 사항들을 반드시 이행해 나가는 것이 남북관계를 발전시키는 가장 확실한 길입니다. 관계발전은 신뢰 위에서 가능하고 그 신뢰는 약속을 지키는 데서 비롯되기 때문입니다. 물론 북핵문제가 해결되지 않고서는 남북관계가 획기적으로 발전하기 어렵다는 사실은 누구도 부인하기 어려울 것입니다. 그러나 북핵문제 해결을 위해서도 대화는 계속되어야 하고, 남북대화가 북핵문제 해결에 기여하도록 해야 합니다.

남북한이 민족문제 해결의 당사자임을 천명한 6·15공동선언의 의미를 되새길 필요가 있습니다. 북한도 기회 있을 때마다 민족공조와 한반도 비핵화를 강조해왔습니다. 북핵문제야말로 우리 민족의 사활이 걸린 문제입니다. 이제 남북한이 북핵문제 해결의 중요한 당사자로서 적극적인 역할을 해 나가야 합니다. 그랬을 때 6자회담을 통한 북핵문제 해결에도 보다 좋은 여건이 조성될 것입니다.

내외 귀빈 여러분,

저는 지난 주말에 부시 미국 대통령과 정상회담을 가졌습니다. 이 자리에서 북핵문제를 평화적이고 외교적인 방법으로 해결한다는 기본 원칙을 확인했습니다. 특히 부시 대통령은 한반도에서 미국이 추구하는 목표는 평화라는 점을 강조하고, 북한을 침공할 의사가 없다는 것을 다시 한번 분명히 했습니다. 6자 회담이 열리면 보다 유연하고 전향적인 대화가 이루어질 것으로 생각합니다. 우리 정부는 이미 밝힌 것처럼 북핵문제의 실질적 진전을 위한 중요한 제안을 할 계획입니다. 이제 북한이 결단해야 합니다. 핵 포기라는 전략적 결단을 통해 체제안정과 경제 발전의 전기를 마련해야 할 것입니다. 우리는 국제사회와 함께 북한의 이러한 노력을 적극 지원할 것입니다. 이를 위해 포괄적이고 매우 구체적이며 적극적인 방안을 준비하고 있습니다.

내외 귀빈 여러분,

우리는 남북관계가 아무리 어려워도 희망의 끈을 놓은 적이 없습니다. 지금 6자회담 재개를 위한 노력이 활발히 진행되고 있습니다. 내일부터 평양에서는 6·15공동선언 5주년을 기념하는 남북 공동행사가 열리고, 내주에는 남북 장관급회담이 서울에서 개최됩니다. 이런 시점에서 남북관계와 한반도 비핵화를 논의하게 될 이번 회의는 그 의미가 매우 큽니다. '한반도 평화의 새로운 진전'을 위한 훌륭한 방안이 제시되기를 기대합니다. 다시 한번 이번 회의를 축하드리며, 여러분 모두의 건승을 기원합니다. 감사합니다.

인천대교 기공식 축사

2005년 6월 16일

존경하는 인천시민 여러분, 공사 관계자와 내외 귀빈 여러분,

오늘 이 지역 발전의 새로운 이정표가 될 인천대교 기공을 매우 기쁘게 생각합니다. 온 국민과 더불어 진심으로 축하드립니다. 조금 전 영상에서 보았듯이 대역사란 말이 딱 맞는 것 같습니다. 이곳 송도에서 바다를 가로질러 영종도까지 이어질 인천대교의 웅장한 모습을 생각하니 벌써부터 기대가 큽니다. 기공식이 있기까지 애써 주신 안상수 시장과 인천시민 여러분, 그리고 영국의 에이멕(AMEC)사를 비롯한 관계자 여러분께 감사의 말씀을 드립니다.

내외 귀빈 여러분,

인천대교는 희망과 번영의 다리입니다. 물류비 절감과 생활편의 증진에 크게 기여하는 것은 물론 그 자체가 훌륭한 관광명소가 될 것입니

다. 무엇보다 인천경제자유구역의 경쟁력을 획기적으로 높여 줄 것입니다. 인천국제공항과 송도국제도시, 그리고 청라지역을 삼각축으로 연결하면서 동북아 물류·비즈니스 중심을 향한 우리의 발걸음을 더욱 가속화하게 되는 것입니다.

이미 인천국제공항은 화물수송 세계 3위, 여객수송 세계 10위를 기록할 정도로 착실하게 발전하고 있습니다. 제2단계 확장공사가 끝나는 2008년에는 아시아 허브 공항으로 확고히 자리 잡을 것입니다. 공항 배후의 자유무역지역도 항공물류의 거점으로 적극 육성해 나갈 계획입니다. 벌써부터 세계적 물류업체들이 입주의사를 밝히고 있습니다. 송도지역은 컨벤션센터가 착공되는 등 국제 비즈니스와 첨단 지식정보산업의 중심지로 한 발 한 발 나아가고 있습니다. 외국인들이 생활하기에 조금도 불편함이 없는 명실상부한 국제도시가 될 것입니다. 올해부터 본격적인 개발에 들어갈 청라지역 역시 테마파크와 레저 시설을 갖춘 국제적인 휴양지로 탈바꿈하게 됩니다.

내외 귀빈 여러분,

이처럼 인천지역의 미래는 매우 밝습니다. 인천경제자유구역의 성공에 대한 정부의 의지도 확고합니다. 그동안 외국교육기관설립특별법을 제정하고, 외국 병원의 내국인 진료를 허용하는 등 많은 노력을 기울여 왔습니다. 앞으로 인프라 조성에 더욱 박차를 가하고 불합리한 규제는 과감히 개선해 나가겠습니다. 이렇게 해 나가면 인천대교가 완공되는 2009년에는 동북아 경제중심 구상이 현실로 가시화되고, 인천은 세계를 향한 번영의 관문으로서 선진한국을 이끌게 될 것입니다.

인천시민 여러분,

이제 중앙정부가 일방적으로 계획을 세우고 돈만 많이 투입하면 성공하던 시대는 지났습니다. 지방자치단체를 비롯한 지역의 여러 주체가 함께 혁신전략을 찾고 스스로 발전의 동력을 만들어 가야 합니다. 이미 여러분은 인천대교의 교각 간격 때문에 생긴 갈등과 이견을 대화로써 원만히 해결했습니다. 이번 합의과정은 다른 분야의 갈등문제를 푸는 좋은 본보기가 될 뿐 아니라 앞으로 지역발전을 이끄는 힘이 될 것입니다. 오늘부터 시작하는 공사도 지역주민과 관계자 여러분이 함께 힘을 모아서 완벽하게 마무리해 주실 것으로 믿습니다. 다시 한번 오늘의 기공을 축하드리며, 여러분 가정에 행복이 가득하길 기원합니다.

감사합니다.

파이낸셜뉴스 창간 5주년 축하 메시지

2005년 6월 23일

파이낸셜뉴스 창간 다섯 돌을 진심으로 축하합니다. 임직원과 애독자 여러분께도 따뜻한 인사를 전합니다.

파이낸셜뉴스는 우리 경제 발전의 든든한 동반자로서 '경제정의 구현, 기업발전 선도, 풍요사회 창출'이라는 창간정신을 적극적으로 실천해 왔습니다. 서울국제금융포럼과 에프엔(fn)포춘클럽, 어린이 경제캠프 등도 큰 호응을 얻고 있다고 들었습니다. 지금 우리는 선진경제 건설을 목표로 온힘을 기울이고 있습니다. 대기업과 중소기업이 동반성장하고 제조업과 서비스산업이 균형 있게 발전하는 경제를 만들어 가야 합니다. 무엇보다 금융을 비롯한 지식서비스 산업의 선진화를 앞당겨 실현해야 합니다. 그래서 더 많은 일자리를 창출하고 제조업의 일류화에도 기여하도록 해야겠습니다.

이러한 때에 파이낸셜뉴스의 역할은 더욱 중요해질 수밖에 없습니다. 지식경제 시대를 선도하는 매체답게 선진한국의 길잡이 역할을 다해주기 바랍니다. 다시 한번 창간 5주년을 축하하며, 파이낸셜뉴스의 큰 발전을 기원합니다.

제55주년 6·25 참전용사 위로연 연설

2005년 6월 25일

존경하는 6·25 참전용사 여러분, 이상훈 재향군인회장과 군 원로 여러분, 그리고 내외 귀빈 여러분,

오늘 6·25전쟁 55주년을 맞아 호국영령들의 숭고한 희생을 기리며, 참전용사 여러분의 헌신에 깊은 경의를 표합니다. 해외에서 오신 참전용사와 가족 여러분을 진심으로 환영합니다. 6·25전쟁은 우리 민족 최대의 비극이었습니다. 수백만 명이 목숨을 잃고 한반도 전역이 폐허가 되었습니다. 일제 식민통치를 벗어난 지 불과 5년밖에 되지 않은 나라가 감당하기에는 너무나 엄청난 재앙이었습니다.

그러나 우리는 좌절하지 않았습니다. 맨주먹으로 다시 일어서서 세계가 놀라는 경제발전과 민주주의 기적을 이뤄 냈습니다. 이 모든 것이 피땀 흘려 대한민국을 수호한 여러분의 헌신 덕분입니다. 유엔군 참전용

사 여러분을 비롯한 세계의 지원이 없었다면 오늘의 대한민국은 가능하지 않았을 것입니다. 우리의 자유와 평화를 지켜 주신 참전용사 여러분께 우리 국민이 보내는 존경과 감사의 박수를 드립니다.

참전용사 여러분,

지금도 평화는 우리에게 가장 절실한 소망입니다. 다시는 6·25와 같은 전쟁이 있어서는 안 됩니다. 그것은 우리 민족 전체의 생존마저 위태롭게 할 것입니다. 그러나 의지만으로 평화를 지킬 수는 없습니다. 누구도 넘볼 수 없는 충분한 힘이 있어야 합니다. 이것은 지난 100년의 역사가 우리에게 주는 교훈입니다. 우리가 동북아 세력판도에 어떠한 변수도 되지 못했을 때 우리의 평화의지는 아무런 의미가 없었습니다. 이제 우리는 열강들의 틈바구니에서 각축 대상이 됐던 약소국이 아닙니다. 세계 11위의 경제력을 바탕으로 자주국방 역량을 착실히 키워 가고 있습니다. 이달 초 부시 대통령과의 회담에서 거듭 확인했듯이 한·미동맹 또한 매우 굳건합니다. 우리는 한반도는 물론 동북아시아의 평화와 번영에 기여하는 나라가 될 것입니다. 이것이 우리의 목표이고, 또 반드시 그렇게 되도록 해 나갈 것입니다.

내외 귀빈 여러분,

지금 한반도의 평화를 가장 위협하는 것은 북핵문제입니다. 6자회담은 곧 재개되어야 합니다. 이를 위해 우리는 최선의 노력을 다하고 있습니다. 이달 들어 열린 한·미, 한·일 정상회담에서 북핵문제의 평화적 해결 원칙을 거듭 확인했고, 중국·러시아와도 긴밀히 협의하고 있습니다. 어제 끝난 장관급회담에서도 남북은 핵문제를 평화적으로 해결하기 위한 실질적 조치를 취해 나가기로 합의했습니다. 북핵문제는 반드시 평화적으로 해결될 것입니다. 이번 남북 장관급회담은 소강상태에 있던 남북대화를 정상화하는 계기가 됐습니다. 앞으로 이산가족 상봉과 경제협력 확대, 서해상의 평화 구축 등에 상당한 진전이 있을 것으로 기대합니다.

참전용사 여러분,

우리 국민은 여러분의 공헌을 결코 잊지 않을 것입니다. 여러분의 희생이 이 땅에서 평화와 민주주의, 그리고 번영의 열매를 맺을 수 있도록 더욱 힘써 나가겠습니다. 다시 한번 참전용사 여러분께 감사드리며, 한국에 머무시는 동안 즐겁고 유익한 시간 되시기를 바랍니다. 여러분, 건강하십시오.

감사합니다.

열린우리당 당원 여러분께 드리는 글(1)

2005년 6월 27일

당원 동지 여러분, 안녕하십니까?

최근 당이 어려움을 겪고 흔들리는 모습을 안타까운 마음으로 지켜보고 있습니다. 곰곰이 보면 우리 당만 어려운 것이 아니라 나라정치 전체가 어려움에 빠진 것 같습니다. 대통령의 역량부족 탓인가 싶어 몸 둘바를 모르겠습니다. 마음을 가다듬어 당과 나라정치의 난관을 극복하기 위한 몇 가지 제안을 드리고자 합니다.

당이 어려움에 처한 데는 여러 원인이 있겠지만 가장 결정적인 이유는 도덕적 신뢰의 상실, 대세의 상실, 당의 구심력의 부재라고 할 것입니다. 유전개발 의혹, 행담도 사건이 가장 치명적인 사건일 것입니다. 이와 관련하여 대통령과 가까운 사람, 그리고 청와대 참모가 의혹을 받고있습니다. 미안하기 짝이 없는 일입니다.

그러나 이 문제는 대통령도 특검이든 국정조사든 모든 조사를 수용하고, 그 결과를 기다리는 것 이외에 달리 어찌할 방안이 없습니다. 그리고 그 결과를 보고 그에 상응하는 책임 있는 조치를 취하도록 하겠습니다. 그 이전에라도 당에 누가 되지 않도록 할 방도가 있는지도 찾아보겠습니다. 다만 그 사람들이 어떤 실책을 범했을지는 더 지켜봐야 하겠지만 금전이나 이권이 걸린 부정은 없을 것이라는 믿음을 가지고 있습니다.

그동안 우리당은 행정수도 위헌결정, 4대 개혁법안 저지, 보궐선거 패배를 거치면서 정국의 대세를 놓쳐 버렸습니다. 집권당이 대세를 잃으면 문제해결 능력에 대한 신뢰와 지지를 잃는다는 것은 정치현실의 기본원리입니다. 왜 그렇게 되었는가에 관하여는 몇 가지 실책을 원인으로 지적할 수 있을 것입니다만, 보다 본질적 원인은 당의 구심력이 문제라는 진단에 대해 별 이견이 없는 것 같습니다. 그래서 대책도 주로 당의 구심에 관한 의견들입니다. 당정분리의 재검토, 대통령의 적극적인 역할과 접촉의 강화, 긴밀한 당정협의, 이른바 차기 주자들의 복귀, 현 지도부의 인책론에 이르기까지 당의 구심을 다시 세워야 한다는 의견들이 있습니다만, 제가 보기에는 근본적인 해결방안은 아닌 것 같습니다. 이 문제에 관해서는 따로 별지를 붙여 저의 생각을 자세히 설명하겠습니다.

저는 당의 구심력을 세우려면 당원 여러분의 태도가 가장 중요하다고 생각합니다. 우리 스스로가 정한 논리에 충실해야 합니다. 우리는 이해관계를 근간으로 하는 기존의 봉건적 정당질서를 청산하고, 사회적 가치지향을 같이하는 사람들이 수평적 관계를 맺고 자발적으로 협력하는 민주정당을 만들기 위해 함께 했습니다. 많은 당원들이 정치생명을 거는 정치적 결단을 거쳐서 당을 만들었습니다. 그리고 우리는 이 결단을 매우 자랑스럽게 여기고 있습니다. 그러므로 우리는 민주정당의 당원으로서 자발적으로 참여하고 책임 있게 행동해야 합니다.

당 의장이나 원내대표가 가진 권한은 당 정책과 전략을 말하고 협상하고, 그리고 타협하는 권한 밖에 아무것도 없습니다. 소속 의원들이 지도부의 판단이나 협상결과를 비판하고 흔들어서는 어떤 지도부도 제대로 위신을 유지하고 전술을 구사하기가 어려울 것입니다. 당의 중요한 정책이나 원칙은 민주적인 절차에 따라 결정되어야 할 것이지만 이를 적절하게 발표하고 협상에서 타협을 이루어 내는, 이른바 전략과 전술의 운용은 지도부에게 맡길 수밖에 없는 일입니다. 그래서 우리는 신중한 절차를 거쳐 지도부를 선출하는 것입니다. 그리고 그렇게 한 이상 지도부의 판단을 존중하고 지도력을 행사할 수 있도록 협력해야 합니다. 책임을 묻더라도 특별한 사유가 없는 한 임기단위로 물어야 합니다. 임기 전에 책임을 물어야 할 특별한 사정이 있더라도 대안을 고려해야 합니다.

당이 처한 어려움을 극복하는 길은 문제를 남에게서 찾는 것이 아니라 당원 각자가 먼저 달라지는 것입니다. 당이 어려울 때일수록 스스로 원칙을 지키고 열심히 참여하고 책임을 함께 지는 것입니다. 지역구 관리도 중요한 일입니다. 그러나 한강물을 바가지로 다 퍼 담을 수는 없는 일입니다. 또 당원 모두가 그렇게 한다면 결국 당은 설 땅이 없을 것입니다. 당원 모두가 당에 열심히 참여하고 국민들에게 봉사하는 일을 찾아서 할 때 당이 살고 모두가 사는 길이 열리는 것입니다. 모두가 개인의 당락에 연연하지 않고 당과 나라를 위하여 헌신할 때 오히려 모두가 사는 길이 열릴 것입니다. 그야말로 사즉필생입니다.

당정협의는 행정 각부가 보다 성실하게 하고 총리가 이를 총괄하여 불편이 없도록 하겠습니다. 이를 위하여 총리의 국정통할권을 확실하게 뒷받침하겠습니다. 미국의 대통령제와 달라서 우리 국민들은 정책주도권을 당 중심으로 사고하는 경향이 아주 강한 것 같습니다. 당도 그에 맞추어서 정책역량을 강화할 필요가 있습니다. 또 당의 주도권을 실효성 있게 하기 위한 방안도 당과 협의하겠습니다.

일희일비하지 않기를 바랍니다. 정치도 인생도 장거리 경주와 같습니다. 1992년 대선 패배 이후 김대중 대통령이 재기할 수 있을 것이라고는 아무도 생각하지 못했습니다. 그러나 그분은 다시 일어섰습니다. 2002년 저 또한 지자체 선거에서 참패하자 모두들 끝났다고 보았습니다. 그러나 기회는 또 있었습니다. 위기는 기회라는 말이 있습니다. 혁신 이론에서도 위기감에서 혁신이 시작되고 혁신이 성공의 기회를 만들어 낸다고 합니다. 우리는 새로운 기회를 맞고 있습니다. 우리가 하기 나름입니다. 기회를 살려 나갑시다.

별지

당정분리를 재검토해야 한다는 주장이 있습니다. 그러나 이것은 적절한 방안이 아닌 것 같습니다. 대통령과 당의 분리는 대통령이 임의로 만든 것이 아니라 시대적인 요구에 따라 만든 것이고, 이미 당헌·당규로 제도화되어 있습니다. 누구도 함부로 돌이키기 어렵습니다. 당에 대한 대통령의 역할 강화를 주장하는 국회의원 어느 분도 옛날처럼 대통령의 지시·통제를 받기를 원하지는 않을 것입니다. 물론 과거 당 총재의 권력을 되돌려 줄 생각도 없을 것입니다. 어렵다고 하여 과거로 돌아갈 수는 없는 일인 것 같습니다.

정무수석을 부활하거나 대통령이 당 소속 의원들을 자주 만나 대화와 설득으로 당의 단합을 이끌어야 한다는 의견도 많습니다. 물론 대통령도 당 중진의 한사람으로서 당원들을 만나 의견도 나누고 조정도 할 수 있을 것입니다. 그러나 이 또한 효과는 적고 부작용은 큰 일인 것 같습니다. 실제로 대통령 취임 후 한두 차례 그렇게 해 보았으나, 당에는 아무런 도움도 되지 않고 분란의 소지만 제공하는 결과가 된 것 같았습니다.

또 저의 경험상 원내 전략이나 공천 등 당 운영에 관한 여러 가지 구체적인 문제에 관하여 대통령의 생각이 당 지도부의 생각보다 더 우수하다고 생각하지 않습니다. 요컨대 원칙도 아닐 뿐 아니라 얻는 것보다 잃는 것이 훨씬 더 클 것을 걱정하여 저는 당무에 대한 간섭을 엄격히 절제하고 있는 것입니다. 정책에 관하여는 총리와 내각을 중심으로 충분한 협의가 가능하도록 제도화되어 있습니다. 미국식 대통령제와 달리 우리는 당정협의와 당론 투표의 전통이 강하여 그렇게 만든 것입니다. 대통령이 총리에게 일상국정의 권한을 대폭 위임한 것은 당정분리의 구조하에서 당이 국정을 주도적으로 이끌어 가게 하기 위한 것입니다. 필요하면 총리의 권한이나 당의 역할을 보다 강화하는 보완도 가능할 것입니다. 당정분리의 원칙 아래 총리를 중심으로 한 당정일체의 구조를 지켜 나가는 것이 좋겠습니다. 정무수석의 부활 문제도 이런 맥락에서 이해해 주기 바랍니다. 당무나 정책의 문제를 떠나서도 당내 의원들과 자주 만나 정서적 일체감을 높여야 한다는 요구도 있습니다만, 이 또한 현실적인 것은 아닌 것 같습니다. 만나면 자연스럽게 당과 정국운영에 관한 문제, 정책에 관한 문제가 화제가 되고 공식적인 의견과 혼선을 일으킬 수 있습니다. 앞으로 당정분리가 정착되고 나면 자연스러운 대화의 기회를 가져도 좋을 것입니다.

이미 지나간 일입니다만 한때 당 지도부 인책론이 거론되고 있다는 보도를 본 일이 있습니다. 취임 한 달도 안 되는 지도부에게 무슨 책임을 묻는다는 것인지 참으로 납득하기 어려웠습니다. 당 내에서 나온 말은 아닐 것으로 믿고 있습니다. 김근태·정동영 장관 같은 분들을 당에 복귀시키라는 주장도 들었습니다. 그러나 지금과 같은 당 문화에서라면 그분들의 지도력이 당을 살리기보다는 몇 달 못가서 상처만 입는 결과가 되지 않을까 걱정입니다. 그분들이 그동안 당에 있었더라면 당 운영과 이번 보궐선거 과정에서 엄청난 상처를 입었을지도 모르는 일이라고 생각합니다. 아무런 권한도 없는 지도자에게 무한대의 능력과 책임을 기대할 것이 아니라, 당원 각자가 주인의식을 가지고 당무에 적극 참여하고 지도자를 도와서 키워 나가는 당의 문화가 먼저 만들어져야 한다고 생각합니다.

언제부터인가 원내정당화, 중앙당 슬림화, 이런 말이 우리 정당이 지향해야 할 당연한 방향으로 자리잡기 시작하였습니다. 그러나 저는 오래 전부터 이 논리에 반대해 왔습니다. 민주주의를 하려면 정당이 대중적 토대를 가져야 합니다. 정당이 대중적 토대를 가지지 않으면 당 내에서부터 민주주의의 토대를 가지지 못하는 결과가 될 것입니다. 걷기도 전에 뛸 수는 없을 것입니다. 어느 나라 정치를 원내 정당정치의 모델로 삼아 나온 이론인지는 알 수 없으나, 그들 어느 나라도 어느 날 갑자기 나타난 지도자와 그 추종자들로 급조된 붕당이 아니라 오랜 역사를 통하여 조직과 지지 양면에서 단단한 대중적 기반 위에 서 있는 민주적 정당을 가지고, 그 당 조직과 지지기반 위에서 그야말로 명실상부하게 상향식으로 당직과 공직선거 후보를 선출하는 관행이 정착되어 있을 것입니다.

우리도 이러한 민주정당의 토대를 먼저 갖추어야 합니다. 그러자면 중앙당의 당원관리, 교육·연수, 당내 선거관리 등의 기능은 강화되어야 합니다. 말하자면 중앙당 인원의 양적인 규모는 최대한 슬림화해야 하지만 권한과 기능은 강화해야 할 것입니다. 원내정당화는 민주정당의 대중적 토대가 갖추어진 다음에 당의 효율적 운영의 차원에서 천천히 검토해도 늦지 않을 것입니다. 더욱이 지금과 같이 국회의원 당선자가 지역적으로 편중되어 있는 구조에서 원내정당화는 나머지 지역의 당 조직과 지지기반을 완전히 포기하는 결과가 될 것입니다. 최근 정부 내에 낙선한 원외인사의 기용을 놓고 대통령이 여론의 매를 맞고 있습니다. 그에 반하여 당에서는 원외인사의 기용에 대하여 남의 일로 치부하는 경향이 있는 것 같습니다. 저의 원외인사 기용은 지역구도 극복이라는 간절한 목표를 실천하는 과정의 하나입니다. 내가 몸담았던 정당은 영남에서 지지가 없다 보니 명망 있는 사람들이 들어오지 않고, 그러다 보니 선거 때가 되면 인물이 없다는 소리를 듣습니다. 그리고 정치라는 것이 국회의원 중심으로 이루어지는 것이니 당 내에서도 자연 소외되게 마련입니다. 이렇게 악순환이 되다 보면 지역구도는 더욱 굳어지기 마련입니다. 작은 인사 하나라도 지역구도 극복에 기여하도록 하려는 것입니다. 그렇다고 능력이 되지 않는 사람을 기용하여 나라 일을 그르치는 일은 없도록 하겠습니다. 당에서도 남의 일로 생각하지 마시고 저의 이런 뜻을 이해하고 수용해 주시면 고맙겠습니다.

당권이 민주화되고 당의 구심이 분산될수록 당의 원칙과 규율을 강화하고 지키는 노력이 필요합니다. 민주주의와 중구난방은 다른 것입니다. 당원의 자유와 자율권은 존중되어야 하지만 원칙과 약속은 지켜져야 합니다. 최소한의 규율도 기강도 없는 당이 국민의 지지를 받을 수는 없는 것입니다. 당 지도부와는 별개의 조직으로 당의 기강을 관리하는 강력한 권위와 권한을 가진 기관을 설치하는 방안을 건의합니다. 진지한 검토를 바랍니다.

서해교전 전몰장병 3주기 추모 메시지

2005년 6월 29일

서해교전 3주년을 맞아 우리 바다를 지키기 위해 고귀한 목숨을 바치신 해군용사들을 기리며 삼가 명복을 빕니다. 유가족과 부상자 여러분께 충심으로 위로의 말씀을 드립니다.

그날 용사들이 보여 준 투철한 군인정신은 모든 장병들의 귀감이 되고 있습니다. 호국의 일념으로 최후의 순간까지 물러서지 않았던 용사 여러분을 우리 국민은 결코 잊지 않을 것입니다. 그 숭고한 희생을 기념하고 명예로 지켜 드리는 일에 정성을 다할 것입니다. 무엇보다 서해바다에 평화를 정착시켜 나가는 일이야말로 먼저 가신 용사들의 뜻을 받드는 일일 것입니다. 정부는 남북 장관급회담에서 합의된 장성급 군사회담과 수산협력실무협의회를 통해 서해상에서의 군사적 충돌을 방지하는 데 최선을 다할 것입니다. 아울러 자주국방 역량을 더욱 강화하고 철통같은 안보태세를 확립해 나갈 것입니다. 해군장병 여러분은 무적해군의 전통을 이어받아 어느 누구도 우리 바다를 넘볼 수 없도록 해양국토 수호에 혼신의 힘을 다해 주기 바랍니다. 다시 한번 고인들의 명복을 빌며, 해군장병 여러분의 무운을 기원합니다.

7월

제12기 민주평화통일자문회의 전체회의 연설

2005년 7월 1일

존경하는 민주평화통일자문위원 여러분, 그리고 국민 여러분,

제12기 민주평화통일자문회의가 출범하게 된 것을 매우 기쁘게 생각합니다. 아울러 자문위원으로 위촉되신 1만 8천여 위원 여러분께 감사와 축하를 드립니다. 오늘 회의가 인터넷 화상회의로 진행되는 것은 여러모로 효율적이고 참신한 기획이라고 생각합니다. 멀리 해외에 계신 위원님들께 따뜻한 인사말씀을 드립니다. 조금 전 좋은 정책을 제안해 주신 고연호 위원, 박일수 위원, 정몽주 위원께도 감사드립니다. 정부의 통일정책 수립에 적극 반영해서 추진토록 하겠습니다. 이번 회의를 위해 애써 오신 이재정 수석부의장을 비롯한 관계자 여러분의 노고를 치하드립니다.

자문위원 여러분,

그동안 우리는 불안정한 대외여건에도 불구하고 남북 교류·협력 확대, 자주국방 추진, 한·미동맹 강화, 중국·러시아와의 관계 발전 등 대외관계에 착실한 진전을 이루고 있습니다. 여러분이 우려하고 있는 북핵문제도 조금씩 실마리가 풀려 가고 있습니다. 북·미 간 접촉을 비롯한 6자회담 참여국 간의 활발한 대화는 물론 남북 간에도 실질적인 대화가 이루어지고 있습니다. 반드시 좋은 결과를 이루어 내도록 하겠습니다.

자문위원 여러분,

1년여간 소강상태에 있던 남북대화가 재개되었습니다. 6·15공동선언 5주년 기념행사에 이어 지난주에는 남북 장관급회담이 열렸습니다. 남북은 이달부터 분야별 당국자회담을 개최해서 경제협력 확대, 서해상의 평화 구축, 역사 관련 공동사업 등을 추진해 나가기로 했습니다. 서해상의 평화 구축에 합의하게 되면 한반도의 평화와 안정에 또 하나의 획기적인 진전을 이루게 될 것입니다. 다음 달에는 이산가족면회소가 착공되고, 화상상봉도 시범 실시될 예정입니다. 앞으로 북핵문제가 풀리면 IT·SOC·관광 협력 등 남북의 동포가 서로 협력하며 양쪽 모두에게 이익이 되는 여러 가지 길이 열려 있습니다. 정부는 이러한 정책을 과감하게 추진해 나갈 것입니다.

존경하는 자문위원 여러분,

역사적으로 볼 때 분열한 나라 치고 불행에 빠지지 않은 나라는 없습니다. 우리 민족사를 봐도 그렇습니다. 나라가 외세에 무릎을 꿇고 국민이 고통을 받았던 국난의 시기마다 내부에는 분열이 있었습니다. 그리고 그렇게 겪은 치욕의 역사는 또 우리에게 분열을 강요해 왔습니다. 우리를 더욱 우울하게 하는 것은 지난날 역사의 고비마다 통합을 주장한 사람들은 항상 좌절하고 분열세력이 승리해 왔다는 사실입니다. 아직도 우리는 그 분열을 극복하지 못하고 있습니다. 무엇보다 남북 간 분열을 극복해야 합니다. 그 출발은 신뢰입니다. 믿지 못하면 대화할 수 없고, 대화하지 않고는 통합을 향해 한 발짝도 나아갈 수 없기 때문입니다. 어렵고 힘든 일이지만 상대를 신뢰하기 위해 노력하고 또한 신뢰받기 위해 노력해야 합니다. 말 한마디라도 상대를 존중해서 하고 작은 약속 하나라도 반드시 실천하는 자세를 가져야 할 것입니다. 우리 내부의 지역주의와 남남갈등도 극복할 때가 됐습니다. 지난 수십 년간 그 폐해를 느낄 만큼 느꼈고 피해도 볼 만큼 봤습니다. 이제 배제와 타도가 아니라 공존하는 문화, 대결이 아니라 협력하는 문화, 투쟁과 타협이 조화를 이루는 문화, 독선이 아니라 상대를 존중하고 다른 주장과도 합의를 이뤄 내는 관용의 문화를 키워 나가야 합니다. 지역을 나누고 끝없이 불신과 적대감을 부추겨 국민을 분열시키는 일도 더 이상 없어야 합니다. 우리 사회의 통합을 어렵게 하는 차별과 불균형, 그리고 양극화 현상도 반드시 해소해야 합니다.

자문위원 여러분,

민주평화통일자문회의는 정파나 지역, 계층의 이해관계를 초월한 범국민적 조직입니다. 그런 면에서 민주평통이 통합의 중심에 서서 더 많은 역할을 해 나가야 합니다. 사회 각 분야에서 오랜 경륜을 쌓아 온 자문위원 여러분이 통합의 지도자로 앞장서 주실 것을 기대합니다. 이것이 선진한국을 건설하고, 민주평통이 목표로 하는 통일의 시대를 준비하는 길이 될 것입니다. 이번 회의가 이러한 결의를 새롭게 다지는 계기가 되길 바라며, 여러분의 건강과 행복을 기원합니다.

감사합니다.

국민 여러분께 드리는 글

- 한국 정치, 정상으로 돌아가야 한다 -

2005년 7월 5일

1988년 13대 총선 이래 선거만 하면 여소야대 국회가 됩니다. 세계 여러 나라를 보아도 이런 예는 찾아보기 어렵습니다. 법 위에 군림하던 대통령 시대는 이미 지나갔는데도 대통령 권력에 대한 견제심리는 그대로 남아 있는 결과로 보입니다. 이유야 어떻든 문제는 여소야대 구도로는 국정이 원활히 돌아가지 않는다는 데 있습니다. 국회와 정부, 여당과 야당이 부닥치는 일이 많다 보니 생산적일 수가 없습니다. 생산적인 정치를 위해서는 무언가 대안이 나와야 합니다. 대부분의 나라들은 이런 경우 연정을 합니다. 연정을 하니까 여소야대라는 문제는 생기지 않는 것입니다. 연정은 대부분의 국가에서 이뤄지는 아주 자연스러운 일입니다. 그런데 우리나라는 연정 이야기를 꺼내면 야합이나 인위적 정계개편이라고 비난부터 하니 말을 꺼내기도 어렵습니다. 매수하고 협박하고 밀실야합하는 공작의 시대는 이미 지나갔는데도 우리들의 생각은 옛날 그 시절에 머물러 있는 것입니다. 비정상입니다.

거의 모든 나라에서 정부 수반은 여당의 지도자로서 제도적인 권한을 가지고 당을 이끌어 갑니다. 그런데 우리나라 정부 수반은 당권을 가질 수 없도록 했습니다. 역대 대통령들의 당에 대한 막강한 권한 때문에 질식해 버린 당내 민주주의를 살리기 위하여 당정분리를 제도화한 것입니다. 대통령이 여당에 대해 지도력을 행사할 수 있는 아무런 지렛대도 없으니 어느 나라보다 힘없는 정부 수반입니다. 그 나름의 연유가 있기는 하지만 힘이 드는 것이 사실입니다. 야당 의원들과 개별적으로 접촉하면 공작이 되고 야당에게 협력을 제안하면 밀실야합이 되는 것이 우리 정치의 풍토입니다. 여당에게조차 단합된 지원을 얻기 위해서는 선처를 구하는 길 이외에는 별다른 수단이 없습니다. 이런 대통령에게 야대 국회는 각료 해임건의안을 들이댑니다. 각료들이 흔들리고 결국 대통령의 영이 서지 않게 됩니다. 역대 정권에서 정부 관료들의 반대와 무성의로 개혁이 좌절된 적이 한두 번이 아닙니다. 대통령이 흔들리니 개혁은 지지부진할 수밖에 없습니다.

대통령에겐 국회해산권이 없습니다. 정부가 일방적으로 몰리니 국정이 제대로 되기 어렵습니다. 미국의 여소야대를 말하는 사람들도 있습니다. 그러나 미국과 우리의 대통령제는 제도와 문화가 전혀 다릅니다. 우리나라 국회의원에게는 당적 통제가 아주 강하고 자유투표가 거의 불가능하여 미국처럼 대통령이 개별 의원을 설득하거나 협상할 여지가 없습니다. 우리는 대통령이 야당 의원을 만나는 것도 자유롭지 못합니다.

이런 상황에서 대통령에게 법도 고치고, 정부를 통솔하여 경제도 살리고, 부동산도 잡고, 교육과 노사문제도 해결하라고 합니다. 이 모두가 정상적이라고 보기 어렵습니다. 비정상적인 정치를 바로잡아야 국정이 제대로 될 수 있습니다.

저는 이 문제에 관하여 여러 가지 대안을 가지고 있습니다. 그러나 사회적 논의가 충분히 이루어지기 전에는 어떤 대안을 말하더라도 사회적으로 수용은 되지 않고 여러 억측과 비난만을 불러일으킬 우려가 있으므로 천천히 상황을 보아서 소견을 말하는 것이 좋을 것 같습니다. 당내에서 지도자들 간에 원론적인 논의를 한 것을 가지고 무슨 범죄의 동업을 제안받기라도 한 것처럼 비난하지 말고 문제의 본질을 진지하게 생각해 봅시다. 결코 선명성 경쟁이나 하듯이 비방만 하고 끝낼 그런 문제가 아닙니다. 정계뿐만 아니라 학계·언론계에서도 이 문제를 진지하게 논의해 보아야 합니다. 그래야 우리 정치가 정상화 될 수 있습니다. 이 문제에 관하여 구체적인 대안을 제시한 어느 학자의 글도 읽은 적이 있습니다.

여러 가지 가능성을 놓고 지금부터라도 건설적인 논의가 시작되기를 바랍니다.

국민 여러분께 드리는 글
-우리 정치, 진지한 토론이 필요하다-

2005년 7월 6일

우리 정치, 고쳐야 할 점이 많습니다. 고치자면 진지한 토론이 활발하게 이루어져야 합니다.

야대정치(野大政治)에 관한 논의를 제기하면서 "경제도 어려운데 또 무슨 정치 이야기인가?"하는 비판이 나오지 않을까 걱정을 했습니다. 아니나 다를까 "경제에 올인 한다 해 놓고 웬 정치 이야기냐?"는 기사가 나왔습니다. 그런 비판은 지나친 단순논리입니다. 경제가 어렵다고 할 일을 모두 멈추어야 한다는 논리입니다. "밥 짓기 바쁜데 무슨 부엌 고치기냐?" 시어머니가 이렇게 묻는다면, 며느리는 "부엌 설비가 잘되어 있어야 밥 짓기가 잘되지요."라고 대답할 것입니다. 길게 보면 정치가 잘못된 나라가 경제에 성공한 사례는 없습니다. 정치가 잘되어야 경제도 잘될 수 있습니다.

당장의 부동산정책만 보아도 당정협의에서 깎이고 다시 국회 논의 과정에서 많이 무디어져 버렸고, 그것이 정책의 실효성에 대한 신뢰를 떨어뜨려서 부동산 시장에 큰 영향을 주고 있습니다. 정치가 경제정책에 바로 영향을 주고 있는 것입니다. 예를 들자면 한두 가지가 아닙니다. 경제를 잘되게 하려면 먼저 정치부터 고쳐야 합니다. 경제에 부담 주지 않고 경제정책 챙길 것 확실히 챙기면서 토론하고 고치고 할 수 있습니다.

"경제에 올인 한다 해 놓고 경제민생점검회의는 왜 주재하지 않느냐?"는 기사도 보았습니다. 앞의 논리와 결합되면 상당한 파괴력이 있을 수도 있겠습니다. 나라가 제대로 되려면 비판과 논의의 수준을 높여야 합니다. 대통령이 회의를 주재하지 않기로 한 데는 나름대로 이유가 있지 않겠습니까? 이런 보도를 한 언론은 정말 대통령이 점검회의를 주재하지 않으면 경제가 잘 안 돌아 간다고 믿고 있습니까? 냉정을 잃으면 수준을 잃기 쉽습니다.

다시 본론으로 돌아가겠습니다. 우리 정치, 토론이 필요합니다. 문제의식을 가지고 보면 고쳐야 할 곳이 한두 가지가 아니기 때문입니다. 지역구도의 문제는 나라발전에 큰 걸림돌입니다. 국회의원 후보 시절부터 이 문제에 정치인생을 걸고 맞서 왔습니다. 그러나 아직 해결되지 않고 있습니다. 지역주의의 결과로서 우리 정치는 가치지향이 없는 정당구조 위에 서 있습니다. 가치와 논리의 논쟁이 아니라 감정적으로 대결하는 정치가 되니 정치이론도 발전되지 않고 대화와 타협의 문화도 설 땅이 없습니다. 투표율과 의석 비율이 현저히 차이가 나는 비논리, 지역단위로 대표를 선출하는 제도를 그대로 유지하면서 생활권이 다른 4개 군을 하나로 묶어 국회의원 1명을 뽑아 놓고 이 사람을 지역대표라고 하는 비논리, 지방 인구가 줄어드는 현상이 계속되면 국회에서 지방의 대표권도 줄어들 터인데 장차 국민통합에 심각한 장해사유가 생기지는 않을 것인지, 이런 문제들에 대한 논의가 너무 부족하여 나라의 장래가 걱정이 됩니다.

정치인들은 이 비정상의 구조 위에 기득권의 성을 쌓고 문제를 외면하고, 시민사회는 모든 문제를 정치인의 도덕성 문제로 단순화해 놓고 혹시 이런 논의가 정치인의 밥그릇 챙기기로 흐르지 않을까 불신하여 논의를 외면하고, 학자들은 서양의 정치이론에 안주하여 한국의 정치현실을 외면하고 있는 것은 아닌지 정말 속이 탑니다. 많은 문제들을 내놓고 토론해야 합니다. 그래야 잘못된 정치를 바로잡을 수 있습니다. 비정상을 정상으로 고칠 수 있습니다.

이런 많은 문제를 한꺼번에 다 토론에 올릴 수는 없을 것입니다. 문제의식을 가지고 당장 부닥친 문제부터 사회적 논의에 올려 보자는 것입니다. 그래서 우선 여소야대 문제를 제기해 본 것입니다. 그것도 하도 조심스러워서 당 지도부에만 살짝 제기해 보았는데 기왕에 공개가 되었으니 공론화해 보자는 것입니다. 재미삼아 속셈을 계산하고 이해득실을 따지는 구경꾼이 아니라 민주사회의 주인으로서 책임감을 가지고 논의해 보자는 것입니다.

그동안 여러 기회에 이런 문제들에 대하여 문제제기를 해 보았으나 공론을 일으키는 데는 성공하지 못했습니다. 취임 후 첫 국회 연설에서는 국회가 지역구도 문제의 해결에 동의한다면 대통령이 가진 권한의 절반 이상을 내놓을 용의도 있다고 밝혔습니다. 그러나 역시 아무런 호응이 없었습니다. 지금도 될 수만 있다면 그 이상의 것이라도 내놓을 만한 가치가 있다는 생각에 변함이 없습니다. 내용의 타당성이나 현실성에 관한 논의는 어디로 가 버리고, 속셈이니 승부수니 스타일이니 하는 이미지 이야기나 게임의 논리만 무성하지 않기를 바랍니다.

해군 대형수송함 독도함 진수식 축사

2005년 7월 12일

친애하는 해군 장병 여러분, 한진중공업 임직원과 내외 귀빈 여러분,

오늘 우리 해군이 아시아 최고의 대형수송함을 진수하게 된 것을 매우 기쁘게 생각합니다. 온 국민과 더불어 진심으로 축하합니다. 독도함은 우리의 자주국방 의지와 세계 정상의 조선기술이 이루어 낸 값진 성과입니다. 건군 당시 소형경비정 하나도 만들지 못했던 우리가 1만 4천 톤급의 군함을 건조해 낸 것입니다. 정말 자랑스럽고 마음 든든합니다. 그동안 밤낮없이 수고해 온 한진중공업 기술진과 근로자, 그리고 해군 관계자 여러분의 노고에 치하와 격려의 박수를 보냅니다.

해군 장병 여러분,

바다는 도전과 기회의 무대입니다. 바다를 잘 활용할 줄 아는 국가는 선진국이 되었습니다. 우리 역사를 봐도 국력이 쇠약했을 때 바다는

침략의 통로가 되었고, 국운이 융성했을 때 바다는 번영의 터전이 되었습니다. 400여 년 전 충무공 이순신 제독은 20여 차례에 걸친 전투를 모두 승리함으로써 일본의 침략을 물리치는 데 결정적인 역할을 했습니다. 우리 바다를 지켜 냄으로써 나라를 보존할 수 있었습니다. 이처럼 자랑스러운 우리 해군의 역사를 더욱 빛내고 발전시켜야 합니다. 오늘 진수하는 독도함은 항공과 해상, 그리고 상륙작전의 지휘통제 능력까지 갖춘 최신예 다목적 수송함으로서 우리 해군 발전의 획기적인 전기가 될 것입니다. 해군장병 여러분은 이러한 전력을 바탕으로 우리 영해를 수호하는 신성한 의무를 다해 줄 것을 당부합니다.

조선산업 관계자 여러분,

우리 조선산업은 부동의 세계 1위로서 지금 우리가 만들어 낸 선박들이 5대양을 누비고 있습니다. 이곳 부산은 한국 조선산업의 요람입니다. 그리고 한진중공업은 한국 조선산업을 앞장서 일구어 낸 역사를 가지고 있습니다. 이번 독도함 건조를 통해 최신예 군함까지 만들어 내는 첨단기술력을 세계에 보여 주었습니다. 이 또한 자랑스러운 일이 아닐수 없습니다. 이 모든 것이 한진중공업 관계자를 비롯한 조선산업인 여러분의 피땀 어린 노력 덕분이라 생각하며, 앞으로도 세계 제1의 조선국가 위상을 더욱 드높여 주기 바랍니다.

해군장병과 내외 귀빈 여러분,

우리에게는 동아시아의 바다를 제패했던 장보고 대사의 기상과 충무공의 얼이 살아 있습니다. 이제 저 당당한 독도함에 동북아 평화의 꿈, 선진 해양강국의 꿈을 실어 바다로 나아갑시다. 바다를 통해 우리의 번영을 키워 갑시다. 다시 한번 여러분 모두의 노고를 치하하며, 독도함의 무운장구를 기원합니다.

감사합니다.

열린우리당 당원 여러분께 드리는 글 (2)

2005년 7월 28일

존경하는 당원 동지 여러분,

최근 저의 몇 가지 제안에 대하여 당 내에서도 이런저런 궁금증들이 있는 것 같아서 이 편지로 저의 생각을 좀더 자세히 말씀드리려고 합니다. 저의 제안은 여러 가지이지만 결론은 하나입니다. 우리 정치의 구조적인 결함을 바로잡아서 정치를 정상화하자는 것입니다. 그래서 보다 생산적인 정치로 발전시키자는 것입니다.

"왜 연정이냐?"고 묻는 사람들이 많습니다. 이에 대해 저는 "세계 여러 나라가 다 연정을 하고 있는데 왜 유독 우리는 연정 이야기만 나오면 펄쩍 뛰는가?"라고 되묻고 싶습니다. 정당끼리 손을 잡고 협력한다고 하면 '2중대'니 '밀실야합'이니 하며 비난부터 하고 보는 사람들이 있습니다. 공작정치와 야합정치가 판을 치던 독재시대의 기억이 아직도 남아 있어서인 듯합니다. 그러나 이미 세상은 많이 달라졌습니다. 우리도 이제 정상적인 생각으로 정상적인 정치를 할 때가 되었습니다. 연정 이야기를 하는 것은 우리 정치의 여소야대 구조 때문입니다. 여소야대는 정상적인 정치구조가 아닙니다. 세계 어느 나라에서도 여소야대의 구조로 국정을 운영하는 사례가 없습니다. 여소야대 구조로는 국정을 제대로 운영할 수가 없기 때문입니다.

우리나라에서도 1988년 이래 여러 차례 여소야대 정치의 실험을 해 왔습니다만 모두 성공하지 못했습니다. 결국 역대 정권 모두 3당합당이나 정계개편으로 여소야대의 구조를 해소해 버렸습니다. 여소야대로는 국정운영이 어렵다는 것을 증명한 셈입니다. 과거 미국에서 여소야대가 있었던 예를 들어 여소야대 구조 아래서도 정치를 잘할 수 있는 것처럼 말하는 사람들이 있습니다만 이런 인식은 맞지 않습니다. 미국은 세계적으로도 아주 특별한 정치문화를 가지고 있고 우리 정치와도 많이 달라서 본보기가 되기 어렵습니다. 이제 우리 정치도 여소야대라는 비정상적인 정치구조를 청산할 때가 되었습니다. 협박이니 매수니 하는 공작정치의 시대는 지나갔습니다. 우리 정치도 이제는 세계적으로 통용되는 당연하고도 정상적인 정치행위를 통하여 정치구조를 정상화해야 합니다. 연정이 성공하면 독재와 타도, 불신과 대결로 점철되어 온 우리 정치에 신뢰와 협력, 대화와 타협이라는 새로운 정치가 시작될 것입니다. 그것은 우리 정치가 투쟁의 민주주의 시대에서 관용의 민주주의 시대로 한 단계 성숙한다는 것을 뜻합니다. 그런 의미에서도 우리는 비타협의 선명성을 자랑할 것이 아니라 마음을 열고 연정에 대한 논의를 진지하게 수용해야 할 것입니다.

연정을 한다면 열린우리당과 소수 야당의 전부나 일부가 참여하여 정권을 구성하는 것이 가장 자연스러운 형태가 될 것입니다. 그러나 그 밖에도 두 가지의 조합이 더 있을 수 있습니다. 하나는 야당이 모두 손을 잡아 원내 과반수를 확보하여 프랑스식의 동거정부를 구성하는 것이고, 다른 하나는 열린우리당이 한나라당을 포함한 야당과 손잡아 대연정을 만드는 것입니다. 동거정부 이야기는 제가 당선자 시절에 예고한 바 있습니다. 17대 총선에서 한나라당이 과반수를 확보하거나 야당연합을 이루면 내가 원하지 않더라도 한나라당이 동거정부를 요구할 수도 있을 것이고, 그것은 헌법상으로나 정치적으로나 당연한 권리라고 보았기 때문입니다. 그런데 17대 총선 결과 동거정부 이야기는 꺼낼 필요가 없는 상황이 되어 버렸고, 4·30 재·보선으로 여소야대가 되고 난 후에도 민주노동당의 노선으로 보아 그럴 가능성이 거의 없습니다. 그럼에도 제가 동거정부 이야기를 다시 꺼낸 데는 좀 특별한 뜻이 있습니다. 비록 야당이라 할지라도 연합까지 해 가면서 반대만 하는 것이 공당의 도리가 아니라는 말을 하고 싶은 것입니다. 4·30 재·보선 이후 한때 한나라당은 다른 야당에게 반대를 위하여 당연히 대오를 함께해야 하는 것처럼 행동했고, 실제로 국회가 그렇게 되는 듯한 분위기가 엿보이기도 했습니다. 그래서 한때 저와 참모들은 몇몇 법안의 귀추를 놓고 심각한 우려를 하기도 했습니다.

저는 이러한 상황이 현실화되면 동거정부를 제안하려고 준비하고 있었습니다. 정당이 연합을 하여 국회 과반수를 만들 때는 정권을 잡아서 책임 있는 일을 하기 위한 것이어야지 오로지 정권에 반대하고 흔들기 위한 것이어서는 안된다는 생각이었습니다. 실제로 세계 어느 나라 정치를 보아도 민주화 투쟁이라는 특수한 상황이 아니고는 반대를 위한 야당연합은 찾아볼 수가 없고, 따라서 야당연합에 의한 여소야대도 없는 것입니다. 그래서 굳이 야당연합을 하려면 정권을 맡기 위한 연합을 하는 것이 바람직함을 말하고자 하는 것입니다. 그러나 민주노동당이 반대를 위한 야당연합을 거부하는 바람에 그런 말을 할 필요가 없어졌습니다. 참으로 다행스러운 일입니다. 단지 저만을 위해서 다행스럽다는 것이 아니라 우리 정치의 장래를 위하여 다행스러운 일로 생각합니다. 이것이 정상적인 정치입니다. 앞으로는 야당이 반대전선에 동참하지 않았다고 야당의 정체성 운운하며 뭔가 잘못된 일이라도 본 듯한 그런 비정상적인 논평을 하는 정당이나 언론은 없기를 바랍니다.

존경하는 당원 동지 여러분,

문제는 대연정입니다. 열린우리당이 주도하고 한나라당이 참여하는 대연정이라면 한나라당이 응할 리가 없을 것입니다. 따라서 대연정이라면 당연히 한나라당이 주도하고 열린우리당이 참여하는 대연정을 말하는 것입니다. 물론 다른 야당도 함께 참여하는 대연정이 된다면 더욱 바람직할 것입니다. 그리고 이 연정은 대통령 권력하의 내각이 아니라 내각제 수준의 권력을 가지는 연정이라야 성립이 가능할 것입니다. 따라서 이 제안은 두 차례의 권력이양을 포함하는 것입니다. 대통령의 권력을 열린우리당에 이양하고, 동시에 열린우리당은 다시 이 권력을 한나라당에 이양하는 것입니다. 권력을 이양하는 대신에 우리가 요구하는 것은 지역구도를 제도적으로 해소하기 위하여 선거제도를 고치자는 것입니다. 군이 중대선거구제가 아니라도 좋습니다. 어떤 선거제도이든 지역구도를 해소할 수만 있다면 합의가 가능할 것입니다. 당장 총선을 하자는 것도 아닙니다. 정치적 합의만 이루어지면 한나라당이 주도하는 대연정을 구성하고, 그 연정에 대통령의 권력을 이양하고, 선거법은 여야가 힘을 합하여 만들면 됩니다.

우리 정치의 많은 문제가 지역주의에서 비롯되고 있습니다. 지역구도하에서 정치인이 선거에서 이기는 길은 끊임없이 상대방 지역과 상대당에 대한 불신과 적대감을 자극하고 지역 이기주의를 부추기는 것입니다. 의정활동도 오로지 지역감정과 지역 이기주의를 중심에 놓고 대결하게 됩니다. 지역으로 편을 가르고 대결이 심화될수록 지역민심은 더욱 단결하는 구조이니 정책정당도 대화정치도 설 땅이 없어집니다. 정치인은 선거에서 이기기 위하여 지역감정을 자극해 놓고 그 지역감정에서 헤어나지 못하게 되는 악순환의 구조에 빠지게 되는 것입니다. 지역구도 해결 없이 우리 정치의 여러 가지 고질은 해소되기 어렵고, 정치발전은 한 발짝도 앞으로 나아갈 수가 없을 것입니다. 뿐만 아니라 지역구도는 끊임없이 우리 국민을 분열시키고 있습니다. 이것은 나라의 미래를 위하여 매우 걱정스러운 일입니다. 지난날 우리 역사를 돌이켜 보면 나라가 국난을 당할 때마다 분열이 있었습니다. 지도층의 분열, 지도층과 국민의 분열이 국난을 불러왔고, 또 분열 때문에 국민의 힘을 하나로 모으지 못하여 국난을 극복하는 데 어려움이 많았습니다.

그런데 오늘날은 지역감정이 여러 가지 분열의 빌미를 생산하고 키우고 있습니다. 나라의 앞날이 걱정입니다. 앞날의 문제가 아니라 이미 지역감정 때문에 어렵게 꼬이는 나랏일이 한두 가지가 아닐 정도로 병이 심각하다 할 수 있습니다. 이처럼 지역주의는 우리 정치와 나라의 장래를 가로막고 있는 가장 큰 걸림돌입니다. 이 걸림돌은 반드시 치워야 합니다. 이 일을 하자면 우리 모두가 기득권을 포기하는 결단을 해야 합니다. 대통령과 열린우리당은 정권을 내놓고, 한나라당은 지역주의라는 기득권을 포기해야 합니다. 어느 하나도 쉬운 일은 아닙니다. 그러나 그럴 만한 가치가 있고, 하기만 하면 모두가 승리할 수 있는 일입니다.

저는 1987년 대통령 선거에서 많은 젊은이들이 폭력배들에게 테러를 당해 가면서까지 공정선거 감시활동을 한 보람도 없이 지역대결 때문에 군사정권이 연장되는 현장을 지켜보며 분노의 눈물을 흘렸던 기억을 가지고 있습니다. 13대 국회 1년을 지나고부터는 정치를 포기한다고 마음먹고 야당통합 운동에 나섰습니다. 그러다가 1990년 3당합당 이후부터는 반독재 투쟁하던 심정으로 지역주의에 맞섰습니다. 고향에서 배신자라는 비난을 들으면서 여러 차례 선거에서 떨어졌지만 한번도 제 자신의 정치생명에 연연하지 않았습니다. 제가 대통령 선거에 나선 명분도 지역주의 극복이었습니다. 대통령에 당선되면 지역감정은 상당히 해소될 것이고, 이어서 총선에서 지역구도가 어느 정도 완화되면 제도 개선도 가능할 것이라고 기대했습니다. 대통령이 된 후 첫번째 국회연설에서도 지역구도 해소를 위한 선거제도 개선을 간곡히 호소한 바 있습니다. 이처럼 지역주의 극복은 저의 정치 생애를 건 목표이자 대통령이 된 이유이기도 합니다. 정권을 내놓고라도 반드시 성취해야 할 가치가 있는 일입니다. 그리고 그것은 역사에 대한 저의 의무라고 생각합니다.

열린우리당은 스스로 지역당을 넘어서고, 이를 통하여 지역주의를 극복할 수 있는 계기를 만들고자 하는 사람들이 낙선의 위험을 감수하고 분열주의라는 비난을 들어 가면서 만든 정당입니다. 지금도 지역구도를 극복할 수만 있다면 열린우리당 누구도 다음 선거를 걱정하거나 정권을 내놓는 결단을 두려워하지 않을 것이라고 생각합니다. 그리고 연정을 한다 하여 각료 몇 자리 놓고 다투지도 않을 것입니다. 한나라당도 이제 새로운 역사를 위하여 결단해야 할 때입니다. 어두웠던 시절의 부채를 과감하게 청산하고 새 출발을 해야 할 때입니다. 언제까지나 망국적인 지역주의에 기대어 한국 정치의 발목을 잡고 있을 수는 없을 것입니다. 그렇게 해서는 스스로 지역당의 한계를 넘을 수가 없고, 지역당의 한계를 넘지 않고는 정권을 잡더라도 국정을 제대로 수행하기가 어려울 것입니다. 수권정당이 되기를 원하는 정당이라면 지역당의 한계를 넘어서기 위한 큰 결단이 있어야 할 것입니다. 그리고 그것은 스스로 지역주의를 만들고 3당합당으로 지역주의를 고착시킨 과거를 청산하는 뜻있는 일이 될 것입니다.

여야가 이 합의를 이룬다면 우리 정치는 새로운 역사를 열게 될 것입니다. 이 합의를 한다는 것 자체가 모두가 기득권을 포기하는 어려운 결단을 하는 것입니다. 이전에 없던 일입니다. 우리 정치에 감동이 살아날 것입니다. 또 서로를 존중하는 새로운 자세를 보이는 것입니다. 관용과 상생의 정치, 대화와 타협의 정치가 시작될 것입니다. 우리 정치의 수준을 한 단계 높이자는 것입니다. 결코 무슨 이익을 취하자는 것이 아닙니다. 정권을 내놓겠다는 것입니다. 어떤 속임수도 없습니다. 불신과 의심을 뛰어넘는 발상의 대전환과 과감한 결단을 하자는 것입니다. 그리하여 여야 정치인과 우리 국민 모두가 승리하는 역사를 만들자는 것입니다.

존경하는 당원 동지 여러분, 한번 상상해 보십시오. 새로운 세상이 보이지 않습니까? 한나라당이 정권에 관심을 보이지 않는다면 그것은 참으로 비정상적인 일이 될 것입니다. 지금도 기회 있을 때마다 나라가 위기라고 말하고 있습니다. 당장 나라가 결딴이라도 날듯이 걱정하고 있습니다. 그 말이 사실이라면 어떤 대가를 치르더라도 얼른 국정을 인수하여 위기를 극복해야 할 것입니다. 그렇지 않더라도 본시 정당은 정권을 잡고 국정을 운영하는 것을 목적으로 하는 조직입니다. 기회가 오면 당연히 정권을 맡아야 합니다. 저는 한나라당이 정권에는 관심이 없고 발목이나 잡고 흔들기나 좋아하는 무책임한 정당이라고는 생각하지 않습니다. 지난해 대통령을 탄핵할 때에도 정권을 잡자고 한 것이지 그저 흔들어 보자고 한 일은 아닐 것입니다. 연정이라는 말이 생소할 수도 있습니다. 그러나 많은 나라에서 선거로만 정권을 잡는 것은 아닙니다. 선거로 국회의 과반수를 확보하지 못하면 연정을 구성하여 정권을 잡습니다. 어떤 정당과 연정을 구성하는가에 따라 정권교체가 이루어지기도 합니다. 그리고 역사적으로는 대연정을 통하여 놀랄 만한 업적을 이루어낸 사례도 있습니다. 연정을 이상하게 생각하고 기피할 이유가 없습니다.

양당이 걸어온 역사와 노선이 서로 달라서 연정을 하기가 부자연스럽다는 문제제기를 하는 분들도 있을 것입니다. 일리 있는 지적입니다.

그러나 저는 더 큰 목표와 가치를 위하여 그만한 차이는 뛰어넘자고 말씀드리고 싶습니다. 그리고 실제로 양당의 구성을 보면, 그 내부에 다양한 이력을 가진 사람들을 포괄하고 있어서 실제 노선의 차이는 그리 크지 않다고 볼 수도 있습니다. 오히려 연정을 맺고 합동의총에서 정책토론을 하게 되면 생각이 같은 사람들끼리 당을 넘어 협력하는 것이 가능해질 것이고, 그렇게 되면 지금보다 훨씬 더 소신과 노선에 따른 자유로운 의정활동을 할 수 있을 것입니다. 당의 역사성과 정통성에 대한 인식의 차이는 대타협의 결단으로 극복하자는 것입니다.

우리가 제안한 대연정은 실질적으로는 정권교체 제안입니다. 우리는 지역구도 해소가 그만한 대가를 치르고도 이루어야 할 만큼 가치 있는 일이라고 생각하고 이 제안을 하는 것입니다. 한나라당이 후보만 내면 당선이 보장되는 영남 텃밭의 기득권을 포기한다는 것이 결코 쉬운 일이 아니라는 점을 잘 알기 때문에 그만한 대가를 지불하려는 것입니다. 한나라당도 당장 받아들이기는 어려울 것입니다. 그러나 우리가 진지하게 설득하고 점차 국민들의 이해가 넓어지면 결국 우리의 제안을 진지하게 검토하게 될 것입니다. 우리는 한나라당이 이 문제에 진지하게 반응할 때까지 지역구도로 인한 우리 정치의 병폐를 고칠 한나라당의 대안은 무엇인지 질문해야 합니다. 당선이 보장된다는 텃밭의 기득권이 나라의 장래보다 더 소중한 것이냐고 질문해야 합니다. 1990년 3당합당으로 지역구도를 돌이킬 수 없도록 굳혀 버리고 노선도 원칙도 없는 정치질서를 만들어 버린 책임을 누가 질 것이며, 이를 정상으로 되돌려 놓을 방안은 무엇인지 끊임없이 질문해야 합니다. 그리고 다양한 통로로 다양한 방법으로 대화를 제의할 수 있을 것입니다.

'민생이 어려운데 웬 정치구조 이야기냐.'는 비난이 있습니다. 그러나 이 논리는 이치에 맞지 않습니다. 오로지 비난을 위한 논리입니다. 지난 시절 우리가 민주화운동을 할 때 독재자들은 항상 '경제가 어려운데 웬 데모냐.'고 몰아붙였습니다. 그런데 수많은 데모를 하는 동안에도 경제는 고속으로 성장했습니다. 1987년 6월항쟁을 전후한 몇 년 동안은 온 나라가 민주화운동으로 벌집을 쑤신 듯이 시끄러웠으나, 경제는 두 자리 숫자로 성장을 계속했습니다. 생산량을 늘리고 품질을 높이려면 공장 설비를 잘해야 합니다. 설비에 문제가 있으면 즉시 고치고 개량해야 합니다. 생산에 바쁘다고 설비의 문제를 방치해 두고는 장기적으로 생산성이 향상될 수가 없습니다. 정치가 잘되어야 경제도 잘될 수 있습니다. 정치가 잘되려면 정치제도도 잘되어야 합니다. 바로 그 정치제도를 고치고 바로잡자는 것입니다. 되물어 보고 싶습니다. 이 낡고 고장 난 정치제도로 비정상적인 정치를 계속하자는 것입니까? 그렇다면 언제까지 그렇게 하자는 것입니까?

이치가 어떻든 저는 경제에 만전을 기하고 있습니다. 참여정부가 출발할 때부터 우리 경제에 여러 위험요인이 터져 나왔습니다. 북핵위기, 한·미관계, 카드채, 가계 대출, 중소기업 대출, 신용불량자, 이런 위험요인들이 지뢰밭처럼 널려 있었습니다. 이제 한 고비는 넘겼습니다. 기름값·환율 등의 문제가 있고 국내적으로는 양극화로 인한 우리 경제의 어려움이 남아 있습니다만, 2년 전에 비하면 위험은 훨씬 줄었습니다. 훨씬 안정되고 전망도 밝아졌습니다. 그동안 열심히 했습니다. 자부할 수 있습니다. 사방에서 쏟아지는 비관을 무릅쓰고 이룩한 성과입니다. 참으로 국민 여러분이 자랑스럽습니다. 진심으로 감사드립니다. 많은 사람들이 경제는 총리와 부총리에게 맡기라고 합니다. 이미 그렇게 하고 있습니다. 그러나 만일의 위험요인이 발생하지 않도록 참모들과 함께 면밀히 점검하고 있습니다. 정치 이야기 좀 하더라도 민생과 경제에 지장이 생기지 않도록 할 것입니다.

이제 저의 정권 후반기에는 지속가능한 경제를 뒷받침할 수 있는 정치제도를 정비하고자 합니다. 유능한 공장장이라면 제품 하나하나의 생산에도 힘을 기울여야 하겠지만, 공장의 잘못된 설비를 바로잡고 개량하는 것이 더 중요한 일일 것입니다. 우리 정치구조를 바로잡기 위한 제도의 개선은 대통령의 가장 중요한 개혁과제라 할 것입니다. 밥이나 부지런히 지을 일이지 주방설비 손질할 생각을 해서는 안된다는 논리로 가장 중요한 정치개혁을 비방하는 일은 없어야 합니다. 초헌법적 발상 또는 위헌적 발상이라는 비난이 있을 수도 있습니다. 그러나 그것은 우리 헌법을 잘 모르고 하는 말입니다. 우리 헌법은 단순한 대통령제 헌법이 아닙니다. 정치적으로 합의가 되면 헌법에 위배됨이 없이 내각제에 가까운 권력운용이 가능하도록 만들어져 있습니다. 처음부터 그런 운용을 예상하고 만든 것은 아니지만 그것이 내각제적 운용을 방해하는 것은 아닙니다. 프랑스의 경우도 헌법을 만들 때는 동거정부를 상상하지 않았지만 동거정부로 운용하는 데 아무런 문제도 없었습니다. 우리 헌법도 마찬가지일 것입니다. 국민이 만들어 준 권력을 너무 가볍게 생각하는 것 아닌가 하는 정치적 비판도 있습니다. 그러나 그렇지 않습니다.

우리의 정치현실이 변화하여 과거와는 다른 융통성 있는 권력의 운용을 요구하고 있습니다.

우리 정치가 미국 정치와 비슷한 것으로 생각하는 사람들이 많습니다. 그러나 우리 정치와 미국 정치는 아주 다릅니다. 미국에서는 대통령이 정권을 잡을 뿐 정당이 정권을 잡지 않습니다. 한국에서는 정당이 정권을 잡는다고 생각하여 당정협의도 하고 국회에서는 여야가 일사불란하게 행동 통일을 합니다. 마치 정권이 내각제처럼 운영되고 있습니다. 그런데 정치가 민주화되면서 새로운 문제가 생겼습니다. 과거처럼 대통령이 당을 완전히 장악하고 지배한다면 아무 문제가 생기지 않습니다. 그러나 대통령이 당을 지배할 수가 없게 된 현실에서는 당정 간에 주도권 다툼이 있게 됩니다. 제도적으로 그렇게 되어 있습니다. 상징적인 권위와 지도력으로 이 제도의 한계를 뛰어넘을 수는 없습니다.

저는 그동안 이 모순을 관리하기 위하여 한편으로는 당정분리를 엄격히 지키면서, 한편으로는 총리에게 보다 많은 권한을 위임하고 총리로 하여금 원활한 당정협의를 통하여 당정일체를 이루어 가도록 했습니다. 그러나 많은 당원들은 이해하기가 어려웠던 모양입니다. 적지 않은 당원들이 어떤 때는 대통령의 뜻이 무엇인지 묻고, 없다고 하면 왜 대통령이 지도력을 행사하지 않느냐고 나무랍니다. 또 어떤 때는 우리가 거수기냐고 불평을 하기도 합니다. 심하면 청와대 인사를 비난하고 간섭하기도 합니다.

저는 당정분리제도가 대통령의 권력을 제한하자는 국민적인 여망에서 비롯된 것이고, 장차 국정의 운영에 있어서도 대통령에 대한 당과 국회의 위상과 권위가 더욱 높아질 것이라는 점을 고려하여 총리에게 보다 많은 권력을 이양함으로써 당을 정권의 중심에 서게 하는 것이 시대정신에 맞는 국정운영이라 생각하고 있습니다. 이것은 각기 다른 선거로 선출되는 국회와 대통령 간의 권력의 이원화와 그에 따른 정통성의 갈등을 합리적으로 조절하는 적절한 방법이 될 것입니다. 이러한 유연한 정권운용의 필요성은 여소야대 국회하에서 야당이 연합하여 대통령이 지명하는 총리를 반대하고, 스스로 총리지명권을 행사하려고 할 때 극명하게 나타날 수 있습니다. 프랑스의 동거정부가 바로 그 실제 사례인 것입니다. 이러한 정치현실을 고민해 보지 않은 사람에게는 권력의 이양이라는 대통령의 제안이 참을 수 없는 가벼움으로 보일지 모르나, 대통령으로서는 비정상적인 우리 정치제도와 변화하는 정치현실 속에서 수많은 갈등과 고민을 거쳐 나온 결론이라는 점을 이해하여 주시기 바랍니다.

존경하는 당원 동지 여러분,

지역구도 극복은 언젠가 누군가는 꼭 해야 할 일입니다. 거역할 수 없는 역사의 명령입니다. 3당합당으로 헝클어진 정치질서를 복원해야 합니다. 여소야대 문제도 응급조치나 미봉책으로 끝낼 일이 아니라 구조적이고 제도적으로 해결해야 합니다. 열린우리당부터 결단을 내립시다. 역사를 새로 쓴다는 심정으로 최선을 다해 국민의 공론을 모아 나갑시다. 지금 이 시기가 우리 정치의 고질적인 병폐를 바로잡아 정상적이고 생산적인 정치를 이루어 낸 시기로 역사에 기록되게 합시다. 긴 글 끝까지 읽어 주셔서 감사합니다.

과학기술 진흥을 위한 열린음악회 축하 메시지

2005년 7월 31일

과학기술인 여러분, 안녕하십니까?

과학한국을 이끌고 계신 모든 분들께 큰 감사와 격려의 박수를 드립니다.

과학기술은 선진한국을 여는 핵심동력입니다. 과학기술혁신이야말로 참여정부의 최우선 국정과제입니다. 힘껏 밀어 드리겠습니다. 무엇보다도 과학기술인 여러분이 최고로 우대받는 환경을 만드는 데 최선을 다하겠습니다. 자신감을 가지고 힘차게 도전합시다. 과학기술로 희망찬 미래를 열어갑시다. 오늘 즐거운 시간 되시기를 바라며, 여러분의 건강과 행복을 기원합니다.

8월

서울경제신문 창간 45주년 축하 메시지

2005년 8월 1일

　　서울경제신문 창간 45주년을 진심으로 축하합니다. 임직원과 독자 여러분께도 따뜻한 인사 말씀을 전합니다.

　　서울경제신문은 그 연륜과 명성에 걸맞게 우리 경제의 훌륭한 길잡이가 되어 왔습니다. 젊은 시절 고시를 준비하면서 서울경제신문을 통해 경제를 공부했던 기억도 새롭습니다. 지금 우리는 선진경제를 향해 한 발 한 발 나아가고 있습니다. 과학기술을 탄탄하게 발전시키고, 시장질서도 확실하게 잡아 나가고 있습니다. 대기업과 중소기업, 수출과 내수, 첨단산업과 전통산업, 정규직과 비정규직 간의 양극화 문제를 해소하는 데도 전력을 다하고 있습니다. 이러한 때에 서울경제신문에 거는 기대는 매우 큽니다. 지금까지 해 온 것처럼 정확한 기사와 대안 있는 논평을 통해 우리 경제의 활로를 제시하는 나침반이 되어 주기를 바랍니다.

창간 마흔다섯 돌을 거듭 축하하며, 서울경제신문의 큰 발전을 기원합니다.

광복 60주년 러시아 연해주 경축행사 메시지

2005년 8월 13일

러시아 연해주 동포 여러분, 안녕하십니까?

광복 예순 돌을 온 겨레와 더불어 경축합니다. 뜻깊은 행사를 준비하신 관계자와 동포 여러분께 깊은 감사의 말씀을 드립니다.

러시아 연해주는 애국선열들의 숨결이 깃든 항일독립투쟁의 중심무대입니다. 권업회, 대한국민의회와 같은 빛나는 독립운동사가 이곳을 중심으로 쓰여졌습니다. 엄청난 희생을 무릅쓰고 일제와 맞섰던 동포 여러분이 계셨기에 우리 조국은 해방의 감격을 맞이할 수 있었습니다. 세계 11위의 경제규모를 가진 나라, 자유와 민주주의가 꽃피는 나라를 이룩할 수 있었습니다. 141년 전 이주 1세대로부터 오늘에 이르기까지 온갖 어려움을 극복하고 성공을 일궈 낸 여러분의 삶은 우리에게 큰 감동과 자랑이 되고 있습니다. 문화와 전통을 지키며 한국과 러시아의 든든한 가교 역할을 해 주고 계신 것 또한 고마운 일이 아닐 수 없습니다. 조국에 대한 동포 여러분의 기대를 잘 알고 있습니다. 더 큰 긍지와 자부심을 가질 수 있도록 힘 있고 번영된 나라를 만드는 데 최선을 다하겠습니다. 러시아와도 활발한 교류·협력을 통해서 양국 모두에게 이익이 되고, 동포 여러분께도 도움을 될 수 있는 길을 넓혀 나갈 것입니다.

이번 경축행사가 동포사회의 화합과 단결을 도모하는 소중한 계기가 되기를 바라며, 여러분 모두 건강하시고 더 크게 성공하시기를 기원합니다.

광복 60주년 카자흐스탄 경축행사 메시지

2005년 8월 13일

광복 60주년 경축행사를 뜻깊게 생각하며, 카자흐스탄 동포 여러분께 우리 국민의 따뜻한 인사를 전합니다.

광복의 의미를 되새기는 이번 행사에 대한 동포 여러분의 감회는 남다를 것입니다. 낯선 땅에서 뿌리내리는 동안 선대와 여러분이 겪었던 애환과 고초를 잘 알고 있습니다. 땀과 눈물을 닦아내며 남들보다 몇 배나 노력해서 카자흐스탄 사회의 존경받는 일원으로 성장한 여러분을 우리 국민들은 자랑스럽게 생각하고 있습니다. 여러분의 조국 대한민국도 지난 60년 동안 괄목할 만한 발전을 이룩했습니다. 무에서 유를 창조하며 세계 11위의 경제규모를 가진 나라가 되었고, 세계 어디에 내놓아도 손색이 없는 민주주의 국가로 자리 잡았습니다. 저는 지난 해외순방 길에 "대한민국이 잘되는 것만으로도 정말 기쁘고 자랑스럽다."고 하시던 동포 여러분의 말씀을 잊지 않고 있습니다. 그 말씀을 떠올릴 때마다 더 풍요롭고 떳떳한 나라를 만들겠다는 각오를 새롭게 다지게 됩니다.

열심히 하겠습니다. 평화롭고 번영된 미래를 착실히 준비하고 있습니다. 동포 여러분에게 도움을 드리는 일도 먼저 찾아서 하겠습니다. 특히 카자흐스탄과의 활발한 경제협력을 통하여 양국이 함께 발전하고, 여러분과 후손들에게 더 나은 기회가 주어질 수 있도록 최선의 노력을 다하겠습니다. 여러분께서도 많이 성원해 주시고, 한국과 카자흐스탄을 잇는 든든한 다리가 되어 주시기 바랍니다. 이번 경축행사를 계기로 우리 동포사회가 더욱 단합해서 더 큰 성취를 이루어나가기를 바라며, 여러분 모두의 건강과 행복을 기원합니다.

2006 서울 세계도서관정보대회 초청 메시지

2005년 8월 14일

2006 서울 세계도서관정보대회에 여러분을 초대합니다.

세계도서관정보대회는 도서관과 정보 이용에 관한 각국의 지혜와 경험을 공유하는 소중한 자리입니다. 그동안 인류의 화합과 번영에 크게 기여해 왔습니다. 이처럼 뜻깊은 대회가 대한민국 서울에서 열리게 된 것은 큰 기쁨이 아닐 수 없습니다.

한국은 13세기 초에 세계 최초로 금속활자를 발명한 바 있습니다. 지금은 전 국민의 3분의 2 이상이 인터넷을 활용하고 있고, 초고속 인터넷 보급률 세계 1위의 IT 강국입니다. 특히 서울은 유서 깊은 문화유산과 첨단 IT 인프라가 잘 조화를 이루고 있습니다. 도서관의 과거와 현재를 조명하고 미래를 전망하기에 더 없이 좋은 곳이라고 생각합니다. 2006 서울대회에서는 '지식정보사회의 역동적 엔진'으로서 도서관의 발전방향에 대해 깊이 있는 논의를 하게 될 것입니다. 한국 정부는 다양한 프로그램을 마련하고 서울대회가 큰 성공을 거둘 수 있도록 철저히 준비하고 있습니다.

2006 서울대회는 참가자 모두에게 즐겁고 유익한 경험이 될 것이라고 확신합니다. 여러분의 많은 관심과 참여를 부탁드립니다. 2006년 8월 대한민국 서울에서 만납시다.

제60주년 광복절 경축사

2005년 8월 15일

존경하는 국민 여러분, 그리고 해외동포 여러분,

60년 전 오늘 우리는 빼앗긴 나라를 되찾았습니다. 그로부터 60년, 우리는 세계 속의 한국으로 우뚝 섰습니다. 그리고 희망찬 내일을 향해 힘차게 달려가고 있습니다. 우리의 이 모습을 선열들께서도 기뻐하실 것입니다. 뜻깊은 이날을 맞아 민족의 자주독립을 위해 모든 것을 바치신 애국선열들께 머리 숙여 경의를 표합니다. 피와 땀으로 오늘의 대한민국을 만들어 오신 국민 여러분께 깊은 존경과 감사의 말씀을 드립니다.

국민 여러분,

해마다 광복절 경축사는 미래를 향한 새로운 희망과 계획을 말하고 다짐하는 데 중심을 두었습니다. 그러나 오늘 저는 지난날의 어두운 이야기로 경축사를 시작하려고 합니다. 역사의 과오를 돌이켜 보며 다시는 같은 역사를 되풀이하지 않기 위해 후일의 경계로 삼아야 할 일이 무엇인지 되짚어 보자는 뜻입니다. 우리나라가 식민지가 된 근본 원인은 당시 세계를 휩쓸었던 제국주의 질서 때문이라고 해야 할 것입니다. 그러나 아무리 제국주의의 파고가 거세었다 할지라도 우리 내부에 이를 이겨 낼 만한 준비가 되어 있었더라면 나라를 빼앗기지는 않았을 수도 있었을 것입니다.

흔히들 우리 선조들이 세계정세에 어두웠다고들 합니다. 물론 그것은 사실입니다. 그러나 그것을 결정적인 원인이라고 할 수는 없을 것입니다. 세계정세를 미리 내다보고 나라를 살리기 위한 대안을 내놓은 선각자들이 계셨지만 어느 대책도 성공할 수 없었습니다. 나라가 힘이 없고 분열되어 있었기 때문입니다. 어떤 대책을 세운다 해도 이를 실행할 만한 국력이 없었고, 그나마 편을 갈라서 싸우느라 힘을 모을 수가 없었던 것입니다. 나라의 힘을 기르지 못한 것은 어떤 변화도 용납하지 않았던 지배체제와 이에 결합한 기득권 체제 때문이었습니다. 지배세력은 배타적이고 독선적인 사상체계에 매몰되어 일체의 다른 사상과 제도를 배척하였고, 새로운 생각을 말하는 사람들의 목숨마저도 용납하지 않았습니다. 명분은 당당했지만 불행하게도 결론은 언제나 기득권 체제를 옹호하는 그것이었습니다. 그들 상호간에도 권력을 놓고 목숨을 건 투쟁을 일삼았습니다. 정교한 사상체계도 노골적인 권력투쟁의 도구로 이용되었습니다. 지배세력 스스로 분열했던 것입니다.

권력을 견제할 반대자마저 철저히 배제한 지배세력은 끝없는 부정부패와 가렴주구로 백성들을 도탄으로 밀어 넣었습니다. 삶의 뿌리가 뽑혀 버린 백성들이 지배세력을 불신하고 따르지 않게 되었으니 백성과 지배세력마저 갈라져 버린 것입니다. 지배세력의 완고한 기득권과 독선적인 사상체계, 부정부패와 목숨을 건 권력투쟁, 그리고 그로 인한 분열과 대립이 나라를 피폐하게 하고 끝내는 망국에 이르게 한 내부의 원인이 된 것입니다.

국민 여러분,

먼 훗날 우리 후손들이 오늘날의 역사를 보고 우리가 세계정세에 어두웠다고 하지는 않을 것입니다. 저는 역대 정부가 냉전체제 붕괴 이후의 변화하는 세계질서에 잘 대처해 왔다고 생각합니다. 앞으로도 우리 대한민국은 한반도와 주변질서에 능동적으로 잘 대처해 나갈 것입니다. 그럴 만한 충분한 안목을 갖추고 있다고 생각합니다. 국력이 모자라서 나라가 위태롭게 되는 일도 이제는 없을 것입니다. 과학기술의 발전과 우수한 인재의 양성은 더욱 가속화될 것입니다. 민주주의와 시장경제도 더욱 발전해 나갈 것입니다. 그 위에서 우리 국민은 창의와 다양성을 꽃피울 것입니다. 능히 나라를 지킬 만한 자주국방 역량도 갖추어 나가고 있습니다. 어떤 독선적인 사상체계도 더 이상 우리 사회의 변화를 가로막지는 못할 것입니다. 또다시 독재체제가 나타나서 국민의 인권을 짓밟고 자유를 억압하는 일은 없을 것입니다. 국가기관의 불법행위와 정경유착, 권언유착도 이제는 과거의 일이 될 것입니다. 지금도 여러 가지 불미스러운 사건들이 국민 여러분을 분노케 하고 있지만 실상은 모두 지난날의 일들입니다. 앞으로 어떤 사건들이 또 불거져 나올지 알 수는 없지만, 적어도 이 시간 이후의 사건은 아닐 것입니다. 더 이상 이런 부정한 방법으로 특권과 특혜를 누리거나 경쟁에서 불공정한 이익을 얻는 일은 없을 것입니다.

그러나 국민 여러분,

유감스럽게도 아직 자신 있게 말하기 어려운 일도 있습니다. 우리 역사에 뿌리깊이 내려온 분열은 얼마나 극복되었으며 앞으로 또 다른 분열의 소지는 없을 것인지, 그리고 이로 인해 나라가 다시 위기에 빠지는 일은 없을 것인지 묻는다면, 자신 있게 그렇지 않다고 말하기가 어려운 것이 사실입니다. 아직도 우리 사회는 크게 세 가지 분열적 요인을 안고 있습니다. 그 하나는 역사로부터 물려받은 분열의 상처이고, 그 둘은 정치과정에서 생긴 분열의 구조이며, 그 셋은 경제적·사회적 불균형과 격차로부터 생길지도 모르는 분열의 우려입니다. 나라를 지속적인 발전의 토대 위에 단단하게 올려놓기 위해서, 그리고 또다시 나라가 위기에 빠지지 않게 하기 위해서 우리는 반드시 이 분열과 갈등의 구조를 해소해야 합니다.

국민 여러분,

우리가 역사에서 물려받은 분열의 상처는 친일과 항일, 좌익과 우익, 그리고 독재 시대의 억압과 저항의 과정에서 비롯된 것입니다. 이를 극복하기 위해서는 그 시대 역사에 대한 올바른 정리와 청산이 이루어져야 합니다. 친일의 역사로부터 비롯된 분열과 갈등이 광복 60년이 지난 오늘에 이르도록 해소되지 않고 있습니다. 해방은 되었으나 좌우 대결에 매몰되어 친일세력의 득세를 용납하였고, 그 결과로 친일세력을 단죄하기는커녕 역사의 진실조차 채 밝히지 못했기 때문입니다.

다행히 작년에는 우리 국회가 '일제강점하 반민족행위 진상규명특별법'을 만들고, 올해에는 '진실·화해를 위한 과거사정리기본법'을 만들어서 그동안 미루어 왔던 친일반민족행위의 진상을 밝히고, 아직도 빛을 보지 못하고 있는 독립운동사의 나머지 한쪽도 밝힐 수 있게 되었습니다. 이 일이 제대로 마무리되면 과거 식민지 역사에서 비롯된 우리 사회의 분열과 갈등은 이제 정리되는 국면으로 들어서게 될 것입니다. 국회에 계류 중인 '친일반민족행위자 재산환수에 관한 특별법'까지 통과되면 친일반민족행위자들이 나라와 민족을 팔아서 치부한 재산을 그 후손들이 누리는 역사의 부조리도 해소될 것입니다. 해방 후 좌우의 대립과 독재·반독재 간의 오랜 대결도 갈등과 대립의 문화를 남겨 놓았습니다. 좌·우익은 서로를 용납하기 어려운 가치체계를 가지고 테러와 학살까지 일삼았습니다. 독재정권도 도청과 감시, 체포와 투옥, 고문과 협박도 모자라서 마침내는 죄 없는 사람에게 죄를 만들어 죽이기까지 했습니다. 자연히 여야의 정치적 대립과 반독재 운동도 타협을 허락하지 않는 투쟁이 될 수밖에 없었습니다. 지금도 여야가 서로를 인정하지 않고, 대화와 타협을 변절과 야합으로 생각하는 사고가 우리 정치를 지배하고 있는 것도 관용을 모르는 바로 이와 같은 대결 문화의 잔재일 것입니다. 우리가 이 문화를 극복하는 데 걸리는 시간만큼 민주주의 발전은 지체될 것입니다. 이러한 문화적인 잔재보다 더 중요한 문제는 아직도 진상이 규명되지 않은 사건들이 많이 남아 있고, 그에 따라 피해자들의 상처가 치유되지 못했으며, 국가의 책임도 끝나지 않았다는 것입니다. 다행히 이 또한 과거사정리기본법을 통해 진상규명과 역사적인 정리를 할 수 있게 되었으니 참으로 잘된 일이라 할 것입니다. 다만 이 청산의 과정에는 몇 가지 유의해야 할 점이 있습니다.

우선, 피해당하고 고통받은 사람들의 상처를 치유하여 진정한 화해를 이룰 수 있도록 해야 할 것입니다. 그러자면 먼저 철저한 진상규명과 사과, 배상 또는 보상, 그리고 명예회복이 이루어져야 합니다.

다음으로, 국가권력의 정당성과 신뢰를 회복하도록 해야 합니다. 국민에 대한 국가기관의 불법행위로 국가의 도덕성과 신뢰가 크게 훼손되었습니다. 국가는 스스로 앞장서서 진상을 밝히고 사과하고, 배상이나 보상의 책임을 다해야 할 것입니다. 이와 관련해서 과거사정리기본법에 규정이 있고, 올 연말에 출범할 과거사정리위원회가 타당성 있고 형평에 맞는 기준을 제시할 것으로 기대합니다. 그러나 그로서도 부족하다고 판단되면 이를 보완하는 법을 만드는 방안도 고려해야 할 것입니다. 입법을 할 경우에는 확정판결에 대해서도 보다 융통성 있는 재심이 가능하도록 해서 억울한 피해자들이 명예를 회복할 수 있는 길을 열어 주면 더욱 좋을 것입니다.

이에 더해서 국가권력을 남용하여 국민의 인권과 민주적 기본질서를 침해한 그러한 범죄에 대해서는, 그리고 이로 인해 인권을 침해당한 사람들의 배상과 보상에 대해서는 민·형사 시효의 적용을 배제하거나 적절하게 조정하는 법률도 만들어야 합니다. 더 이상 국가권력을 남용하여 국민의 생명과 재산을 빼앗아 놓고 나 몰라라 하고 심지어 큰소리까지 치는 일이 없도록 하자는 것입니다. 그래야 국가의 신뢰를 회복하고 정의를 바로 세울 수 있을 것입니다.

국민 여러분,

정치과정에서 생긴 우리 사회의 분열구조는 바로 지역구도와 대결적 정치문화입니다. 이 구조와 문화가 해소되기 전에는 끊임없는 분열과 대립을 벗어나기 어려울 것입니다. 지역구도는 민주주의를 왜곡합니다. 민주주의의 기본은 선거입니다. 선거에서 민의가 왜곡되면 민주주의도 왜곡되는 것입니다. 지난날 군사독재는 민의를 왜곡하기 위해 지역감정을 동원했습니다. 그것이 1987년 대통령 선거와 1990년 3당합당을 거치면서 이제 지역구도로 굳어버렸습니다. 그 구조가 지금까지도 계속되고 있습니다. 지역구도는 합리적인 국정운영을 불가능하게 합니다. 정당이 이념과 정책이 아니라 지역으로 나뉘어져 있으니 국회가 정책토론장이 아닌 감정대결의 장이 되어 버립니다. 인사도 예산도 사업도 모두 지역대결, 지역안배로 해석되고 맙니다. 적재적소와 효율과 원칙이 흔들립니다. 설사 흔들리지 않더라도 신뢰를 유지할 수 없습니다.

그 무엇보다 심각한 것은 지역구도가 우리 국민을 분열시킨다는 것입니다. 선거 때만 되면 정치인들은 불신과 적대감을 부추깁니다. 국회에 가면 끊임없이 지역차별을 이야기합니다. 언론에는 지역적인 정치구도와 지역소외 이야기가 그치지 않습니다. 지역 민심에 의혹과 분노가 쌓입니다. 선거에서 이보다 더 좋은 수단이 없으니 정치인들은 계속 지역감정을 자극하게 됩니다. 악순환이 반복되는 것입니다. 합리적인 근거도 없는 일로 불신하고 적대하니 이로 인한 갈등은 풀어낼 방법도 없습니다. 지역구도의 폐해와 부당성을 말하자면 끝이 없습니다. 우선 선거제도를 고쳐야 합니다. 그런다고 단번에 지역감정이 해결되는 것은 아닐

지라도 정치의 지역구도는 해소될 수 있습니다. 그리고 정치적 선동으로 갈등을 확대재생산하는 악순환의 고리는 끊어 버릴 수 있습니다.

모든 정치인들이 지역구도를 옳지 않다고 하는 데도 선거제도는 고쳐지지 않고 있습니다. 지역구도가 정치적 기득권이 되어 버렸기 때문입니다. 정치인 여러분이 결단해야 합니다. 지금과 같은 갈등과 분열의 구도를 가지고는 나라가 발전할 수 없습니다. 나라가 위기에 처했을 때 올바르게 대처할 수도 없습니다. 나라를 발전시키기 위해 정권을 잡겠다고 하기 전에 나라의 큰 병부터 먼저 고치는 것이 지도자가 되려는 사람들의 도리일 것입니다. 과감하게 기득권을 포기하는 용기와 결단으로 나라의 미래에 새로운 가능성을 열어 주실 것을 간곡히 호소드립니다.

국민 여러분,

경제적·사회적 불균형은 나라의 장래에 심각한 위협이 될 수 있습니다. 계층 간, 지역 간, 기업규모 간의 소득과 재산, 그리고 지식정보와 기회의 격차가 날로 커져 가고 있습니다. 양극화가 이대로 진행되면 감당하기 어려운 갈등과 분열의 원인이 되고 지속적인 성장기반마저 무너질 수도 있습니다. 정부는 최선을 다하고 있습니다. 또 다할 것입니다. 경제를 활력 있고 안정적으로 운영하는 것이 우선입니다. 급격한 경기 변동은 격차를 더 벌릴 뿐만 아니라 어려운 사람들을 더욱더 어렵게 하기 때문입니다. 당장 도움이 필요한 사람에게는 사회안전망을 확충해 나갈 것입니다. 긴급지원을 확대하고 개인이나 가정이 감당하기 어려운 곤경은 국가가 덜어 드릴 것입니다. 일하고자 하는 사람에게는 직업능력을 향상시키고 좋은 일자리를 제공하기 위한 다양한 정책을 펼치고 있습니다. 교육정책도 세계 일류의 인재양성과 함께 모든 사람들에게 공정한 기회를 제공하는 데 역점을 두어 나갈 것입니다.

　정부의 힘만으로는 문제를 다 해결하기 어렵습니다. 기업과 국민 모두가 우리 경제를 살리고 함께 사는 도리를 생각해야 할 때입니다. 기업은 연구개발 투자를 더욱 늘려야 합니다. 세계 시장의 활력은 높아지고 있지만, 이와 함께 구조적인 불확실성도 더 높아지고 있습니다. 이것을 뚫고 나가려면 연구개발을 통해 시장을 넓히는 수밖에 없습니다. 국내투자도 늘려야 합니다. 국내의 기반 없이 해외에서만 성공하기는 어려울 것입니다. 수출만으로 우리 경제가 계속 성장할 수는 없습니다. 내수 기반을 함께 키워야 합니다. 그러자면 국내에 일자리를 만들어야 합니다. 수출로 벌어들인 돈이 일자리를 통해 돌게 하고 국민들의 소비를 통해 내수경제를 살려 나가야 합니다. 기업은 또한 인재를 키워 써야 합니다. 우수한 인재를 골라 쓰는 데만 치중하고 기르는 데는 인색한 기업이 장기적으로 경쟁력을 갖기는 어려울 것입니다. 이미 인재가 경쟁력인 시대로 들어섰습니다. 비정규직이 늘어나 그들의 소득이 줄고 그 결과로 그 사람들의 생산성이 낮아지고, 그래서 다시 그 사람들의 일자리가 줄어드는 악순환의 구조가 되어서는 우리 경제가 살아날 수 없습니다. 한창 일할 나이에 직장에서 물러나 출근시간에 갈 곳이 없는 사람들이 넘치는 사회에서는 경제도 기업도 성공할 수가 없습니다. 정부도 기업도 정규직을 늘리고 경력자를 최대한 활용하는 경영전략을 적극적으로 검토해야 할 때라고 생각합니다.

　노동조합도 이제 결단해야 합니다. 기업이 어려움에 처해도 정리해

고가 어려운 제도 아래서 비정규직과 대다수 노동자들이 오히려 피해를 보고 있는 것이 현실입니다. 막강한 조직력으로 강력한 고용보호를 받고 있는 대기업 노동조합이 기득권을 포기하는 과감한 결단을 해야 합니다. 노동조합은 해고의 유연성을 열어 주는 한편 정부와 기업은 정규직 채용을 늘리고 다양한 고용기회를 만들어 내는 대타협을 이뤄 내야 할 것입니다. 대기업과 중소기업의 상생협력도 반드시 성공시켜 나가야 합니다. 기업인뿐만 아니라 대기업 노동자 여러분의 협력이 절대적으로 필요한 일입니다. 적극적인 참여를 당부드립니다. 국가균형발전정책도 그 동안 기업과 공공기관, 그리고 지자체의 협력 덕분에 많은 진전이 있었습니다. 진심으로 감사드립니다. 앞으로도 지속적인 관심과 동참을 바랍니다. 이 모두가 당장의 이익에는 맞지 않는 일들입니다. 그러나 멀리 보면 스스로를 위한 일입니다. 멀리 내다보아야 합니다. 크게 보아야 합니다. 지금까지 생각은 많았지만 미처 결심하지 못하고 실천하지 못했던 일입니다. 결단이 필요한 일입니다.

국민 여러분,

우리 국민은 창의와 경쟁, 땀과 열정에서 세계 최고의 역량을 보여 주었습니다. 투명하고 공정한 사회를 만드는 일도 이미 성공의 길로 들어서고 있습니다. 그러나 대화와 타협, 양보와 협력에 있어서는 아직 성공했다고 자부하기 어렵습니다. 이제 우리 모두 결단해야 합니다. 내가 결단하지 않으면 남을 움직일 수 없고 세상을 바꿀 수가 없습니다. 결단은 새로운 기회를 열어 줄 것입니다. 결단하는 그 사람과 우리 모두의 운명을 새롭게 바꿔 줄 것입니다. 역사는 고비마다 우리에게 새로운 소명을 부여했습니다. 일제하에서는 독립국가 건설을, 산업화 시대에는 가난극복을 우리는 소명으로 받았습니다. 그리고 이행했습니다. 1970~80년대에는 수많은 젊은이들이 민주화를 위해 거리로 나섰습니다. 역사는 지금 또 하나의 새로운 과업을 던져 주고 있습니다. 바로 분열의 역사에 종지부를 찍고 국민통합의 시대를 열라는 것입니다. 이것은 우리가 분단시대를 극복하고 평화와 번영의 통일 시대를 맞이할 수 있는 발판을 만드는 일이기도 합니다. 저는 국민 여러분과 함께 이 역사적 과업을 완수해 내고자 합니다. 우리 모두 힘과 지혜를 모읍시다. 광복 60주년을 경축하는 오늘 이 자리를 진정한 화해와 통합의 출발점으로 삼읍시다.

감사합니다.

광복 60주년을 맞아 이산가족에게 보내는 서신

2005년 8월 15일

안녕하십니까?

올해는 광복 예순 돌이 되는 뜻깊은 해입니다. 그동안 우리는 애국 선열들의 큰 뜻을 되새기며 풍요롭고 힘 있는 나라를 만들기 위해 땀 흘려 왔습니다. 그 결과 전쟁의 잿더미 위에서 세계 11위의 경제규모를 가진 나라, 모범적인 민주국가를 이룩해 냈습니다. 그러나 한편으로 안타까운 마음을 지울 수 없는 것은 광복 60년의 역사는 동시에 분단의 역사라는 사실 때문입니다. 북에 남겨둔 가족과 고향산천에 대한 이산가족 여러분의 사무친 그리움을 아직도 씻어 드리지 못하고 있기 때문입니다. 이산가족 여러분의 아픔은 7천만 우리 민족 모두의 아픔이며, 반드시 해결해야 할 시대적 과제입니다. 특히 고령으로 이산 1세대가 한 분 한 분 세상을 뜨고 있는 현실을 생각할 때 더욱 그러합니다. 다행히 2000년

6·15남북공동선언 이후 10차례에 걸쳐 1만 명에 가까운 이산가족 만남이 이루어졌습니다. 비록 작은 출발이지만 이번 광복절부터는 화상을 통한 새로운 방식의 가족상봉이 이루어지고, 이달 하순에는 11차 이산가족 상봉과 금강산면회소 착공식이 있을 예정입니다.

북핵문제 등 쉽지 않은 걸림돌이 있지만 지금 우리는 분명 희망을 보고 있습니다. 국제사회에서는 6자회담 등 북핵문제 해결을 위한 상호 논의가 활발해지고, 개성공단에서는 우리 기업인과 북한 근로자들이 함께 땀 흘리고 있습니다. 앞으로도 정부는 남북 간에 신뢰와 협력의 기반을 다져서 더 많은 이산가족 여러분이 자유롭게 만나고 그리운 고향을 찾을 수 있도록 노력하겠습니다. 여러분의 아픔을 결코 잊지 않겠습니다. 아울러 국군포로, 납북자 문제 해결에도 최선을 다하겠습니다. 이산의 슬픔 속에서 광복 60주년을 맞는 여러분들에게 다시 한번 위로의 말씀을 드립니다. 그리고 올해가 여러분에게 희망의 새로운 출발이 되기를 바랍니다.

친지를 만나고 다시 고향땅을 밟는 그날까지 부디 몸 건강하시기를 바랍니다.

2005 국제의료법학대회 축하 메시지

2005년 8월 16일

여러분, 안녕하십니까?

국제의료법학대회의 개최를 축하드립니다. 암논 카르미 회장님, 그리고 세계 각국에서 오신 법률가와 의료인 여러분을 진심으로 환영합니다. 지난 세기 이후 의학의 눈부신 발전은 인류의 건강과 생명 연장에 크게 기여해 왔습니다. 그러나 한편으로는 의학 분야가 얼마나 법적·윤리적 뒷받침을 필요로 하는지 인식하게 되었습니다. 최근 배아줄기세포 연구에 대한 논의가 그 대표적인 예일 것입니다. 그런 점에서 생명공학 분야를 이끌고 있는 우리나라에서 이번 대회가 열리게 된 것은 매우 뜻깊은 일이라고 생각합니다. 의료법학이 지향해야 할 방향은 분명합니다. 인간의 존엄과 행복, 바로 그것입니다. 과학기술 탐구의 문은 활짝 열어놓되, 인류사회의 상식과 양심에 의해 관리가 가능하도록 해야 할 것입니다. 그동안 의학기술의 지혜로운 활용을 위해 노력해 오신 여러분의 더 큰 역할을 기대합니다. 아울러 이번 대회가 보건·의료 분야의 국제적인 협력을 통해 인류복지에 크게 기여하는 계기가 되기를 바랍니다.

머무시는 동안 즐겁고 유익한 시간 되십시오.

대한항공 국제화물수송 세계 1위 축하 메시지

2005년 8월 18일

대한항공이 큰일을 해냈습니다. 국제화물수송 세계 1위를 국민과 더불어 축하합니다.

세계 1위는 서비스 분야에서 처음 있는 일입니다. 선진경제로 나아가기 위해서 반드시 갖춰야 할 분야가 서비스산업임을 생각할 때 그 의미는 더욱 큽니다. 특히 물류산업은 우리의 지정학적 여건으로 보아 대단히 유망한 산업입니다. 물류산업 육성에 대한 정부의 의지는 확고합니다. 동북아 물류중심을 선진경제 진입을 위한 핵심전략으로 추진하고 있습니다. 인천국제공항 확장을 비롯한 물류 인프라 조성에 박차를 가하고, 조세 감면 등 다각적인 지원도 아끼지 않을 것입니다. 그러나 더 중요한 것은 민간부문의 혁신역량입니다. 창의와 열정으로 변화를 선도해서 새로운 고부가가치 서비스를 창출해 나가야 합니다. 항공물류업계의 선두주자인 대한항공이 앞으로도 모범을 보여 줄 것으로 기대합니다.

다시 한번 세계 1위 달성을 축하하며, 대한항공의 더 큰 성공을 기원합니다.

KBS 특별방송 '참여정부 2년6개월, 노무현 대통령에게 듣는다' 말씀

2005년 8월 25일

질문 : 참여정부 임기 절반을 보낸 소회와 앞으로 남은 후반부에 대한 기본적인 계획은 무엇입니까?

대통령 : 여러분, 안녕하십니까? 무슨 말씀을 드릴까 하고 밤새 고민을 많이 했는데, 오늘은 문제의 본질에 정면으로 한번 부닥쳐 보고 싶습니다.

사실 저의 국정운영에 대한 국민적 지지도는 엊그제 발표된 것으로 29%입니다. 책임정치를 하는 나라에서 29% 지지도를 가지고 국정을 계속해서 운영하는 것이 과연 책임정치의 뜻에 맞는 것인가 하는 데 대한 원론적인 고민이 하나 있습니다. 이 수준의 국민적 지지도를 가지고 제가 국민들에게 약속하고 또한 소신으로서 이루고자 하는 국정을 제대로 수행할 수 있을 것인가 하는 데 대해서 다시 한번 검토해 볼 필요가 있다고 생각합니다. 제가 대통령 자리에 연연하고 있는 것이 아니라면 저는 이에 대해 문제제기를 해야 합니다. 정직한 대통령이라고 자부하는 사람으로서, 양심을 가진 사람으로서 국민들에게 질문을 던져야 한다고 생각합니다.

'질문 던질 거 뭐 있냐? 당신이 결단하라.' 이렇게 말할 수는 있을 것입니다. 그러나 우리나라 정치제도가 내각제가 아니어서 국회를 해산하고 총선을 통해서 재신임을 물을 수 있는 방법도 없고, 여론조사 결과를 가지고 대통령직을 불쑥 내놓는 것이 맞는 것인지에 대해서 확신이 없어 무척 고심하고 있습니다.

이 문제에 대해 저는, 우리 국민들과 정치권과 저 사이에서 새로운 어떤 관계 정립을 위한 대화가 필요하다고 생각합니다. 학계·언론계가 다함께 모여서 이 문제에 관해 정면으로 부닥쳐 볼 필요가 있습니다. 필요하다면 오늘 그 얘기를 중심에 놓고, 경제나 정치·사회 문제를 하나하나 얘기해 나가자는 말씀을 드립니다. 구체적인 모든 문제에 대해서 제 나름대로 이런 큰 틀에서 말씀드리도록 하겠습니다.

질문 : 국민들이 가장 괴로워하고 있는 것이 부동산 가격 폭등문제인 것 같습니다. 대통령께서는 부동산 가격을 안정시키겠다고 하셨지만, 실제로는 2003년 취임하자마자 금리를 두 번이나 내려서 부동산 가격이 올라갈 수 있는 토양을 만들어 놓고 전 국토를 균형개발한다고 전국을 투기장화시켜 버렸습니다. 그런 가운데 부동산값은 계속 올랐습니다.

이제 8월 31일 부동산대책이 나온다고 많은 논의가 이루어지고 있는데, 염려하는 분들이 많습니다. 여기에 대해서 말씀해 주시면 고맙겠습니다.

대통령 : 우선 질문의 전제부터 동의하지 않습니다. 금리가 원론적으로 부동산 가격에 영향을 미치는 것은 사실이지만, 지금 부동산 가격의 폭등현상은 금리로부터 비롯된 것은 아니라는 말씀을 드리고 싶습니다. 지역개발이 일부 투기꾼들을 움직이게 한 것은 사실이지만, 그럼에도 불구하고 지역개발은 반드시 필요한 것이기 때문에 안 할 수는 없습니다. 지역개발은 하면서 투기는 잡겠습니다. 그러나 지금의 부동산·주택 가격 파동은 지역개발과 거기에 모여드는 얼마간의 투기꾼들에 의해서 조성된 것은 아닙니다. 그것도 하나의 영역이긴 하지만, 우리 서민들의 주거생활을 위협하는, 우리 경제를 위협하는 부동산 가격 인상의 핵심적 요소는 아닙니다.

가장 근본적인 것은 내성입니다. 부동산정책에 대해서는 국민들이 내성을 가지고 있습니다. 그리고 실제로 부동산정책은 어렵습니다. 역대 정부가 계속해서 실패했습니다. 저항 때문입니다. 부동산 부자들 쪽의 여론이 총론에서는 찬성하다가 각론 만들 때 '서민 부담을 가중시킨다. 세금 폭탄이다. 또 시장원리에 위배된다. 헌법에 위배된다.'고 반대를 들고 나와 주저앉혀 버립니다. 정부가 정책의 총론을 얘기할 때는 전부 박수소리가 나오니까 자신을 가지고 부동산정책을 입안합니다. 그러나 나중에 하나씩 가면서 반대에 부닥치게 됩니다. 지난 18일경부터 언론 보도들을 한번 보십시오. '부동산정책 대문에 내 세금 올라가겠구나.' 관계

없는 서민들도 그렇게 느끼도록 만들어져 있고, '저거 시장경제 원리에 반하는 것 아니냐.' 라고 생각하게 되어 있습니다.

국민생활을 위해서 시장이 존재하는 것이지, 시장을 위해서 국민이 존재하는 것은 아닙니다. 국민경제가 먼저 있고, 그 국민경제를 운용하는 데 가장 좋은 방법이 시장인 것입니다. 시장에서 실패한 것은 국가가 정책으로 시장의 실패를 보완해 주어야 되는 것 아닙니까? 부동산이야말로 시장이 완전히 실패한 영역입니다. 양극화나 빈부격차 완화를 위한 가장 첫번째 정책이 부동산정책입니다. 원인에 있어서도 그렇고 대책에 있어서도 1번이 부동산입니다. 부동산값이 올라 경제에 거품 들어갔다가, 어느 날 부동산값이 떨어지면 은행이 부실화되고, 경제가 따라서 부실화됩니다. 경제가 또 한번 홍역을 앓게 되는데, 경제에 파동이 생길 때마다 빈부격차는 한 칸씩 더 늘어납니다. 경제가 급격하게 떨어질 때 빈부격차가 늘어나고, 경제가 빠르게 회복될 때 빈부격차가 또 늘어납니다. 그래서 서민들 다 죽이는 것이 부동산이고 경제도 살 수가 없습니다. 부동산 거품이 들어가면 앞으로 우리 상품의 국제경쟁력도 유지할 수 없습니다. 그래서 저는 이 문제에 관한 한 사유재산의 원리, 시장원리, 이런 부분을 가지고 헷갈리게 하지 않는 것이 좋다고 생각합니다.

지난번 10·29대책은 사실은 용두사미까지는 아니라 할지라도, 호랑이를 그리려고 했는데 표범보다 조금 작은 호랑이밖에 못 그렸습니다. 각론에 들어가니까 보유세 문제에 관해서 이런 공격 들어오고 저런 공격이 들어와서 하나씩 무너지기 시작했습니다. 정부에서 만들 때부터 추위를 타서 점점 줄어들었습니다. 경제부처 장관이 안을 들고 대통령한테 와서 이런저런 저항이 있다고 보고해서 하나씩 빠지더니, 결국 가져간 것도 당정협의할 때 또 깎았습니다. 왜냐하면 민심이 흔들리기 때문입니다. 국회에 가니까 왕창 깎여 버렸습니다.

부동산정책이 역대로 계속 실패한 이유는 바로 이와 같은 저항 때문이고 이 저항은 옳지 못합니다. 그리고 여기에 내성이 생겨서 버텨 보자고 다 버팁니다. 법이라는 것이 자발적으로 지켜 주고, 또 그 결과에 대해서 두려움을 가지고 수용할 때 효과가 있지 전부 다 버티면 효과가 없습니다. 지금 당장 나가서 자동차 우측통행 못하겠다, 당장 좌측통행 하겠다 하고 자동차 10%만 거리에서 거꾸로 주행해 버리면 도로는 그날로 마비돼 버립니다. 법이라는 것은 국민들이 수용할 때라야 법이 되는 것인데 내성이 생겨서 지금 어려운 것입니다. 지금 여기에 대해 문제를 가장 많이 제기하고 있는 사람들이 바로 부동산 부자들이라는 점을 우리 국민들이 똑똑히 봐 줘야 한다고 생각합니다.

질문 : 2000년 8월 이래 계속 경기가 나쁘고, 특히 노 대통령께서 취임하신 이후 경기는 더욱 나빠지고 있습니다. 많은 전문가들은 앞으로 2년 동안도 경제는 침체상태에서 크게 벗어나지 못할 것으로 보고 있습니다. 현재 우리의 투자는 1997년 외환위기 당시에 가까운 수준으로 저조합니다. 기업들도 활력이 없습니다. 이런 상태에서 대통령께서는 어떻게 진단을 하시기에 앞으로 좋아질 것이라고 하시는지 말씀해 주십시오.

대통령 : 우선 사람이 병이 들었다가 병이 나으면 좋아진다고 말해

도 좋겠죠. 병은 나았지만 아직 건강이 좀 시원찮은데, 점차 건강이 회복되고 체력이 좋아진다고 하면 '좋아진다.' 이렇게 말할 수 있지 않겠습니까? 그런데 지금 당장 병은 나았지만 활력 있게 산에도 바로 못 올라가고 펄펄 뛰지 못하면 답답하겠죠? 게다가 경제 전체로서는 그런 대로 간다 할 수 있지만 우리 서민들은 비정규직 노동자, 또 일자리가 없는 사람들, 중소 상공인들, 뭐 이분들이야 더 말할 것 있겠습니까? 더 힘들지 않겠습니까? 저도 대통령으로서 참 미안하고 마음이 아픕니다. 할 수 있는 모든 것을 다하고 싶습니다. 그러나 우리가 실상을 정확하게 알고 대처해야 되기 때문에, 제가 변명이 아니고 실상을 조금 얘기하도록 해 주시면 좋겠습니다.

우선 제가 2003년 취임했을 때 우리 경제 상황이 어떠했는지 표를 준비해 왔습니다. 2000년에 우리 가계부채가 266조 원이었는데, 2002년에 439조 원으로 올라가고 2003년에 역시 껑충 뛰었습니다. 신용카드 회사가 은행으로부터 돈을 빌려 국민들에게 전부 빌려줬습니다. 은행에서 빌린 채무 18조 원이 2003년 제가 대통령이 됐을 때는 90조 원으로가 버렸습니다. 거기에다 연체율이 14%까지 올라가 버렸으니까 우리 경제가 견딜 방법이 없는 상태였습니다. 신용불량자 숫자가 208만 명, 245만 명, 2002년에는 260만 명으로 올라갔다가 2003년에 370만 명, 2004년에 380만 명까지 올라갑니다. 다음 지표로, 민간소비 증가율은 2001년도에 4.9%, 2002년에 7.9%까지 갔다가 2003년에는 마이너스로 떨어져 버렸습니다.

우리가 흔히 부동산 거품, 벤처 거품 얘기를 합니다만 카드 거품이 가장 결정적이었습니다. 카드 거품으로 인해서 금융위기에 부닥쳤습니다. 금융위기에 부닥친 뒤 우리가 비상대책을 세웠지 않습니까? 그래서 은행들이 십시일반 돈을 내서 카드 부채를 연기해 주고 부도를 안 내고 살려가자 했을 때 '관치금융 아니냐.'는 시비가 있었습니다. 그러나 그때 90조 원을 터뜨려 놓으면 한국 경제는 죽어 버렸을 겁니다. 원칙이 뭔지는 모르지만 어느 나라도 경제위기가 생기면 그 위기는 국가가 수습해야 합니다. 그래서 국가가 수습했습니다. 합법적인 도구가 없어서 은행들 모아 놓고 은행감독원이 눈 부라리면서 합의 반, 강제 반으로 그 고비를 넘겨 왔습니다.

또 있습니다. 북핵문제가 바로 저에게 안겨졌습니다. 북핵문제, 이라크전쟁 위기, 게다가 한·미관계가 벌어져서 신용등급을 깎겠다고 무디스가 당선자 시절에 저를 찾아왔습니다. 깎지 말아 달라고 했습니다. 겨우 겨우 그 뒤에 서너 차례 카드회사가 붕괴되는 것을 막았습니다. 결국 지금은 카드회사가 다시 살아나서 카드회사 주식을 다 팔면 그때 넣은 본전을 다 찾을 수 있게 되었습니다. 산업은행이 돈을 많이 넣었는데, 다 찾을 수 있게 되었거든요.

주가는 600포인트 아래에서 정권이 출발했는데 어제 1,094포인트까지, 거의 1,100포인트 수준에 가 있는 것 같습니다. 주가는 대통령이 조작하지 못하는 것입니다. 우리 경제의 미래에 대한 전망입니다. '우리 경제가 나쁠 거다.'라고 하지만, OECD에서는 내년도 한국 경제성장률을 5.2%로 예측하고 있습니다. OECD 30개 선진국가 중에서 4위 정도가 될 것입니다. S&P에서 얼마 전에 신용등급을 하나 올려 줬습니다. 신용등급이 올라가면서 외평채 가산금리가 내려가고 있습니다. 우리나라가 국제 금융시장에서 돈을 빌리려고 하면 2001년도에는 2%의 가산금리를 줘야 했고, 2003년도에는 약 1.5% 수준이었습니다. 지금은 그 가산금리가 0.38% 정도입니다. 미국의 국채 금리보다 약간 더 주면 돈을 빌릴 수 있습니다.

우리 경제에 대한 국제시장의 평가가 대개 이런 수준으로 나와 있기 때문에 저는 대체로 이것을 우리 경제의 전망이라고 믿고 있습니다. 그 외에 우리 경제의 장래에 대해 평가한다면, 어떻게 볼까요? IMD(국제경영개발원) 국가경쟁력 지표를 보겠습니다. 여기에서 전망이 밝은 것은 기술경쟁력 부문입니다. 세계 2위 수준으로 올라가 있습니다. 과학경쟁력 부문은 15위 수준입니다. 12위까지 갔다가 2003년, 2004년에 다시 떨어졌다가 15위로 회복되고 있습니다. 종합경쟁력 순위는 29위에서 37위로 떨어졌다가 35위, 29위로 현재 성장해 가고 있습니다.

대체로 우리 경제의 전망을 어둡게 보는 것은 매우 소심하고 조심스러운 사람들이거나, 아니면 정치적으로 입장이 다른 사람들이 우리 경제를 계속 어둡게 얘기하는 것입니다. 저는 경제를 어둡게 얘기해서 우리 경제를 위험에 빠뜨렸던 두 건의 사례를 기억하고 있습니다. 그래서 너무 경제를 어렵게, 어둡게 말하지 않는 절제가 우리 사회에 필요하다고 생각합니다.

질문 : 최근 사회적 양극화가 심화되어 있고, 기업·산업·소득·고용 등 경제와 사회 전반에서 나타나고 있습니다. 주목할 만한 또 하나의 양

극화는 수출과 내수의 양극화인 것 같습니다. 국내 소비가 이렇게 부진하다 보니까 계층 간 빈부격차의 체감이 상당히 컸던 것으로 생각이 됩니다. 문제는 사회적 양극화가 심화될 경우에는 중산층과 사회 해체로까지 나아갈지 모른다는 점입니다. 대통령께서는 신년기자회견에서 동반성장을 통해서 양극화를 해소하시겠다고 말씀하신 바 있습니다. 양극화 문제를 어떻게 보시고, 해결책들은 어떤 것이 있을 수 있는지 의견을 듣고 싶습니다.

대통령 : 우선 양극화가 심각한 문제라는 점에 대해는 저도 인식을 같이하고 있습니다. 그래서 금년 초에 동반성장을 올해의 국정목표로 내걸었습니다. 실제로 양극화 실태를 2004년 7월부터 본격적으로 조사했습니다. 내용을 조사해서 중소기업정책도 세우고 했습니다만 어떻든 심각한 점에 대해서는 인식을 함께하고 있습니다.

다만, 그럼에도 불구하고 한두 가지 사실은 여러분께 말씀드리고 싶습니다. 세계적인 현상입니다. 세계적으로 양극화가 점점 더 심해지고 있는 현상인 것은 사실이고, 정보화 시대 또는 세계화 시대의 한 특징이라고 얘기합니다. 또 내용에 있어서 하나는 지식기반사회가 되면서 지식과 정보화 격차가 더욱 커지고, 또 세계화됨에 따라서 승자독식의 시장원리 만들어지기 때문에 양극화가 더욱 심해진다는 것입니다. 그리고 우리가 세계 최악은 아닙니다.

소득 5분위배율 국제 비교가 국제적인 표준 비교방법인데, 미국이 2003년도에 14.7, 중국이 10.7, 영국과 호주가 7.0, 이탈리아가 6.5, 캐

나다가 5.8, 프랑스 5.6이고, 한국이 2004년에 5.41입니다. 그 다음에 독일이 4.3, 스웨덴 4.0, 노르웨이 3.9, 핀란드가 3.8입니다. 제가 성공하고 있는 나라라고 얘기했던 스웨덴, 노르웨이, 핀란드, 이런 나라들이 아주 모범적입니다. 미국이 제일 심합니다. 최악이 아니라고 해서 우리가 마음의 여유를 가지고 대책을 세워 나가자거나, 우리 경제가 세계화된 1990년대 초반부터 심각하게 변화해 온 것이라고 해서 '참여정부 책임 없다'라고 말씀드리지는 않겠습니다.

참여정부는 이 문제에 대해서 정면으로 대응해 나가겠습니다. 우선 제일 좋은 것은 일자리입니다. 보다 질 높고 다양한 일자리를 많이 만들어서, 모든 국민들이 좋은 일자리를 가지고 열심히 일하면 됩니다. 지금 우리 일자리의 품질이 나빠졌습니다. 비정규직이 너무 많아져서 품질이 매우 나쁜 상태입니다. 일자리를 만들어야 되는데 이것 하자면 결국 중소기업이 활력이 있어야 합니다.

그래서 중소기업 살리기 위해 중소기업정책을 다 뜯어고쳤습니다. 지난 수십 년간 중소기업정책을 얘기했는데 중소기업은 아직까지 우리 경제에 주도적 위치를 차지하고 있지를 못합니다. 일자리는 그들이 많이 가지고 있지만 훨씬 약합니다. 지금도 투자 의욕 말씀하셨는데 투자 의욕이 있다 없다 하고 시비하는 쪽은 다 대기업들이고 중소기업은 여기 나와서 경제정책에 대해서 큰소리도 한번 내지 못하는 수준에 와 있습니다. 중소기업정책을 다 뜯어고쳤습니다. 아마 7천 개 샘플 조사를 하고 그 뒤에 1만 개가 넘는 샘플을 조사해서 대책을 세우고 있습니다. 효과가 언제 날지 장담은 못하겠습니다만, 한마디로 '이전의 정책과는 다르다.' 그렇게 자신 있게 말씀을 드리고 싶습니다.

　중소기업 중에서도 지방 중소기업은 다 죽었습니다. 그래서 균형발전하자는 것입니다. 균형발전정책에 관해서는 가히 과감하다 못해 엄청난 갈등을 겪으면서 해 나가고 있습니다. 공공기관 지방이전, 행정중심복합도시를 비롯해서 혁신도시, 기업도시, 혁신 클러스터, 지역혁신협의회 등을 통해 균형발전을 추진하고 있습니다. 대학교도 수도권과 대전지역의 대학교에 주던 R&D 예산이 지방으로 가고 있습니다. 그 이외의지방 R&D 예산이 27%밖에 안됐는데 지금은 37%까지 끌어올려 놓았습니다. 2008년에 가면 그것이 42%까지 올라갈 것입니다. 그 밖에 서비스업도 키우기 위해 노력하고 있습니다. 얘기가 너무 길어졌지만, 이렇게 2년 반 내내 하고 있습니다. 지금 노동부에서 하고 있는 것은 일자리입니다. 일자리 얘기는 나중에 기회가 있으리라고 생각하고 이 정도에서마치겠습니다.

　양극화 문제에 대해서는 우리 국민들이 저를 대통령으로 뽑을 때 '저 사람은 그래도 서민들 몫이 조금 많아지도록 하지 않겠는가?'라는 그런 기대를 가지고 있었을 거라고 생각합니다. '정책은 이렇게 많지만 달라지는 게 없지 않냐?'고 생각할 수도 있지만 예산은 많이 달라졌습니다. 국가예산은 사회안전망, 사회복지 예산 부문이 국민의 정부 시절부터 가파른 상승세를 타고 있는데 그 상승세를 그대로 유지해 가고 있습니다. 국민의 정부 때는 시작이기 때문에 가파를 수밖에 없었는데, 저희도 가파르게 유지해서 소득분배를 하려고 노력하고 있습니다.

질문 : 저희 공장 부근에 3천 원짜리 밥을 팔고 있는 소위 '함바집'이 여러 군데 있는데, 최근에 문을 닫는 집이 늘고 문을 연 집마저도 손님이 눈에 띄게 줄어들고 있습니다. 또한 일부 시민단체를 포함한 사회가 반기업적인 정서를 갖고 있어서 기업들이 심리적으로 위축되어 투자를 소홀히 하고 있는 것 같습니다. 기업들이 자부심을 느끼면서 투자하고 고용할 수 있는 여건 조성이 필요하다고 생각하는데, 이 점에 대해서 말씀해 주시면 고맙겠습니다.

질문 : 청년실업에 대해서 묻고 싶습니다. 아직도 많은 청년들이 사실 일자리가 없어서 대학원에 진학하거나 또 다른 일들을 하고 있습니다. 그것에 대해서 어떤 해결책이 있으신지 묻고 싶습니다. 그와 덧붙여서 기업이나 청년들이 어떻게 해줬으면 좋겠다, 이런 것도 한 말씀 같이 해 주셨으면 좋겠습니다.

질문 : 이번에 종합부동산대책이 발표된다고 하는데, 주요 정책이 세금과 공급 확대로 알려지고 있습니다. 저희 중산층은 경제 침체로 인한 실질소득의 감소를 피부로 많이 느끼고 있습니다. 각종 세금이 많이 늘어나 굉장히 어려운데 부동산 정책도 세금으로 잡겠다고 하니 불안한 마음이 있습니다. 앞으로 부동산 문제를 어떻게 챙기실 것인지 듣고 싶습니다.

대통령 : 지금 질문하시는 것이 모두 피부에 와 닿는 아주 실감나는

문제입니다. 사실 공장에 일자리가 사라지고 있습니다. 따라서 '함바'도 사라지고, 이 말이 일본말 아닌가 싶은데, '노동자합숙소' 이렇게 말하면 되겠지요. 제가 사실은 1966년도에 함바 생활을 몇 달 했던 함바 출신입니다.

공장 일자리가 사라지니까 앞으로도 지속되는 현상일 수 있습니다. 우리 경제가 두 자리 수 성장을 할 때도 한쪽에서 경제가 무너져 간 곳은 무너져 갔습니다. 예를 들면 부산의 신발공업 같은 것이 아주 전형적인 것이고, 부산의 합판공업이 무너진 것도 마찬가지고, 그래서 경제는 끊임없이 구조조정을 합니다. 말하자면 노동집약형 산업에서 기술집약형 산업으로 끊임없이 변화해 가기 때문에 이런 변화가 생기는 지역에서 무너지는 부분이 있습니다. 이 무너지는 부분에서 항상 죽는 소리가 납니다. 재래시장이 과연 지금 내리막을 어느 수준에서 멈출지 잘 모르겠습니다만, 풍물시장으로서 또는 새로운 근대적인 시장으로서 발버둥을 하고 있습니다. 이렇듯 무너지는 곳이 있고, 그것을 어느 선에서 멈추고 또 특화시키려는 노력도 있습니다. 이런 끊임없는 신진대사의 과정인 부분도 있습니다. 전체적으로 경제는 끊임없이 팽창해 가고 있음에도 어려운 곳은 계속 있다고 생각합니다.

우리 정부에서도 실업이 됐을 때 사회안전망을 작동시키고, 실업보험으로 일시적으로 견디게 하고 좋은 일자리를 찾게 하고, 직업훈련도 시켜 주고, 직업상담·알선도 하는 등 이런 정책들을 굉장히 강화해 가고 있습니다. 그래서 사회안전망은 점차 두터워져 가고 있습니다. 본인들 스스로도 이제 빨리 변화하고 적응해서 우리가 함께 대처해 나가야 됩니다. 누구 책임일 수 없고 지혜롭게 함께 힘을 모아 갔으면 좋겠습니다.

기업의 자부심 부분에 관해서는 우리가 조사해 놓은 것이 있습니다. 기업에 대한 호감도가 2001년경에 약 33% 정도였는데 그것이 지금 2004년에는 44%까지 올라왔습니다. 환경은 많이 좋아지고 있습니다. 열심히 하십시오. 대통령도 기업을 기회 있을 때마다 격려하려고 노력합니다만, 기업과 국민 사이에 갈등이 있는 부분도 있습니다. 노사관계에 있어서는 열심히 일한 성과를 나눌 때 서로 갈등이 있게 마련이고, 또 아무래도 기업이라는 것은 남이 생각지 않았던 정보, 상술 등을 개발해야 되기 때문에 거기에 약간씩의 편법이 끼어들게 되어 있습니다. 그러다 보면 기업이 도덕성에 있어서 국민적 비판을 받는 부분도 있습니다. 모든 기업이 다 그런 것은 아닙니다만, 경쟁에 있어서 불공정 경쟁을 많이 했지요. 우리나라에는 특히 그런 불공정 경쟁의 과정을 통해서 성공한 대기업들이 많으니까요.

기업의 이미지를 좋게 하는 방법은 사회를 투명하게 하는 방법이라고 생각합니다. 불공정한 경쟁이 어려워지고, 모두 공정하게 경쟁해서 성공하면 그때부터 기업에 대한 인식이 달라질 것입니다. 제가 후보 때 '신주류'라는 얘기를 했습니다. 불공정 경쟁에서 성공한 사람들이 아니라 창의와 공정한 경쟁을 통해서 성공한 사람들이 우리 사회에서 보다 더 크게 발언하는 그런 시대가 와야 됩니다. 지금 벤처 CEO들이 활발하게 새로운 기업인 모델을 만들기 위해서 노력하고 있습니다. 그래서 CEO포럼, 벤처CEO포럼 등이 우리 기업에 새로운 문화를 만들어 나가고 있습니다. 이러한 노력에 따라 우리 국민들의 인식도 좋아지고 있는 것으로 이해하고 있습니다.

기업에 대한 인식은 매우 중요합니다만, 이것이 투자에 있어서 핵심적인 조건은 아닙니다. 보통 우리가 투자가 안된다고 할 때 기업에 대한 인식이 좋지 않다거나 정부정책을 믿을 수 없다거나 여러 가지 이유가 있습니다. '규제가 많다, 출자총액제한 풀어 달라.' 이런 요구들이 나오는데 실제로는 그 문제가 본질이 아닙니다. 시장이 활력이 있어야 투자를 합니다. 국내 시장에 소비가 왕성하면 투자를 하게 되어 있습니다. 두번째로는 세계 시장에 나가서 경쟁할 자신이 있으면 투자합니다. 세계 시장에 나가서 경쟁할 자신이라는 것은 제품기술이지요. 기술, 브랜드 파워, 그 다음에 마케팅, 조직, 능력 등이 세계 수준에서 자신 있을 때 투자를 하는 것입니다.

지금 이런 것들을 향상시키기 위한 노력들이 집요하게 이루어지고 있고, 성장속도가 굉장히 빠릅니다. 아까 양극화 얘기가 나왔는데 경쟁에 관한 한 한국 사람은 믿어도 좋습니다. 연대와 협동의 실패가 경쟁의 성공을 얼마만큼 갉아먹어 버릴까봐 노심초사하는 것일 뿐입니다. 경쟁하는 데는 우리 한국 괜찮습니다. 얘기가 옆으로 흘렀습니다만 투자는 그런 환경입니다. 돈 벌 수 있으면 하는 것입니다.

국민적 조건으로는 돈 되는 과학기술과 생산성 있게 일 잘 하는 노동자들이 있으면 되는 것입니다. 현장에 투입해 놓으면 금방 생산성이 두 배 세 배 올라가고, 현장에서 혁신을 팍팍 이루어 내서 성과를 올리는 이런 사회적 분위기지요. 혁신은 우리 기업에 이미 문화가 됐다고 생각합니다. 정부도 지금 혁신하느라고 열심히 뛰고 있습니다. 정부도 걸어

가다가는 망하겠다 싶어서 기업과 함께 뛰자, 기업을 앞지르자, 지금 하고 있습니다. 투자환경을 좋게 하려고 노력하고 있기 때문에 투자환경은 앞으로 좋아질 것이라고 생각합니다.

청년실업 문제, 절박한 문제입니다. 어느 나라 없이 청년실업이 문제다, 이렇게 말할 수도 있습니다. 또 우리 한국은 대학진학률이 80%를 넘어섰는데 세계에 이런 나라가 없습니다. 대학교를 나온 고급 인력에 맞는 일자리를 만들어 줘야 합니다. 그래서 동북아 금융 허브, 동북아 물류중심을 하려고 하는데, "여보시오, 동북아 금융 허브를 한국이 어떻게 한다는 얘기요?" 라면서 사람들이 좀 웃습니다. 그러나 그것 안 하면 한국이 죽게 생겼습니다. 왜냐하면 학력 높은 사람들, 어지간하면 MBA 따온 사람들이 꽉 찼는데 이 사람들에게는 금융, 법률, 회계, 컨설팅, 그리고 물류와 같은 고급 일자리가 필요합니다. 그 다음에 소득이 높아지면 이 사람들이 많이 쓰는 높은 수준의 교육·의료 서비스 등을 뒷받침해 줘야 됩니다. 이것이 하나의 산업적 정책으로 지금 가고 있습니다.

기업에서는 또 불만이 많습니다. 대학 졸업한 사람들이 들어와도 2년을 가르쳐야 겨우 써먹을 수 있습니다. 첨단인력은 연구인력으로 키우지만 현장에 바로 투입할 수 있는 인력을 키울 수 있도록 대학 교육을 전부 바꾸고 있습니다. 그래서 대학 교육 특성화 프로그램을 추진하고 있습니다. 무리하게 통폐합하는 것보다는 특성화 쪽으로 집중해서 가고 있습니다. 지금은 대학과 기업이 계약을 맺고 교육해 가는 아주 빠른 전환이 이루어지고 있습니다. 그렇게 해도 수요와 공급 간에 정보가 서로 맞지 않기 때문에 고용 인프라를 구축하고 있습니다. 직업상담을 하고 교육을 받고, 그 다음에 취업을 하는 고용 인프라를 짜고 있는데, 이것도 아주 빠른 속도로 해 나가고 있습니다.

그럼에도 불구하고 다 소화할 수 있을지 걱정입니다. 눈높이를 낮추면 어떨까 싶습니다. 무역협회에서 아주 고급 어학교육까지 시켜서 해외취업까지 나가고 있는데 좀 아깝습니다. 우리나라 기업에서 일하면 좋겠습니다. 대기업으로만 가려 하지 말고 눈높이를 낮추어서 중소기업에서 승부를 걸어 보려는 생각이 필요한 것 같습니다. 물론 중소기업도 혁신 중소기업이 되도록 여러 가지 정책적인 지원을 하고 있습니다. 혁신 중소기업에서 혁신에 성공하는 그런 도전을 우리 젊은 사람들이 해 주면 좋겠습니다. 그보다 좀더 낮은 것은 외국인 노동자들이 담당하고 있습니다. 지금 사람이 없어서 중소기업들이 죽겠다고 하는데 대개 외국인 노동자들을 쓰고 있습니다. 아마 우리 청년실업자는 외국이 노동자들이 하고 있는 그 수준에는 맞출 수가 없을 것입니다. 아무튼 청년실업 문제는 달라지고 있습니다.

주부님이 말씀하신 것이 가장 어려운 얘기입니다. 국민연금 부담도 많고 세금 부담도 많습니다. 조금 전에 제가 성공한 나라라고 지적한 나라는 국민부담률이 50%를 넘어가는 나라들입니다. 우리나라 국민부담률은 25%입니다. 조세부담률은 19%입니다. 조세부담률이 높을수록, 같은 국민부담률 중에서도 조세부담률이 높을수록 건강하고 좋은 것입니다. 이것은 좀 올라가야 합니다. 우리가 40%, 50% 올리자는 것은 얘기가 안됩니다. 그러나 단 1%라도 올려 가는 노력을 통해 우리 사회가 골고루 건강하게 성장할 수 있는 것입니다. 말하자면 소득 5분위배율이 우리는 지금 5배인데, 즉 상위 20%와 하위 20% 사이가 5.4배인데 이것이 4배 수준으로 가면 참 좋은 것입니다. 5배 이하로 가도록 우리 사회를 만들면, 지속적으로 소비시장이 만들어지고 모든 사람들이 자신 있게 소비하고, 성장도 지속적으로 이루어지는 성장과 분배가 함께 가는 시대, 소위 '지속성장의 시대'가 열리는 것이라고 생각합니다.

중산층이 좀 짜증나시더라도 연금 좀 부지런히 내시고 세금도 좀더 내시고 하면 우리 사회가 전체적으로 나아질 것입니다. 정부가 꼭 책임지겠습니다. 빈부격차가 심해지고 인심이 나빠져서 자고 나면 사람이 스스로 목숨을 끊거나, 범죄 때문에 길거리 못 나갈 정도로 불안하게 되는 일이 없도록 정부가 최선을 다하겠습니다. 기운 내십시오. 감사합니다.

질문 : 참여정부 집권 전반기에는 노사·지역·환경·세대 문제 등 사회 전방위적으로 갈등이 일어났습니다. 어떤 갈등사안마다 우리 사회가 분열되고 그 골이 깊어지는 것은 아닌가 하는 우려를 갖지 않을 수 없습니다. 대통령께서는 이런 사회갈등에 대해서 어떻게 보시고 어떤 해결책이 바람직하다고 생각하십니까?

대통령 : 지금까지 우리가 투쟁을 통해서 민주주의를 쟁취해 왔다면, 이제는 대화와 타협을 통해서 민주주의를 성숙시켜 나가고 우리 사회를 통합시켜 나가야 합니다. 그렇게 해야 하고 성공할 수 있다고 생각합니다. 그래서 저도 대통령 후보로서 공약할 때 이 점을 매우 중요하게 내세웠습니다. 저와 제 참모들이 여러 가지 공약을 내세웠지만 핵심공약

은 개혁과 통합, 이 두 가지였습니다. 개혁은 잘된 것과 못된 것이 있지만 상당 부분 변화가 있었습니다. 그러나 통합에 있어서 한 발짝도 앞으로 가지 못했습니다. 정치의 영역에서만 그런 것도 아니고 노사영역에서만 안된 것도 아닙니다. 우리 사회 다른 부문의 갈등에 있어서도 지금 뚜렷한 어떤 사회적 대안이나 사회적 합의를 가지고 있지 못한 것 아니냐는 생각입니다. 정치에 있어서의 갈등구조, 노사에 있어서의 갈등구조는 그것 자체만이라면 큰 문제가 아닙니다. 그것이 다른 제 영역에 있어서의 갈등구조를 더 깊게 하고 해결될 수 없게 만들기 때문에 문제제기를 한 것입니다. 기본적으로는 갈등문제입니다.

제가 갈등문제에 대해서 얼마만큼 절박했겠는지 짐작을 해 주시기 바랍니다. 2003년 2월 천성산터널 공사 중단요구 단식이 시작됐습니다. 바로 제가 당선자 시절에 시작됐고, 그해 3월 나이스 문제로 전교조와 정부가 부닥쳤고, 역시 3월엔 환경단체가 새만금사업 중단을 요구하면서 3보1배를 시작했습니다. 그리고 5월에 화물연대가 파업을 시작했습니다. 지금도 그렇지만 화물연대는 노동조합이 아닙니다. 노동조합이 아니지만 갈등을 풀지 않고 그냥 두고 있으니까 터져 버린 것입니다. 6월에는 철도파업이 일어났습니다. 그리고 7월에 원전수거물·폐기물 관리센터 건립과 관련해서 부안사건이 터졌습니다. 사실 사패산 사건에는 저도 원인을 제공한 측면이 있어서 미안하긴 하지만, 어떻든 부안 방폐장은 17년 동안 미루어 온 정책과제라서 더 미루어 둘 수 없었습니다. 한번 해결해 본다고 덤벼들었던 것이 조금 성급했던 것 같습니다.

이런 문제들에 부닥치면서 하나하나 대강 잠은 재웠지만, 구조적으로 우리 사회가 대처할 역량을 가지고 있느냐고 묻는다면 솔직히 말씀 드려서 아직 아닙니다. 이 문제를 해결하기 위해서 제가 16개 시·도에서 5명씩 대표를 뽑아 사회적 지도자들로 지속가능위원회를 만들었습니다. 그 위원회에서 이런 갈등과제를 중재하고 해결하고자 했고, 정부도 갈등해소라고 하는 교육 프로그램까지 만들어서 공무원을 교육했습니다. 또 정부가 모든 행정을 집행할 때 사전에 갈등관리에 관한 것들을 전부 점검하도록 프로그램도 만들어 놓았습니다. 그러나 한탄강댐 사건에서 지속가능위원회와 그 프로그램으로 문제를 해결하려고 하다가 합의를 깨버리는 바람이 결국 합의를 못했습니다. 이게 덮어 버리고 말았는데 이 문제는 정부의 정책문제가 아니라 말하자면 포괄적인 우리 사회의 문화 문제입니다. 포괄적인 정책과 문화의 문제입니다. 바로 이 문제야말로 앞으로 한국 사회의 과제입니다. 그렇게 동감한다는 말씀만 드리고, 저도 무슨 묘책이 있다고 말씀드리지 않는 것으로 그렇게 답변하겠습니다.

질문 : 지금까지 추진한 정책 중에서 가장 성공적이었다고 생각하는 정책과 가장 미흡했다고 생각하는 정책은 무엇인지 뽑아 주시고, 그 이유는 무엇 때문이라고 보십니까?

대통령 : 가장 안된 것은 조금 전에 말씀드린 대로입니다. 제가 1990년부터 우리 정치의 지역구도에 가담하지 않고, 지역통합이라고 하는 정치노선을 힘들게 지켜 왔습니다. 한번도 선거에서의 당락을 고려하지 않

고, 한번도 내 자신의 자리에 연연하지 않고, 매 시기에 내 모든 것을 걸고 소위 지역주의라고 하는 그런 분열적 풍토와 싸워 왔습니다. 말이 싸운다는 것이지 그것은 지역을 달리하는 사람에게는 극진한 사랑을 표현한 것입니다. 말하자면 내 고향에서 핍박받으면서까지 서로 적대하는 지역에 정성을 다 바쳤습니다. 그렇게 해 왔는데 지금 별 성과가 없습니다. 지난번 총선 때도 보니까 조금 나아진 것 같기는 한데 큰 성과는 없고, 앞으로 달라질 것도 없을 것 같습니다. 오히려 제가 국정을 운영하는 데, 인사하는 데 하나하나 지역문제가 걸립니다. 이것저것 지역문제가 걸리고, 앞으로 우리 한국의 미래를 내다봐도 그 문제만 생각하면 암담합니다.

비슷한 얘기입니다만 노·사·정 대타협, 내가 노동자들을 위해서 좀 한다고 했으니까 내가 그래도 신뢰가 있지 않겠느냐고 생각했습니다. 그래서 내가 되면 노동자들을 설득할 수 있을 것이라고 얘기했는데, 노동자들을 설득하지 못했고 사용자도 설득하지 못했고, 그것이 가장 뼈아픈 것입니다.

성공을 얘기하라고 하면 대개 국민들이 판단하고 있기 때문에 같은 얘기, 미리 아실 만한 얘기는 하지 않고, 국민들이 잘 모를 것이라고 생각하는 것을 얘기하겠습니다. 정부혁신입니다. 아직 성공했다고 말할 수 없지만, 큰 저항 없이 보람있게 성공적으로 진행되고 있습니다. 그중에서 가장 중요한 것이 업무관리 전산시스템을 만든 것입니다. '이지원 시스템'이라고 해서 제가 직접 그 설계에 참여하고 토론했고, 매주 한 번씩 전문가들과 회의를 하면서 만들었습니다. 그렇게 해서 전산 시스템으로 우리 업무 하나하나를 파악하게 되었습니다. 저희 청와대 문서는 모든 것이 전자문서로 돼 있고, 제가 대통령을 그만두고 나면 단 한 장의 종이도 유실되는 것 없이 모든 기록이 다 보존되게 돼 있습니다. 그 기록은 3초 이내로 다 검색할 수 있도록 시스템화되어 있고 그 기록의 국장 또는 팀장, 팀원이 의견을 얘기했던 과정이 전부 정책실명제로 돼 있습니다. 5년 뒤에도 어떤 정책이 문제됐을 때 그 정책을 다루었던 사람의 책임이 내용까지 자세하게 나올 수 있도록 만들었습니다. 하나 보여드리면 좋겠습니다. 여러분 '경포대'란 말 들어보셨죠? 경제를 포기한 대통령이 이렇게 경제를 매일 들여다보고 있다는 것을 자랑삼아 한번 얘기해 보고 싶습니다. 행정자치부에서 전문가들과 토론을 거친 다음, 이것을 우리 정부 시스템으로 채택한다고 결정해서 그렇게 가고 있습니다.

질문 : 한국이 직면한 외교·안보 상황에서 핵심적 정책 이슈는 한·미 동맹과 북핵문제라고 할 수 있겠습니다. 그런데 현재 한·미관계를 바라보는 국민들의 의견이 엇갈리고 있습니다. 한·미동맹의 재조정 문제를 놓고 이념갈등이나 세대 간의 갈등양상이 나타나는 부분도 있습니다. 한·미관계를 풀어 가는 원칙과 입장에 대해서 말씀해 주십시오. 그리고 북핵문제와 관련해서 해결국면으로 접어들고 있는 것인지, 우리 정부와 다른 참가국들 간에 이견은 조정된 것인지, 국민들이 어떻게 판단해야 되는지 말씀해 주십시오.

대통령 : 사실 우리 국민들이 가장 걱정했던 문제가 이 두 가지이고,

대통령이 가장 잘한 것 중의 하나가 이 두 가지 입니다. 참여정부가 내세울 만한 정책 분야가 한·미동맹과 북한 핵문제입니다. 이 문제에 관해서 그야말로 지혜롭고 균형 잡힌 대처가 필요하다고 생각합니다. 국민 의견은 다양할지라도 적어도 정부는 그래야 됩니다.

어떻든 세계 여러 나라가 미국의 영향력 행사를 수용합니다. 미국이 세계에서 가장 강대한 영향력을 행사하는 국가이기 때문입니다. 그것을 소위 '팍스아메리카나'나 같은 패권적 질서라고 보든 안 보든 간에, 이론이 무엇이든 간에 중요한 것은 그것이 현실이라는 것입니다. 그래서 수용할 만큼은 수용해야 됩니다.

한국은 좀더 특수한 관계에 있습니다. 과거의 역사에서 좋았던 시기와 나빴던 시기가 다 있었지만, 지금은 남북관계나 동북아 전체의 안보문제에 있어서 미국과 한국은 협력하는 것이 매우 유리하다는 것, 그리고 한국의 안전에도 유리하다는 것이 기본입니다. 그러므로 협력해야 합니다. 협력하는데 기분 좀 나쁘지 않았으면 좋겠다, 이런 것 아닙니까? 앞으로 미국이 이리 한다 하면 우리도 말없이 따라가야 되고, 우리한테 불리하고 억울한 것도 말 못하고 수용해야 되는 수준까지 가지는 않을 것입니다. 아닌 것은 '아니오.' 라고 말할 수 있고, 불리한 것은 '못 하겠소.' 하고, 좋은 것은 '같이합시다.' 하고, 또 이해관계가 별로 없는 문제에 관해서는 '우리 국민들이 너무 자존심 상하지 않게 갈 수 있으면 좋겠습니다.' 이것이 적절한 수준이 아닌가 생각합니다. 미국 말만 나오면 일단 반대하고 보는 반미정서도 있고, 모든 책임은 미국에게 있기 때문에 모든 문제의 해결은 미국을 배척하는 데서부터 출발하자는 논리도 있습니다만, 이것은 현실적으로 성공하기 어렵다고 생각합니다.

이런 원칙 위에서 평가해 본다면 참여정부는 소위 자주국방, 또 자주적인 외교관계, 완전한 대등이야 이루어지지 않는다 할지라도 합리적이고 균형 있는 한·미 관계로 차근차근 나아가고 있습니다. 과거에는 명확한 지도가 없었습니다. 그런데 제가 왔을 때는 분명하게 목표를 설정하고 명확하게 지도를 그렸습니다. 시간표까지 그렸습니다. 한·미연합사의 작전지휘권을 우리 한국군이 언제 환수한다는 계획까지 세웠습니다. 그리고 정보전력에 관해서도 미국에 의존하고 있는 부분을 돈이 좀 더 들더라도 한국의 국방역량으로 한다는 기본적인 원칙들을 세워놓고 가고 있습니다.

아무래도 이 사이에는 약간의 마찰이 있을 수밖에 없습니다. 현재 달리는 대로 궤도 위에 그냥 두면 아무 소리가 안 나는데, 커브를 돌리려고 하면 배도 기울어지고, 버스 안에 탔던 사람 몸도 기울어지고, 궤도 위에는 바퀴 부닥치는 소리가 삑 하고 나게 돼 있지 않습니까? 한·미관계가 약간 수정되면 삑 하는 소리가 납니다. 소리가 나니까 하지 말라고 요구하는 사람들이 많이 있는데, 저는 적절한 수준으로, 탈선하지 않는 수준으로 궤도 위를 가면 좋겠다고 생각합니다. 탈선하지 않는 수준에서 우리의 커브는 커브대로 가자, 너무 급커브하면 탈선할 것이고, 그래서 감당할 수 있는 수준으로 타협해 가는데 그 속도는 적절하다고 봅니다. 미국에서도 불만스러운 말을 하는 사람들이 있습니다. 그러나 그분들이 미국 정부 전체는 아닙니다. 상대적으로 의회에 있는 사람들은 말이 자유롭고 다양할 수밖에 없습니다. 그렇게 생각하면 딴소리가 좀 나온다고 우리 신문이 크게 받아 써가지고 '큰일 났다, 지금. 감히 이렇게 해도 되느냐.' 이렇게 벌벌 떨 것은 없는 것입니다.

　북한 핵문제 말씀 나왔는데 핵문제를 해결해 가는 과정에서 한국의 발언권이 좀 있는 것 같지 않습니까? 저는 그렇게 생각합니다. 싸움을 했든 안 했든 간에, 한국이 아이디어가 좋아서 그렇든 또 고집이 좀 있어서 그렇든 간에, 어쨌든 '그것은 안됩니다.' 하면 안되는 것입니다. 한때 무력행사 얘기가 나왔지만 '무슨 소리 하십니까? 안됩니다. 그것은 어림도 없습니다.' 이렇게 돼서 그냥 평화적 해결로 갔고, 평화적 해결로 한참 가다가 대화에 의한 해결로 또 바뀌었습니다. 북한 핵문제를 풀어 가는 과정에서 우리 정부의 한·미관계 역량을 증명해 나가고 있다고 봅니다. 이 문제는 여기까지 온 게 아까워서 아무도 뒤로 돌아가지 못할 것입니다. 그 문제는 반드시 풀립니다. 그렇게 저도 믿고 또 그렇게 믿기 때문에 여러 가지 지표들이 그렇게 나오고 있는 것입니다.

　질문 : 삼봉 정도전은 '백성은 군주의 하늘'이라는 이야기를 했던 것 같습니다. 대통령께서도 인수위 시절에 '국민이 대통령입니다.'라는 말씀을 하셨는데, 삼봉 얘기에 비춰 보면 국민이 대통령보다 조금 높다 이런 얘기가 될지 모르겠습니다. 앞서 대통령님의 정책구상과 그것에 대한 언론이나 국민과의 괴리를 말씀하시면서 지지도 이야기를 하셨는데 이 문제를 질문드리려고 합니다. 하나는 대통령께서 중요하다고 강조하는 것과 국민들이 중요하다고 생각하는 것 사이에 간극이 있다고 생각합니다. 두번째로는 한나라당과의 연정이라는 게 우리 사회 갈등구조상

가능한 것이냐, 그럴 만큼 정책을 조율해야 할 상황이냐에 대해서도 국민들이 납득하지 못하는 부분이 있습니다. 또 선거구제 개편과 같은 단순한 제도개혁으로 대통령께서 중요하다고 생각하시는 지역구도 해소라는 게 과연 가능한 것이냐, 하나의 정책수단에 불과한 것에 대통령께서 모든 것을 거는 것처럼 하시는 것은 무리한 것 아니냐는 지적이 있는 것 같습니다. 마지막 질문으로, 이것에 대해서 국민들이나 야당 일반이 매우 부정적인 견해를 보이고 있는 상황에서 대통령께서 계속 반복적으로 말씀을 하시는데, 혹시 이 문제에 강하게 집중하시는 다른 이유가 있으신지 말씀해 주십시오.

대통령 : 여러 가지 논점을 다 안고 있습니다. 하나하나 말씀드리겠습니다. 삼봉 정도전 전생을 본받고 싶은 욕심을 가졌던 때가 있었는데, 그분의 책을 읽어보다가 포기해 버렸습니다. 그분의 업적이 하도 탁월해서 나를 그분한테 비기면 '내가 비웃음거리가 되겠구나.' 싶어서였습니다. "백성은 군주의 하늘이다." 또 "백성은 바다요, 군주는 배라서 백성이 노하면 그 배를 뒤집어 버린다." 이것도 아마 그분의 말씀 아닌가 생각합니다.

역사에서 백성은 항상 옳은 결론으로 걸어갔습니다. 그러나 현실에 있어서 단기적으로 보아서는 항상 옳은 쪽에 있었던 것은 아니라는 것입니다. 그래서 민심을 읽을 때 항상 중요하게 읽어야 됩니다. 역사 속에서 구현되는 민심을 읽는 것과, 그 시기 국민들의 감정적 이해관계에서 표출되는 민심을 다르게 읽을 줄 알아야 됩니다. 그것이 자연스럽게 되는 경우도 있고 조작에 의해서 이루어지는 경우도 있습니다. 조작에 의한 가장 극단적인 것이 지난 1986년에 있었던 금강산댐 사건입니다. 사기극이죠. 그럴 때 민심이 아마 가장 조작된 민심이라고 얘기할 수 있습니다. 그 다음에 민심도 위험한 것이 있습니다. 1989년도에 경제정책에 대한 민심이 아주 험악해서 민정당이 민자당을 만들고, 그래서 조순 부총리를 밀어낸 다음 당에서 부총리를 맡아 경기부양책을 썼습니다. 그 부양책 이후 1990년도에 부동산 파동과 같은 치명적인 경제혼란이 와서 엄청난 고통을 겪었습니다. 그래서 민심은 잘 읽어야 된다고 생각합니다.

연정문제를 들고 나온 이유는 이렇습니다. 한국 사회 발전을 위해 극복하지 않으면 안되는 가장 큰 장애요소가 바로 불신과 적대의 문화입니다. 이것을 극복하지 않으면 참 어려울 것입니다. 지금 갑자기 생각난 것이 아니라 1990년 3당합당에 참여하지 않고부터 생각한 것입니다. 논리적으로 설명할 수 없는 감정으로 지역을 나누어서, 이처럼 죽기살기로 싸우는 문화를 가지고 우리가 어떻게 미래를 약속할 수 있겠는가 걱정이 됩니다. 그래서 독재의 시대가 지난 다음에 분열의 시대라고 하는 이 질곡을 하나 더 넘어야 비로소 합리적인 발전이 보장되는 사회로 간다고 생각했습니다. 지금 대강 발등의 불은 끄고 보니까, 이 문제가 제게는 가장 큰 문제입니다. 나는 확신합니다. 우리 국민들도 지금 경제가 어렵고 분위기가 그러니까 이 문제에 대해 크게 관심을 가지지 않는 것이지, 결코 중요하지 않다고 생각지는 않는다고 믿고 있습니다.

게다가 어떤 문제가 있냐 하면, 우리 정부가 약체정부입니다. 이 약체정부가 구조적입니다. 노태우 대통령 정부부터 지금까지의 정부가 계속해서 약체정부입니다. 여소야대가 구조화돼 있습니다. 앞으로 또 선거하더라도 항상 여소야대가 나오게 돼 있습니다. 지역구도이기 때문에 그렇습니다. 차라리 독일처럼 여소야대가 나타나면 연정이라도 쉽게 이루어지는 정책구도가 되면 좋은데 이것이 안 되게 돼 있습니다. 약체정부가 구조화돼 있는데 이 구조를 고치지 않고 대통령한테 결과만 내놓으라고 합니다. 국회는 야당에게 쥐놓고 언론도 전부 지금 버티기하고 있습니다. 수백만 부의 독자를 가지고 있는 언론들이 부동산정책에 대해서 슬슬 훼방을 놓기 시작하는데 우리 정부더러 국회에서 그 법 통과시켜내라고, 부동산 잡으라고 합니다.

답은 나와 있습니다. 새로운 것도 아닙니다. 이미 수십 년 전부터 답은 그것인데 못한 것 아닙니까? 약체정부로서는 중요한 일을 할 수가 없습니다. 심지어 행복도시를 왜 대통령이 혼자 밀어붙였냐고도 합니다. 혼자 밀어붙였든 10명이 밀어붙였든, 국회에서 합의로 통과된 법을 헌재에 끌고 가서 뒤집어 버리는 이런 나라가 어디 있습니까? 약체정부이기 때문에 이런 겁니다. 탄핵하고, 수시로 장관 해임안을 제출하고, 통과됐던 법을 다시 되돌려 놓습니다.

이런 정부를 가지고 제대로 갈 것이냐에 대해 생각해야 합니다. 맨처음 제가 말씀드렸죠. 책임을 질 수 있느냐, 이 문제가 있지만 일을 할 수 있느냐를 고민해야 합니다. 지금 보십시오. 독일의 슈뢰더 총리가 자기 신임을 걸고 국회 해산해서 국민심판에 들어갔지 않습니까? 이것은 슈뢰더 개인에 대한 심판이 아니라 슈뢰더의 '비전 2010'이라고 하는 정책에 대한 심판입니다. '비전 2010' 이라고 하는 이 정책을, 이 개혁과제를 뛰어넘지 않으면 독일에 미래가 없다는 것이 슈뢰더의 판단입니다. 이것을 밀고 가니까 인기가 떨어집니다. 지지기반이 무너져서 인기가 떨어지니까, 총리의 전권을 걸고 국민에게 심판을 받겠다고 한 것입니다. 이것이 책임정치 아닙니까? 이리로 가든 저리로 가든 해결책이 있다는 것입니다. 일본의 고이즈미 총리도 마찬가지입니다. 우정사업 개혁이라는 것이 일본 개혁에 있어서 핵심이고, 아주 상징적인 개혁입니다. 성공하면 개혁을 계속해서 밀고 가는 것이고, 이것 성공 못하면 고이즈미 개혁은 무너지는 겁니다. 대단한 개혁도 아니지만, 그러나 이 개혁을 놓고 당과 총리가 호흡하면서 책임지고 밀고 가고 있지 않습니까? 그래서 지금 국민들 심판에 들어갔습니다.

제가 당과 이 문제를 가지고 호흡을 맞출 수 있습니까? 국민의 요구에 의해서 당헌을 개정해서 당정분리를 이미 해 버렸습니다. 제가 당의 신임을 걸 수도 없고, 내 자신의 신임을 걸 수도 없습니다. 그러면서 야당과는 대화도 안됩니다. 이 정치가 오래 가면 지금 당장은 무슨 일이 안 생기지만 앞으로 한국이 발전이 있겠습니까? 이 문제는 제가 당선자 시절이던 2002년 12월 26일 민주당 중앙당 연수회 때 이미 제기한 적이 있습니다. 다음 총선에서 여소야대가 되면 프랑스식 동거정부로 갈 수 있다고 했습니다. 2003년 4월 2일 임시국회에서 연설할 때도 이와 같은 취지를 얘기했습니다. 우리 헌법구조가 그렇게 되어 있기 때문입니다.

그래서 헌법에 맞게 정치구조를 전부 다 바꾸어 버렸습니다. 그리고 이제 헌법에 맞게 가자면, 국회 다수당을, 국회 과반수를 존중하지 않을 수가 없습니다. 그래서 과반수를 여당이 이루든지 야당이 이루든지 간에, 이루는 쪽에서 총리 이하의 전권을 가지고 국정을 책임지는 운영을 한번 해 보자는 것이 기본적인 발상입니다. 그 가운데서 우리가 합의의 문화도 만들어 내면 더 좋지 않겠는가, 지역구도 문제 해결해 버리면 더 좋지 않겠느냐는 생각입니다. 물론 이것이 모두는 아닙니다. 그러나 지속적으로, 선거 때만 되면 갈등구조가 재생산되니까, 이것 하나만이라도 해결하면 훨씬 더 줄어듭니다. 정치가 모든 것을 갈라놓는 이와 같은 상황은 해소될 수 있습니다.

그 다음에 한나라당이 과연 극복의 대상이냐, 정책을 조율하고 합의할 수 있는 파트너가 될 수 있느냐의 문제입니다. 국민들의 뜻이 파트너하라는 것 같습니다. 네 마음대로 하지 말고 한나라당하고 앞으로 가급적이면 많은 문제에 대해서 의논하라고 명령을 받았던 것입니다. 도덕적 정통성 문제에 있어서 끊임없이 시비는 있었지만, 이미 직선제 정부를 만든 노태우 정부마저도 정통성을 부정하기 어려웠는데, 문민정부와 국민의 정부를 지나 한나라당이 여기에 와 있습니다. 지금 한나라당은 과거의 도청으로부터, 과거의 정경유착으로부터 자유롭다는 것 아닙니까? 이런 자세를 가지고 당당하게 하고 있는데 국민들이 거기에 약 30% 가까운 지지를 보내고 있습니다. 그런데 파트너 아니라고 말할 수 있겠습니까? 이미 파트너이고, 극복의 대상이 아니라 대화의 상대라는 점을 인정해야 되는 것입니다.

저를 지지했던 많은 사람들이 이 점을 받아들이기 어렵겠지만 현실의 변화를 빨리 받아들이는 것이 지도자의 용기입니다. 현실이 변화하면 내 마음에 들지 않더라도 그것을 받아들일 수 있어야 비로소 한 배에 탄 선원들을 불행하게 하지 않을 수 있는 것입니다. 풍랑이 일면 얼른 도망가야지 무모하게 맞부닥치는 것이 지도자는 아니라는 말입니다.

그리고 "내가 보기에는 안될 것 같은데, 당신은 왜 자꾸 그렇게 얘기하냐?", "다른 사람들하고 왜 자꾸 다른 얘기 하냐?"라고 하는데 옛날부터 제가 그렇게 했습니다. 1990년 3당통합 때 그렇게 하면 안된다고 얘기했고, 많은 사람들이 당신 그렇게 하면 정치 못한다고 했는데, 저는 대통령이 됐지 않습니까? 모두가 함께 가는 것만이 항상 옳은 것은 아닙니다. 나는 항일독립운동 했던 사람들, 우리 독립투사들이 결코 그 당시에 다수파였다고 생각지 않습니다. 그렇게 극단적인 얘기를 할 일은 아니지만 소수라고 해서 항상 틀리는 것은 아니고, 이 시대에 있어서 우리가 정면으로 부닥쳐야 되는 문제는 정면으로 부닥쳐야 됩니다.

이것으로 인해서 제가 곤경에 빠져 있는 것은 사실입니다. 그러나 곤경에 빠질 것을 두려워해서 할 일을 다 못하면 대통령으로서 무슨 보람이 있고, 무슨 가치가 있겠습니까? 이 문제를 놓고 대통령이라는 자리가 제왕의 자리인가, 신하의 자리인가, 정말 골똘하게 고민해 왔습니다. 제왕의 자리에 있다면 그런 모든 것을 책임져야 됩니다. 그러나 내가 만일에 신하의 자리에 있다면 국민을 제왕으로 생각하고, 필요할 때 직언하고 틀린 것은 틀렸다고 말할 줄 알아야 합니다. 지금의 민심이라고 해서 민심을 그대로 모두 수용하고 추종만 하는 것이 대통령이 할 일은 아닙니다. 신하는 쫓겨날 때는 쫓겨나더라도 그 시기에 올바로 말하고, 충직하게 간언하고, 정직하게 소신에 따라서 일하는 것이 올바른 신하 아닙니까? 저는 대통령을 신하로 생각하고 지금 과감한 거역을 하고 있는 것입니다.

질문 : 다른 정책은 국민들이 알아주지 않더라도 정부가 뚜벅뚜벅 소처럼 걸어가면 성과가 나타날 수 있겠지만, 연정 문제는 아무리 대통령께서 열심히 주장을 하셔도 파트너가 계속 무대응으로 일관한다면 한 걸음도 나갈 수 없는 주제이기 때문에 다른 정책과 조금 다르다고 보입니다. 앞으로 야당의 대응이 있을 것이라고 확신하시나요?

대통령 : 모든 정치는 국민의 이익을 위해서 행동할 의무가 있고, 국민의 뜻을 존중하게 돼 있습니다. 또 심하게 말하면 눈치를 보게 돼 있습니다. 지금 한 걸음만 더 생각해 보십시오. 국민이 지금 "연정, 그게 뭔 소리야? 밀실야합하자는 것 아니야? 연정 그거, 뭔지 기분이 안 좋아."라고 하지만, 연정은 전 세계가 하는 것 아닙니까? '아, 한번 다시 생각해 보자. 그런데 한나라당이 왜 안하려고 하지? 포용의 정치, 화합의 정치를 하자면 심판을 받아야지, 왜 안 한다고 할까? 권력을 다 준다는데도 왜 안 하려고 할까?'

한나라당이 이것을 받을 수 없는 이유는 선거구제도를 내놓지 않기 위한 것입니다. 기득권을 내놓지 않기 위한 것이기 대문에 국민들도 조금 있으면 알아차립니다. 왜 못 받는지, 말은 그럴 듯하지만 다음 국회의원 선거에 불리하기 때문입니다. 지역기반을 잃기 싫다는 것입니다. '그것이 국민을 위한 것이냐?' 라는 질문이 나오기 시작할 때 한나라당은 움직일 것입니다.

　두번째로 한나라당은 무슨 꼼수나 노림수가 있을지 모른다는 불안감을 갖고 있는 것 아닌가 싶은데, 불안감 가질 것 없습니다. 제가 재신임을 받겠다고 했더니 처음에는 좋아라고 하다가 나중에는 "탄핵도 나중에 보니까 음모더라. 연정도 다 음모 아니냐?" 이럽니다. 결국 크게 보지 않고 작게 보고 자꾸 술수로 정치를 하다가 제 꾀에 빠져 넘어져 놓고, 길 가다가 도로 안 보고 자기가 돌부리에 걸려 넘어져 놓고, 돌아서서 '그것 음모다.' 라고 자꾸 얘기하는 것과 같습니다. 지금 연정 제안도 음모 없습니다. 음모 없는데 자꾸 의심을 합니다. '연정을 받기 싫으면 내가 할 테니까, 내가 해도 좋으니까 이 분열구도 극복을 위한 정치협상이라도 합시다. 연정이 위헌이면 그것은 할 수 있지 않습니까? 위헌 아닌 것, 선거제도에 대한 협상을 합시다.' 이것이 한나라당에 대한 내 요구입니다.

　또, 연정 그 정도 가지고는 얽혀서 골치 아프니까 권력을 통째로 내놓으라고 해도 검토해 보겠습니다. 국민이 대통령을 뽑아 줬다는 정치논리가 중요한 게 아니라, 정치 지도자들이 우리가 풀어야 될 문제들을 머리를 맞대고 풀어 나가는 것이 중요한 것입니다. 위헌이고 아니고 하는 형식논리 가지고 게임하면 안됩니다. 그런 점에 있어서 나에게 더 큰 요구가 있으면 검토하겠습니다.

　질문 : 민주주의 사회에서 빼놓을 수 없는 것이 언론의 자유와 비판입니다. 참여정부 출범 이후 현재가지 사실 언론과 정부와의 관계가 껄

끄럽고 긴장상태에 있는 것이 사실입니다. 물론 언론도 우리 사회 다른 부분과 마찬가지로 한국의 근·현대사에 있어서 일부 부끄러운 역사가 있고 잘못된 부분도 있습니다. 하지만 언론의 본질은 권력에 대한 감시와 견제, 그리고 비판입니다. 그런 면에서 언론에 포함된 국민 여론도 폭넓게 수용하면 민주적 국정운영에 큰 도움이 된다고 생각합니다. 향후 대통령께서 대언론 관계를 어떻게 풀어 가실 계획인지 듣고 싶습니다.

대통령 : 우선 언론과 그동안 불편한 관계가 있었습니다. 그러나 그냥 쓸데없이 불편한 것은 아니고, 그런 과정을 거치면서 상당히 소중한 성과도 있었습니다. 우선 정권 또는 권력과 언론과의 관계가 과거에 좀 비정상이었다는 평가를 들어 왔습니다. 시녀라는 말도 들었고 유착이라는 말도 들었지만, 이제 그런 관계를 넘어서서 그야말로 견제와 균형의 건전한 긴장관계로 변화된 것 아니냐, 그런 의미에서 이제 언론과의 관계에 있어서 상당히 많은 발전이 있었다고 생각합니다. 저는 욕심을 좀 더 부려서, '앞으로는 언론의 품질까지 좀더 향상시킬 수 있는 우리 정부의 역할이 없을까.' 이런 생각을 해 봤습니다. 언론이 정부권력을 비판하고 견제·감시하듯이 정부도 언론을 비판하고 견제하고 감시할 수는 없을까, 이런 고심을 해 봤는데 저는 가능하다고 생각했습니다.

모든 권력이 정권으로 집중돼 있던 시기의 언론은 오로지 정권을 비판하는 것이 큰일이었지만, 아시듯이 이 즈음에 와서 전 세계적으로 소위 정치권력 또는 지도력의 위기라고 얘기할 만큼 권력이 분산되었습니다. 시민사회, 학계, 또 언론이 각기 권력을 행사하고 서로 견제하고 있습니다. 이런 경우에는 언론도 상당한 권력을 가지고 있다고 봐야죠. 그러면 언론 스스로도 비판받고 감시·견제를 받아야 되는 위치에 서야 합니다. 이렇게 상호 비판·감시하는 관계가 있고, 또 이제는 소위 '협치'라는 새로운 형태가 있습니다. 여러 권력을 분점하고 있는 제4의 세력들이 서로 힘을 모아서 머리를 맞대고 의견의 일치를 봐야만 그 사회가 한 방향으로 갈 수 있습니다.

그러자면 어떤 사회적 논리나 대안에 있어 경쟁을 할 수밖에 없다는 것입니다. 국민들을 상대로 해서 서로 더 좋은 대안을 가지고 지지를 받기 위해서 경쟁해야 되는 관계가 있지 않습니까? 그래서 저는 언론과 우리 공직사회가, 정치 또는 정부가 서로 경쟁하고 상호 비판하는 수준까지 감으로써 대안경쟁을 통한 어떤 생산적인 경쟁과 협력의 관계로 가야 한다는 생각을 가지고 있습니다. 그것을 어떻게 한번 해 보기 위해서 또 여러 가지 준비를 하고 있습니다.

그렇게 되면 언론의 비판이 아주 구체화될 것입니다. '좋은 게 좋다.' 해서 유착으로 얼버무릴 대의 행정보다 언론과 맞서려면 당당하게 서로 비판·견제할 때 행정품질이 높아지지 않겠나, 저는 그렇게 생각합니다. 행정의 품질은 이렇게 해서 높아집니다. 뒷거래도 안되고 적당하게 할 수도 없으니까요.

아울러 그렇게 되면 언론의 품질도 높아지지 않을 수가 없습니다. 아무렇게나 쓸 수 없으니까요. 반드시 반론도 들어오게 되어 있습니다. 긍정적 대안은 물론 비판적인 대안까지도 언론이 보도하는 모든 대안은 해당 부처에서 전부 모니터링해서 거기에 대한 정부의 대처방법과 조치

내용들을 청와대로 보고하게 되어 있습니다. 잘못된 보도에 대해 어떻게 반론하고 해명하는가, 심할 경우 어떻게 정정하고 쟁송하는가를 일일이 다 보고하도록 되어 있습니다. 그래서 이 가운데서 행정과 언론 모두가 품질이 높아지는 시대, 그것이 참여정부 제2기에 있어서의 목표입니다. 앞으로 좋아질 것입니다.

질문 : 대통령님께서는 취임 이후 줄곧 과거사에 유달리 집착을 보여 오셨습니다. 과거에 지나치게 얽매이는 것은 현실진단을 떨어드리고 미래에 대한 비전 제시마저도 어렵게 한다는 말씀을 드리고 싶습니다. 이후에는 대통령이 전면에 나서는 방식보다는 시민사회나 학계, 일반 국민들의 몫으로 놓아 주실 의향은 없으신지 여쭤 보고 싶습니다.

대통령 : 오해가 좀 있는 것 같습니다. 과거사가 제대로 정리되지 않았기 때문에 넘어가야 되는 갈등이 넘어가지 못하고 있다, 그렇게 생각해서 정리하고 넘어가자는 것입니다. 지금 보복이라고 말하는 분들이 있는데, 보복이 가능한 곳이 거의 없습니다. 과거사로 보복이 가능한 데가 있습니까? 친일의 경우 본인들은 이미 다 저세상으로 가버리고 없습니다. 나머지에 대해서도 그 많은 일들이 다 시효가 지나 버렸고, 또 우리 사회에서 너무 큰 세력을 가지고 있기 때문에 그런 것이 가능하지는 않습니다.

그럼에도 불구하고 정리는 필요합니다. 역사를 정리하지 않고 넘어갈 수 있겠습니까? 어느 나라나 역사는 역사 정리를 해 둬야 됩니다. 과거사 얘기를 제가 다시 한 이유는 피해자가 있기 때문입니다. 피해자의 상처는 치유해 줘야 합니다. 국가권력으로부터 받은 상처는 반드시 치유해 줘야 됩니다. 국가권력의 도덕성은 무한대라야 합니다. 거기에 시효가 있을 수 없습니다. 상처를 치유하고 명예를 회복해서 그 사람들이 사회에서 가위 눌리지 않고 살 수 있게, 떳떳하게 살 수 있게 해 줘야 되지 않겠습니까? 그 반대 사람들 중 누구 감옥에 넣기로 돼 있는 과거사가 있나요? 없습니다. 풀어 주는 문제가 있습니다. 우리나라 오랜 전통에 '해원굿'이 있죠? 맺힌 한을 풀어 주는 굿을 하는 것이 우리의 오랜 문화라고 하면, 이것을 그렇게 보시면 됩니다. 해원, 그것 하듯이 상처 입은 사람들의 명예를 회복해 줘야 합니다.

지금 제주도에 가면 4·3사건에 대해 국가를 대표해서 대통령이 사과했다고 눈물을 흘리면서 고마워하는 사람들이 있습니다. 안 당해 본 사람은 이해할 수가 없습니다. 연좌제에 걸려서 고민하던 사람들, 이웃 사람들에게 손가락질을 받던 사람들이 아직 가슴에 그 한을 담아 놓고, '나 죄인 아니다.'라고 말하고 싶어 합니다. '나 죄인 아니다.'라는 국가의 증명서 하나를 꼭 받고 싶어 합니다. 그런 사람들이 부지기수로 있습니다. 아무것도 아닌 종이쪽지 하나일지 모르지만 그 하나의 증명이 필요한 사람들이 있습니다. 이것이 화해에 꼭 필요합니다. 그러면 그 사람들이 누구한테 보복하자는 소리를 안 할 겁니다.

국가의 도덕성은 끝이 없습니다. 이것을 다시 한번 확인하기 위해서도 과거사는 정리해야 됩니다. 국가권력의 남용에 의해서 저질러진 범죄는 반드시 짚고 넘어가야 됩니다. 그 다음에는 제도를 개선해서 다시는 이런 일이 반복되지 않도록 하고, 또 교육해서 역사에 뚜렷한 교훈을 남기자, 이것이 역사를 정리해야 되는 이유 중의 하나입니다.

너도 옳고 나도 옳고, 계속 옥신각신하면서 언제까지 가야 되겠습니까? 과오를 인정할 것은 인정하고, 털 것은 털고 가고, 그때는 부득이한 사정이 있어서 이러이러한 사정이 있었다라고 이 틈에 얘기하고, 이렇게 정리하고 넘어갔으면 좋겠습니다. 지금 국가적으로 진행이 되고 있는데, 만들어 놓은 법을 보니까 조금 미흡한 부분이 있고 불명료한 부분이 있어서 과거사정리기본법에 그 점을 좀 짚어 주고 싶은 뜻도 있습니다. 또 나아가서 8·15 경축사는 과거사가 핵심이 아니라 분열구조와 분열의 요인을 하나하나 해소하고 통합의 시대로 가자는 것이었습니다. 분열의 요인 중에 하나가 과거사 문제를 둘러싼 가치갈등, 그리고 풀리지 않은 응어리, 이런 것이 아주 중요하기 때문에 이것도 이런 방법으로 풀고, 아울러서 국가에서는 다시 이런 일을 반복하지 못하도록 시효제도도 고치자고 얘기한 것입니다.

갈등을 만들기 위해서 한 것이 아니라 정리하고 넘어가기 위한 과정입니다. 이것도 안 하겠다면 그것은 좀 심합니다. 친일하고 군사독재했던 사람들이 이것도 안 하고 그냥 넘어가자, 뭉개고 넘어가자, 그것은 좀 심합니다. 그렇게는 안됩니다. 과거사를 밝힐 때 여기에 필요한 정도로 밝히면 됩니다. 그래서 제가 과거의 일도 이미 모든 것이 정리된 것이면 구체적인 한두 가지의 사건 가지고 옥신각신하며 정쟁도구로 삼지 않았으면 좋겠다는 것입니다. 구조가 밝혀지지 않았던 것은 과거의 일이라도 명명백백히 좀 밝히자, 그래서 나는 도청사건이 국가권력의 범죄이기 때문에 1997년 대선 정치자금보다는 훨씬 더 큰 문제라고 생각합니다. 1997년 대선자금 문제는 법적으로 시효가 완성됐거니와 정치적 마무리를 제 딴에는 짓는다고 지었습니다.

질문 : 마무리 말씀 부탁드리겠습니다.

대통령 : 제가 고심하고 있는 것은 많습니다. 그러나 무책임하게 행동할 생각은 없습니다. 뭔가 좋은 결과를 내기 위해서 항상 책임 있게 행동하겠습니다. 서두가 듣기에 따라서는 다소 충격적인 말로 들렸을지 모르겠지만, 진심으로 이와 같은 문제를 내놓고, 그야말로 우리 사회의 주인이라고 할 수 있는 국민들과 진지하게 얘기하는 것이 필요합니다. 복잡한 대상을 가지고 속셈을 숨겨 놓고 점잖게만 얘기한다고 우리가 이 문제를 다 풀 수 있는 것은 아니라고 생각합니다.

그래서 여러분이 어떻게 받아들이셨는지 모르겠지만, 제가 여러분께 드리고 싶은 약속은 책임 있게, 앞으로 언제라도 책임 있게 최선을 다하겠습니다.

감사합니다.

대전일보 창간 55주년 축하 메시지

2005년 8월 26일

대전일보 창간 55돌을 진심으로 축하합니다. 임직원과 애독자 여러분께도 축하 인사를 전합니다.

대전일보는 우리나라의 대표적인 지방 언론으로서 대전과 충청도민 여러분의 눈과 귀 역할을 충실히 해 왔습니다. 특히 지방화 시대를 선도하면서 지역사회 발전과 지역문화 창달에 크게 기여해 왔습니다. 미래는 중부권의 시대입니다. 행정의 중심지이자 연구개발의 메카로서, 그리고 서해안 시대의 주역으로서 선진한국을 이끌게 될 것입니다. 정부는 행정중심복합도시의 차질 없는 추진은 물론 대덕연구개발특구와 오송 생명과학단지의 큰 성공을 위해 최선을 다해 나갈 것입니다. 대전과 충청 지역이 국가균형발전의 모범사례가 될 수 있도록 지원을 아끼지 않겠습니다.

지역 스스로의 역할이 무엇보다 중요합니다. 지역 언론과 지자체, 시민사회가 정부, 정치권과 함께 비전과 전략을 내놓고 서로 경쟁하는 가운데 합의점을 찾아나가야 합니다. 대전일보가 이러한 창조적 대안의 경쟁과 협력 관계를 만드는 데 더 많은 역할을 해 주실 것으로 기대합니다. 거듭 창간 55주년을 축하하며, 대전일보의 무궁한 발전을 기원합니다.

2005 APEC 중소기업 비즈니스포럼
축하 메시지

2005년 8월 29일

　　APEC 중소기업 비즈니스포럼의 개막을 축하드립니다. 참석자 여러분을 진심으로 환영합니다.

　　이 포럼은 1999년 시작된 이래 역내 중소기업 간 교류의 장으로서, 대기업과 중소기업 간 상생협력의 장으로서 그 역할을 다해 왔습니다. 해를 거듭할수록 이 포럼에 거는 기대가 높아지고 있다고 들었습니다. 중소기업은 경제의 뿌리입니다. 사회안정을 지키는 힘입니다. 중소기업이 성공해야 중산층이 튼튼해지고 지속적인 성장도 가능합니다. 성공의 해법은 분명합니다. 끊임없는 혁신으로 경쟁력을 갖추는 것입니다. 새로운 아이디어와 기술개발로 효율성을 높이고 고부가가치를 만들어 내는 데 승부를 걸어야 합니다.

　　우리 정부는 중소기업을 경제정책의 중심에 두고 혁신형 중소·벤처기업을 집중 육성하고 있습니다. 아울러 대기업과 중소기업 간의 협력 관계 구축, 중소기업 금융지원체계 개편, 자유롭고 공정한 경쟁환경 조성에 많은 노력을 기울이고 있습니다. 나아가 IT 분야 ODA 확대와 연수생 초청, 직업훈련원 건립 등을 통해 국제협력도 강화해나가고 있습니다. 그러나 더 중요한 것은 민간부문의 실질협력입니다. 혁신사례를 공유하고 상호 협력방안을 논의하는 일은 각자의 성공은 물론 아·태 지역의 공동번영이라는 APEC의 이상을 실현하는 지름길이 될 것입니다. '혁신경제에서의 중소기업 창출과 성장'을 주제로 한 이번 포럼이 여러분 모두에게 희망과 자신감을 더해 주고 교류·협력을 촉진하는 소중한 자리가 되기를 기대합니다.

다시 한번 이번 포럼을 축하하며, 머무시는 동안 즐겁고 보람된 시간 보내시기를 바랍니다.

초음속 고등훈련기(T-50)양산 1호기
출고 기념식 축사

2005년 8월 30일

친애하는 공군장병 여러분, 한국항공우주산업 임직원과 내외 귀빈 여러분,

오늘 우리 기술로 만든 최초의 초음속 항공기 T-50 1호기를 출고 하게 된 것을 매우 뜻깊게 생각합니다. 온 국민과 더불어 진심으로 축하 합니다. T-50 1호기는 우리의 자주국방 역량과 항공과학 기술이 이루 어 낸 값진 성과입니다. 이제 대한민국은 세계 12번째로 초음속 항공기 를 생산하는 나라가 되었습니다. 더욱이 T-50은 지난 3년간 1천 번이 넘는 시험비행으로 성능과 안정성이 입증된 세계 최고 수준의 훈련기입 니다. 참으로 자랑스럽고 마음 든든합니다. 그동안 혼신의 노력을 다해 온 한국항공 기술진과 근로자 여러분, 그리고 공군 관계자 여러분께 깊 은 감사와 격려의 박수를 보냅니다.

공군장병 여러분,

공군력은 전쟁억제의 효과적인 수단일 뿐 아니라 현대전의 핵심전력입니다. 건군 당시 미군 연락기 20대로 출발한 우리 공군은 이제 최신예 전투기와 우리 손으로 만든 초음속 항공기를 갖춘 강한 군대로 성장했습니다. 우리 하늘을 지키는 것은 물론 평화유지군 임무나 이라크 재건활동 참여로 한국군의 위상을 높이고 세계 평화에도 크게 기여하고 있습니다. 앞으로 A-50 공격기가 개발되고, 차세대 전투기 도입과 공중조기통제기사업이 성공적으로 완료되면 우리 공군은 최신예 무기체계를 갖춘 첨단과학군으로 거듭날 것입니다. 공군장병 여러분은 자주국방의 최선봉이라는 긍지를 가지고 영공 수호의 신성한 의무를 다해 줄 것을 당부합니다.

내외 귀빈 여러분,

방위산업은 자주국방의 토대이자 새로운 성장동력입니다. 그중에서도 항공산업은 전후방 파급효과가 크고, 많은 일자리를 창출하는 부가가치가 높은 산업입니다. 미래의 시장전망 또한 아주 밝습니다. 우리 항공산업은 세계에서 유례가 없을 정도로 빠르게 발전해 왔습니다. 불모지나 다름없던 상황에서 KT-1 기본훈련기 같은 우수한 항공기를 수출하는 항공기술 선진대열에 들어섰습니다. 특히 이번 T-50 생산은 우리 항공산업 발전의 획기적인 전기가 될 것입니다. 오는 2011년까지 1만여 명의 일자리 창출과 9억 달러에 이르는 외화 절감이 기대되고 있고, 세계 고등훈련기 시장의 4분의 1을 차지할 것이라는 희망찬 전망도 나오고 있습니다. 이와 함께 사천은 이곳 한국항공을 비롯해서 항공 관련 부품업체와 대학, 박물관 등이 모여 있는 항공산업 혁신 클러스터로서 국가균형발전의 성공모델이 되고 있습니다.

이 모두가 여러분의 피땀 어린 노력의 결과라고 생각하며, 앞으로도 산·학·연과 군·지자체가 긴밀히 협조해서 더 큰 성공을 이루어 가기를 당부드립니다. 정부도 국방 연구개발비를 확대하고, 해외 마케팅을 적극 지원하는 등 항공산업 발전을 위해 최선의 노력을 다해 나갈 것입니다. 우리 모두 자신감을 갖고 우리의 하늘을 평화와 번영의 터전으로 만들어 나갑시다. 다시 한번 T-50 1호기 출고를 축하하며, 여러분의 건승과 행복을 기원합니다.

감사합니다.

9월

제16차 태평양경제협력위원회(PECC)총회 축사

2005년 9월 6일

존경하는 김기환 태평양경제협력위원회(PECC) 의장, 밥 호크 전 호주 총리, 미셸 로카르 전 프랑스 총리, 그리고 아시아·태평양 지역의 지도자 여러분,

방금 저를 소개해 주신 양쳉 쑤 중국 PECC 회장님, 특히 저를 자세하게 잘 소개해 주셔서 대단히 감사합니다. 제16차 PECC 총회가 대한민국 서울에서 열리게 된 것을 매우 기쁘게 생각합니다. 각국에서 오신 경제계·학계·정부 인사 여러분을 진심으로 환영합니다. PECC는 지난 25년간 역내 교류와 협력의 장으로서 그 역할을 충실히 해 왔습니다. 그리고 이제 아·태 지역의 대표적인 민간협력체로 자리잡았습니다. 그동안 이 지역의 공동번영을 위해 힘써 오신 경제 지도자 여러분과 PECC의 공헌에 깊은 경의를 표합니다.

참석자 여러분,

아·태 지역은 세계의 번영을 이끄는 중심무대입니다. 세계 GDP의 57%, 교역의 46%를 담당하고 있으며, 국가 간 협력도 깊이를 더해 가고 있습니다. APEC 창설 이후 역내 수출은 두 배, 투자는 세 배 이상 증가했습니다. 한국의 무역도 3분의 2 이상이 이 지역에서 이루어지고 있습니다. 그러나 우리가 이룩한 많은 성취에도 불구하고 아·태 지역의 더 밝은 미래를 위해서는 아직 해야 할 일이 많습니다. EU·NAFTA 등과 비교할 때 경제통합 수준이 여전히 낮은 실정입니다. 우리가 추구하는 경제공동체가 어떤 모습이어야 하는가에 대한 공감대도 미약한 것이 사실입니다. 때로는 비관론이 협력의 전망을 불투명하게 할 때도 있습니다.

무엇보다 역내 국가 간의 다양한 협력을 통해 경제적 격차를 줄이고 상호보완적인 관계를 발전시켜 나가야 하겠습니다. APEC의 이상인 개방과 협력은 모두에게 이익이 될 때 더욱 가속화될 수 있습니다. 경제 인프라 강화와 인적자원 개발, 중소기업 육성과 같은 사업을 통해서 서로의 부족한 부분을 보완하는 노력을 계속해 나가야 할 것입니다. 그동안 한국이 역내 정보격차 해소와 인적자원 개발에 적극 동참해 온 것도 이 같은 이유에서입니다.

경제통합의 형태와 달성 방향에 대한 진지한 논의도 지속해 나가야 합니다. 현재 역내 국가 간 FTA가 활발히 추진되고 있습니다. 그러나 개별 FTA의 체결에는 많은 시간과 노력이 필요하고, 여러 FTA가 공존할 경우 원래 의도했던 자유화의 효과가 감소할 가능성도 있습니다. 따라서 EU·NAFTA와 같이 지역 차원의 경제통합을 추구하는 것이 장기적으로는 훨씬 효율적인 일이 될 것입니다. 진정한 협력을 위해서는 민간 차원에서부터 더 많은 교류가 이루어져야 합니다. 바로 여기 계신 기업인 여러분이 다른 나라, 다른 문화를 이해하고 다양성을 조화시키는 협력의 구심점이 되어야 하겠습니다. PECC를 통한 교류가 APEC 창설로 이어졌듯이, 서로를 이해하려는 민간의 노력은 정부 차원의 협력으로 이어져 아·태 지역의 평화와 번영에 이바지할 것입니다.

참석자 여러분,

아·태 경제공동체의 실현이라는 목표를 향해서 우리 한국도 책임과 역할을 다해 나갈 것입니다. 당장은 APEC 의장국으로서 정상회의의 성공적 개최를 위해 만반의 준비를 하고 있습니다. 한국은 동북아 지역의 평화와 번영, 나아가 아·태 공동번영을 위한 디딤돌이 되고자 하는 목표를 가지고 있습니다.

우선, IT 중심의 첨단기술 R&D 허브로 도약해 나가고자 합니다. 세계 최고의 인터넷 보급률과 초고속 통신망, 그리고 끊임없이 새로운 것을 추구하는 소비자층과 우수한 인력은 그 든든한 기반이 될 것입니다. 또한 구조조정시장과 파생상품시장, 채권시장을 집중 육성해서 자산운용업 등에 특화된 동북아 금융 허브로 발전해 나가고자 합니다.

한국은 대륙과 해양을 연결하고, 중국·일본·러시아와 같은 거대시장의 한가운데 위치해 있습니다. 머지않아 남북한을 잇는 철도와 도로가 개통되면 유라시아 대륙과 태평양 경제권을 잇는 동북아 물류 허브로 발돋움하게 될 것입니다. 아·태 지역 안정의 중요한 요소인 북핵문제도 평화적 해결의 원칙 아래 예측가능하고 효과적인 방법으로 관리되고 있습니다. 조만간 6자회담을 통해 좋은 결과가 있을 것으로 기대합니다.

존경하는 참석자 여러분,

저는 오래 전부터 EU와 같은 지역통합체가 동북아에도 실현되고 나아가 세계의 질서로 확산되기를 꿈꾸어 왔습니다. 이것이 비단 저만의 꿈은 아닐 것입니다. 우리 모두가 같은 희망을 가지고 전진한다면 머지않아 현실이 될 것입니다. 태평양공동체를 향한 의지를 거듭 확인하게 될 이번 회의에서 우리의 꿈을 구체화할 수 있는 유익한 논의들이 이루어지기를 기대합니다. 조금 전에 김기환 회장님께서 말씀하신, 이 회의가 마칠 때 만들어지게 될 여러분의 제안은 오는 11월 APEC 정상회의에서도 비중 있게 다루어질 것입니다. 다시 한번 이번 총회를 축하드리며, 여러분의 한국 방문이 즐겁고 아름다운 추억으로 남게 되기를 바랍니다.

감사합니다.

멕시코 국빈방문 공식환영식 답사

2005년 9월 9일

존경하는 비센테 폭스 대통령 각하 내외분, 그리고 귀빈 여러분,

우리 일행을 따뜻하게 맞아 주신 각하 내외분과 멕시코 국민 여러분께 감사드립니다. 한인 이주 100주년을 맞는 뜻깊은 해에 멕시코를 국빈방문하게 된 것을 매우 기쁘게 생각합니다.

멕시코는 지금 중남미를 넘어 아·태 지역의 중심국가로 도약하고 있습니다. 적극적인 개방정책으로 견실한 성장을 지속하면서 시장경제와 민주주의를 모범적으로 발전시켜 가고 있습니다. 각하의 탁월한 지도력에 경의를 표합니다.

귀빈 여러분,

한국과 멕시코는 국교 수립 이후 40여 년 동안 중요한 우방이자 경제 파트너로서 긴밀히 협력해 왔습니다. 지난해만 해도 우리 기업의 멕

시코 투자가 43%나 늘어나는 등 교역과 투자가 지속적으로 확대되고 있습니다. 이번 방문을 계기로 양국의 동반자 관계가 한 단계 더 발전하기를 기대합니다. 두 나라의 협력증진은 서로에게 이익이 되는 것은 물론 아·태 지역의 평화와 번영에도 크게 기여할 것입니다. 다시 한번 여러분의 환영에 감사드리며, 우리 국민이 보내는 우정의 인사를 전합니다.

감사합니다.

한·멕시코 경제인 오찬간담회 연설

2005년 9월 9일

존경하는 발렌틴 디에스 대외경제위원회 위원장님, 페르난도 카날레스 경제부 장관님, 김재철 무역협회 회장님, 그리고 양국 경제계 지도자 여러분,

모두 이렇게 자리를 함께하게 되어서 매우 기쁩니다. 맛있는 점심과 대화 자리를 마련해 주신 양국 경제인 여러분께 감사 인사를 드립니다. 오늘 오전 여러분이 함께 만나서 대화를 나누었던 그 시간에 저는 폭스 대통령과 대화를 나누었습니다. 여러분께서 오늘 이 자리에서 서로 얘기를 나누고 또 합의한 부분은 아마 양국의 정책에 바로 반영이 될 것이라고 생각합니다. 아울러 저와 폭스 대통령이 함께 대화하고 또 합의한 내용들은 여러분이 상호간에 교류하고 협력하는 데 아주 튼튼한 다리가 될 것입니다.

저는 멕시코를 매우 친근한 나라로 생각합니다. 첫번째 이유는 그동안에는 강대국이 아니었다는 것이 그 이유입니다. 관심을 많이 갖게 된 두번째 이유는 우리 한국이 아주 빚이 많았을 때 멕시코도 역시 빚이 많았다는 것입니다. 우리 한국이 외환위기를 당하고 난 뒤에 어떻게 해야 될지 길을 찾을 때 역시 외환위기를 겪어서 IMF의 지원을 받았던 멕시코의 사례로부터 우리가 배우고 또 용기를 얻기도 했습니다.

솔직히 말씀드리면, 멕시코의 과거 불행했던 역사와 우리 한국의 불행했던 역사가 비슷했던 데서 호감을 가졌던 것입니다. 그런데 이제 얼마 뒤에 한국 경제의 규모가 12위로 있다가 11위로 됐다는 얘기를 듣고, 어떻게 해서 11위가 됐냐고 했더니 멕시코와 한국이 경제규모가 비슷해서 서로 앞서거니 뒤서거니 한다는 것입니다. 지금은 한국이 하나 앞섰는데 또 언제 멕시코가 앞지를지 모른다는 그런 보고를 받고 그것도 특별한 인연이라는 생각을 했습니다. 그래서 지난날 양국 간의 교류 역사를 보았더니 멕시코의 역대 대통령은 전부 한국을 다녀가셨고, 우리 한국의 역대 대통령은 모두 멕시코를 방문했습니다. 서로를 중요하게 생각하고 있다는 사실을 확인한 것입니다.

우리에게 있어서 멕시코는 매우 중요한 나라입니다. 우리 한국은 그동안 미국을 제일 큰 시장으로 생각하고 미국 시장과의 교류를 통해서 성장해 왔습니다만, 그러나 지금은 브릭스(BRICs)라든지, 중남미라든지, 그 밖에 여러 나라로 시장을 확대하면서 점차 시장을 다변화해 나가고 있는 중입니다. 그러니까 멕시코는 지금까지 가장 중요했던 시장에 인접한 교두보라고 할 수 있고, 또 앞으로 가장 중요한 중남미 시장의 중심이자 교두보라고 할 수 있는 국가입니다. 우리 한국 기업이 대멕시코 투자는 지금도 많다고 생각할 수 있지만, 이런 중요성에 비하면 좀 적다고도 말할 수 있습니다. 앞으로 보다 더 양적으로 확대되고 질적으로 높아지고 또 다양해져야 한다고 생각합니다.

지난 2001년 폭스 대통령께서 한국을 다녀가신 것을 계기로 한국과 멕시코 사이에 21세기위원회가 만들어지고, 그 위원회를 중심으로 정치·경제·문화 교류 부문에까지 다방면에 걸쳐서 양국 관계에 대한 많은 연구가 있었습니다. 그 연구 결과를 금년 여름에 양국 대통령이 다 보고를 받았습니다. 그리고 그 보고에 기해서 이제 양국 간에 많은 협약이 맺어지고, 또 협약은 아니라도 의미 있는 많은 합의들이 이루어졌습니다. 지금도 활발하게 양국 관계를 발전시킬 방법에 관해서 대화가 진행되고 있습니다.

제가 외국 방문을 할 때 외교부 장관은 항상 같이 다니고, 산업자원부 장관, 정보통신부 장관, 통상교섭본부장은 때때로 같이 다닙니다. 그런데 이번 멕시코 방문에는 그분들 외에 과학기술 부총리와 행정자치부 장관도 함께 오셨습니다. 대통령이 일을 많이 하는 줄 알았는데, 제가 보니까 이 장관들이 가방 큰 것 들고 아주 부지런히 다니면서 대통령보다 일을 더 많이 하는 것 같습니다. 무슨 일인지는 잘 모르지만, 양국 기업인 사이에서 경제 교류·협력, 투자 이런 일에 장애가 없고 원활하게 이루어질 수 있도록 길을 닦는 것이 아닌가 생각합니다. 그러니까 나머지는 이제 이 자리에 계신 기업인 여러분이 하실 일이라고 생각합니다.

폭스 대통령께서는 농산물에서부터 자동차·에너지 산업, 그리고 IT

기술 등 제가 기억하기 어려울 만큼 많은 문제에 관심을 가지셨습니다. 그 외에도 과학기술, 교육, 문화교류, 그리고 정부혁신에 대해서 아주 많은 관심을 표명하셨는데, 이 부문은 우리 한국도 똑같이 중요하게 생각하는 전략입니다. 한국이나 멕시코처럼 최첨단 선진국과 후발국가의 사이에 끼어 있는, 넛크래커(nut-cracker)같은 위치에 있는 국가로서는 결국 그것이 성공에 핵심적인 조건이라고 생각합니다. 멕시코의 지난 경험에서 배울 것도 찾고, 또 우리도 드릴 것이 있으면 드리기 위해서 이번에는 과학기술 부총리와 행정자치부 장관이 함께 왔습니다.

지금 한국은 기술을 가진 제조업들이 해외에 나가서 열심히 투자를 하고 있는 수준입니다. 좀더 앞선 기업들은 브랜드 가치를 높이고 시장을 개척하고, 또 경영에 있어서의 효율적인 노하우를 축적해서 세계 시장으로 나가고 있습니다. 건설 분야에 있어서는 지금까지 해외 공사를 수주하는 데 집중해 있었습니다만, 이제 점차 거기서 쌓은 경험을 토대로 해서 해외개발사업을 기획하고 투자하는 이와 같은 수준으로 변화하고 있습니다. 실제로 중동 지역에서는 한국이 프로젝트 투자로 전환해 가고 있는 단계에 있습니다.

한국은 금년 초 미주개발은행(IDB)에 가입했습니다. 이때 멕시코 정부가 도와주신 데 대해서 매우 감사하게 생각합니다. IDB 가입을 계기로 이제 우리 건설업의 중남미 진출이 시작될 것이고, 또 그 밖에 다른 공공사업에 좀더 참여할 수 있는 기회가 있게 되면 그것이 나중에는 자연스럽게 여러 가지 개발투자로 이어질 수 있을 것이라고 생각합니다. 플랜트 분야에 있어서 우리 한국은 아마 세계 최고 수준의 기술을 가지고 가장 신속하고 가장 저렴하게 건설을 해낼 수 있는 역량을 가지고 있습니다. 한국전력은 정부가 대주주이지만 경영은 완전히 민간기업식으로 운영되고 있는데, 세계에서 가장 효율적인 전력사업을 하고 있고, 특히 원자력 분야에서 세계 최고의 효율을 가지고 있는 기업입니다. 민간기업과 경쟁할 수 있는 공기업 모델로서 좀 더 효율성을 높이려고 열심히 노력하고 있습니다. 한전 사장이 지금 이 자리에 와 계신데 무슨 볼일이 있어 오신 모양입니다. 한국전력 사장에게 좋은 기회가 주어지면 그것은 멕시코에게도 좋은 기회가 될 것이라고 저는 확신합니다.

지금 이 자리에 앉아 계신 이희범 산업자원부 장관은 석유만 보면 자다가도 일어나는 사람이고, 우리 국민 모두가 석유에 대해서 관심이 많습니다. 아마 무슨 기회를 열심히 찾고 있을 것입니다. 멕시코의 오랜 역사적 경험 때문에 여러 가지 제약이 있다는 사실도 잘 이해하고 있습니다. 그러나 세상은 변화하는 것이고, 또 변화해야 하는 것입니다. 남의 나라를 한번도 식민지로 지배해 보지 않은 멕시코 같은 나라가 세계에서 성공하고, 또 식민지 피지배의 쓰라린 경험을 가지고 있는 대한민국 같은 나라가 세계에서 성공하는 그런 시대가 오기를 저는 매우 간절히 바라는 사람입니다. 그러나 지금은 시장이 큰소리하는 시대이기 때문에 그렇게 하자면 반드시 경제적으로 성공해야 합니다. 오늘 이 자리가 서로의 성공을 위해서 격려하고 고무하는 아주 좋은 기회가 되기를 바랍니다.

감사합니다.

폭스 멕시코 대통령 내외 주최 국빈만찬 답사

2005년 9월 9일

존경하는 비센테 폭스 대통령 각하 내외분, 그리고 귀빈 여러분,

우리 내외와 일행을 따뜻하게 맞아 주시고 성대한 만찬을 베풀어 주셔서 감사합니다. 찬란한 문명을 꽃피운 중남미의 중심국가 멕시코를 방문하게 된 것을 매우 기쁘게 생각합니다. 오늘 오전 국립궁전에 그려진 디에고 리베라의 벽화를 보면서 자유와 독립을 향한 멕시코 인의 의지에 큰 감명을 받았습니다. 다음 주 뜻깊은 독립기념일을 맞는 멕시코 국민 여러분께 미리 축하의 인사를 전합니다.

대통령 각하,

지난 2000년 71년 만에 이룩한 정권교체는 멕시코 국민들의 위대한 승리이자 국가발전의 새로운 전기가 되었습니다. 각하께서는 민주주의와 시장경제에 대한 확고한 신념으로 지속적인 경제성장을 이끌고, 과

거사 청산과 정부개혁과 같은 개혁정책을 성공적으로 추진하고 계십니다. 각하의 지도력과 국민의 저력으로 멕시코가 더욱 평화롭고 번영된 나라로 발전할 것임을 확신합니다.

귀빈 여러분,

한국과 멕시코의 실질협력은 양국 공동번영에 크게 기여하고 있습니다. '한·멕시코 21세기 위원회'의 연구 결과가 제시한 것처럼 앞으로의 협력 가능성은 크게 열려 있습니다. 오늘 오전 각하와의 정상회담에서도 양국 간 우호협력을 한 차원 더 높이는 많은 성과가 있었습니다. 무역과 투자 증진에 관한 깊이 있는 논의가 이루어졌고, 자원과 IT 분야 협력을 강화해 나가기로 했습니다. 무엇보다 '21세기 공동번영을 위한 전략적 동반자 관계'에 합의함으로써 양국관계 발전에 획기적인 계기가 마련되었습니다. 세계 10위권의 경제 중견국가인 우리 두 나라는 교역과 투자, 과학기술 협력을 통해 서로의 더 큰 발전을 이루어나갈 것입니다.

대통령 각하,

올해는 우리 두 나라 관계에 있어 특별한 해입니다. 1905년 1,033명의 한국인이 유카탄 반도에 첫발을 내디딘 지 꼭 100년이 되는 해입니다. 폭스 여사의 말씀처럼 '100년 전 멕시코와 한국의 만남은 소중한 우정의 시작'이었습니다. 이제 한인 후손들은 개척정신과 강인한 의지로 멕시코의 모범적인 시민으로 정착했습니다. 각하와 멕시코 정부의 깊은 배려에 감사드리며, 앞으로도 더 많은 관심을 당부 드립니다. 아울러 오는 11월 대한민국 부산에서 열리는 APEC 정상회의에서 다시 뵙기를 기대합니다.

귀빈 여러분,

각하 내외분의 건강과 멕시코의 번영, 그리고 우리 두 나라 국민의 영원한 우의를 위해 축배를 제의합니다.

코스타리카 국빈방문 공식환영식 답사

2005년 9월 12일

존경하는 아벨 파체코 대통령 각하 내외분, 그리고 귀빈 여러분,

유서 깊은 국립박물관에서 이처럼 성대한 영접을 받게 되어 매우 기쁩니다. 각하 내외분과 코스타리카 국민 여러분께 감사드리며, 우리 국민이 보내는 우정의 인사를 전합니다. 코스타리카는 오랜 민주주의 전통을 바탕으로 안정과 번영을 이루고, 밖으로는 세계 평화와 인권 신장에 크게 기여하고 있습니다. 각하의 영도력에 깊은 경의를 표합니다.

한국과 코스타리카는 1962년 수교 이래 긴밀한 협력관계를 발전시켜 왔습니다. 자유와 평화에 대한 확고한 신념과 의지는 두 나라를 더욱 가까운 친구로 만들었습니다. 이제 양국 간의 교류·협력을 새로운 차원으로 발전시켜 나가야 하겠습니다. 높은 교육수준을 가진 양국 국민은 지식정보화사회의 소중한 자산입니다. 경제·과학·문화 등 다양한 분야

에서 함께 협력해 나간다면 두 나라 모두에게 큰 이익이 될 것입니다. 오늘 각하와의 정상회담이 실질협력을 확대하고, 양국 관계를 더욱 돈독히 하는 계기가 되기를 바랍니다. 다시 한번 각하의 초청과 환대에 감사드리며, 코스타리카의 무궁한 발전을 기원합니다.

감사합니다.

한·SICA 정상회의 개회식 연설

2005년 9월 12일

존경하는 볼라뇨스 니카라과 대통령, 파체코 코스타리카 대통령, 바르쉐 과테말라 대통령, 사카 엘살바도르 대통령, 리암스 온두라스 부통령, 루이스 파나마 부통령, 모랄레스 도미니카 외교장관, 칼 주 코스타리카 벨리즈 대사, 그리고 내외 귀빈 여러분,

오늘 중미 정상 여러분을 만나게 되어 매우 기쁩니다. 귀한 자리를 마련해 주신 여러분께 감사드립니다. 제1차 한·SICA 정상회의가 개최된 이래 지난 9년간 우리 모두는 큰 발전을 이루었습니다. 중미 각국은 정치안정과 경제성장을 추진하면서 시카(SICA)를 중심으로 자유와 평화, 번영이라는 공동 목표를 위해 힘을 모아 왔습니다. 한국 또한 1997년 외환위기를 극복하고, 민주주의를 공고히 하는 가운데 동북아의 중심국가로서 세계 10위권의 경제규모를 갖춘 IT 강국으로 부상했습니다.

한국과 중미는 지구 반대편에 위치해 있지만, 비슷한 역사를 공유하고 있는 가까운 이웃입니다. 식민지배, 이념대립, 군사독재, 그리고 빈곤으로부터 벗어나 독립과 평화, 민주주의, 그리고 번영을 향해 발전해 가고 있습니다. 오늘 이 자리는 이러한 경험을 나누고 실질협력을 강화하는 뜻깊은 자리가 될 것입니다. 통상·투자 증진과 문화교류 확대, 국제무대에서의 협력 등에 있어서 많은 성과가 있을 것으로 기대합니다. 이를 통해 한국과 중미가 더 밝은 미래를 함께 설계해 가는 굳건한 동반자가 될 것으로 확신합니다. 다시 한번 여러분의 우정과 환대에 감사드리며, '중미가 영광의 언어로 새로운 축가를 부를 날'을 기원합니다.

감사합니다.

파체코 코스타리카 대통령 내외
주최 국빈만찬 답사

2005년 9월 12일

존경하는 아벨 파체코 대통령 각하 내외분, 그리고 귀빈 여러분,

우리 내외와 일행을 환대해 주신 각하 내외분께 감사 인사를 드립니다. 대한민국 국가원수로는 처음 코스타리카를 방문하게 된 것을 매우 기쁘게 생각합니다. 아름다운 자연 위에 평화와 민주주의를 꽃피우고 있는 코스타리카는 꼭 한번 와 보고 싶었던 나라입니다. 짧은 시간이었지만 친절하고 활기찬 코스타리카 국민들을 보면서 중미의 선도국가로서 여러분의 긍지와 자부심을 느낄 수 있었습니다.

각하께서는 수출과 투자유치로 경제를 활성화하고, 복지와 치안 강화, 그리고 부패척결로 더 부강한 나라를 만들어 가고 계십니다. 또한 유엔 인권위원회 활동 등을 통해 국제 인권보호에도 적극적인 역할을 하고 있습니다. 각하의 탁월한 지도력과 국민의 역량으로 코스타리카가 큰

발전을 이뤄 갈 것으로 확신합니다.

대통령 각하,

오늘 오전에 가졌던 한·시카(SICA) 정상회담은 상호 이해와 협력의 지평을 넓히는 좋은 기회가 되었다고 생각합니다. 각하와 코스타리카정부의 배려에 깊은 감사를 드립니다. 그리고 각하와의 정상회담도 매우유익했습니다. 우리 두 나라가 협력할 분야가 많다는 것을 다시 확인했습니다. 특히 이번에 양해각서를 체결한 IT 분야의 협력 가능성은 대단히 높습니다. 코스타리카의 수준 높은 IT 인력이 한국의 DMB, 휴대 인터넷 같은 첨단 기술과 만난다면 큰 시너지 효과를 내게 될 것입니다.

BT 분야 협력도 큰 진전을 보이고 있습니다. 설립을 약속한 생물자원공동연구센터는 부가가치가 높은 바이오 기술 확보를 위한 전략적 제휴의 성공모델이 될 수 있을 것입니다. 2002년 월드컵 때는 많은 코스타리카 국민들이 한국을 찾아 주셨습니다. 최근에는 서울에서 '한·코스타리카 친선협회'가 만들어졌습니다. 앞으로 코스타리카에 대한 우리 국민의 관심이 높아지고, 민간교류도 더욱 활발해질 것으로 기대합니다.

대통령 각하,

코스타리카는 북핵문제의 평화적 해결을 비롯한 우리의 대외정책을 한결같이 지지해 주었습니다. 또한 자유와 인권에 대한 확고한 신념을 가지고 중미지역의 평화 정착을 이끌어 가고 있습니다. 동북아시아에 협력과 통합의 질서를 만들어 가고자 하는 우리의 좋은 친구이자 귀감이 아닐 수 없습니다. 저의 이번 방문이 양국의 유대협력을 더욱 강화하고, 세계 평화를 위해 함께 힘을 모아 나가는 좋은 계기가 되기를 바랍니다.

오늘 저는 정말 일생에 몇 번 안되는 아주 훌륭한 선물을 받았습니다. 각하께서 코스타리카의 가장 명예로운 훈장을 제게 주셨습니다. 저도 각하께 선물을 준비해 왔습니다. 제가 각하께 드리고자 하는 선물도 역시 훈장입니다. 한국과의 외교관계에 있어서 아주 큰 공로를 세운 국가원수에게 드리는, 우리 한국에서 가장 품격이 높은 훈장을 준비해 왔습니다. 제가 코스타리카 대통령께 드릴 우리 한국의 최고 훈장은 무궁화 대훈장입니다. 무궁화는 우리나라를 상징하는 나라꽃의 이름입니다.

오늘 저는 선물을 하나 더 받았습니다. 공식 정상회담에 앞서서 각하와 인사하는 자리에서, 나중에 하나의 직업만을 선택해서 묘비에 기록한다면 어떤 직업을 기록하시겠느냐고 제가 물었더니 시인이라고 대답하셨습니다. 대통령 각하께서는 소설도 많이 쓰시고 했는데, 그중에 '피부 깊숙이'라는 소설은 금년 가을호「세계의 문학」이라고 하는 한국 잡지에 실렸습니다. 한국의 그 잡지는 세계 문학을 소개하는 유일한 잡지로서 최고의 수준을 가지고 있는 잡지입니다. 그 잡지에는 세계 최고 수준의 작품만이 실리게 돼 있습니다. 각하께서는 우리 한국의 문학계가 인정하는 세계 최고의 작가라는 뜻입니다.

그러나 지금까지 드린 말씀이 결론은 아닙니다. 결론은 최고의 작가이신 대통령께서 저를 보고 시인이라고, 시인의 자질을 갖추고 있는 사람이라고 인정을 해 주셨습니다. 습작을 통해서 피나는 노력을 해야 하고 또 그 뒤에 소위 등단이라는 아주 어려운 절차가 있는데, 저는 그런 절차 없이 바로 시인이 됐으니까 제게는 이 훈장 못지않은 아주 훌륭한 선물입니다. 그래서 그 선물에 대해서 감사말씀을 드리고자 이렇게 길게 말씀을 드렸습니다. 대통령을 그만두면 숲을 가꾸는 일을 해 보고 싶었는데, 이번에 대통령 각하께서 제게 시인이라는 이름을 주셨으니까 시 쓰는 노력도 열심히 한번 해 보겠습니다. 우리 대한민국에서 준비해 온 훈장을 저도 드리도록 하겠습니다.

귀빈 여러분,

각하 내외분의 건강과 코스타리카의 무궁한 발전, 그리고 우리 두 나라의 영원한 우정을 위해 건배를 제의합니다.

감사합니다.

제60차 유엔총회 고위급 본회의 기조연설

2005년 9월 14일

존경하는 의장, 사무총장, 각국 정상, 그리고 귀빈 여러분,

60년 전 세계의 선각자들이 유엔 창설을 준비하던 그때에 대한민국은 제국주의 식민통치에서 해방되었습니다. 그로부터 오늘에 이르기까지 유엔은 든든한 친구가 되어 주었습니다. 이처럼 각별한 인연을 가진 유엔에서 연설하게 된 것을 매우 뜻깊게 생각합니다. 유엔은 세계 평화와 인류의 보편적 가치 증진에 빛나는 업적을 세웠습니다. 유엔 창설이야말로 20세기 최고의 발명품이라고 생각하며, 그동안 헌신해 온 모든 분들께 경의를 표합니다.

의장과 지도자 여러분,

지금 우리는 세계질서가 어디로 가게 될지 확신을 갖지 못하고 있습니다. 그러나 어디로 가야 할지는 분명합니다. 21세기 새로운 국제질

서는 강대국과 약소국, 그리고 중견국을 포함한 모든 나라가 공존하며 함께 이익을 누리는 공동번영의 질서가 되어야 합니다. 이를 위해서는 각종 분쟁과 억압의 근본 원인이 되고 있는 빈곤으로부터의 자유와 차별 해소를 위한 범세계적 프로젝트를 보다 적극적으로 추진해 나가야 합니다.

그러나 그에 못지않게 중요한 것이 있습니다. 세계 여러 분야에 남아 있는 제국주의적 사고와 잔재를 완전히 청산해야 합니다. 그리고 일부에서 다시 나타나고 있는 강대국 중심주의 경향을 경계해야 합니다. 이 점에 관해서는 오늘날 국제질서를 주도하고 있는 나라들이 먼저 자신들의 과거와 미래에 대한 각별한 성찰과 절제가 있어야 할 것입니다. 아울러 이웃나라에 대한 존중과 국제적인 합의 창출, 그리고 대립해소를 위한 노력을 한층 강화해야 합니다. 강대국들이 평화와 공동번영이라는 대의의 국제질서를 이루려고 노력할 때 힘과 대의간의 긴장은 해소될 수 있을 것입니다. 우리는 그 가능성을 EU에서 찾을 수 있습니다. 이제 유럽은 힘의 논리에 기초한 질서, 반목과 대립의 질서를 극복하고, 평화와 공존, 화해와 협력의 공동체로 자리매김하고 있습니다. 나는 동북아에도 EU와 같은 질서가 실현되기를 바랍니다. 그렇게 된다면 동북아에는 그야말로 새로운 역사가 열리고 세계의 평화와 번영에도 이바지하게 될 것입니다.

각국 지도자 여러분,

유엔은 미래 국제질서의 거울입니다. 유엔 회원국 모두의 의견이 존중되는 호혜적 공동체를 지향해야 합니다. 유엔의 지도력을 상징하는 안보리의 개혁도 민주성·책임성·효율성의 바탕 위에서 도덕적 권위를 증대하는 방향으로 진행되어야 합니다. 또 다른 강대국 중심주의가 아니라 국제사회의 화합을 촉진하는 개혁안이 도출되어야 하겠습니다. 나는 유엔이 이러한 개혁을 통해 인류가 직면하고 있는 다양한 도전들을 극복하고 더 큰 자유를 실현하는 보루가 되어 주기를 강력히 기대합니다.

의장, 지도자 여러분,

한국은 유엔의 가치를 실현해 온 모범국가로서 세계의 평화와 번영에 기여할 준비를 갖추고 있습니다. 전쟁의 폐허 위에서 세계 11위의 경제와 놀라운 민주주의 발전을 이룩했습니다. 이것은 세계와 함께 호흡하는 가운데 거둘 수 있었던 성공이라고 생각합니다. 이제 이러한 경험을 세계 여러 나라와 함께 나누고자 합니다. 빈곤과 기아문제 해결은 물론 인권 증진과 정보격차 해소에 이르기까지 우리의 책임과 역할을 다해 나갈 것입니다. 오는 11월 부산에서 열리는 APEC 정상회의는 이러한 의지와 역량을 보여 주는 계기가 될 것입니다.

감사합니다.

코리아 소사이어티 초청 만찬 연설

2005년 9월 15일

존경하는 도널드 그레그 회장, 조지 부시 전 대통령 각하, 그리고 코리아 소사이어티 회원과 귀빈 여러분,

안녕하십니까? 2년여 만에 다시 만나게 되어 반갑습니다. 이처럼 뜻깊은 자리를 마련하고, 각별히 환대해 주신 여러분께 진심으로 감사드립니다. 저는 먼저 허리케인 카트리나로 인해 희생당한 분들의 명복을 빌며, 유가족과 미국 국민 여러분께 깊은 위로의 뜻을 전합니다. 한국 정부와 국민은 조속한 피해 복구를 위해 필요한 지원을 아끼지 않을 것입니다. 여러분 모두의 용기와 마음을 모아 훌륭히 극복해 주시기 바랍니다.

코리아 소사이어티는 1957년 설립된 이후 양국 우호와 친선의 훌륭한 가교 역할을 해 왔습니다. 그레그 회장을 비롯한 회원 여러분의 공헌과 노고에 경의를 표합니다. 특히 오늘은 부시 전 대통령을 '밴 플리트

상' 수상자로 모시게 되어 더욱 기쁩니다. 각하께서는 임기 중에 남북한 유엔 동시가입을 지원하는 등 많은 업적을 세우셨습니다. 각하께 우리 국민이 보내는 큰 축하의 박수를 드립니다.

내외 귀빈 여러분,

2003년 5월 여러분은 많은 우려 속에서도 한국의 장래를 낙관하며 큰 용기와 자신감을 제게 주셨습니다. 여러분의 판단은 옳았고, 여러분의 성원은 우리에게 많은 도움이 되었습니다. 그때 겪고 있던 한국의 위기상황은 대부분 극복되었습니다.

먼저 경제부터 말씀드리면, 신용불량자와 카드채 문제에서 비롯된 금융위기를 넘어섰고 안정 속에 새로운 도약을 준비하고 있습니다. 한국 정부는 우리 경제가 경기회복에 그치지 않고 이후에도 지속적으로 성장할 수 있도록 체질을 강화하는 일에 집중하고 있습니다. 기술혁신과 인재양성, 차세대 성장동력 육성, 기업하기 좋은 환경을 만드는 데 최선을 다하고 있습니다. 한국의 경제규모는 세계 11위이고, IT, 철강, 조선, 자동차, 석유화학과 같은 업종은 세계적인 수준입니다. 이만하면 우리의 제조업 기반은 이미 선진국 문턱을 넘어섰다는 자부심을 갖기에 충분합니다. 경제의 발목을 잡아 왔던 정경유착을 비롯한 각종의 부조리와 특혜의 고리가 끊어졌고, 공정하고 투명한 시장을 만드는 개혁도 큰 진전을 이루고 있습니다. 우리는 이제 금융·물류·연구개발·교육·의료·문화·관광·레저 등 국민의 삶의 질과 부가가치를 높이는 서비스산업 육성과 선진 통상국가 전략 등을 통해 명실상부한 선진경제로 나아가고자 합니다. 한국 경제의 지속적인 성장은 미국 기업인 여러분에게도 더 많은 기회를 제공하게 될 것입니다. 한국 시장에 대한 여러분의 적극적인 관심과 투자를 당부드립니다.

제가 대통령 되고 난 뒤 연설문을 쓰는 사람에게 한 번도 주가지수를 묻지 않았습니다. 그랬더니 연설문 작성하는 사람도 주가 문제는 연설문에서 빼버렸는데 우리 주식시장에 대해 한 말씀 드리고 싶습니다. 이 연설문 작성 이후 한국 증시는 연일 신기록을 세우고 있습니다. 대통령이 된 이후로 주식값 가지고 자랑한 것은 이번이 처음입니다. 그것은 저의 정책이 단기적인 경기부양에 있지 않고 장기적인 경제체질 강화에 있었다는 것을 말씀드리는 것입니다.

귀빈 여러분,

제가 처음 미국을 방문했을 때 여러분의 심중에는 한·미동맹에 대한 걱정이 있었을 것입니다. 우리 국민 중에도 '미국을 한 번도 가보지 않은 대통령이 과연 잘 해 낼 수 있을까?' 하는 우려가 있었습니다. 그러나 2년 반이 지난 지금 한·미관계가 매우 안정적이고 한·미동맹은 더욱 건강하게 발전하고 있다고 생각합니다. 참여정부 출범 이후 양국은 네 차례의 정상회담 등 긴밀한 협의를 통해 과거 수십 년 동안 해결하지 못했던 현안들을 하나하나 풀어 왔습니다.

용산기지 이전 협상이 잘 마무리되었고, 주한미군의 재배치와 감축 문제도 원만하게 합의되어 추진되고 있습니다. 저는 지지층의 반대를 무릅쓰고 이라크 파병의 결단을 내렸습니다. 우리는 이 과정에서 한·미동맹의 정신과 양국 국민의 의사 존중이라는 원칙을 지키며 신뢰를 더욱 돈독히 해 왔습니다. 그것이 문제해결의 밑거름이 되었다고 생각합니다.

양국이 공유하고 있는 민주주의와 시장경제 가치, 동북아의 평화와 안정 이라는 전략적 이해가 한·미동맹관계 발전의 뿌리가 되었음은 물론입 니다. 이제 일부에서 주장해 왔던 한국 내 반미정서에 대한 우려는 대부 분 불식되었습니다. 올해 초 영국 BBC에 따르면 미국의 국제적 역할에 대해 미국인 다음으로 한국인이 가장 긍정적인 답변을 한 것으로 조사 되었다고 합니다. 앞으로 한·미동맹은 군사적 동맹을 넘어 보다 포괄적 이고 역동적이며 호혜적인 동맹으로 발전해 나갈 것입니다.

내외 귀빈 여러분,

다음으로, 미국의 동북아시아 전략과 관련해서 말씀드리겠습니다. 결론부터 말씀드리면, 미국은 동북아에 화해와 협력, 통합의 질서를 구 축해 나가는 것을 이 지역 제1의 정책으로 삼는 것이 바람직하다고 생각 합니다. 평화는 평화를 부르고 대립은 대립을 낳습니다. 동북아에 대해 가상의 대결구도를 염두에 두면 이 지역의 대결구도는 심화되고, 화해와 협력을 가정하면 또 그렇게 될 것입니다. 그만큼 미국의 판단과 결정은 동북아 정세에 가장 중요한 요소입니다.

유럽이 하나가 된다고 해서 미국과 유럽의 관계가 불편해진다고 말 하기는 어려울 것입니다. 대결적 질서를 부추기는 일부의 목소리에 귀를 기울인다면 불편해지겠지만, 지금처럼 평화로운 협력의 질서를 원한다 면 모두에게 이익이 될 것입니다. 이제 동북아에도 새로운 통합의 질서 를 구축해 나가야 합니다. 누구는 우리 편이고 누구는 아니라는 가정, 우 리 편을 지원해서 다른 쪽을 견제한다는 가정, 이 마음속의 경계선을 지 워 내야 합니다. 그렇게 하는 것이 이 지역의 평화와 안정은 물론 미국의 국익에도 부합하는 일이 될 것입니다.

　귀빈 여러분,

　북핵문제는 본격적인 협상 국면에 들어섰고, 어려움은 있겠지만 궁극적으로는 바람직한 결과가 나올 것으로 기대합니다. 한국은 북핵문제 해결의 당사자로서 적극적이고도 능동적인 역할을 해 왔습니다. 북한과 대화하고 미국을 비롯한 6자회담 당사국들과 긴밀히 협력하면서 평화적 해결의 실마리를 풀어 왔습니다. 북한도 한반도 비핵화와 국제사회 동참의사를 기회 있을 때마다 밝히고 있습니다. 여기까지 이르는 데 무엇보다 미국의 역할이 컸습니다. 인내심을 가지고 대처해 온 미국 정부의 노력을 높이 평가합니다. 미국의 결단이 북핵문제의 평화적 해결과 동북아 안정에 크게 기여하고 있습니다. 이제 북·미관계 정상화도 진지하게 검토해야 합니다. 북핵문제는 기본적으로 핵무기 비확산문제이지만 그 기저에는 냉전에서 비롯된 적대적 불신관계가 자리하고 있습니다. 근원적인 해결을 위해서는 북·미관계 정상화가 필요한 것입니다. 북핵문제의 해결을 계기로 한반도 정전체제가 평화체제로 전환되고 북·미관계가 정상화된다면, 한반도 평화정착은 물론 동북아가 새로운 질서로 나아가는 획기적인 전기가 될 것입니다. 지금까지 낙관적 전망을 말씀드렸습니다만 이렇게 말하는 제 가슴도 사실은 조마조마합니다. 저는 북핵문제를 생각할 때마다 하나님께 기도를 드립니다. 여러분께서도 그렇게 해 주시기 바랍니다.

　미국의 각계 지도자 여러분,

　저는 오늘 이 자리에서 다시 한번 분명히 밝힙니다. 한·미동맹은 현재도 공고하고 미래에도 공고할 것입니다. 한·미 양국의 발전, 그리고 세계의 평화와 번영을 위해 함께 손잡고 나아갑시다. 다시 한번 코리아 소사이어티 관계자 여러분께 감사드리며, 여러분 모두의 행복을 기원합니다.

경청해 주셔서 감사합니다.

법장 대종사 영결식 조문 메시지

2005년 9월 15일

법장 큰스님의 입적을 온 국민과 더불어 마음속 깊이 애도합니다.

지난달 30일 합천 해인사에서 마주했던 스님의 온화하고 넉넉한 미소가 아직도 생생한데, 갑작스런 비보를 접하니 그저 황망할 따름입니다.

우리가 잘 아는 대로 큰스님께서는 재소자 교화운동에서부터 소년소녀가장 돕기, 생명나눔실천운동에 이르기까지 남을 위해 봉사하는 삶이 무엇인지, 더불어 사는 사회는 어떠해야 하는지 몸소 보여 주셨습니다.

뿐만 아니라 종교지도자협의회를 이끌면서 종교 간 갈등의 골을 메우는 데 앞장서고, 북한과 이라크 등지를 오가며 화합과 상생의 자비정신을 실천으로 일깨워 주셨습니다. 그리고 열반에 드시는 순간까지 모든 것을 중생들에게 아낌없이 주고 가신 무소유의 실천은 우리 가슴에 큰 울림으로 남아 있습니다.

이제 우리는 이러한 큰스님의 높은 뜻을 기리면서 갈등과 분열, 기득권 안주에서 벗어나 상생과 협력, 나눔과 균형이 있는 사회를 만드는 데 더욱 정진해 나가야 하겠습니다. 다시 한번 깊은 애도의 뜻을 표하며, 법장스님의 극락왕생을 기원드립니다.

추석 메시지

2005년 9월 16일

안녕하십니까?

민족의 큰 명절 추석입니다. 마음은 벌써 그리운 고향에 가 계시겠지요. 가족, 친지들과 함께 즐거운 추석 맞이하시기 바랍니다.

명절이지만 근무지를 떠나지 못하는 국군장병과 경찰관, 소방관 여러분, 그리고 지금도 일하고 계신 근로자와 버스·택시 기사 여러분, 정말 수고 많으십니다. 해외에 계신 동포 여러분도 즐거운 한가위 되십시오. 국민 여러분께 드릴 좋은 추석 선물이 없을까 곰곰이 생각해 봤습니다. 아무래도 여러분의 걱정을 덜어 드리는 일이 좋은 선물이 되겠지요. 민생을 안정시키고 경제도 회복시키고, 상생과 협력의 정치를 이루는 것 등이 바로 그것일 것입니다.

지금 열심히, 최선을 다하고 있습니다. 부동산 문제에서부터 정치개혁에 이르기까지 당장의 어려움을 푸는 일은 물론 10년, 20년 앞을 내다 보면서 준비해 가고 있습니다. 장래를 위해서 반드시 해야 할 일은 책임 지고 해 나가겠습니다. 적어도 국민의 힘을 하나로 모을 수 있는 국민통 합의 토대만큼은 확실히 다져 가겠습니다. 국민 여러분께서 함께 하시면 꼭 성공할 수 있습니다. 저는 우리 국민의 역량을 믿습니다. 밖에 나가서 보면 우리 국민만큼 잘하고 있는 국민도 없습니다. 우리나라만큼 장래가 밝은 나라도 없습니다. 올 추석에는 잘될 것이라는 희망을 나누고 서로 서로 용기를 북돋웁시다. 넉넉한 마음으로 이웃의 어려움도 함께 나누는 따뜻한 추석이 되시기 바랍니다.

고향 잘 다녀오십시오.

한국문화예술위원회 출범 축하 메시지

2005년 9월 29일

한국문화예술위원회의 출범을 축하합니다. 그동안 애써 오신 관계자 여러분께 격려의 말씀을 전합니다. 지금은 문화의 시대입니다. 문화는 삶을 더욱 풍요롭게 할 뿐만 아니라 국가경쟁력의 토대가 됩니다. 문화산업 그 자체가 무한한 성장가능성을 가지고 있습니다. 참여정부가 문화와 문화산업 육성에 최선을 다하고 있는 것도 바로 이 때문입니다.

그러나 하루아침에 되는 것은 아닙니다. 문화는 가슴속에서 자라나고 삶에서 우러나는 것입니다. 다행히 우리는 오랜 문화적 전통과 창의력을 가진 민족입니다. 잘만 가꾼다면 얼마든지 세계를 앞서 나갈 수 있습니다. 나무를 키운다는 심정으로 멀리 내다보고 지속적으로 투자해 나가겠습니다. 새롭게 출발하는 문화예술위원회에 거는 기대가 큽니다. 우리 문화예술을 더욱 풍성하게 만들어 가는 든든한 후원자가 될 것으로 믿습니다. 여러분의 전문성과 현장 경험을 살려 나간다면 반드시 성공할 것입니다.

한국문화예술위원회의 출범을 거듭 축하드리며, 큰 발전을 기원합니다.

제9회 노인의 날 축하 메시지

2005년 9월 30일

안녕하십니까? 제9회 노인의 날을 진심으로 축하드립니다. 어르신 여러분께 깊은 존경과 감사의 말씀을 올립니다.

어르신 여러분은 오늘의 대한민국을 만들어 낸 주역입니다. 세계에 유례가 없는 경제성장과 민주주의 발전을 이룩해 내셨습니다. 지금 그 토대 위에서 여러분이 공부시킨 아들딸들이 세계와 당당히 경쟁하고 있습니다. 여러분은 우리 국민의 존경과 대접을 받을 만한 충분한 자격이 있습니다. 마땅히 보답해야 합니다. 여러분의 경륜과 지혜를 적극 활용할 수 있도록 해야 합니다. 2009년까지 30만 개의 노인 일자리를 만드는 데 최선을 다하겠습니다.

무엇보다 중요한 것은 어르신 여러분의 건강입니다. 질병예방 프로그램, 노인수발보장제도, 요양시설 확충 등 필요한 일들을 하나하나 챙겨 가고 있습니다. 곧 다가올 고령사회에 대한 준비도 결코 소홀히 하지 않겠습니다. 노인들이 행복한 나라가 희망이 있는 나라입니다. 어르신 여러분, 잘 모시겠습니다.

늘 건강하십시오.

2005 가야세계문화축전 축하 전문

2005년 9월 30일

처음으로 열리는 가야세계문화축전을 진심으로 축하드립니다. 김해시민과 참가자 여러분께 따뜻한 인사를 전합니다.

이번 축전은 가야의 역사와 문화를 널리 알리는 소중한 기회인 동시에 김해시가 명실상부한 역사·문화 도시로 더욱 발전해 가는 출발점이 될 것입니다. 시민 여러분의 뛰어난 역량과 적극적인 참여로 반드시 성공할 것으로 확신합니다.

가야세계문화축전의 큰 발전을 기대하며, 여러분 모두의 건강과 행복을 기원합니다.

10월

제57주년 국군의 날 기념사

2005년 10월 1일

친애하는 국군장병 여러분, 그리고 내외 귀빈 여러분,

57주년 국군의 날을 온 국민과 함께 축하합니다. 뜻깊은 이날을 맞아 조국방위에 신명을 다하고 있는 국군장병 여러분의 노고를 치하합니다. 아울러 창군 원로와 예비역, 그리고 주한미군 여러분의 공헌에 감사의 말씀을 드립니다. 우리 군은 6·25전쟁과 끊임없는 안보위협 속에서도 국민의 자유와 평화를 수호했고, 이제는 누구도 넘볼 수 없는 강력한 군대로 성장했습니다. 뿐만 아니라 세계의 평화와 안정에도 크게 기여하고 있습니다. 나는 이처럼 막강한 우리 군의 위용을 보면서 국군 통수권자로서 큰 자부심을 느낍니다. 정말 장하고 든든합니다. 우리 국민 모두가 자랑스러워할 것입니다. 국군장병 여러분에게 우리 국민이 보내는 무한한 신뢰와 힘찬 격려의 박수를 보냅니다.

국군장병 여러분,

동북아시아는 잠재적 갈등요소가 많고 협력과 통합의 수준이 매우 낮은 지역입니다. 한반도에는 아직 냉전의 구도가 해소되지 않고 있고, 주변에는 강대국들의 세력이 각축하고 있습니다. 한편에서는 패권적 국수주의가 되살아나고 있다는 우려도 제기되고 있습니다. 이러한 불신과 대립의 벽을 해소하고 동북아시아에 평화와 번영의 질서를 이루기 위해서는 우리 한국의 의지와 능동적인 역할이 매우 중요합니다.

우리는 동북아 평화와 번영의 질서를 제안하고 있습니다. 그러나 구호만으로 평화를 이룰 수는 없습니다. 모든 평화의 프로그램은 힘으로 뒷받침되어야 합니다. 힘이 뒷받침되지 않는 의지만으로는 아무런 역할도 할 수 없다는 사실을 우리는 이미 경험했습니다. 구한말 오로지 외세에 의지해서 평화와 독립을 유지하려 했던 시도는 모두 실패했습니다. 이런 의미에서 우리 국군은 평화와 조국을 수호하는 굳건한 보루입니다. 국군장병 여러분은 큰 보람과 자부심을 가지기 바랍니다.

국민 여러분,

나는 그동안 자주국방을 강조해 왔습니다. 이것은 자주독립국가가 갖추어야 할 너무도 당연하고 기본적인 일이기 때문입니다. 최근 발표한 국방개혁안이 바로 이러한 자주국방 의지를 담고 있습니다. 이번 개혁이 성공적으로 이뤄지면 우리 군은 현대화된 선진 정예강군으로 발돋움하게 될 것입니다. 아울러 국방조직의 문민화와 전문화, 획득제도 개선, 3군 균형발전 등으로 국방운영의 합리성과 효율성이 한층 배가되게 됩니다. 특히 전시작전통제권 행사를 통해 스스로 한반도 안보를 책임지는 명실상부한 자주군대로 거듭날 것입니다. 정부는 국민의 활발한 참여와 토론, 그리고 법제화를 통해 국방개혁을 흔들림 없이 추진해 나갈 것입니다. 그리고 반드시 성공시킬 것입니다. 국민 여러분의 적극적인 관심과 지원을 당부드립니다.

국군장병 여러분,

지금 한·미동맹은 그 어느 때보다 건강하게 발전하고 있습니다. 참여정부 출범 이후 용산기지 이전, 주한미군 재배치와 감축 문제, 그리고 이라크 파병에 이르기까지 여러 현안들을 하나하나 풀어 왔습니다. 과거 수십 년 동안 미루어 왔던 일들이 양국 간의 긴밀한 협의를 통해 대부분 해결되고 있는 것입니다. 특히 북핵문제를 풀어 오는 과정에서 이를 거듭 확인했습니다. 많은 우려가 있었지만, 더욱 공고해진 한·미동맹이 북핵문제 해결의 실마리를 찾고, 동북아 평화와 번영의 토대를 만드는 데 큰 힘이 되었습니다. 한·미동맹은 앞으로도 포괄적이고 역동적이며 호혜적인 동맹으로 더욱 발전해나갈 것입니다.

국군장병 여러분,

나와 우리 국민은 여러분의 애국충정을 믿습니다. 우리 군은 지금까지 세계 최고의 역량을 보여 왔고, 앞으로도 그럴 것입니다. 무엇보다 중요한 것은 군의 사기입니다. 정부는 여러분이 드높은 사기 속에 맡은 바 소임을 다할 수 있도록 최대한 뒷받침할 것입니다. 내년도 국방예산을 대폭 늘려 장병들의 복지를 획기적으로 개선해 나가고자 합니다. 병영환경을 시급히 개선하는 것은 물론 장병들의 인권보호도 한층 강화해 나갈 것입니다. 부모님들이 군에 보낸 자녀를 걱정하는 일이 없도록 최선을 다하겠습니다. 장병 여러분은 불굴의 용기와 자신감으로 우리 군의 영광된 역사를 더욱 빛내 주기 바랍니다. 다시 한번 국군의 날을 축하하며, 장병 여러분의 무운과 건승을 기원합니다.

감사합니다.

청계천 새물맞이행사 축사

2005년 10월 1일

존경하는 서울시민 여러분, 그리고 국민 여러분,

오늘은 참으로 기쁜 날입니다. 마침내 청계천이 시민의 곁으로 돌아왔습니다. 서울의 얼굴이 환하게 밝아진 것 같습니다. 이명박 시장과 공사 관계자 여러분, 정말 수고 많았습니다. 그동안 불편을 감내하며 오늘을 기다려 오신 서울시민 여러분께도 축하를 드립니다.

서울시민 여러분,

청계천 복원은 서울의 미래를 바꾸어 가는 이정표적인 사건입니다. 세계 여러 도시를 둘러봐도 서울만큼 숲과 생태계가 제대로 관리되지 못한 곳도 없는 것 같습니다. 크고 활력은 있지만 답답합니다. 이제 서울은 양적인 성장이 아니라 질적인 발전을 추구해야 합니다. 더 푸르고 더 넓게 활용되어야 합니다. 그리고 역사와 문화가 살아 숨쉬는, 품격 있는 도시로 바꾸어 나가야 합니다. 그러자면 서울의 과밀과 집중을 막아야 합니다. 균형발전정책이 성공해야 합니다.

서울시민 여러분,

정부는 앞으로 균형발전 개념을 보다 확대한 '살고 싶은 도시 만들기' 정책을 추진해 나갈 것입니다. 전국 곳곳을 복지와 문화, 여가, 안전 등을 고루 갖춘 공간으로 재편성해서 국민의 삶의 질을 높여 나가겠습니다. 서울이 그 좋은 본보기가 될 것입니다. 지난 6월에는 뚝섬에 서울 숲이 개장했고, 숙정문도 내년 4월부터 개방될 것입니다. 언젠가는 청와대 뒤의 북악산도 시민의 품으로 돌아가게 될 것입니다. 시민 여러분의 적극적인 관심과 성원을 부탁드립니다. 오늘 새 물길을 여는 청계천이 도시에는 활력을, 시민 여러분께는 건강을, 그리고 서울의 미래에 밝은 희망을 전해 주기를 바라며, 여러분 모두의 행복을 기원합니다.

감사합니다.

제2회 대한민국 지역혁신박람회 축사

2005년 10월 5일

여러분, 안녕하십니까?

지역혁신박람회를 진심으로 축하드립니다. 이 자리에 함께하신 자치단체장과 지방의회 의장 여러분, 지역혁신협의회 의장과 대학총장을 비롯한 참석자 여러분, 만나 뵙게 되어 반갑습니다. 앞서 국가균형발전의 성과와 지역혁신 성공사례, 잘 들었습니다. 정말 열심히 뛰고 있구나, 빠르게 바뀌고 있구나 하는 것을 실감할 수 있었습니다. 희망이 보이고 자신감이 생깁니다. 성공에 대한 확신을 갖게 됩니다. 남다른 노력으로 성공의 모범을 보여 주신 수상자 여러분, 그리고 지역혁신에 열과 성을 다하고 계신 여러분 모두에게 감사와 격려의 박수를 보냅니다.

존경하는 참석자 여러분,

지역혁신의 중요성은 새삼 강조할 필요가 없을 것입니다. 이제 혁신 없이는 경쟁력도, 더 나은 미래도 얘기할 수 없는 시대가 되었습니다. 지역혁신 성공을 위한 첫번째 조건은 올바른 전략을 세우는 일입니다. 남들보다 경쟁력 있는 분야를 찾아내고 추진체계와 프로세스를 확실하게 구축해야 합니다. 여러분은 이미 지난해 각 지역의 혁신발전 5개년 계획을 수립한 바 있습니다. 이 계획을 끊임없이 검증하고 새로운 것을 창출해서 확실한 성공전략이 되도록 해 주셔야겠습니다.

지역혁신의 두번째 조건은 협력 네트워크입니다. 지역이든 국가든 발전의 관건은 결국 혁신역량이고, 그 핵심요소는 바로 사람입니다. 혁신주체들의 역량을 얼마나 잘 결합해서 창의적인 활동을 펼치느냐에 성패가 달려 있습니다. 산·학·연 혁신 클러스터, 이노카페(Inno-Cafe)와 같은 네트워크가 활발하게 움직일 때 혁신의 성과도 풍성해질 수 있을 것입니다.

성공의 세번째 조건은 학습하는 문화입니다. 한마디로 학습 없이는 혁신 없습니다. 서로 부지런히 배우고 연구하고 실천해야 합니다. 성공 사례들을 매뉴얼로 만들어서 확산시키고, 기존의 매뉴얼을 새롭게 발전시키는 시스템도 갖추어 나가야 하겠습니다.

마지막 네번째 조건은 중앙정부의 지원입니다. 그러나 이것은 어디까지나 부차적인 것입니다. 지역 스스로 발전의 동력을 만들어 내야 합니다. 분명한 원칙을 가지고 가겠습니다. 혁신 있는 곳에 지원 있습니다. 성과와 가능성이 클수록 정부 지원도 많아질 것입니다. 정책과 예산 모두에서 지방, 지방 대학, 지방 중소기업을 우선적으로 고려한다는 방침을 변함없이 지켜 갈 것입니다. 여러분의 혁신노력이 성공할 수 있도록 최선을 다해 지원할 것을 다시 한번 약속드립니다.

내외 귀빈 여러분,

저는 2년 전 이곳 대구에서 국가균형발전의 3대 원칙과 7대 과제를 담은 '대구구상'을 발표한 바 있습니다. 그리고 그동안 정말 열심히 달려 왔습니다. 지역혁신 역량 강화와 전략산업 육성, 기업도시 추진과 신활력지역 선정, 행정중심복합도시와 175개 공공기관 이전계획 확정에 이르기까지 약속한 과제들을 착실히 추진해 가고 있습니다. 687개의 중앙정부 권한을 지방으로 이양했고, 지방재정 확충과 자율권 확대도 계획대로 진행하고 있습니다. 지방을 변화시키는 실질적이고 근본적인 조치들이 이루어지고 있습니다.

참석자 여러분,

지역혁신과 균형발전은 정파나 정권 차원의 일이 아닙니다. 나라의 장래를 위해서 결코 늦출 수 없습니다. 지방만의 일도 아닙니다. 지방은 물론 수도권의 발전을 위해서도 반드시 필요한 일입니다. 균형발전 전략이 있었기 때문에 수도권도 규제개선과 발전대책 수립 등으로 숨통을 틔울 수 있었습니다. 지방이 살기 좋아져야 수도권도 과밀과 집중의 폐해를 극복하고 보다 더 쾌적하고 경쟁력 있게 도약할 수 있을 것입니다. 지역혁신만이 희망입니다. 중앙정부와 지방정부, 수도권과 지방이 힘을 모아 다함께 잘사는 대한민국을 열어 갑시다. 반드시 성공해서 보람을 함께 나눕시다. 여러분의 건승을 기원합니다.

감사합니다.

2005 동아시아 경제포럼 축하 전문

2005년 10월 5일

동아시아 경제포럼을 축하합니다. 각국에서 오신 참가자 여러분을 진심으로 환영합니다.

동아시아는 세계 경제의 성장 엔진입니다. 한 단계 더 도약하기 위해서는 다양성을 조화시키며 통합과 협력의 질서로 나아가야 합니다. 한국은 동북아의 평화와 번영, 나아가 동아시아 공동번영의 디딤돌이 되고자 합니다. 한반도에 평화를 정착시키고, 동북아 물류와 금융, R&D 허브로 발돋움해 나갈 것입니다. 여러분의 진지한 논의가 많은 도움이 될 것입니다.

이번 포럼의 큰 성공을 기대하며, 여러분의 건강과 행복을 기원합니다.

2005 열린우리당 청년대회 축하 메시지

2005년 10월 8일

존경하는 청년 당원 동지 여러분,

열린우리당 청년대회를 진심으로 축하드립니다. 여러분과 자리를 함께하지 못해 정말 아쉽습니다. 저는 그 추웠던 겨울날 언 손을 비벼 가며 헌신적으로 뛰어 주신 여러분을 기억합니다. 그 열망과 기대를 한시도 잊은 적이 없습니다. 밤잠을 설쳐 가며 인터넷에 글을 올려 주신 분들, 자기 주머니를 털어 가며 유세장을 찾아 주신 분들, 그리고 희망돼지 모금으로 마음을 모아 주신 여러분을 어찌 잊을 수 있겠습니까? 그 속에 담긴 뜻을 어떻게 잊겠습니까? 기대가 컸던 만큼 안타까움도 있을 것입니다. 무엇보다 개혁과제들을 속 시원히 풀어내 주기를 기대하실 것입니다. 확실하게 경기를 진작시켜 우리 청년들이 마음먹은 대로 취업할 수 있게 해 주기를 바랄 것입니다. '우리가 뽑은 대통령, 정말 잘하지 않느냐.'고 자랑스럽게 얘기하고 싶으실 것입니다.

잘 알고 있습니다. 더 열심히 하겠습니다. 또박또박 고칠 것은 고쳐 나가겠습니다. 결코 개혁의 고삐를 늦추지 않겠습니다. 다 못하는 일이 있더라도 그 토대만은 분명히 다져 놓겠습니다. 국민을 분열시키는 정치가 아니라 국민의 힘을 하나로 모으는 정치, 국민을 걱정시키는 정치가 아니라 국민이 진정한 주인이 되는 정치를 만들어 가겠습니다. 개혁과 통합, 처음 약속 그대로 한 발 한 발 전진해 가겠습니다. 많은 진통이 있었지만 우리는 앞으로 나아가고 있습니다. 정치가 달라졌습니다. 정부가 변하고 있습니다. 경제와 외교·안보도 안정궤도에 들어섰습니다.

자신 있습니다. 여러분과 함께라면, 국민이 한데 힘을 모으면 못해 낼 것이 없습니다. 희망과 자신감을 가집시다. 전진하는 역사에 대한 믿음, 국민에 대한 무한한 신뢰를 가지고 힘차게 나아갑시다. 정치의 새로운 지평을 열어 나갑시다. 여러분이 바로 그 주역입니다. 다시 한번 여러분 모두에게 한없는 애정과 감사를 드리며, 여러분의 건승을 기원합니다.

감사합니다.

제8차 세계화상대회 축사

2005년 10월 10일

존경하는 황멍푸 중화전국공상업연합회 주석, 원국동 대회 조직위원장, 각국의 중화총상회 회장과 내외 귀빈 여러분,

세계화상대회를 진심으로 축하드립니다. 한국을 찾아 주신 여러분께 우리 국민이 보내는 따뜻한 환영의 인사를 전합니다. 우리는 그동안 여러분이 이룩한 성공신화를 잘 알고 있습니다. '화상 상권에는 해가 지지 않는다.'는 말이 있듯이 화인 경제인 여러분은 세계 경제의 가장 영향력 있는 주체로 떠올랐습니다. 여덟번째 맞는 이 대회도 이제 세계적인 비즈니스 축제로 자리잡았습니다. 이처럼 뜻깊은 행사를 대한민국 서울에서 개최하게 된 것을 기쁘게 생각하며, 한국중화총상회와 대회 관계자 여러분, 그리고 참석하신 모든 분들께 감사의 말씀을 드립니다.

참석자 여러분,

한국과 중국은 1992년 국교 수립 이후 무역과 투자, 문화 모든 분야에서 비약적인 관계발전을 이루어 왔습니다. 그동안 양국 간 교역은 무려 12배나 늘었고, 이제 중국은 우리의 최대 교역국이 되었습니다. 지난해에는 한국이 미국·일본보다 더 많은 금액을 중국에 투자했습니다. 이러한 변화는 결코 새삼스런 일이 아닙니다. 이미 양국은 수천 년에 이르는 교류와 우호친선의 역사를 가지고 있습니다. 그만큼 두 나라 국민은 가까운 이웃으로 지내 왔고, 서로에 대한 관심이 큽니다. 최근 한류(韓流)와 한풍(漢風)이 이를 잘 보여 주고 있습니다. 이제 한·중 간의 이러한 협력을 해외 화상으로까지 더욱 확대할 필요가 있습니다.

화인 경제인 여러분,

여러분이 한국과의 협력을 강화하고 투자를 늘려야 하는 이유는 분명합니다. 무엇보다 한국경제는 역동적입니다. 주식으로 따지자면 '성장주'라고 할 수 있습니다. 자동차·조선·철강 등에서 세계 최고 수준의 경쟁력을 갖추고 있고, IT·BT와 같은 첨단 분야의 발전도 괄목할 만합니다. 기업 경영에 필요한 인력과 정보화, 그리고 물류 인프라 또한 세계 어디에 내놓아도 손색이 없습니다.

외국인 투자 유치에도 지속적인 노력을 기울이고 있습니다. 인천·부산·광양 세 곳의 경제자유구역을 중심으로 외국인 생활환경을 획기적으로 개선하고, 조세감면 등 포괄적인 인센티브를 제공하고 있습니다. 이미 세계 500대 기업의 절반 이상이 들어와 있습니다. 한반도 안보 상황도 여러분의 사업에 걸림돌이 되는 일은 없을 것입니다. 지난달 제4차 6자회담에서 북핵문제 해결을 위한 큰 진전이 이루어졌고, 남북한 화해·협력은 그 어느 때보다 활발합니다. 앞으로 남북한을 잇는 철도와 도로가 TCR, TSR과 연결되면 동북아 물류·비즈니스 허브로서 한국의 투자가치는 더욱 높아질 것입니다. 개성공단을 비롯한 남북 경협사업도 여러분에게 또 다른 기회를 제공할 수 있을 것입니다.

내외 귀빈 여러분,

그러나 이 모든 것보다 한국이 협력 파트너로서 매력적인 이유가 있습니다. 바로 우리 기업인들입니다. 한국 기업인들은 오래 전 산업화를 이룩한 나라에 비해 훨씬 더 도전적이고 왕성한 의욕을 가지고 있습니다. 신용과 명예를 존중하는 여러분과 아주 잘 어울리는 친구가 될 것입니다. 한국의 기술력과 우수한 인력이 여러분의 자본, 글로벌 네트워크와 결합된다면 그 시너지 효과는 매우 클 것입니다. 또 이를 바탕으로 제3국 시장에 공동 진출하는 일도 가능할 것입니다. 한국 정부도 최선을 다해 뒷받침하겠습니다. 이번 대회가 한국과 화상 여러분이 더욱 가까워지고 국제사회에서 함께 성장하는 소중한 계기가 되기를 바라며, 한국에 머무시는 동안 즐겁고 보람된 시간 보내십시오.

감사합니다.

영남일보 창간 60주년 축하 메시지

2005년 10월 11일

안녕하십니까? 영남일보 창간 예순 돌을 진심으로 축하합니다. 대구시민 여러분, 그리고 경북도민 여러분께도 함께 축하 인사를 드립니다.

영남일보는 항상 알찬 정보와 공정한 보도로 독자들의 사랑을 받아 왔습니다. 특히 지역주의 극복과 균형발전에 앞장서 왔습니다. 이제 아침신문으로 새롭게 출발한 여러분의 노력이 더 큰 성공을 거둘 것으로 믿습니다. 대구·경북의 미래는 매우 밝습니다. 전자·철강 등 전통 주력산업의 토대 위에서 NT·BT와 같은 첨단산업이 빠르게 발전하고 있습니다. 무엇보다 경쟁력 있는 대학과 우수한 인적자원, 그리고 높은 혁신 의지는 대구·경북의 성공을 이끄는 원동력이 될 것입니다. 정부도 최선을 다해 돕겠습니다. 거듭 창간 60주년을 축하드리며, 영남일보의 무궁한 발전을 기원합니다.

제256회 정기국회 시정연설

2005년 10월 12일

존경하는 국민 여러분, 그리고 국회의장과 의원 여러분,

오늘 정부가 편성한 2006년도 예산안과 기금운용계획안을 정기국회에 제출하고 그 심의를 요청하면서, 국정운영 방향에 대해 말씀드리게 된 것을 뜻깊게 생각합니다.

의원 여러분,

참여정부가 반환점을 지나 후반기로 들어섰습니다. 돌이켜 보면 참여정부 전반기는 카드채와 신용불량자 문제, 내수 위축과 양극화 추세, 북핵위기, 정치·사회적 갈등구조 등 당면한 문제를 해결하면서 미래를 착실하게 준비해 온 시기였습니다. 무엇보다 신용위기 등 경제불안을 해소하고 경제 시스템을 정상화시키는 한편, 경제의 견실한 회복과 민생안정을 위해 노력해 왔습니다. 단기적인 성과에 급급하지 않고 원칙과 정

도에 충실해 온 결과 이제 우리 경제는 어려운 시기를 지나 점차 활력을 찾아 가고 있습니다. 인위적인 부양이 아니라 자생적인 회복을 이루어 가고 있는 것입니다.

종합주가지수가 2003년 초 600포인트 수준에서 최근에는 1,200포 인트를 넘어 역대 최고치를 기록한 바 있고, 물가는 3% 안팎에서 안정 되고 있습니다. 일자리도 2003년에는 3만 개가 줄어 고용 없는 성장이 우려되었으나 2004년에 42만개, 올해에는 8월 말까지 30여만 개가 늘 어나는 등 고용여건이 점차 개선되고 있습니다. 설비투자와 소비도 조금 씩 나아지는 모습입니다.

수출은 유가의 급격한 상승에도 불구하고 2004년에 2,500억 달 러를 돌파한 데 이어, 올해에도 지난 9월까지 전년 대비 12.4% 성장하 여 금년도 목표치인 2,850억 달러를 상회할 것으로 전망되고 있습니 다. 외환보유고도 2002년 말 1,200억 달러 수준에서 지난 9월말에는 약 2,100억 달러에 이르며 세계 4위를 기록하고 있습니다. 노사관계에 있 어서도 정부는 대화와 타협을 우선하되 법과 원칙에 따라 대응해 왔습 니다. 그 결과 노사분규 중심지표인 근로손실일수가 지속적으로 감소하 고 있으며, 특히 올해에는 35%나 감소하는 등 안정기조를 유지하고 있 습니다. 2002년 1만 1,500달러이던 1인당 국민소득은 올해 1만 6천 달 러에 이를 것으로 예상되고 있고, 이런 추세라면 참여정부 마지막 해인 2007년 1만 8천 달러대에 이를 것으로 전망됩니다. 참여정부는 앞으로 도 우리 경제가 강한 체질을 가지고 견고한 성장을 지속할 수 있도록 관 리하고 발전시켜 나갈 것입니다.

존경하는 국민 여러분,

정부가 역점을 두어 추진하고 있는 국가균형발전 전략도 본궤도에 올라섰습니다. 행정중심복합도시와 공공기관 지방이전계획 확정, 신활력지역과 기업도시 선정을 통해 지역 간 불균형을 해소할 수 있는 토대가 마련되었습니다. 사회갈등 문제도 대화와 타협을 통해 해결하는 관행을 정착시켜 가고 있습니다. 새만금사업 등 대형 국책사업에 대해 명확한 원칙을 가지고 관리하고 있으며, 19년을 끌어 왔던 원전센터 입지문제도 올해 안에 마무리할 계획입니다. 대외관계도 지혜롭게 풀어 왔습니다. 주한미군 재배치와 감축 문제, 용산기지 이전 등 한·미 간의 해묵은 현안을 해결해서 한·미동맹을 더욱 공고히 다져 놓았습니다. 북핵문제도 우리의 주도적 역할과 6자회담을 통해 해결의 실마리를 찾고, 한반도 비핵화를 위한 역사적인 전기를 마련하였습니다. 이 모든 일은 국민 여러분의 지지와 협조가 있었기에 가능했다고 생각하며, 국민 여러분께 깊은 존경과 감사의 말씀을 드립니다.

국민 여러분,

그러나 아직도 해결해야 할 과제가 많습니다. 명실상부한 선진국이 되기 위해서는 지속적인 경제성장과 더불어 사회 각 분야의 의식과 제도를 세계 수준에 맞게 선진화해야 합니다. 우선 중·장기적 시각을 가지고 국가경쟁력 향상을 위한 개혁을 지속적으로 추진해 나가야 합니다. 인적자원 개발과 과학기술 연구개발 분야에 대한 체계적인 계획과 투자로 지속적인 성장을 주도할 수 있도록 해야 합니다. 자유롭고 투명한 경제 시스템과 투자환경을 조성하여 선진 통상국가로서의 위상을 구축해야 합니다.

선진국에 비해 낙후된 것으로 평가받고 있는 교육환경, 노사관계, 의료 서비스 등에 대해서는 강도 높은 개혁을 추진해야 합니다. 튼튼한 사회안전망을 구축하여 사회적·경제적 약자들이 대한민국이라는 공동체의 일원으로서 정당하게 보호받고, 인간으로서 최소한의 품위를 유지할 수 있도록 의료·교육 등의 복지혜택을 제공해야 합니다. 장차 심각한 위협이 될 수 있는 저출산과 고령사회 문제에 대해서도 더 늦기 전에 대책을 세워 나가야 합니다. 아울러 사회 각 분야의 불합리한 의식과 관행을 혁신하는 데에도 많은 노력을 기울여 나가야 하겠습니다.

이 같은 과제를 지속적으로 추진해 나간다면 빠르면 2008년, 늦어도 2009년까지는 국민소득 2만 달러, GDP 1조 달러를 달성하고 국민 개개인의 기본적 삶의 질이 보장되는 선진 사회복지체계를 갖추게 될 것입니다. 정부는 이러한 의지를 2006년 예산안에 담았습니다. 재정의 건전성을 유지하는 가운데 미래 성장동력을 확충하고 양극화를 해소하는 등 꼭 해야 할 일들을 뒷받침하는 데 중점을 두었습니다. 정부의 정책 방향에 대해 의원 여러분의 적극적인 관심과 협력을 부탁드리며, 내년도 국정운영 내용을 분야별로 보고드리고자 합니다.

먼저 경제 분야에 대해 말씀드리겠습니다.

무엇보다도 경제 활성화에 최우선을 두고 국정을 운영하겠습니다. 공공 부문의 지출을 늘리고 민간자본 유치 등 종합투자계획도 확대해 나갈 것입니다. 각종 규제도 지속적으로 정비하여 기업의 투자환경을 개선하겠습니다. 제조업만으로 경제성장을 추진하는 데에는 한계가 있습니다. 성장과 고용창출의 새로운 동력이 필요합니다. 금년에 마련한 '서비스 경쟁력 강화방안'에 따라 서비스산업이 향후 우리 경제의 성장동력으로 자리매김할 수 있도록 적극 육성해 나가겠습니다.

도하개발아젠다 협상과 자유무역협정 체결 등을 통해 전 세계적으로 시장개방과 경제통합 움직임이 활발하게 전개되고 있습니다. 자칫 이 흐름에 뒤처질 경우 수출 의존도가 높은 우리나라는 심각한 어려움을 겪을 수도 있습니다. 정부는 ASEAN·일본 등과 자유무역협정을 내실 있게 추진하면서 미국·중국 등 거대 경제권과의 자유무역협정도 면밀하게 준비하겠습니다. 아울러 국내산업의 경쟁력 제고대책과 취약산업에 대한 보완대책도 함께 마련하겠습니다. 경제자유구역 개발을 본격화하고, 동북아 금융과 물류 허브 구축사업도 차질 없이 추진하겠습니다.

무한경쟁의 개방경제 체제하에서 경제의 기초체력을 강화하고 선진경제로 진입하기 위해서는 시스템을 선진화해야 합니다. 통합금융법 제정 작업에 착수하고, 자산운용업에 대한 규제를 완화하는 등 금융산업의 경쟁력을 강화해 나가도록 하겠습니다. 기업 지배구조도 시장상황을 감안하는 가운데 착실히 개선되도록 함으로써 투명하고 공정한 경제 시스템을 구축해 나가겠습니다. 공공 부문의 재정운영도 성과중심으로 전환하기 위해 이미 국회에 국가재정법안을 제출했습니다. 이와 더불어 특별회계와 기금을 정비하고 예산·회계 시스템을 디지털화하는 등 재정의 효율성과 투명성도 지속적으로 높여 나가겠습니다. 또한 기업과세를 선진화하고 복잡한 세제를 정비하는 등 경제성장을 뒷받침하는 방향으로 조세개혁도 추진하겠습니다.

존경하는 국민 여러분,

　최근 경제 양극화로 인해 생산성이 낮은 일부 중소기업들이 많은 어려움을 겪고 있습니다. 양극화는 세계적 현상이기는 하지만 이러한 추세가 계속되면 나라의 장래에 심각한 위협이 될 수 있습니다. 온 국민이 지혜를 모으고 양보와 협력을 통해 해결방안을 모색해 나가야 합니다. 정부는 성장가능성이 높은 혁신형 중소기업을 집중 육성하고, 한계기업의 원활한 퇴출 여건을 조성하여 중소기업 전반의 생산성과 경쟁력 향상을 견인하도록 하겠습니다. 불공정 거래와 불합리한 하도급 구조를 개선하는 등 대기업과 중소기업간 상생협력도 강화해 나가겠습니다. 올해 국제유가가 사상 최고치를 기록했고, 이 같은 고유가 추세는 당분간 지속될 것으로 보입니다. 원유를 전량 수입하는 우리나라의 경우 고유가는 경제 회복의 가장 큰 부담이 아닐 수 없습니다.

　중동 국가와의 협력관계를 지속하면서 비중동 국가와의 전략적인 협력을 통해 수입선을 다변화하겠습니다. 해외자원을 개발하고 신·재생에너지 보급도 2011년까지 총 에너지 소비의 5%까지 확대하겠습니다. 수요 측면에서는 에너지 절약시설 투자기업에 대해 융자·세제 지원을 강화하고, 고효율 기기 사용기업에 대해서는 장려금을 지급하는 등 에너지 이용효율을 높여 나가겠습니다. 정부부터 에너지 절약에 앞장서겠습니다. 국민 여러분의 적극적인 참여와 협조를 부탁드립니다.

존경하는 국민 여러분,

　지난 8·31부동산종합대책은 부동산 시장 안정을 위한 정부의 확고한 의지를 담고 있습니다. 올 상반기 불안한 모습을 보이던 부동산 시장은 8·31대책을 계기로 빠른 속도로 안정되어 가고 있습니다. 정부는 부동산 과다보유에 대한 세제를 강화하여 투기적 이익을 철저히 환수하고, 더 이상 우리 사회에 부동산 투기가 발붙일 수 없도록 하겠습니다. 이와 함께 실수요자가 큰 어려움 없이 내집을 마련할 수 있도록 양질의 주택을 충분히 공급하는 데 최선을 다하겠습니다. 특히 무주택 서민의 주거 안정을 위해 2012년까지 국민임대주택 100만 호를 건설하는 등 임대주택 공급을 확대하고 금융지원도 강화하겠습니다. 이제 부동산이 투기의 대상이 되고 집 없는 서민을 울리는 시대는 끝이 날 것입니다. 이번 부동산제도 개혁방안이 정기국회에서 조속히 처리될 수 있도록 의원 여러분의 적극적인 협조를 요청드립니다.

의원 여러분,

쌀협상 비준 동의안이 국회에 계류 중입니다. 금번 쌀협상 비준 동의안은 어려운 협상 여건에서도 관세화 유예를 10년간 추가 연장하는 등 정부가 최선을 다해 얻어낸 결과입니다. 국회 비준 동의가 늦어질 경우 금년도 의무이행이 불가능하게 되어 대외신인도가 저하되고 국제적 분쟁이 일어나는 등 국가적 손실이 막대할 것으로 예상됩니다. 정부는 '선 대책, 후 개방'의 원칙 아래 농산물 시장 개방 확대에 대응하여 마련한 농업·농촌 종합대책과 쌀농가 소득보전대책 등을 차질없이 실천하고 있습니다. 쌀협상 비준 동의 여부가 선진 통상국가로 나아가는 시험대가 되고 있습니다. 비준 동의안을 조속히 처리해 주실 것을 간곡히 요청드립니다.

다음은 교육·인적자원개발과 과학기술 분야에 대해 말씀드리겠습니다.

　21세기 지식기반사회에서는 교육·인적자원개발과 과학기술 연구
개발이 국가경쟁력의 원천이자 핵심 성장동력입니다. 대통령이 위원장
이 되는 국가인적자원위원회와 인적자원혁신본부를 설치하여 국가 인
적자원개발정책 추진체계를 새롭게 정비하겠습니다. 사회와 산업현장
에서 필요로 하는 인적자원과 연구성과가 대학의 교육과 연구에 반영될
수 있도록 국가 인력수급 전망체제를 구축하고, 산·학 협력을 공고히 해
나갈 것입니다.

　선진국과 비교할 때 우리의 대학경쟁력은 다른 부문에 비해 매우
뒤떨어져 있는 것이 사실입니다. 세계적 수준의 교육·연구성과를 내고
있는 1단계 BK21사업에 이어 2단계 BK21사업을 추진하겠습니다. 내
년부터 7년간 2조 1천억 원을 투자하여 고급인력을 양성해 나가겠습니
다. 금년 2학기부터 시작한 정부보증 대학생 학자금 대출제도인 '부모마
음 학자금 대출'을 계속 확대하여 앞으로 가정형편이 어려워 대학을 못
가는 일은 없도록 하겠습니다.

　초중등 교육을 정상화하고 공교육에 대한 국민의 신뢰를 회복하는
것도 시급한 과제입니다. 2008년 새로 도입되는 대입제도를 안정적으로
정착시켜 공교육을 정상화하고, 국가와 사회가 필요로 하는 다양한 인재
가 양성·배출되도록 하겠습니다. 평준화제도의 틀은 유지하면서도 학교
체제의 다양화·특성화를 통해 평준화의 문제점을 보완하겠습니다. 교원
양성·연수·평가 체제를 개선하여 공교육의 질을 높여 나가겠습니다.

　국가 인적자원개발 노력과 더불어 정부는 과학기술이 곧 국가경쟁

력이라는 인식하에 창조형 국가기술혁신체계(NIS)를 구축해 나가고 있습니다. 과학기술 부총리제로 행정체제를 개편하였으며, 국가 연구개발 예산도 연 10%이상 늘리는 등 투자를 확대하여 왔습니다. 체세포를 이용한 배아줄기세포 추출, 복제 강아지 스너피 탄생, 휴대 인터넷 개발 등의 연구 성과는 이미 세계적인 주목을 받고 있습니다. 차세대 이동통신, 지능형 로봇 등 미래 성장동력산업의 기술개발을 지속적으로 지원하고, 한국형 고속철도 등 대형 국가 연구개발 실용화 사업을 통해 연구성과를 기업현장에 활용함으로써 국민경제 활성화에 기여할 수 있도록 하겠습니다.

우리 다음세대에서도 경쟁력을 확보하기 위해서는 기술개발에 대한 선투자가 무엇보다도 중요합니다. 정부는 과학기술 국채 발행을 통해 투자재원을 대폭 확충하여 전략적으로 중요한 유망 기술 분야를 집중 지원하는 등 연구개발 투자를 지속적으로 확대해 나가겠습니다. 이를 바탕으로 우수한 과학기술 인재를 배출하고, 앞으로 10년 내에 세계 8대 과학기술 강국에 진입할 수 있도록 노력하겠습니다.

다음은 사회·복지 분야에 대해 말씀드리겠습니다.

1990년대 후반 외환위기를 극복하는 과정에서 우리 사회의 양극화가 심화되었고, 빠른 속도로 저출산·고령화가 진행되고 있습니다. 두 가지 모두 해결하기 어려운 과제입니다만, 정부는 의지를 갖고 대처해 나가겠습니다. 사회통합과 지속적인 성장을 위해 사회안전망 구축과 저출산대책을 포괄하는 '희망한국 21' 프로젝트를 추진할 계획입니다. 기초생활보장제도의 부양의무자 기준을 최저생계비의 130%까지 완화하여 수급대상자를 확대하겠습니다. '위기상황에 처한 자에 대한 긴급복지지원법'을 제정하여 예기치 않은 사고 등으로 위기에 내몰리게 되는 가정을 우선 지원하겠습니다. 의료·주거 분야 지원도 강화하겠습니다. 차상위계층 중 18세 미만 아동, 임산부, 장애인 등 16만 명에 대하여 단계적으로 의료급여를 확대하겠습니다. 2015년까지 다가구 매입임대를 5만 호로 확대하여 주거 안정을 지원하겠습니다. 저소득층이 일을 통해 빈곤을 탈출할 수 있도록 돕겠습니다. 자활사업 대상자를 금년 6만 명에서 2009년 10만 명까지 단계적으로 확대하고, 사회적 일자리도 금년 7만 개에서 내년에는 13만 개로 대폭 늘리겠습니다.

선진경제 진입을 위해서는 여성의 사회진출이 더욱 활성화되고, 저출산 문제도 시급히 해결해야 합니다. 출산과 육아에 대한 사회적 책임을 강화하고, 가정과 직장이 양립할 수 있는 방향으로 정책을 추진하겠습니다. 영·유아 보육료 지원대상과 보육시설을 확충해 나가는 한편, 산전·산후 휴가급여에 대해 정부 지원을 확대하고 육아휴직을 장려하겠습니다.

지난 40여 년 동안 경제성장을 이끌어 온 노인 계층에 대해 따뜻한 관심을 가져야 할 때입니다. 또한 고령화 추세를 감안할 때 노인 문제는 미래의 우리 문제이기도 합니다. 정부는 건강하고 보람 있는 노후생활을 보장하기 위하여 노인복지 전반에 대한 종합대책을 추진하겠습니다. 올 7월부터 치매·중풍 등 만성질환으로 고생하는 노인들을 위해 간병·목욕 등의 서비스를 공적으로 제공하는 노인수발보장제도가 시범 실시되고 있습니다. 2008년 7월에 전면 시행될 수 있도록 착실히 준비하겠습니다. 노인들의 지식과 경험을 활용할 수 있는 일자리를 확대하고 고령친화산업도 육성하겠습니다. 이러한 '희망한국 21' 프로젝트를 효율적으로 수행하기 위해 내년 7월 지방자치단체 민선 4기 출범 전까지 동사무소부터 주민복지·문화센터로 바꿔 일선의 사회복지 전달체계를 혁신하겠습니다.

존경하는 국민 여러분, 그리고 의원 여러분,

국민연금 개혁은 더 이상 미룰 수 없는 시급한 과제입니다. 우리의 국민연금제도는 1988년 도입 당시 3%의 낮은 보험료로 소득의 70%를 보장하는 구조적 문제점을 안고 시작되었습니다. 이러한 저부담·고급여의 문제점을 시정하기 위해 1998년에 국민연금법을 1차로 개정했습니다만, 당시 15대 국회에서 정치적 고려 때문에 불균형 문제를 해소할 수 있는 수준까지는 이르지 못했습니다. 이에 따라 정부는 지난 2003년 16대 국회에 국민연금법 개정안을 제출하였으나 논의조차 되지 못하고 폐기되었습니다. 2004년 17대 국회에 또다시 개정안을 제출했으나 아직까지 본격적인 심의가 이루어지지 않고 있습니다.

지금과 같은 구조로는 국민연금제도의 지탱이 불가능합니다. 더욱이 우리 사회의 노령화가 가속화되고 있어 더 늦기 전에 결단을 내려야 합니다. 정당이나 정치적 이해득실을 떠나 국회 내에 자문기구나 특별위원회를 조속히 설치하여 충분한 논의를 통해 범국민적 합의를 도출해 주실 것을 요청드립니다.

의원 여러분,

정부는 노사관계 법과 제도, 관행이 국제수준에 부합되도록 합리적이고 선진화된 노사관계 구축을 위해 노력해 왔습니다. 노사관계 법·제도 선진화를 위한 입법과제가 원활히 추진될 수 있도록 노·사·정 간의 심도 있는 논의와 국회차원의 협조를 요청드립니다. 우리나라 비정규직 규모는 외환위기 이후 빠르게 증가하고 있으며, 국제적으로도 상당히 높은 수준입니다. 정부는 비정규직 처우개선과 능력개발 등을 확대 지원하겠습니다. 하지만 비정규직 문제는 정부의 노력만으로 해결될 수 없습니다. 노·사·정 등 국민 모두의 양보와 협력이 필요합니다. 비정규직 보호법안이 국회에 제출된 지 1년이 되어 가고 있습니다. 비정규직에 대한 불합리한 차별시정과 처우개선을 위해 비정규직 보호법안을 조속히 처리해 주시기 바랍니다.

다음은 통일·외교·안보 분야에 대해 말씀드리겠습니다.

지난 9월 베이징 6자회담 공동성명 채택은 그간 한반도 평화를 위협해 오던 가장 큰 장애물을 걷어내는 의미 있는 성과였습니다. 정부는 긴밀한 한·미 공조와 남북대화의 기반 위에서 6자회담 합의사항 이행을 위한 후속조치를 빈틈없이 관리하고 수행하겠습니다. 이를 통해 한반도의 비핵화를 실현하고 평화체제를 구축해서 전쟁의 위험을 항구적으로 제거해 나가겠습니다. 나아가 동북아 평화구조를 정착시켜 나갈 것입니다.

한반도 평화체제와 동북아의 안보협력체제 정착은 우리의 생존과 번영 전략이자 반드시 실현해야 할 과제입니다. 자신을 지킬 수 없는 나라가 안정과 평화를 누린 일은 없습니다. 한반도 평화와 번영을 위해서는 무엇보다도 스스로를 지킬 수 있는 자주적 방위역량이 필요합니다.

정부는 '선진 정예강군' 육성을 목표로 국방개혁을 적극적으로 추진하겠습니다. 현대전 양상에 맞는 첨단전력 확보와 지휘체계 정비, 군 병력 기동화 등을 통해 군 구조를 선진국형으로 개편하겠습니다. 국방관리체제를 저비용·고효율 구조로 개선하겠습니다. 아울러 병영문화도 시대에 맞게 개선해 나가겠습니다.

광복 60주년과 6·15공동선언 5주년을 맞은 올해 서울과 평양에서 남과 북이 민족대축전을 함께 개최하는 등 남북관계에 큰 진전이 이루어지고 있습니다. 남북 장관급회담 등 각종 회의가 활발하게 열리고 이산가족 상봉이 이루어지고 있습니다. 개성공단에는 지금 4,600여 명의 북측 근로자와 500여 명의 남측 근로자가 함께 일하고 있습니다. 금강산 관광에 이어 북한의 주요 도시인 개성에까지 관광이 이루어지고 있습니다. 북한에 체류하는 대한민국 국민의 수가 최근에는 3천 명을 넘어섰습니다. 남북교역도 꾸준히 늘어 2002년 6억 4천만 달러에서 올해는 10억 달러에 이를 것으로 예상됩니다. 갑자기 흡수통합을 이룬 독일의 경험은 우리에게 많은 교훈과 시사점을 주고 있습니다. 해마다 1천억 달러를 구동독 쪽 주민에게 15년째 제공해야 하는 어려움을 겪고 있어 독일 경제의 활력을 크게 떨어뜨리고 있습니다. 우리는 앞으로 경제 분야 교류를 지속적으로 확대해 나가면서 군사 분야 교류도 활발히 추진해 나가야 합니다. 이를 통해 한반도 평화정착과 남북공동번영을 함께 추구해 나가겠습니다.

의원 여러분,

6자회담 과정에서도 확인했듯이 주변국과의 긴밀한 협력이 더욱 중요해지고 있습니다. 올해에는 한·미 방위비 분담금 협상과 주한 미 대사관 청사 이전 등 주요 현안이 타결되어 한·미관계가 더욱 공고해졌습니다. 앞으로 한·미 연합방위태세를 굳건히 하는 가운데 한·미관계가 상호 존중하고 협력하는 포괄적이고 역동적인 관계로 계속 발전할 수 있도록 더욱 노력하겠습니다. 중국·일본 등 주변국들과의 협력도 확대하겠습니다. 특히 한·일관계에 있어서는 올바른 역사인식에 기초한 미래지향적 관계를 구축할 수 있도록 외교적 노력을 계속하겠습니다. 우리는 동남아의 쓰나미와 미국의 카트리나 피해 지원에 적극 참여한 바 있습니다. 앞으로 국제사회에서 우리의 국가 이미지를 높이고, 국력에 상응하는 역할을 더욱 강화해 나가겠습니다. 국제사회의 책임 있는 일원으로서 개발도상국에 대한 해외 원조도 확대해 나가겠습니다. 오는 11월 부산에서 열리는 APEC 정상회의는 역내 21개국 지도자들이 한자리에 모이는 매우 의미 있는 국제행사입니다. 이번 회의가 한반도 평화와 안정, 아·태 지역의 지속적인 번영에 큰 전기가 될 수 있도록 준비에 만전을 기할 것입니다.

다음은 국가균형발전과 정부혁신에 대해 말씀드리겠습니다.

국가균형발전은 우리의 오랜 숙제였습니다. 수도권과 지방의 상생을 위해 참여정부가 중점적으로 추진해 온 국가균형발전사업을 이제 하나하나 구체화해 나가겠습니다. 행정중심복합도시 건설은 여야 합의로 제정된 법에 따라 착실하게 실행하고 있습니다. 도시 건설을 전담할 '건설청'을 신설하여 본격적으로 사업을 추진할 계획입니다. 100년 앞을 내다보는 한국의 대표적인 계획도시로 만들겠습니다. 금년 6월 정부는

175개 공공기관의 지방이전계획을 발표하고, 현재 혁신도시 입지를 선정 중에 있습니다. 내년에는 본격적으로 도시 건설에 착수할 예정입니다. 기업도시 건설도 차질 없이 추진하겠습니다. 이미 선정된 6개 시범지역에 역량 있는 기업의 참여를 유도하여 지역과 기업이 함께 발전할 수 있는 기업도시 모델을 만들겠습니다.

행정중심복합도시 건설과 공공기관 지방이전으로 수도권의 공동화를 우려하는 시각도 있습니다. 수도권은 국가 전체의 균형발전과 조화를 이루면서 성장해 나가야 합니다. 서울은 금융, 경기도는 첨단산업, 인천은 경제자유구역으로 특화하여 발전시켜 나가겠습니다. 수도권에 지식과 기술 중심의 첨단산업과 국제 금융·서비스 산업을 유치할 수 있도록 투자계획별로 타당성을 검토하여 추진하겠습니다. 토지이용규제도 단순화·투명화하는 등 합리적으로 개선할 것입니다. 정부는 오랫동안 외국 군대가 사용해 온 용산의 미군 반환부지를 세계에 내세울 수 있는 민족역사공원으로 조성하고, 김구 선생 등 독립지사들이 안장되어 있는 효창공원도 민족정기를 고양하는 독립공원으로 가꿔 나가겠습니다. 아울러 오랫동안 출입이 통제되었던 청와대의 뒷산인 북악산을 개방하여 서울시민의 품에 돌려 드리겠습니다. 수도권의 대기질도 선진국 수준으로 개선하여 살기 좋고 쾌적한 환경을 만들겠습니다.

지난 8월 고궁박물관 개관에 이어 10월 28일에는 세계 어디에 내놓아도 손색이 없는 국립중앙박물관이 개관합니다. 이를 계기로 문화·관광 산업도 집중 육성해 나가겠습니다. 이렇게 되면 서울을 포함한 수도권의 국제경쟁력과 삶의 질은 지금보다 크게 개선되리라고 확신합니다. 실질적인 지방분권을 실현하기 위한 제도 개선도 착실히 추진해 나가고자 합니다. 지역주민의 요구에 부응하는 치안행정을 펼치기 위하여 자치경찰제 도입이 필요합니다. 지방의 교육 역량과 주민에 대한 책임성을 강화하기 위해 지방교육 관련 의결기구를 일원화하고, 교육감 선출방식도 개선해야 합니다. 의원 여러분의 적극적인 협조를 요청드립니다.

정부는 그간 지속적으로 추진해 온 혁신을 가속화하여 국민이 체감하는 '일 잘하고 신뢰받는 정부'가 되도록 하겠습니다. 공무원의 생산성 향상과 전문성 강화를 위해 교육·훈련도 획기적으로 개선해 나가겠습니다. 주민과 최접점에 있는 지방자치단체의 혁신도 본격 추진하여 좀 더 질 높은 행정 서비스를 제공할 수 있도록 하겠습니다. 이번 국정감사는 권력형 부정부패나 비리 등 소위 '게이트'가 없는 정책국감이라는 긍정적인 평가를 받고 있습니다. 이는 의원 여러분의 성숙한 의정활동의 성과이며, 아울러 정부가 정경유착을 단절하고 투명한 행정을 위해 지속적으로 노력해 온 결과라고 생각합니다. 앞으로도 정부는 투명하고 깨끗한 정부 실현을 위해 공직사회의 부패를 근절하고 불합리한 관행을 계속 개선해 나가겠습니다. 우리 사회에서 정경유착을 통해 특혜를 받는 관행을 반드시 근절하겠습니다.

의원 여러분,

내년에는 동시 지방선거가 실시됩니다. 내년 선거에서는 지방의원 유급화 등에 따른 선거 과열과 혼탁을 걱정하는 목소리가 높습니다. 정부는 가용한 행정력을 최대한 동원하여 지방선거를 공정하고 철저하게 관리함으로써 17대 총선 이래의 돈 안 드는 선거문화를 확고히 정착시키겠습니다. 이를 위해서는 무엇보다도 의원 여러분께서 솔선수범해 주시는 것이 매우 중요합니다. 선진화된 선거문화의 정착과 더불어 우리에게 남은 과제는 국민의 뜻이 올바로 정치구조에 반영되는 선거제도를 창출하는 것입니다. 현행 선거제도가 국민통합을 이루기보다는 지역주의와 분열을 조장하는 요소가 있다는 것은 주지의 사실입니다. 이제 국가 장래를 위한 선거제도 개혁을 진지하게 논의해야 할 시점입니다. 효율적인 정치체제를 구축하여 국민통합을 이룰 수 있도록 선거제도에 대한 진지한 성찰과 고민이 필요합니다. 정치권과 국민 여러분께서 함께 지혜를 모아 주실 것을 부탁드립니다.

끝으로 내년도 재정운용 방향에 대해 말씀드리겠습니다.

2006년도 예산은 중장기 재원배분 원칙과 방향을 제시한 국가재정운용계획의 기조하에서 '미래 성장동력 확충과 양극화 완화'에 중점을 두고 편성했습니다. 특히 금년에는 국가의 역할과 지원이 필수적인 연구개발·사회안전망·교육 등의 분야에 중점적으로 배분하고, 시설투자사업은 종합투자계획(BTL) 등의 민간투자를 적극 유치하는 등 재정운용 방식을 선진국형으로 전환했습니다. 내년도 총수입은 금년 대비 5.9% 증가한 235조 6천억 원 수준입니다. 이는 세제개편과 정부가 보유한 공기업 주식의 일부 매각을 전제로 한 것입니다. 예산과 기금을 합친 총지출 규모는 금년보다 6.5% 증가한 221조 4천억 원 수준입니다. 세입 여건 등을 감안하여 경상성장률보다 다소 낮은 수준으로 결정하였습니다.

분야별로 배분 내용을 보고드리겠습니다.

우선, 미래 성장동력 확충을 위한 연구개발 분야에 금년 7조 8천억 원보다 15% 늘어난 9조 원 수준으로 대폭 확대·배정하였습니다. 미래 성장동력산업 육성, 대형 연구개발 실용화, 부품·소재 기술 개발 등 경제적 파급효과가 큰 사업을 중점 지원하겠습니다.

둘째, 사회복지 및 보건 분야에 금년의 49조 3천억 원보다 10.8% 늘어난 54조 7천억 원 수준으로 배분하였습니다. 기초생활보장 수급자 확대와 긴급 복지지원 실시 등 사회안전망을 강화하고, 육아지원 확대와 노인수발보장제도 도입 등 저출산·고령사회대책을 적극 지원하겠습니다.

셋째, 교육 분야 예산을 금년 27조 6천억 원에서 29조 1천억 원 수준으로 늘리고, 학교 신·증축, 대학 기숙사 건설 등에는 종합투자계획을 대폭 실시하겠습니다. 2단계 BK21사업, 대학의 특성화와 구조개혁, 부모마음 학자금 대출 등의 시책이 차질 없이 추진되도록 지원하겠습니다.

넷째, 국방 분야 예산은 금년 20조 8천억 원에서 22조 9천억 원 수준으로 9.8% 늘렸습니다. 국방개혁 추진과 장병 복무여건 개선을 적극 뒷받침하겠습니다.

다섯째, 국가균형발전특별회계 예산은 금년 대비 8.4% 증가한 5조 9천억 원 수준으로 편성하였습니다. 금년 말 종합부동산세 교부금 신설 등에 따라 지방이전 재원도 크게 늘어날 것입니다.

한편, 민간의 역할이 강화되어야 할 분야는 재정 확대 보다는 투자 내실화에 중점을 두었습니다. 수송·교통 분야는 공기업 자체 재원과 민간자본 등 다양한 재원을 활용하도록 하고, 수자원공사는 광역상수도 사업에, 한국공항공사는 지방공항 건설에 자체 재원을 적극 활용하도록 하였습니다. 농어촌 분야는 132조 원 규모의 투·융자 계획을 차질 없이 추진할 수 있도록 지원하고, 산업·중소기업 분야는 기술개발 및 인력양성과 관련된 사업을 중점 지원할 계획입니다. 종합투자계획은 하수관거 정비 등 국민생활에 긴요하나 투자가 느리게 진행되고 있는 사업을 위주로 대상을 확대하여 총 8조 3천억 원 규모의 투자가 이루어지도록 촉진해 나가겠습니다.

존경하는 국민 여러분,

우리 내부의 분열과 대립, 갈등이 계속되는 한 모두가 바라는 지속적인 성장도 선진국 진입도 요원할 수밖에 없습니다. 이제 갈등과 분열의 역사에 종지부를 찍고 국민통합의 새 시대를 열어 나가야 합니다. 우리 사회에는 양극화 해소, 노사문제, 국민연금 등 함께 고민하고 풀어 가야 할 여러 경제·사회적 의제들이 있습니다. 과거 스웨덴에서도 당면한 사회적 갈등을 극복하기 위한 사회협약을 체결하여 장기간의 경제발전과 사회안정을 실현한 바 있습니다. 또한 네덜란드·독일 등 많은 국가들이 이러한 사회협약을 통해 선진국가로 도약하는 계기를 만든 사례가 있습니다.

우리 사회의 경제·사회적 의제를 다룰 사회적 협의의 틀로서 경제계, 노동계, 시민단체, 종교계, 농민, 전문가와 정당 등이 참여하는 가칭 '국민대통합연석회의' 구성을 제의합니다. 이를 통해 정부의 노력만으로 해결할 수 없는 주요한 사회문제와 갈등에 대한 대타협이 이루어지기를 기대합니다. 국민 여러분의 적극적인 참여와 지지를 부탁드립니다.

존경하는 국민 여러분, 국회의장과 의원 여러분,

우리는 광복 이후 지난 60년 동안 정말 열심히 달려왔습니다. 끼니를 걱정하던 최빈국에서 세계 11위의 경제로 발돋움했습니다. 독재의 어둠을 딛고 일어서 모범적인 민주주의 국가를 건설했습니다. 이제 다시 한번 전진해야 할 때입니다. 새로운 역사를 창조할 충분한 역량을 가지고 있습니다. 새로운 선진한국을 실현할 확고한 의지를 가지고 있습니다. 우리 국민이라면 충분히 해낼 수 있습니다. 지역과 계층, 세대를 떠나 한마음 한뜻으로 힘을 모읍시다. 국민소득 2만 달러 시대, 명실상부한 선진한국의 역사를 열어 나갑시다.

경청해 주셔서 감사합니다.

농촌사랑 도농상생 한마당 축사

2005년 10월 13일

여러분, 안녕하십니까? 반갑습니다.

우리의 고향 농촌을 지키는 농업인 여러분, 정말 고맙습니다. 농촌을 아끼고 사랑하는 시민 여러분, 감사합니다. 농협 임직원 여러분, 수고 많으셨습니다. 여러분, 희망이 보입니다. 오늘 이 자리에서 여러분을 이렇게 만나 보니 '앞으로 잘되겠구나'하는 확신이 생깁니다. 농촌사랑 도농상생 한마당을 진심으로 축하드립니다.

참석자 여러분,

2년 전 우리는 농촌사랑운동의 첫발을 내디뎠습니다. 눈발이 날리던 추운 날씨 속에서도 수많은 분들이 기꺼이 뜻을 모아 주셨습니다. 안 된다고 움츠리지 않고 희망을 찾아 나섰습니다. 농촌을 살리는 길을 찾고 도시와 농촌을 이어 주는 든든한 다리를 만들어 왔습니다. '1사1촌'

자매결연 7천 건, 농촌사랑운동 참여시민 137만 명, 참으로 대단한 성과가 아닐 수 없습니다. 이제 도시와 농촌은 상생의 미래를 열어 가고 있습니다. 농촌은 새로운 기회와 활력을 얻고, 도시는 자연과 문화가 살아 숨쉬는 농촌의 매력에 눈을 뜨고 있습니다. 이 모두가 여러분이 함께 노력한 결과입니다. 다시 한번 깊은 감사와 격려의 말씀을 드립니다.

존경하는 농업인 여러분,

정부도 최선을 다하고 있습니다. 우리 농촌이 살고 농민이 성공할 수 있는 길을 반드시 찾아 나가겠습니다. 개방은 피할 수 없다 할지라도 개방의 파고를 이겨낼 수 있도록 할 수 있는 지원은 다 하겠습니다. 이미 농업·농촌 종합대책과 119조 원 투·융자 계획, 삶의 질 향상 5개년 계획을 마련해서 착실히 실천하고 있습니다. 쌀농가 소득보전 등 쌀산업 대책에 각별한 노력을 기울이고 있습니다. 규모가 있는 전업농과 친환경·고품질 농업을 육성해서 세계와 경쟁할 수 있도록 할 것입니다. 창의적 아이디어와 적극적인 노력이 있는 곳에는 더 많은 지원이 이루어질 것입니다. 유통구조를 개선하고 농산물 소비촉진운동도 더욱 확대해 나가겠습니다.

이와 함께 농촌을 교육·복지·의료가 잘 갖추어진 미래형 복합생활 공간으로 발전시켜 나가겠습니다. 농촌에 계신 어르신 여러분이 불안 없이 살 수 있도록 하겠습니다. 나아가 '5도 2촌'을 활성화해서 자라나는 아이들에게 농촌체험의 기회를 제공하고, 도시민과 은퇴한 분들도 농촌에서 보다 여유로운 생활을 누릴 수 있도록 할 것입니다.

여러분, 정부의 힘만으로 농촌문제를 다 해결할 수는 없습니다. 우리 모두가 손잡고 풀어 가야 합니다. 그 토대는 도시와 농촌 간의 사랑과 믿음입니다. 농업인들은 정성으로 농사를 짓고, 소비자는 사랑으로 우리 농산물을 찾는다면 모두가 만족과 보람을 얻게 될 것입니다. 여러분이 이미 성공의 길을 만들고 계십니다. 희망과 자신감을 가집시다. 함께 힘을 모아 도시와 농촌이 더불어 잘사는 시대를 열어 갑시다. 농촌사랑운동의 더 큰 발전을 기대하며, 여러분 모두의 건강과 행복을 기원합니다.

　　감사합니다.

APEC 상공회의소 총회 축하 메시지

2005년 10월 13일

APEC 상공회의소 총회를 축하드립니다. 2005 APEC의 도시 부산을 찾아 주신 여러분을 진심으로 환영합니다. 뜻깊은 행사를 준비해 주신 부산상공회의소와 관계자 여러분께 감사의 말씀을 드립니다.

아·태 지역은 전 세계 GDP의 절반 이상을 담당하고 있고, 지금도 5%내외의 성장을 계속하고 있습니다. 이러한 아·태 지역이 역동적인 성장을 지속하기 위해서는 민간차원의 교류·협력이 더욱 활성화되어야 합니다. 그런 면에서 이번 회의는 그 의미가 매우 크다고 하겠습니다. 상공인 간의 유대와 협력 네트워크 구축은 각자의 성공은 물론 아·태 지역의 공동번영을 실현하는 데 큰 힘이 될 것입니다. 이곳 부산은 활력과 인정이 넘치는 동북아시아의 관문입니다. 우의와 협력을 나누기에 더없이 좋은 곳입니다.

머무시는 동안 즐겁고 보람된 시간이 되시기를 바라며, 여러분 모두의 건승을 기원합니다.

제86회 전국체육대회 축사

2005년 10월 14일

존경하는 국민 여러분, 울산시민 여러분, 그리고 선수단 여러분,

여든여섯번째 전국체육대회의 개막을 축하합니다. 선수단 여러분, 연습 많이 하셨습니까? 오늘을 위해 땀 흘려 온 여러분의 노고를 치하합니다. 멀리 해외에서 오신 동포 선수단 여러분, 환영합니다. 특히 이번에 처음 참가한 중국 동포 선수단 여러분, 각별히 환영합니다. 박맹우 시장님을 비롯한 울산시민 여러분, 수고 많으셨습니다. 정말 훌륭하게 준비해 주셨습니다.

국민 여러분,

불과 30년 전만 해도 우리는 올림픽의 금메달 하나가 목표였습니다. 그러나 이제 우리는 세계의 스포츠 강국으로 자리잡았습니다. 올림픽과 월드컵, 유니버시아드를 모두 개최한 아홉번째 나라가 되었습니다.

월드컵 4강 신화는 아직도 우리 모두에게 큰 감동으로 남아 있습니다. 참으로 자랑스럽습니다.

우리 국민들의 희망과 자신감을 드높이기 위하여 전문체육의 경쟁력을 한층 강화해 나가겠습니다. 뿐만 아니라 국민의 건강과 삶의 질을 높이기 위하여 생활체육 활성화에도 더욱 힘쓰겠습니다. 선수는 선수로서 더 큰 자부심을 가지고 훈련에 열중하고, 국민 여러분은 즐거운 마음으로 함께 참여할 수 있는 여건을 만들어 가겠습니다. 이와 함께 2010년까지 스포츠·레저 산업을 세계 10위권으로 끌어올릴 것입니다. 부가가치가 높은 스포츠용품 개발, 스포츠·레저 산업 인프라 확충, 그리고 프로 스포츠 자립기반 강화 등에 최선을 다해 나가겠습니다.

존경하는 울산시민 여러분,

울산은 대한민국 경제발전의 요람입니다. 지금도 첨단기술과 수출산업의 중추도시로서 역동적인 발전을 계속하고 있습니다. 태화강에 연어가 돌아왔다는 말을 들었습니다. 조정과 카누 경기를 열 수 있을 정도로 깨끗해졌다는 말을 들었습니다. 정말 놀라운 변화입니다. 울산시민 여러분, 참으로 장한 일입니다. 세계에 내놓고 자랑할 만한 일입니다. 울산시민 여러분이 이뤄 내고 있는 큰 성공에 힘찬 격려와 축하의 박수를 드립니다.

선수단 여러분,

여러분 모두 승리하십시오. 최선을 다하십시오. 정정당당하게 승부하십시오. 그러면 모두 승리자가 될 것입니다. 그리고 다정하고 든든한 친구가 될 것입니다. 우리 국민은 힘찬 박수로 응원할 것입니다. 다시 한번 축하드립니다. 즐거운 시간 되시기 바랍니다.

감사합니다.

부산대학교 10·16민주항쟁 기념사업회
창립 축하 전문

2005년 10월 16일

부산대학교 10·16민주항쟁 스물여섯 돌을 뜻깊게 생각하며, 기념사업회 창립을 진심으로 축하합니다.

10·16민주항쟁은 유신독재를 무너뜨린 자랑스러운 역사입니다. 청년학생들이 보여 준 용기와 열정이 지금 우리가 누리는 민주주의의 밑거름이 되었습니다. 이제 그날의 숭고한 뜻을 되새기며 대화와 타협, 상생과 통합의 성숙한 민주주의 시대를 열어 나가야 하겠습니다.

기념사업회의 큰 발전과 여러분 모두의 행복을 기원합니다.

한국 항공우주 및 방위산업 전시회 개막식 축사

2005년 10월 18일

여러분, 안녕하십니까?

항공우주 및 방위산업 전시회 개막을 축하드립니다. 세계 각국에서 오신 방위산업 관계자와 기업인 여러분을 진심으로 환영합니다. 올해는 24개국 225개 업체가 참가해 역대 최대규모라고 들었습니다. 항공은 물론 지상과 해상 분야까지 포괄하는 명실상부한 방위산업 종합박람회로 자리잡은 것입니다. 이처럼 큰 행사를 위해 애써 오신 관계자 여러분께 감사와 격려의 말씀을 드립니다.

참석자 여러분,

우리의 항공우주·방위 산업은 그동안 눈부신 발전을 이루어 왔습니다. 국산무기 개발을 시작한 지 불과 30여 년 만에 세계 열두번째로 초음속항공기를 생산하는 나라가 되었습니다. 오는 2007년에는 전남 고

홍에 우주센터가 완공됩니다. 방위산업 수출도 1975년 47만 달러에서 1천 배 가까이 늘어나 지난해에는 4억 달러를 넘어섰습니다. 품목도 단순부품에서 전차와 미사일·항공기 등 최첨단 완성장비로 고도화되었습니다. 이번 행사에서 선보이는 T-50 고등훈련기나 K-9 자주포는 세계 어디 내놓아도 손색이 없는 우수한 장비들입니다. 특히 첨단과학기술의 결정체인 T-50 고등훈련기는 성능과 가격 모든 면에서 세계 최고 수준이라고 자부합니다. 이 모두가 방위산업 관계자 여러분의 헌신적인 노력 덕분이라고 생각하며, 거듭 감사의 말씀을 드립니다.

참석자 여러분,

방위산업은 자주국방의 토대이자 차세대 성장동력입니다. 특히 항공우주 산업은 부가가치가 높은 첨단산업으로서 전후방 파급효과와 성장잠재력이 매우 큽니다. 정부는 강력한 의지를 가지고 이들 산업을 육성해 나갈 것입니다. 국방 연구개발에 대한 투자를 지속적으로 확대하고, 그 성과가 국내 산업에까지 파급될 수 있도록 민간 부문과의 연계도 더욱 강화해 나갈 것입니다. 수출 기회를 확대하기 위한 해외 마케팅도 적극 지원해 나가겠습니다. 우리의 우수한 IT 인프라와 과학기술 인력은 방위산업 육성의 든든한 기반이 될 것입니다.

내외 귀빈 여러분,

항공우주·방위 산업의 발전을 위해서는 국가 간 협력도 매우 중요합니다. 다양한 분야의 지식과 기술, 그리고 대규모 자본이 결합되었을 때 그 시너지효과는 매우 클 것입니다. 그런 점에서 이번 행사에 거는 기대가 큽니다. 활발한 정보 교환과 비즈니스를 통해 상호협력의 기회를 넓히고, 한국의 방위산업 역량과 가능성을 직접 확인하는 계기가 되기를 바랍니다. 다시 한번 개막을 축하하며, 여러분 모두 즐겁고 보람된 시간 보내십시오.

감사합니다.

바세스쿠 루마니아 대통령을 위한 만찬사

2005년 10월 18일

존경하는 바세스쿠 대통령 각하, 그리고 귀빈 여러분,

각하와 일행 여러분의 방한을 진심으로 환영합니다. 먼저 루마니아가 올해 수차례의 호우로 많은 피해를 입은 데 대해 깊은 위로의 말씀을 드리며, 하루속히 복구될 수 있기를 기원합니다. 루마니아는 1989년 체제전환 이후 민주주의와 시장경제를 성공적으로 발전시켜 오고 있습니다. 지난해 8.3% 고도성장과 41억 유로의 외자유치를 달성하고 올해에는 EU 가입조약에도 서명했습니다. 또한 유엔안보리와 유럽평의회 의장국을 맡은 것은 루마니아의 높아진 위상을 잘 보여 주고 있습니다. 각하께서 추진해 온 부패척결과 경제개혁 노력도 큰 성과를 거두고 있다고 들었습니다. 혁신을 통해 루마니아의 새로운 도약을 이끌고 계신 각하의 지도력에 경의를 표합니다.

귀빈 여러분,

수교 15년째를 맞은 양국 관계는 더욱 빠르게 발전하고 있습니다. 지난해 두 나라 간 무역이 70%나 늘어났고, 올 들어서는 오페라·영화 등 문화교류도 활성화되고 있습니다. 오늘 정상회담은 이러한 실질협력을 더욱 확대하는 전기가 될 것입니다. 경제·통상과 교육·문화, 그리고 국제무대에서의 협력이 한층 더 활발해질 것으로 기대합니다. 특히 이번에 서명한 경제과학기술협력협정 개정의정서와 IT협력 양해각서는 그 좋은 토대가 될 것입니다.

2007년 EU 가입을 앞두고 있는 루마니아에 대한 우리 기업의 관심도 큽니다. 이미 루마니아 개방 초기부터 자동차·전자·조선 등에 적극적으로 투자해 왔습니다. 지리적으로 전략적 요충에 있고 높은 교육수준을 가지고 있는 우리 두 나라는 서로에게 매우 좋은 파트너가 될 것입니다. 우리 기업에 대해 각별한 관심을 보여 주신 각하와 루마니아 정부에 감사드리며, 앞으로도 변함없는 지원을 부탁드립니다.

귀빈 여러분,

각하의 건승과 루마니아의 무궁한 번영, 그리고 양국 국민의 우정을 위해 축배를 들어 주시기 바랍니다.

감사합니다.

제60주년 경찰의 날 치사

2005년 10월 21일

여러분, 60주년 경찰의 날을 진심으로 축하드립니다.

제가 7분짜리 치사를 준비했습니다만, 지금 얇은 간이 우의를 입고 7분을 견디시기에는 날씨가 너무 좋지 않습니다. 줄여서 말씀드리겠습니다.

저는 여러분을 믿습니다. 그리고 매우 자랑스럽게 생각합니다. 세계에서 가장 안전한 나라가 우리 대한민국입니다. 특히 경찰 영역에서 책임지고 있는 분야가 제일 안전합니다. 이것은 바로 여러분의 자랑입니다. 여러분이 많은 굳은일을 맡아 하고 계십니다. 그 과정에서 여러분이 겪는 많은 어려움들에 대해서 저는 잘 알고 있습니다. 여러분뿐만 아니라 여러분 가족들이 겪고 있는 어려움에 대해서도 잘 알고 있습니다. 경찰 가족들이 여러 가지 어려움을 견디면서 일을 잘할 수 있도록 이렇게 뒷바라지해 주고 격려해 주신 데 대해서 다시 한번 감사의 말씀을 드립니다.

특히 여러분께 더 큰 믿음을 가지게 된 것은 여러분이 변화하고 있기 때문입니다. 매우 빠르게 변화하고 있습니다. 국민 만족도가 아주 빠른 속도로 높아지고 있습니다. 아직도 좀더 달라져야 할 분야가 남아 있다고 생각합니다만, 그 정도 속도이면 여러분이 국민을 위해서 충분히 노력하고 있는 것이라고 긍정적으로 평가해 주고 싶습니다. 물론 저의 이 격려에는 '그럼에도 불구하고 속도를 좀더 냅시다. 좀더 잘합시다.'라는 당부가 함께 들어 있습니다. 여러분, 대통령으로서도 제 임기 동안 여러분이 최선을 다해서 일 잘할 수 있도록 뒷받침 하겠습니다. 뒷받침에 최선을 다하겠습니다. 우리 국민들에게 더 좋은 서비스를 할 수 있도록 함께 노력합시다.

감사합니다.

사전에 준비한 연설문

전국의 15만 경찰관과 전·의경 여러분, 그리고 내외 귀빈 여러분,

경찰 창설 예순 돌을 진심으로 축하합니다. 오늘 이렇게 믿음직한 여러분의 모습을 보니 우리 경찰의 앞날이 더욱 밝을 것이라는 확신을 갖게 됩니다. 참으로 마음 든든합니다. 온 국민과 더불어 여러분의 노고를 치하합니다. 아울러 이 자리를 빌려 경찰관 아내와 가족 여러분께도 고맙다는 인사를 전합니다. 가족 나들이 한번 마음 편하게 하지 못하고, 늘 걱정하는 마음으로 뒷바라지하고 계신 것을 잘 알고 있습니다. 각별

한 위로와 격려의 말씀을 드립니다.

우리 경찰은 지난 60년 동안 시대 변화와 국민의 요구에 부응하며 꾸준히 발전해 왔습니다. 인권의식과 봉사자세가 몰라보게 향상되었고, 경찰에 대한 국민의 신뢰도 크게 높아졌습니다. 한때 권력의 도구라는 비난을 받은 적도 있지만, 이 또한 많이 달라졌고, 과거사 진상규명까지 원만하게 해내면 국민의 신뢰는 더욱 두터워질 것입니다. 이제 경찰서 앞에 가면 오금이 저리는 국민은 없을 것입니다. 많은 국민들이 곤경에 처할 때마다 경찰부터 찾고 있습니다. 경찰이 국민의 친근한 벗이 되고 있는 것입니다. 민생치안에도 최선을 다해서 올 들어 범죄가 11.8% 감소했고, 교통사고 사망자도 참여정부 출범 이후 지속적으로 줄고 있습니다. 사이버 수사에 있어서도 외국에 첨단기법을 전수할 만큼 앞서 가고 있습니다. 저는 이처럼 하루가 다르게 변화하고 있는 우리 경찰에 대해 다시 한번 치하의 박수를 보냅니다.

경찰관 여러분,

그러나 여기에 안주해서는 안될 것입니다. 아직도 바꾸고 개선해야 할 일들이 많습니다. 끊임없는 혁신으로 업무 효율성과 국민의 치안만족도를 더욱 높여 나가야 합니다. 여러 장애요인을 극복하고 도입한 스쿨폴리스 제도나 보름 이상 걸리던 고소사건 처리를 단 몇 시간 내로 단축시킨 것도 그 좋은 사례 중의 하나일 것입니다. 지금 잘하고 있습니다. 앞으로 더욱 분발해서 정부혁신을 선도하는 견인차가 되어 주기를 당부합니다.

친애하는 경찰관 여러분,

아직도 우리 사회 구석구석에는 반칙과 특권이 사라지지 않고 있습니다. 여러분은 이를 결코 용납해서는 안됩니다. 강자에게 당당하고 약자에게 부드러운 경찰이 되어야 합니다. 특혜나 부정한 방법으로는 그 어떤 시도도 성공할 수 없다는 것을 분명히 보여 줘야 할 것입니다. 경찰은 또한 국민이 마음 놓고 생업에 종사할 수 있도록 민생치안을 더욱 강화해야 합니다. 서민생활을 위협하고 사회적 약자를 괴롭히는 범죄, 특히 조직폭력, 학교폭력, 위해식품 등에 대해서는 강력하게 대응해서 반드시 근절해 주기 바랍니다.

아울러 우리 경찰은 공권력에 대한 침해와 물리적인 공격에 단호하게 대처해야 할 것입니다. 지금은 투쟁해야만 권익을 지킬 수 있는 독재 시대가 아닙니다. 얼마든지 적법하고 평화적인 방법으로 할 수 있습니다. 불법적인 집단행동은 명분이 무엇이든 간에 결코 용인될 수 없습니다. 여러분은 민주주의를 지킨다는 당당한 자세로 사회질서와 국민의 안정된 삶을 확고히 지켜 주기 바랍니다. 그러나 경찰의 힘만으로는 안됩니다. 우리 모두가 함께 노력해서 대화와 타협의 민주주의 문화를 뿌리내려야 합니다. 그래서 불필요한 치안수요를 줄이고 경찰이 위험에 내몰리는 일이 없도록 해야겠습니다.

전국의 경찰관 여러분,

세계 21개국 정상이 모이는 APEC 행사가 20여 일 앞으로 다가왔습니다. 우리 경찰은 국제행사 때마다 성공적으로 임무를 완수해 세계의 칭찬을 받아 왔습니다. 이번에도 테러와 각종 사고에 완벽하게 대비해 줄 것으로 믿습니다. 한국이 세계에서 가장 안전한 나라라는 것을 다시 한번 보여 주는 기회로 삼읍시다.

　존경하는 국민 여러분, 그리고 내외 귀빈 여러분,

　우리 경찰에게 힘찬 응원의 박수를 보냅시다. 국민 여러분의 애정과 신뢰보다 더 큰 격려는 없을 것입니다. 저와 정부도 지금까지 해 온 것처럼 처우와 근무여건 개선에 지속적인 노력을 기울일 것입니다. 경찰관이라는 사실이 큰 자랑과 긍지가 될 수 있도록 최선을 다해 지원하겠습니다. 다시 한번 경찰의 날을 축하드리며, 여러분 모두의 건승과 행복을 기원합니다.

　감사합니다.

강원일보 창간 60주년 축하 메시지

2005년 10월 24일

강원일보 창간 60주년을 진심으로 축하합니다. 임직원과 독자 여러 분께도 축하 인사를 전합니다.

강원일보는 오랜 연륜을 가진 대표적인 지방언론답게 지역발전과 올바른 여론 형성에 크게 기여해 왔습니다. 개최하는 문화행사마다 도민들의 큰 호응을 얻고 있다고 들었습니다. 강원도야말로 균형발전 시대의 주인공이 될 것입니다. 관광과 문화산업의 중심지로, 생명건강산업의 메카로 성장잠재력이 매우 큽니다. 주5일 근무와 남북협력의 진전으로 발전 속도는 앞으로 더욱 빨라질 것입니다. 강원일보가 그 선도적인 역할을 해 줄 것으로 믿습니다.

다시 한번 창간 60주년을 축하드리며, 강원일보의 더 큰 발전을 기원합니다.

새전북신문 창간 5주년 축하 메시지

2005년 10월 25일

　새전북신문 창간 다섯 돌을 진심으로 축하합니다. 임직원과 독자 여러분께도 축하 인사를 전합니다.

　새전북신문은 언론개혁이라는 창간정신에 걸맞게 지역언론 발전에 크게 기여해 왔습니다. 특히 깊이 있는 분석과 풍부한 지역소식으로 전북도민의 많은 사랑을 받고 있습니다. 전라북도는 환황해권 시대의 신산업·물류 중심으로 거듭나고 있습니다. 기업도시나 태권도공원 등 새로운 발전 전기가 마련되고 있고, 기업들의 투자도 크게 늘고 있습니다. 가장 희망적인 것은 전북의 높은 혁신의지입니다. 지역의 혁신주체들이 함께 전략을 세우고 잘 실천해 가고 있습니다. 2007년 개최되는 세계물류박람회는 그 좋은 사례입니다. 앞으로 새전북신문이 이러한 지역의 혁신역량을 모으는 데 더 큰 역할을 해 주실 것으로 믿습니다. 정부도 전북

발전을 힘껏 지원하겠습니다.

　　다시 한번 창간 5주년을 축하하며, 새전북신문의 큰 발전을 기원합
니다.

국립중앙박물관 개관식 축사

2005년 10월 28일

　존경하는 국민 여러분, 그리고 내외 귀빈 여러분,

　참으로 웅장하고 아름답습니다. 한마디로 굉장합니다. 첫삽을 뜬 지 8년 만에 이 경사를 맞이합니다. 오래 기다렸던 만큼 감동 또한 큰 것 같습니다. 국립중앙박물관 개관을 온 국민과 더불어서 축하드립니다. 오늘이 있기까지 열과 성을 다해 오신 문화예술계와 박물관 관계자 여러분, 그리고 공사 관계자 여러분, 정말 수고 많으셨습니다. 큰 치하의 박수를 드립니다.

　내외 귀빈 여러분,

　우리 민족은 반만년의 자랑스러운 문화전통을 만들어 왔습니다. 수많은 외침 속에서도 문화적 정체성을 그대로 유지하면서 다양한 문화를 받아들여 새롭게 창조해 냈습니다. 이처럼 위대한 문화유산을 보존하고 발전시키는 일은 우리의 책무입니다. 그런 점에서 세계 어디에 내놓아도 전혀 손색이 없는 박물관을 갖게 된 것은 참으로 뜻깊은 일이라 하겠습니다. 새 박물관은 문화민족의 자긍심을 보여 주는 상징이 될 것입니다. 우리나라를 방문하는 외국인들이 가장 먼저 찾는 명소로서 자라나는 우리 아이들이 역사와 문화를 배우는 산 교육장으로서 그 역할을 다하게 될 것입니다. 이 같은 뜻을 가진 박물관이 이곳 용산에 자리잡았다는 사실 또한 매우 뜻깊은 일입니다. 이곳은 지난 한 세기 동안 청나라와 일본, 그리고 미국의 군대가 주둔했던 자리입니다. 이제 머지않아 미군기지가 이전하면 이 자리에 민족역사공원이 들어서게 될 것입니다. 새 박물관은 바로 그 한가운데서 우리의 역사와 문화를 증언하는 민족자존의 전당으로 우뚝 서게 될 것입니다.

새 박물관은 또한 문화예술과 문화·관광 산업의 수준을 한 단계 더 높이는 중요한 인프라가 될 것입니다. 21세기는 '문화의 세기'라고 합니다. 이제 문화는 우리의 삶을 더욱 풍요롭게 할 뿐만 아니라 국가경쟁력을 좌우하는 밑천이 되기도 있습니다. 문화적 자산과 창조력에 관한 한 우리는 자신감을 가져도 좋을 것입니다. 영화나 드라마·음악·게임 등 여러 분야에서 이미 그 우수성을 인정받고 있습니다. 잘 가꾸어 나간다면 얼마든지 세계에서 앞선 나라가 될 수 있는 것입니다. 정부는 문화와 문화산업 발전에 집중적인 노력을 기울이고 있습니다. 지난 7월에 발표한 문화·관광 산업 육성계획을 차질 없이 추진해서 2010년까지 세계 5대 문화산업 강국에 이르도록, 그리고 외래 관광객 1천만 명 시대에 도달하도록 노력할 것입니다. 순수예술과 전통문화 진흥에도 최선을 다해 나가겠습니다.

국민 여러분,

국립중앙박물관이 광복 이후 여섯 차례나 이전해야 했던 안타까운 역사는 이제 막을 내렸습니다. 그러나 이곳을 우리 국민 모두가 즐겨 찾는 문화공간으로 만드는 일은 지금부터 시작이라고 할 수 있습니다. 후손들이 자랑할 수 있는 유산을 더 많이 채워 넣는 일 또한 지금 우리가 해야 될 일입니다. 우리 함께 노력해서 세계에 자랑할 만한 박물관을 만들어 냅시다. 이곳 용산에 조성될 민족역사공원과 함께 세계 속에 한국의 역사와 문화를 상징하는 명물로 만들어 갑시다. 다시 한번 박물관 개관을 축하하며, 여러분 모두의 건강과 행복을 기원합니다.

감사합니다.

11월

코리아타임스 창간 55주년 축하 메시지

2005년 11월 1일

코리아타임스 창간 55주년을 진심으로 축하합니다. 임직원과 애독자 여러분께 따뜻한 인사를 전합니다.

코리아타임스는 가장 오랜 연륜을 가진 우리나라의 대표 영어신문입니다. 독재정권 시절에는 우리의 인권상황을 가감 없이 보도하여 민주화를 앞당기는 데 기여했고, 지금 이 시간에도 대한민국을 세계에 알리는 창으로서 큰 역할을 하고 있습니다. 지금은 세계와 함께 호흡하며 무한경쟁을 벌이는 시대입니다. 국가 이미지야말로 돈으로 환산할 수 없는 경쟁력의 핵심요소가 되고 있습니다. 글로벌 스탠더드를 지향하며 착실히 미래를 준비해 가고 있는 우리의 노력이 제대로 알려질 때 선진한국은 더욱 앞당겨질 것입니다. 코리아타임스의 역할이 중요합니다. 우리의 역동적인 변화와 역량을 널리 소개하여 세계 속에 한국의 위상을 높이는 데 더욱 앞장서 주기 바랍니다.

특히 이번 부산 APEC 정상회의에서도 공식 영어신문으로서 큰 활약을 보여 줄 것으로 기대합니다. 창간 55주년을 거듭 축하하며, 무궁한 발전을 기원합니다.

제3회 자율관리어업 전국대회 축하 메시지

2005년 11월 4일

제3회 자율관리어업 전국대회를 진심으로 축하드립니다. 어업인 여러분의 노고에 감사와 격려의 말씀을 드립니다.

어업인 여러분, 많이 힘드시지요? 그러나 낙담하지 마십시오. 우리는 어떤 어려움 속에서도 항상 희망을 일구어 왔습니다. 이번에도 반드시 새로운 도약의 기회를 만들 수 있을 것입니다.

저는 자율관리어업에서 그 희망을 봅니다. 4년 전 63개이던 자율관리어업공동체가 올해 300개소를 넘어섰습니다. 이제는 어선어업과 광역단위로까지 확대되고 있습니다. 어업인 스스로 바다를 관리하면서 새로운 아이디어로 경쟁력을 높여 나간다면 수산업의 미래는 결코 어둡지 않을 것입니다. 우리 어촌도 살기 좋고 활력 넘치는 미래형 복합생활공간으로 탈바꿈하게 될 것입니다.

정부도 최선을 다해 지원하겠습니다. 수산업 발전대책을 차질 없이 추진하고, 도시·어촌 간 상생기반을 조성해 나가겠습니다. 무엇보다 수산자원을 회복시키고, 안전한 먹을거리를 국민에게 제공하는 데 더욱 노력하겠습니다. 자율관리어업은 스스로 만들어 가는 희망의 길입니다. 반드시 성공시켜 어업과 어촌의 밝은 미래를 열어 갑시다. 이번 대회를 거듭 축하드리며, 여러분 모두의 건승을 기원합니다.

베르호프스타트 벨기에 총리를 위한 만찬사

2005년 11월 7일

존경하는 베르호프스타트 총리 각하, 그리고 귀빈 여러분,

각하와 일행 여러분의 방한을 진심으로 환영합니다. 아울러 오늘부터 시작된 각하의 아시아 4개국 순방이 매우 유익한 여정이 되시기를 바랍니다. 벨기에는 우리의 오랜 우방입니다. 6·25전쟁 당시에는 3,500명이 참전하여 수많은 젊은이들이 고귀한 생명을 바쳤습니다. 외환위기 때에도 유럽 국가 중 가장 먼저 투자사절단을 보내 주었습니다. 우리는 벨기에 국민의 숭고한 헌신과 성원을 결코 잊지 않고 있습니다. 깊은 감사의 말씀을 드립니다.

총리 각하,

벨기에가 지금까지 이룩해 온 성취는 참으로 놀랍습니다. 여러 가지 면에서 유사점이 많은 우리에게 좋은 본보기가 되고 있습니다. 먼저

우리는 유럽통합에 앞장서 온 벨기에의 적극적인 역할을 높이 평가합니다. 2001년 의장국으로서 EU 헌법조약 교섭의 기초가 된 '레켄 선언'을 주도했고, 이제는 명실상부한 유럽의 정치적 중심지로 발전했습니다. 국민소득 3만 4천 달러의 선진경제를 일으킨 벨기에의 저력도 부러움의 대상입니다. 물류기반과 투자환경, 인적자원 등은 세계 최고 수준이라고 들었습니다. 작은 영토와 부족한 자원을 기술과 두뇌로 극복한 좋은 모델입니다.

우리는 이와 함께 벨기에의 국민통합 노력에서 많은 시사점을 얻습니다. 다양한 언어와 민족 사이의 갈등을 수준 높은 정치력으로 풀어 냈고, 이것이 '작지만 강한 나라'를 만드는 또 하나의 토대가 되었다고 생각합니다. 벨기에의 이러한 노력은 우리의 국가전략과 대부분 일치합니다. 우리는 지금 기술혁신과 인재양성을 통한 선진한국 건설, 사회갈등 해소, 그리고 평화와 번영의 동북아 시대를 위해 최선을 다하고 있습니다. 그런 점에서 오늘 각하와의 정상회담은 매우 유익했습니다. 양국 관계를 미래지향적인 협력관계로 발전시키는 계기가 되었습니다. 여러 분야에서 실질협력이 더욱 확대될 것으로 믿습니다. 지난 7월 체결된 사회보장협정에 이어 오늘 개정에 합의한 투자보장협정이 그 토대가 될 것입니다.

내외 귀빈 여러분,

총리 각하의 건승과 벨기에의 무궁한 번영, 그리고 양국 국민의 우정을 위해 축배를 들어 주시기 바랍니다.

감사합니다.

소방의 날을 맞아 소방관에게 보내는 서신

2005년 11월 8일

안녕하십니까? 마흔세번째 소방의 날입니다.

지금 이 시간에도 재난과 응급구조 현장에서 최선을 다하고 계신 여러분께 감사의 마음을 전하고자 이 편지를 보냅니다. 우리 국민들이 위급할 때 가장 먼저 찾는 것이 바로 '119'입니다. 여러분은 어떤 위험 속에서도 국민의 생명과 재산을 지키는 파수꾼 역할을 다하고 있습니다. 여러분 덕분에 우리 모두가 안심하고 생활할 수 있습니다. 정말 고맙고 자랑스럽게 생각합니다.

재난의 형태가 다양해지고 있습니다. 예측하기 어려운 대형 자연재해와 테러위협까지 더해지고 있습니다. 안전은 삶의 질의 기본이고 국가경쟁력까지 좌우합니다. 우리의 재난관리체제를 더욱 발전시켜 가야 하겠습니다. 무엇보다 사전예방이 중요합니다. 미리미리 점검해서 최소한 인재(人災)라는 말은 나오지 않도록 해야 합니다. 재난과 사고가 발생했을 때 피해를 최소화할 수 있는 역량도 한층 강화해 나가야 하겠습니다. 지난해 출범한 소방방재청이 그 중심적인 역할을 해 줄 것으로 기대합니다. 여러분의 고충을 잘 알고 있습니다. 과중한 업무로 건강조차 돌보기 어렵고, 재난현장에서 생명의 위협까지 느끼는 경우도 많을 것입니다. 가슴 졸이며 하루하루를 보내는 여러분의 가족을 생각하면 대통령으로서 늘 미안한 마음입니다.

처우개선이 더 많이 이루어지도록 힘쓰겠습니다. 인력을 지속적으로 보강하고 장비 현대화에도 각별한 관심을 기울여 나갈 것입니다. 특히 여러분에 대한 안전조치와 불의의 사고에 대비한 보상체계는 확실하게 갖추어 나가겠습니다. 우리 함께 노력해서 대한민국을 세계에서 가장 안전한 나라로 만들어 갑시다. 다시 한번 소방의 날을 축하하며, 여러분의 건강과 행복을 기원합니다.

중앙공무원교육원 신임관리자과정 강연

2005년 11월 9일

반갑습니다.

오늘 한국호의 선장과 여러분이 만났습니다. 같은 배를 타고 있죠? 내가 보기에 여러분을 비유한다면 선원 자격인 것 같습니다. 지금은 책임이 가장 무거운 내가 주인 같은 자리에 있는 것처럼 보이죠? 그러나 주인은 국민이고, 나는 선장입니다. 지금은 내가 중심에 있는 것처럼 보이지만 2년 반이 지나면 나는 보따리 싸서 가고, 여러분은 이 대한민국호의 아주 책임 있는 선원으로 남습니다. 나는 손님이고, 여러분은 주인입니다. 사명감에 불탈 것은 노무현이 아니고 바로 여러분입니다. 그래서 사명감에 불타는 여러분을 만나 대한민국의 미래에 대해서, 그리고 여러분의 미래에 대해서 지금부터 얘기하려고 합니다.

저는 1975년에 사법연수원에 들어가서 1977년 8월에 연수를 마치고 9월 7일 판사로 처음 발령을 받았습니다. 사법연수원 2년 교육과정 동안 판결문 쓰는 건 열심히 교육받았지만 나머지는 대충 받았습니다. 그런데 여러분 교육과정을 보니까 마치 군대훈련이나 극기훈련 비슷하게 아주 호되게 받는 것 같기도 하고, 내용도 굉장히 알찬 것 같습니다. 사실 지나고 보면 좋은 일이든 궂은일이든 젊은 시기에 경험했던 것이 정말 약이 되고 밑천이 되지 않는 것이 없습니다. 여러분 시기에 받은 모든 것은 아주 강하게 새겨져 있습니다. 아무 일 없이 거쳤던 것도, 까마득한 지난날의 일도 어느 때 부닥쳐서 갑자기 머리에 떠오릅니다. 그것이 생각을 다듬고 판단하고 행동하는 데 큰 밑천이 됩니다. 교육과정을 대충 받으신 분들은 지금이라도 마음속에 다시 다져 넣으십시오. 어떤 교훈보다도 중요한 것입니다.

대통령이 살아온 과거에 대해서 고백을 하라는 것이 제일 많은 요청이라고 해서 지금부터 저의 과거를 고백하겠습니다. 누군가를 이해하려면 그의 말을 듣는 것보다는 그가 걸어온 길을, 살아온 행적을 한번 돌이켜 보고 판단하는 것이 좋습니다. 그 사람이 한 일을 모두 찬성할 수는 없겠지만 얼마나 진실하냐 하는 것이 제일 중요한 문제 아니겠습니까? 지금부터 여러분께 진실하게 제 과거를 고백하겠습니다. 한 가지 더 얘기하면 사람은 참 편리해서 잘못된 것은 다 잊어버립니다. 절반만 듣는다고 생각하십시오.

어릴 때 배운 인생의 목표는 훌륭한 사람이 되는 것, 여러분과 똑같죠? 무엇이 훌륭한 사람인가? 성공한 사람, 예를 들면 큰 권력이 있는 지위에 오른 사람, 돈을 많이 번 사람, 명예를 얻은 사람, 정직하고 부지런하고 용기 있는 사람이 훌륭한 사람이고, 남을 위해서 희생하고 헌신한 사람, 이런 사람이 훌륭한 사람이라고 학교에서 배웠습니다.

20대에 와서 고시를 준비하면서 철학을 만났습니다. 철학공부를 하고 싶어서가 아니고 법학공부를 하기 위해서 준비과정으로 철학에 입문했는데, 거기 그럴듯한 말들이 많아서 그때부터 인생이 무엇인가, 어떻게 살아야 되는가에 대해서 골똘하게 생각했습니다. 갈 길이 바빠서 더 깊이 생각하지 못하고 또 생각한 것을 실행하지 못하고 그냥 그렇게 지나왔습니다. 관념적 사상의 모색, 뭐 이렇게 볼 수 있겠죠? 그랬습니다. 그리고 고시에 합격했습니다. 여러분도 고시에 합격했습니다. 변호사를 개업한 것은 별 뜻이 없습니다. 판사 생활이 좀 답답한 것 같았습니다. 내가 뭔가를 만드는 것이 아니고 남이 한 일을 사후적으로 평가한다는 것이 지금 생각해 보면 굉장히 의미가 있는데, 그때는 어쩐지 답답했습니다. 내가 뭔가 새로운 질서라든지 그 무엇을 만들어 나가야지 매일 남 지나간 얘기만 듣고, 그것도 밝고 즐거운 얘기는 별로 없고…. 지금 생각해 보면 매우 중요한 일인데, 그때는 답답해서 변호사로 개업했습니다.

고달프게 사는 사람이나 고통스럽게 사는 사람, 또는 억압받는 사람들과 조우를 하게 되고, 실제로 정직하고 부지런한 사람이 성공할 수 있는 것이 맞는가? 성공한 사람은 결국 남을 지배하는 사람 아닌가? 때로는 고통받는 사람들, 그 뿌리를 찾아 들어가 보면 결국 성공한 사람이 고통을 주는 자리에 있는 경우도 참 많고, 또 직접은 아니더라도 내 스스로 서 있는 자리가 우리가 만들어 놓은, 아니 앞사람들이 만들어 놓은 사회구조의 수혜가 아닌가, 그런 생각을 하게 됐습니다. 많은 사연이 있지만 다 줄여 버리면 이렇습니다.

그리고 어느 날 위인전집을 사서 아이 방에 들여놓고 누워서 그 책장을 가만히 보고 있는데, 거기 나와 있는 사람이 모두 위인인가 했더니 위인과 영웅은 다른 것 같더라고요. 다 같이 막강하게 성공한 사람이지만, 적어도 위인이라고 하려면 남에게 고통을 주지는 않은 사람이어야 될 것 아니냐, 역사의 수많은 사람들에게 불행과 고통을 안겨 준 사람은 빼야 될 것 아닌가? 그러고 보니까 거기 있는 사람 중에 상당히 많은 숫자가 위인에서는 빠져야 되겠는데, 그럼 그런 사람들은 뭐냐? 영웅이라고 해 두자. 그럼, 영웅이 남긴 역사의 발자취는 과연 뭔가? 그런 생각을 하게 됐습니다. 어릴 때 수없이 가난한 사람, 힘없는 사람을 위해서 살겠다고 했던 맹세, 고시에 1등 합격한 사람의 합격기나 인터뷰에는 반드시 '가난한 사람들을 위해서 무료 봉사를 하고 그들을 위해서 살겠다.'는 얘기가 나옵니다. 특히 변호사가 되고자 하는 사람, 의사가 되고자 하는 사람들이 그 말을 많이 하더라고요. 나도 기억에 그런 맹세를 한 것 같습니다.

명시적으로나 묵시적으로나 누가 나 보고 인터뷰하자고 안 했기 때문에 말할 기회가 없었을 뿐이지, 그 맹세는 다 어디로 갔는가? 회의, 갈등, 그리고 유신체제에 대한 분노, 그러나 그것은 지적 사치, 그리고 미안하니까 양심의 가책을 느낌으로써 자기를 달래는 자위의 한계를 벗어나지 못하는 것 아니었던가, 그렇게 살았습니다.

성찰은 있었으나 변화는 없었습니다. 내가 의문을 가진 그 문제에 대해서 양심이 발동해서 뭔가를 실천하려고 하면 그날부터 인생이 고달

픕니다. 내가 가지고 있는 많은 것들을 내놓고 포기해야 되는데, 그것을 할 수 있는 마음의 준비는 하나도 갖추어져 있지 않았다는 것이죠. 그러니까 입으로만 분개하거나 혼자서 끙끙 앓고 마는 수준이었습니다.

어느 날 새로운 사람들을 만났습니다. 이 사람들은 그 시기 독재체제에 저항하고 데모하고 잡혀가고 하던 사람들이었습니다. 숨어서 무슨 양서조합이라는 것을 만들어서 하던 그 사람들한테 약간의 돈을 지원하는 것으로 꽤 행복했습니다. 그 많은 마음의 부담을 그 일로 대강 덜어버릴 수 있었으니까요.

문제는 습관입니다. 새로운 삶을 선택할 수 있을 만한 아무런 준비가 없었습니다. 내 습관을 바꿀 만한 아무런 결단이나 결단을 해야 될 계기도 없었습니다. 그런데 이 사람들이 자꾸 도와 달라고 합니다. 어디 나와 달라, 어디 돈 좀 내라, 데모하는 데 앞장서 달라 해서 슬슬, 그러니까 사회를 불안하게 하는 과격 불순분자는 아니고, 그 옆에 따라다니는 사람이 됐습니다. 그러면서 이중생활을 했습니다. 변호사로서의 삶도 즐기고 또 나가서 싸움도 하고.

그런데 뒷조사를 당해서 잡혀가면 곤란하니까 그때부터 여러 가지 편법으로 하던 일들을 정리해야 되는 난감한 문제가 따라오게 됐습니다. 그때는 마구 뒷조사했습니다. 실제로 그 당시 변호사가 세금도 제대로 내지 않고 누가 사건 한 건 가지고 오면 알선수수료도 주고 그렇죠. 사례금도 규정보다 많이 받고, 걸면 걸릴 것이 많았어요. 그것 정리하고 괴로웠습니다.

밤중에 자는데 면회 가자고 불러대고, 면회 가서 밤에 잠도 못 자고 실컷 고생하고 오면 별로 고맙다는 소리도 안하고. 왜냐하면 고통받는 사람, 분노에 완전히 몰입돼 버린 사람은 주변에서 누가 도와줘도 고마운 것을 느끼지 못합니다. 자기가 받는 고통과 억울한 처지에 대해 완전히 빠져 버리기 때문에 변호사의 도움을 받으면서도 변호사라는 직업의 인간에 대한 불신과 증오감 같은 것을 가지게 됩니다. 특히 20대 젊은 사람들의 경우에는 더 그렇습니다.

그러니까 실컷 심부름해 주고 때로는 화풀이당하고 '이 짓을 왜 해야 하나?'는 생각을 할 때가 내 아이가 초등학교 5학년 때였던 것 같습니다. 꼽아 보니까 8년 지나면 내 아이가 대학교를 가야 되고, 대학교에 가서 내가 부닥친 상황과 똑같은 상황에 부닥쳐야 할 텐데, 그 아이는 어떤 선택을 해야 하는가? 아버지처럼 유신헌법이나 달달 외워 가지고 또 고시공부를 해야 되는가? 아니면 불의와 부정에 과감히 항거하는 양심 있는 젊은이가 되어야 할 것인가? 그 당시는 어떻든 항거해야 된다고, 그것이 옳은 것이라고 그렇게 생각했습니다. 그때 그래서 이런 결심을 했습니다. '아비가 대신하자.' 그렇게 진짜 순수하게 내 아이를 위해서 인생을 걸기로 했습니다. 부정(父情)은 아주 용감한 것이라는 것을 그때 알았습니다. 아이를 사랑하는 부모는 무슨 일이든지 할 수 있습니다.

많은 사람들이 내 아이는 그럭저럭 그런 불행한 일을 당하지 않고 잘 지낼 것이라는 안이한 생각들을 하면서 인생을 살고 있습니다. 설마 우리 아이가, 그런 생각 자체를 피하는 것이죠. 그래서 우리 아이가 대학교를 들어가기 전에 '이 정권을 무너뜨리자. 독재를 무너뜨리자. 당신들이 망하지 않으면 내가 망하는 거다. 망할 때까지 하자.' 그렇게 해서 그냥 그렇게 소문난 인생을 살게 됐습니다. 다 아는 일이고, 동기에 관해서만 내가 새롭게 말씀을 드리는 것입니다.

6월항쟁이 끝나고 6·29선언이 있었습니다. 그때까지 세상을 바꾸자고 했던 많은 사람들이, 선거를 통해서 점진적으로 세상을 바꾸자고 하는 사람들과 밀어붙인 김에 한꺼번에 밀어붙여 버리자, 말하자면 봉기를 통해서 정권을 무너뜨리고 새로운 정부를 수립하자는 사람들, 이 두 개의 노선으로 갈라져 버렸습니다. 그 전까지는 '무조건 싸우자.' 이것만 알았는데, 그때가 되니까 차이가 있었습니다. 한참 동안 공부를 한 뒤에야 그게 무슨 차이인지 알게 됐습니다.

저는 거기에 대해서 별 생각은 없었고, 노동자들이 그때까지만 해도 구박을 받는 쪽이었으니까 노동자를 위해서 국회로 가자, 계기는 이렇습니다. 다른 사람이 구속돼 있을 때 제가 변호사이기 때문에 면회를 갈 수 있는 특권이 있었어요. 그게 그렇게 좋았습니다. 그런데 1987년 11월에 저의 변호사 자격이 정지돼 버렸습니다. 정지되고 구속돼 있는데, 국회의원 한 사람이 면회를 왔습니다. 변호사도 아닌데 면회를 왔어요. 그 당시는 구속돼 있는 사람 면회를 갈 수 있다는 것이 대단히 유용한 투쟁의 무기였습니다. 그래서 국회의원 한번 해 보자.

그때 마침 검찰에서 저를 구속시키는 영장을 세 번씩이나 청구했다가 기각돼 버린 것이 밑천이 됐습니다. 그게 큰 사건이 돼서 당시 신문 사회면에 크게 났습니다. 그때 제 생각은 '이만큼 났으면 온 세상 사람들이 다 알겠지. 국회의원 하면 안되겠나?' 그렇게 생각했습니다. 나중에 국회의원 나가 보니까 별로 아는 사람이 없었어요. 세상이라는 것이 자기중심으로 돌아가는 것처럼 생각하기 쉽지만, 실제로 부닥쳐 보면 내가 살고 있는 세상은 극히 일부에 불과하다는 사실을 뼈저리게 느끼게 됩니다. 어쨌든 그렇게 착각하고 '가자 국회로.'

정치로 고치자, 혁명과 투쟁의 노선에 대한 회의 이런 것들이 많이 있었습니다. 그 뒤에 국회의원이 되고 운동 진영은 분열했고, 노동자 주도노선이 세를 얻고, 배타적 자주노선 또한 세를 얻고, 그 사이에 노선 갈등이 많고 혼선이 있는 가운데 정치에 나간 사람은 변방의 인사가 되었습니다. 하여튼 주력부대도 아니고 전위는 물론 아니고 뒤에서 거들어 주는 보조적 부대, 이런 것으로 분류돼서 국회의원 노무현이 설 땅은 별로 없었던 것 같습니다. 그래서 좀 밀렸죠. 물론 아무도 밀어낸 사람은 없습니다만, 제가 동경하고 있는 것은 노동자들과 함께하는 것이었는데 별로 쳐주질 않는 바람에 자연히 밀렸고, 3당합당이라는 새로운 상황이 발생했습니다. 지역분열의 구도라는 것이 구조화됐습니다.

소위 사회변혁이라고 하는 우리들의 진로에 커다란 장애가 발생한 것입니다. 1987년 대통령 선거 때 전국의 지역이 네 개로 갈렸다가 다시 1990년 3당합당을 통해서 전국의 지역이 세 개는 한 당으로 합치고 호남은 따돌렸죠. 그것이 1990년 3당합당입니다. 그래서 새로운 지역구도 만들어졌죠.

1980년대 초반에 「외채, 무엇이 문제인가」라는 책이 있었습니다. '우리나라 금융자산의 40%를 10대 재벌이 다 가져다 쓴다. 5대 재벌이 시장을 100% 독점하고 있다. 중소기업 다 죽는다.' 등등의 얘기들이 있었습니다. 그런데 3저 호황을 거치고 1990년대 들어서면서부터 외채와 독점의 문제가 점차 이슈에서 사라지기 시작했습니다. 외채와 독점문제 얘기를 하고 농민가를 부르고 노동자 투쟁가를 부르던 사람들로서는 이것이 혼란스러웠습니다. 우리가 그때 사회적 모순이라고 부닥쳤던 문제는 이제 다 지난 일이 돼 버리고, 새로운 문제에 부닥친 것입니다.

거기에 대해서 또 새로운 해답을 모색해야 되는데, 그때 새로 부닥친 문제가 세계화·정보화 이런 것이죠? 그리고 경제 질서로 이미 관치경제의 시대를 지나서 1980년대 후반, 1990년대 와서는 금융을 매개로 국가경제를 간접적으로 관리하던 시대로 변해 버렸고, 개방은 돼 버렸고, OECD에 가입했고, 이런 변화 과정에서 그야말로 1980년대 초반에 팸플릿 몇 개, 책 몇 권에 의지해 왔던 단순한 우리들의 논리가 이제 현실과 맞지 않게 되는 상황에서 굉장히 많은 혼란을 겪었습니다.

그래서 민주주의 과제, 그리고 경제·사회의 과제도 변화했습니다. 민주주의의 과제는 직선 헌법을 쟁취하는 것, 이 한마디였습니다. '독재 끝내자, 대통령 우리 손으로 직접 뽑자.' 이것 한마디로 압축돼 있었죠. 그 이후의 민주주의 과제라는 것은 이제 '특권, 그들만이 누리는 권리, 그들만이 보는 유리벽을 걷어내자.' 이런 것이었죠. 가장 전형적인 것이 국정원이 나를 들여다보는 것 같고, 또 정권에게 고분고분하지 않는 사람에게는 국세청이 언제든지 뒷조사를 할 수도 있고, 검사는 또 항상 특별한 권력을 가지고 있게 되고 하는 그런 문제들, 그리고 정경유착 이런 등등이 우리 사회의 주제로 많이 바뀌었습니다. 그래서 인식과 전략도 변화해야 되고 그렇게 하면서 제가 하는 일은 주로 개혁, 그리고 통합, 통합의 핵심적 내용은 지역구도를 어떻게든 극복하는 이런 것이었습니다. 그렇게 하다 보니까 그냥 대통령이 됐습니다.

　　이건 있습니다. 국민들이 기대를 하는 무엇이 있었을 것입니다. 바보 같은 짓을 계속했기 때문입니다. 원칙과 명분을 중시하고, 어떻든 일관된 길을 온 것 아니냐 등등 끊임없이 명분을 축적했습니다. "저 사람 누구고?" "응, 옛날에 인권 변호사란다. 옛날에 노동자들 많이 도와준 사람이란다." 꽹장히 유리한 밑천이었던 것 같습니다. "그 사람 왜 김영삼 총재 안 따라 갔나, 배신자." 이렇게 말하는 사람도 있었지만, 더 많은 사람들이 참 아깝다고 했죠. 뻔하게 질 줄 알았다고 하면 잊어버릴 텐데 사람들이 선거할 때는 꼭 될 것 같이 생각해요. 꼭 될 것 같다가 떨어져 버렸지만, 그렇게 분위기를 잡아 준 유권자들, 제가 고맙다고 말하지 않을 수 없죠. 여론조사할 때 떴으니까, 그 덕분에 보는 사람들이 애석해 했으니까요.

　　가능성이 없었던 도전은 3당통합, 야당통합, 부산 동구, 가능성 있었던 도전은 부산시장 출마, 그리고 2000년 부산 강서구 출마. 왜 이것을 구분했냐 하면 내가 돈키호테는 아니라는 것입니다. 말하자면 명분 있는 일도 가능한 일을 할 때 사람들이 신뢰를 갖는 것 아니냐? 그래서 아무리 좋은 명분도 역시 현실을 토대로 하고 가능성 있는 어떤 경로를 선택할 때라야 비로소 그것이 사람들에게 의미 있게 전달된다는 것입니다. 이것은 중요한 문제입니다. 그래서 진지하고 현실성 있는 태도, 오로지 명분만 가지고 혼자 방방 뛰는 정치인들은 X표 치십시오. 뭔가 말이 되는 얘기들을 하자. 제가 한 게 말이 안되는 것 같기도 하고 그렇게 본 사람들도 많았지만, 지나고 생각해 보면 최소한의 비빌 언덕은 있었다는 점이 있습니다.

그렇게 하다 보니까 대통령이 돼 버렸습니다. 요새 여론조사를 해 보면 잘못한대요. 그래서 제 친구들에게 "당신들 나 때문에 얼마나 피곤하냐?" 그렇게 말합니다. 제 친구인 줄 아는 사람들에게 "대통령 만나서 잘하라고 해라. 똑똑히 좀 하라고 해라." 이렇게 하니까 대통령은 직접 못 만나고 제 친구들만 시달립니다.

그래서 제가 얼마 전까지는 '길고 짧은 것은 대 봐야 안다. 조금 가 보자. 아직 1년밖에 더 됐냐? 아직 2년밖에 더 됐냐?' 이렇게 대답하라고 친구들한테 주문을 했어요. 근데 지금 보니까 이제 꽤 시간이 됐는데도 전혀 여론이 안 달라져요. 그래서 이제 길고 짧은 것은 대 보자는 말은 못하고, 요 며칠 전에 청와대에 초청받아 온 우리 동문들에게 "나 때문에 많이 시달리지요?" 하니까 "말도 마소." 그래서 제가 이번에는 "나빠진 것이 뭐냐고 말하십시오. 잘못한 것이 뭐요? 말씨가? 대통령이 말씨 가지고 대통령 하는 거요, 이렇게 말하십시오. 지표로 말합시다. 우리 경제가 더 나빠진 것이 있으면 책임질게요." 등등. 딱 한 가지 찔리는 것이 있습니다. 양극화 지표는 아직도 나빠지고 있습니다. 나머지 지표는 다 좋아지고 있습니다. 자신 있습니다.

이 얘기를 왜 하나? 제가 하고 싶은 얘기는 '그래도 제가 대통령이 됐다는 사실만으로도 세상 달라진 게 얼마냐.'는 거죠. 저를 지지했던 사람들은 불만이거든요. '뭐가 달라졌냐?'고요. 그렇습니다. 내 처지에서 보면 많이 달라졌고, 그분들 입장에서 보면 별로 달라지지 않았습니다. 이게 우리의 고민입니다.

우리 정부가 활용할 수 있는 자원, 돈과 사람이죠. 이것이 있어야 서비스를 할 수 있지 않겠습니까? 돈과 서비스는 절대적으로 부족합니다. 미국식 경제냐? 유럽식 경제냐? 여러분도 대개 그런 정도의 고민은 하고 계시죠? 아마 그럴 것입니다.

대개 예를 들면 스웨덴은 GDP의 58%가 정부 재정입니다. 프랑스는 GDP의 52%가 정부 재정입니다. 영국은 아마 44% 정도 될 것입니다. GDP 대비 정부 재정지출을 가지고 얘기하면 미국은 36%, 일본은 37%, 한국은 27% 정도입니다. 처음 듣죠? 나도 대통령 되고 2년 반만에 들은 얘기입니다. 우리 공무원들의 문제의식이 이 보고를 대통령이 된 사람한테 2년 반 지나서 해 주는 수준이다, 이것이죠. 조세부담률 19%, 국민부담률 25%, 일본이나 미국하고는 비슷하고, 유럽하고는 다르다, 이렇게만 착각에 빠져 있었습니다.

이것이 우리가 가지고 있는 자원의 한계입니다. 이 한계를 가지고 앞으로 우리가 부닥쳐야 되는 우리 사회의 많은 문제들을 감당해 나가야 됩니다. 저출산 시대, '출산을 해라.' '어떻게 하면 출산하냐?' 희망이 있어야 출산을 하죠. '희망 21' 프로젝트를 우리 총리가 만들고 했지만 아이를 낳아 볼까 생각하는 사람은 아주 적고, 더 많은 여성들은 그런다고 아이를 낳느냐고 합니다. 낳으면 보육단계에서 아이 키울 걱정, 교육단계에서 사교육비 뒷감당할 걱정, 그 다음에 쭉 지나서 장가보낼 걱정, 노후에 어떻게 살까 하는 걱정, 지금 우리 한국의 현실로서는 이 문제에 대해서 누구도 자신 있게 대답할 수 없지 않습니까? "아이 낳으십시오. 노무현이 키워드립니다." 후보 때는 이렇게 큰소리쳤는데.

있는 돈 없는 돈 다 긁어서 보육예산으로 쏟아 붓고 있는데, 돈만 쏟아 붓는다고 되는 건 물론 아닙니다. 왜냐하면 보육시설이라는 것이 한꺼번에 세포분열하듯이 마구 막 불어나는 것은 아니니까요. 쓸 수 있으면 무조건 신청해라, 대신 잘라낼 예산 가져오라고 하면 알아서 다 잘라서 가져옵니다. 그 점에 있어서 우리 공무원들 재주가 비상합니다. 어디서 잘라내는지, 깻묵으로 사용하고 비료한다고 버리는데, 우리 공무원들이 한 번 더 짜면 기름이 또 나옵니다.

이 자원을 가지고 우리 수요를 충족해야 하기 때문에 많은 어려움이 있습니다. 그러니까 진보를 꿈꾸는 이 땅의 많은 사람들이 유럽을 바라보면서 유럽과 우리 한국이 가지고 있는 소위 사회의 안전수준에 대해서 불안이나 모자람을 느끼죠. 불만을 가지는 것도 이해하고 또 고민을 하고 있습니다. 이제 큰 틀을 바꾸지 않으면 이 문제를 해결할 수가 없는데, 아껴서 해결하는 것, 다른 예산을 줄여서 해결하는 것으로는 한계에 왔습니다. BTL까지 동원해 가지고 복지 분야라든지 사회안전망 예산을 늘리도록 할 수 있는 조치를 다했는데, 앞으로는 더 짜낼 게 별로 없습니다. 이제 거의 한계에 도달했습니다.

그러나 앞으로 저출산 시대, 고령화 시대, 그리고 연금. 연금문제가 왜 중요하냐? 연금이 어느 정도 보장돼 있을 때 사람들은 즐깁니다. 연금이 불안하고 신뢰가 안 갈 때에는 즐기지 않고 전부 저축을 합니다. 잘 아시다시피 국민들이 저축을 하면 옛날에는 투자할 수 있는 자본이 축적되니까 참 좋았는데, 지금은 자본은 과잉이고 소비가 늘지 않아서 소비시장이 살아나지 않으니까 누가 투자합니까? 악순환이 걸립니다. 소비 안 한다는 것이 보통 두려운 문제가 아닌데, 혼란스럽죠. 개인의 처지에서는 저축을 해야 하고, 그러나 나라 경제의 처지에서는 사람들로 하여금 어떻게든 소비를 시켜야 하는데, 결국 미래에 대한 보장, 이것이 소비를 하게 하는 중요한 메커니즘입니다. 알아서 하라고 하면 전부 돈을 재는 거죠. 이런 고민들이 있어서 연금문제, 이런 보장의 문제가 매우 중요합니다.

어떻든 그런 것들에 대해서 지금 우리나라가 너무나 수요를 충족하지 못하고 있기 때문에 기준에 미달하고 있기 때문에 아직 결론은 안 났습니다만, 대충 갖고 있는 문제의식은 약 9% 내지 10%입니다. 일본이나 미국보다도 우리 재정규모가 낮은데다가 미국은 그 재정의 52%를 전부 복지비로 쓰고 있고, 우리는 그 재정의 26%를 복지비로 쓰고 있으니 할 말 없습니다. 내가 대통령 되면 세상을 바꿀 것처럼 얘기를 했는데, 할 말이 없게 됐습니다.

그래도 지난번 선거는 대중적 민주주의의 실험장 아니었습니까? 나중에 정치 잘하고 못하는 것은 둘째로 두고, 그 선거과정에서 우리 국민들의 정치의식, 정치참여 행태가 얼마나 고양됐습니까? 그러니까 욕하지 마십시오. 대통령 거저 된 것이 아니라 아주 바람직한 방법으로 당선됐습니다. 물론 하자가 있는 것은 아시죠? 선거 잔금 1천억 원씩 남기고 그것으로 다음 총선 때 갈라 주고 이런 때도 있었는데, 거기에 비하면 우리는 참 잘했다 생각했는데, 법에 비추어 보니까 저도 큰소리를 못하게 돼 버렸습니다. 그런데 국민들이 저더러 나가라도 하지 않고 그냥 있으래요. 그래서 용서해 주시는가 보다 생각하고 그냥 대통령 하기로 했습니다. 대신 열심히 하겠습니다.

　내가 대통령이 되고 자랑스럽게 생각하는 얘기를 좀 하겠습니다. 자기PR의 시대니까요. 적어도 나는 당선보다 원칙을 선택했습니다. 그 일관성을 결코 잃지 않았습니다. 여러분이 다 아시는지 모르지만 대통령 선거 1주일도 안 남겨 놓은 그 절박한 상황에서 공동정부 제안을 거부했습니다. 그 당시 많은 사람들은 제안을 거부하면 선거에서 이길 수 없다는 판단을 하고 내 주변에 있는 사람 극소수를 제외하고는 공동정부 제안 받으라고 어떻게 압력을 넣는지…. 그때 내가 그랬습니다. "명분에 멱살을 잡힌 사람은 아무것도 할 수 없고 끌려다니고, 이렇게 하면 결국 신의를 저버리는 수밖에 없는데, 그렇게 해서는 나라가 안됩니다. 차라리 이회창 씨가 되는 게 낫습니다."

　성공의 비결이 뭐냐? 사즉생(死卽生)입니다. 죽는 길로만 갔는데 대통령이 됐습니다. 그렇다고 여러분 아무 때나 본받으려고 하지 마십시오. 진짜 죽어 버리는 수가 있습니다. 행운이 내 편에 서 있을 때, 그때는 사즉생의 길을 가야 합니다. 좀 가볍게 얘기했지만 저는 이것이 중요하다고 생각합니다. 말로는 사즉생 하면서 실제로는 사즉생 안 합니다. 죽을까봐 그냥 매달려 가지고, 다음 선거에서 떨어질까봐 바들바들 떨고. 제가 지켜 온 변함없는 원칙은 당선되는 것도 중요하지만 당선 자체가 진보라야 한다는 것입니다. 이념적 분류에 있어서 진보냐 보수냐 그런 것은 선을 어디에 긋느냐의 문제이고, 그냥 내가 말한 것은 동태적 관점에서 앞으로 나아가는 것을 진보라고 한다면 그건 당선 자체가 그냥 당선이 아니고 진보라야 한다는 원칙을 견지했습니다.

지금 내가 추구하고 있는 것은 뭐냐? 역지사지라는 것을 배우려고 합니다. 민주투사들에게 민주주의란 투쟁하는 것입니다. 지금 반부패운동, 반특권운동, 소위 민주주의운동이라고 할 때 민주주의는 투명하게 하는 것입니다. 대통령이 된 제 생각으로는 민주주의는 대화와 타협입니다. 왜 똑같은 민주주의를 가지고 그렇게 얘기하는가? 민주주의는 진화하기 때문입니다.

민주주의는 투쟁의 역사 속에서 성립된 것입니다. 쟁취된 것이지만 민주주의가 성숙해 가는 과정에서는 소위 투명성이 또 하나의 요구가 됩니다. 왜 투명성인가? 권력을 유지하고 남을 지배하는 첫번째 수단은 폭력으로 상대를 굴복시키는 방법, 둘째는 돈으로 매수하는 방법, 직접 돈으로 또는 구조적으로 돈의 분배 과정에서 사람을 꼼짝 못하게 만드는 메커니즘이 있죠? 세번째는 정보입니다. 왕이 자기를 '천자'라고 이름 붙였죠? 도덕적 근거나 정통성이 거기에 있다고 거짓말하는 거죠. 그러면서 정보를 통제합니다. 투명하게 하라는 것은 정보를 공개하라는 것입니다. 지배구조의 정보를 공개하면 그 뒤에 특권이 숨을 수 없고, 특혜가 숨을 수 없습니다. 민주주의라는 것은 결국 공동의 목표를 추구하는 공동체가 공동의 목표를 결정하는 것, 그리고 공동의 목표를 달성하는, 소위 전략과 수단을 선택하는 과정에서 일방적 강행이 안된다는 것입니다. 표결이라는 것도 또한 일방적 강행의 한 형태입니다. 최대한 중지를 모아야 하는 것입니다.

여러분, 민주주의의 기초가 뭡니까? 상대주의입니다. 기본적인 철학이 관용이지 않습니까? 당신의 생각이 옳은지, 내 생각이 옳은지, 대개 지금은 진리의 척도를 보편적이라는 것으로 결정하지만, 반드시 엄밀한 의미에 있어서 누가 옳은 것인지는 알 수 없는 일이고, 세월이 지나면 그 진리라는 것도 수없이 변화해 왔다는 것이 우리의 역사 아닙니까? 그러니까 관용입니다. 당신의 존재가치도 인정하고 당신 의견의 타당성에 대해서 옳을 수 있다는 가능성을 남겨 놓고 서로를 인정하면서 우리가 합의했다는 것 자체, 대체로 공감한다는 것 자체로서, 그 과정으로서 토론을 하는 것입니다. 논리적 검증을 거치면서 어느 말이 옳은가에 대해서 마음을 열어 놓고 우리가 찾아가는 과정이 토론입니다. 돈 1천 원이 있는데 "당신 200원 가지고 내가 800원 가지자." "똑같이 500원씩 가지는 것이 공정한 것 아니야?" "이 돈을 벌 때 당신 아무것도 안 했잖아." "왜 아무것도 안 했어? 나도 집에서 밥도 짓고 빨래하고 아이 키우고 얼마나 고생했는데." 이건 죽어라고 토론을 해도 답이 잘 안 나오거든요. 그렇죠? 타협이죠.

우리 사회에서 분쟁은 두 가지가 있습니다. 논리적으로 보다 더 증명할 수 있는, 거의 진리에 가깝게 증명할 수 있는 것과 증명할 수 없는 감정. 아무리 봐도 남의 밥의 콩이 굵어 보이는 이 인간적 심리를 놓고 그냥 둘이서 '됐냐? 됐다.' 하면서 악수 딱 하는 그 자리가 진리의 지점입니다. 그래서 공존의 지혜를 가져야 하고, 대화와 타협이 필요합니다. 이것이 성숙하지 못하면 그 사회는 제대로 운영되기 어렵습니다.

그래서 지금은 역지사지를 배워야 합니다. 하도 괴로워서 여러 가지 생각한 끝에 연정을 받지는 않을지라도 그걸 한번 생각이라도 해 보지 않겠는가. 실제로 내가 정책을 수행한다고 생각했을 때, 지금 예산을 한 8조 원쯤 확 깎아 버리자는 말이 과연 나올 수 있을까? 거기다가 또 세금까지 9조 원 왕창 깎아줘 버리자, 과연 입장을 한번만 바꿔 생각하면 어떻게 그런 얘기가 나올 수 있는가? 아무리 생각해도 이해가 안 가고, 그래서 우리가 역지사지를 한번 해 보게 하는 방법이 없을까? 그런데 내 정성이 부족해서 상대방이 그 말뜻을 못 알아들었습니다. 잘못 알아듣고 '무슨 꼼수인가보다.' '저 사람 완전히 정치 9단이야.' 그러니까 안 통합니다. 내 딴에는 정성들여 했는데, 아마 절차가 좀 부족했던 것 아닌가 생각했습니다.

여러분이 살고 있는 이 질서는 과도기적 질서입니다. 역사는 언제나 과도기 위에 서 있습니다. 그리고 복합적 질서, 가치와 질서가 서로 모순되고 충돌하는 시점 위에 서 있습니다. 그래서 모든 문제의 대책이 깔끔하게 논리로 정리되지 않는다는 사실을 우리는 받아들여야 됩니다. 깔끔하게 논리적으로 정리하려고 하면 안되는 것이죠.

냉전체제 붕괴 이후의 세계질서는 공존의 질서냐 아니면 대결의 질서냐 하는 두 가지의 학설이 나와 있고, 두 개 사이에서 인류사회는 표류하고 있습니다. 미래의 세계질서는 반드시 평화와 공존의 질서라고 생각합니다만, 그러나 이 과도기 속에서 대립적 질서에도 준비를 해야 하고, 공존의 질서를 또한 모색하고 추동해 가야 하는, 이중적 역할을 한꺼번에 해 나가야 되는 것이 오늘날 우리 국가의 처지 아니겠습니까? 여러분이 몸담을 공무원 조직이라는 것이 바로 이와 같은 복합적 질서 속에 있습니다.

그 밖에 여러 가지 참 많이 있습니다. 함께하는 민주주의, 균형과 통합, 동북아 평화와 공존에 대해서 많은 얘기를 하고 싶습니다만 시간이 별로 없는 것 같습니다.

민주주의에 대해서는 사회의 상황 변화에 따라서 해결과제가 점차 바뀌어 간다는 것을 앞서 말씀드렸고, 진보와 보수의 대결은 어쩌자는 것인가? 지금 우리는 지역 대 지역의 대결이 기본구도이기 때문에 진보와 보수의 대결로 가면 1차 진보라고 말할 수 있을 것입니다. 그러나 진보와 보수 가운데서도 극단주의가 있습니다. 타협 없이 자기 주장만을 관철하고, 적어도 상대방 정권이 무너질 때까지, 전 국민이 나를 지지할 때까지 오로지 타협하지 않고 상대의 문제점만 지적하고 타도를 외치는 정치, 이것이 극단주의입니다.

프랑스에서 지난번에 극우파가 2위를 했죠? 그때 좌파를 지지하는 많은 사람들이 시라크 대통령을 지지했습니다. 왜냐하면 극우파한테 가면 안되니까요. 이번에 독일에서도 녹색당과 좌파연합, 그리고 사민당이 연합하면 과반수가 됩니다. 그런데 사민당은 좌파연합을 버리고 기민당·기사련·기민련 같은 기독교 연합과 대연정을 했습니다. 왜 그랬습니까? 기독교 연합, 독일의 우파 정당이라는 것은 사회적 시장경제제도를 만들어 낸 사람들입니다. 아데나워, 에르하르트 등등. 그러니까 그 사람들은 서로 이념, 정책수단에 대해서 생각이 다르지만, 대화를 통해서 절충과 조정이 가능한 사람들입니다. 그런데 좌파연합은 절대로 타협하지 않겠다고 하니까 사민당이 그쪽과 손을 잡지 않았다는 것입니다. 앞으로 대한민국의 민주주의에 있어서도 소위 온건 노선과 극단 노선 사이에서의 대결 같은 것이 나올 수 있습니다. 이것을 제대로 봐야 정치를 읽을 수 있고, 유권자로서 제대로 된 선택을 할 수 있게 되는 것입니다.

더불어 사는 균형발전사회, 이것은 내가 후보로서 했던 통합 공약의 한 표현입니다. 여기에는 목표와 수단이 함께 들어 있습니다.

여러분, 지난날의 우리 역사를 한번 보십시오. 수많은 치욕의 시간들이 있었습니다. 그 치욕의 시간이 시작될 때마다 우리 내부에는 분열이 있었습니다. 수백년 동안 소위 주자학적 이론에 맞지 않는 어떤 사상도 결코 용납하지 않았습니다. 물론 다른 정치적 목표도 있었지만, 명분은 주자학의 대의에 맞지 않는 학문이라는 것이었습니다. 서학·동학 등 눈에 보이는 대로 다 죽여 버렸습니다. 그렇게 용서하지 않는 독단, 사상의 독단이 지배하는 사회에서 또한 밥그릇으로 분열했습니다.

이런 얘기를 하면 식민사관 아니냐고 말하는 사람들이 있을 수 있습니다. 그러나 식민사관이든 아니든 이것은 객관적으로 명백한 역사적 사실입니다. 분열, 대립, 대결, 그렇죠? 친일과 항일, 그 다음에는 좌익과 우익, 독재와 반독재. 18년 전까지 우리는 죽기 아니면 살기로 싸웠습니다. 적어도 하나의 가치 속에서 어떤 사람들은 목숨을 걸었고, 어떤 사람들은 인생을 걸었습니다. 우리의 역사가 이러했으므로 우리가 가지고 있는 사고의 유전자 속에 이와 같은 대결주의가 면면히 흐르고 있을 가능성이 있습니다. 성찰해야 합니다. 성찰하지 않는 사람은 발전할 수 없습니다. 성찰하지 않는 사회도 진보할 수 없습니다. 대한민국은 성찰하는 사회가 돼야 합니다.

동북아시아의 평화, 유구한 역사와 반만년 전통에 빛나는 우리 대한민국은 변방이었습니다. 거짓말하면 안됩니다. 동양의 수천 년 질서는 중국이 지배하는 패권질서였습니다. 그건 형식적 지배체제이고 실질적으로는 자주독립을 누려 왔다, 이것이 우리의 진실된 역사입니다.

왜 한국은 1천 번 가까운 외적의 침입을 받으면서도 한번도 월경해서 중국을 범할 생각을 못했을까요? 우리 민족의 사고 속에는 천하를 지배한다는 사고가 없습니다. 대우주의 중심, 중국과의 관계 속에서 우리가 천하제일의 세력이고 천하를 지배해야 한다는 그런 사명감을 타고난 사람이 없었습니다. 고려 후기부터 성리학 책 속에서 그것을 철저히 배웠습니다. 그냥 우리 백성 잘살게 다독거리는 것이 국왕과 선비들의 이상이었습니다.

그런데 일본은 백제가 무너지고 통일신라가 수립됐을 즈음해서 천무천황이라고 해서 천황제도를 가져왔어요. 어떻든 중국 중심의 패권 질서 속에서 우리가 변방의 역사를 가지고 있었던 것은 명백합니다. 그냥 변방의 역사이면 좋겠는데, 천하를 제패해야 되는 두 세력이 각축할 때 우리는 우리 국토를 전장으로 내주었던 경험을 가지고 있습니다. 풍신수길이 중국을 넘겨다보려고 할 때, 중국과 일본이 천하를 제패하려고 할 때, 그 전쟁터는 한국이 돼 버렸습니다. 청·일 전쟁이 그랬고, 러·일 전쟁이 그랬습니다. 그래서 해양세력과 대륙세력이 충돌하는 구조 속에서 한국은 항상 그 사이에 긴 새우가 될 수밖에 없었습니다.

그러면 이 변방의 운명을 어떻게 벗어날 것이냐? 힘이죠. 그러나 그것보다 더 중요한 것은 의지입니다. 우리 국민들이 결코 그것을 용납하지 않겠다는 의지입니다. 우리 국토에서 그들이 자웅을 겨루는 것을 용납하지 않겠다는 수준이 아니라 이 동북아시아에서 그들이 패권경쟁을 하도록 내버려 두지 않겠다는 결의를 가지고 있어야 됩니다. 그 결의를 가지고 거기에 걸맞은 실력을 키워야 합니다. 무조건의 평화주의, 책임 있는 사람은 그렇게 할 수 없습니다. 이제 우리 한국이 중요한 역할을 해야 합니다. 가장 중요한 것은 어떤 경우에도 대비할 수 있는 의지와 역량을 갖추는 것입니다.

두번째로는 그 의지와 역량을 가지고 사전에 예방하는 국제 질서를 만들어야 됩니다. 그래서 동북아 평화와 번영의 시대를 만든다는 것입니다. 가능한가? 가능하다고 봅니다. 한·미동맹도 바로 이와 같은 우리의 지향에 맞도록 관계를 가져가야 하고, 미국과 중국과의 관계가 해양세력과 대륙세력의 패권싸움이 되지 않도록 해야 합니다.

사람 머릿속에 있는 가정이라는 것은 대단히 위험한 것입니다. 반드시 현실화되니까요. 우리의 머릿속에 있는 이 대립의 가정들을 지워나가는 노력들을 해야 됩니다. 평화와 번영의 동북아 시대가 될 것인가? 어렵습니다. 그러나 어렵다고 냉소하고 비웃으면 안됩니다. 어떤 일이 있더라도 이것을 성사시키고 관철해 나가지 않으면 언제 어느 때 우리가 무슨 운명을 당할지 모르기 때문에 이것은 반드시 해 가야 됩니다. 그래서 제가 국방비를 올리라고 했습니다. 한국의 국방력이 바로 이와 같은 동북아시아의 패권경쟁을 제어하고 견제할 수 있는 수준으로 가야 합니다.

광개토대왕이 황제를 칭했다가 장수왕 때 몇 번씩 침략을 받고, 드디어 고구려가 무너져 버렸습니다. 고려 때 광종이 황제를 칭했던 일은 있었지만, 그 뒤 몽골에게 그냥 무릎을 꿇어 버렸습니다. 그 다음에

1898년 대한제국 황제를 한 번 칭해 봤지만, 그것은 전 세계의 조소거리에 불과했습니다.

지금 대한민국은 우리 역사상 가장 융성한 시대라고 말할 수 있습니다. 아마 세종 시대 다음으로는 대한민국의 국력이 융성하지 않습니까? 세계 11위입니다. 이 국력을 가지고 왜 자꾸 남한테 신세질 생각만 하나 이겁니다. 이제 우리의 운명은 우리가 개척해 나가야 합니다. 그렇다고 미국하고 맞서보자거나 오늘부터 말썽 일으키고 싸우자는 얘기는 물론 아닙니다. 이제 미래를 함께할 수 있는 협력하는 우방으로 가는 겁니다. 고래 싸움에 등 터지는 새우가 아니라 큰 고래, 작은 고래 함께 노는 동해바다의 돌고래, 이것이 우리 한국의 목표입니다. 아무래도 인구가 적으니까 돌고래라고 생각했던 모양입니다. 그냥 큰 고래라고 합시다. 밍크고래도 있고, 흰수염고래, 모비 딕도 있으니까요. 우리도 고래입니다.

오늘 한국의 현주소가 바로 이겁니다. 시장경제와 민주주의는 국정목표 안에 안 들어가고 어디로 가 버렸냐? 너무 당연한 것이라서 뺐습니다. 국정원리, 저대로만 하면 대한민국의 전도는 양양할 것입니다. 원칙과 신뢰, 공정과 투명, 대화와 타협, 분권과 자율, 외우기 좋으라고 네 개로 딱 묶었는데 내용은 여덟 개가 서로 독자적인 것입니다. 이것이 지금 이 시기에 우리 사회가 성장시켜 나가야 될 원리라고 나는 확신합니다.

깃발만 큰 것 내건다고 배가 순항하는 것이 아니라 배가 튼튼해야 됩니다. 배가 튼튼하고 엔진이 실하고 선원들이 건강하고 의욕에 차 있어야 하는 거죠?

블루오션은 여러분 안에 있습니다. 우리 공직 사회 안에 있습니다. 대한민국 정부 안에 블루오션이 있습니다. 그 블루오션은 바로 혁신입니다. 블루오션에 가려는 사람은 도전해야 합니다. 도전하려는 사람은 안방에서 나와야 합니다. 안방에는 블루오션이 없습니다. 목욕탕에도 블루오션이 없습니다. 망망대해로 나아가야 거기에 블루오션이 있습니다. 위험이 있는 곳에 이익이 있습니다. 도전이 있는 곳에 블루오션이 있는 것입니다. 혁신합시다.

이제 여러분이 공무원이니까 공무원에게 몇 가지 말씀을 드려야 되지 않겠습니까?

수요자의 관점에서 사고해야 합니다. 많이 들으셨죠? 그래도 대통령이 한 번 더 당부합니다. 준비해야 됩니다. 빌리 브란트 총리의 비서실장을 지냈던 에곤바는 동방정책을 기획하고 보좌했던 사람입니다. 그분이 얼마 전 한겨레신문과의 인터뷰에서 좋은 말을 했습니다. '완벽한 준비', 그는 동방정책을 위해서 2천 페이지짜리 보고서를 만들고, 그 보고서를 줄이고 또 줄여서 한 페이지 반짜리의 문서를 만들었습니다. 그것을 들고 빌리 브란트가 소련과 회담을 했습니다. 정책을 기획하는 사람은 자기가 쓴 보고서가 열 개 중 하나가 채택되면 성공이고, 그 보고서 중 10분의 1이 채택되면 기뻐해야 합니다. 그렇게 수많은 작업을 통해서 채택될 수 있는 하나의 정책이 나오는 것이거든요. 인내심을 가지고 수없이 다듬고 다듬어야 됩니다.

그 다음으로 보고서를 과학적으로 쓰십시오. 지금까지 보고를 받으면서 도대체 이것이 몇 사람에게 해당되는 정책이며, 이 정책을 시행하면 어떤 변화가 구체적으로 일어날 것인지에 대해서 수리모델이나 지표를 가지고 보고하는 보고서를 별로 읽지 못했습니다. 나는 우리 공무원들이 정말 우수하다고 생각하는 편입니다. 실제로 우리 한국이 여기까지 온 것은 공무원들의 힘입니다. 관료조직의 열정과 우수한 역량이 오늘 한국을 있게 한 결정적 요인이라고 생각합니다. 요새는 행정이 다양해지고 복잡한 것이 많습니다. 그러니까 단순하던 시대의 예측보고나 분석, 이런 틀 가지고는 도저히 감당할 수 없습니다. 그래서 지금 우리의 통계자료, 기본적인 분석·조사, 이런 기법들이 기초를 새롭게 놓아야 합니다.

지금 우리 청와대에서는 문서, 회의체계, 문서유통체계, 보고서 쓰는 방법, 정책품질관리, 이런 것을 전부 새로 다듬고 있습니다. 한참 더 해야 되겠습니다만, 어떻든 과학적으로 뒷받침하지 않으면 안됩니다. 그래서 실증적 자료, 실증적 분석을 통해서 과학적으로 뒷받침하는 정책의 과학화를 이뤄 가야 합니다.

하나 더 욕심을 부리면 정책의 표어화입니다. 상당히 많은 정책은 국민들이 그것을 이해하고 우호적으로 받아들여야 비로소 성공할 수 있습니다. 지금 부동산 정책만 해도 국민들이 그냥 무시하고 계속 부동산을 사든지 하면 못 이깁니다. 그래서 국민들이 호응하는 정책을 만들어야 합니다. 알기 쉽게 국민에게 전달하기 위해서 표어화하는 것, 이것은 영국의 토니 블레어가 하는 정책방법을 벤치마킹해서 오늘 여러분께 말씀을 드리는 것입니다.

그 다음으로 정책에 대해서 끝까지 책임을 져야 합니다. 정책이 나가자마자 그냥 좌우에서 돌팔매가 날아오고 폭격을 맞는 그런 정책이 많이 있습니다. 이해관계도 그렇고, 의견도 그렇고, 정부가 내놓는 것을 일단 한번 긁어 놓고 보는 등 환경이 좋지 않습니다. 정책을 딱 내놓으면 금방 의붓아비 시샘에 시들시들 죽어버릴 가능성이 많습니다. 끝까지 정책을 책임지고 방어하고 키워 가야 합니다. 정책을 만들 때부터 정책품질관리 확실하게 하고, 홍보관리 확실하게 해야 합니다. 언론과의 관계에서 적당하게 넘어가지 마십시오. 원칙대로 당당하게 하십시오. 제대로 된 관계 속에서 여러분은 실력으로 끝까지 방어하십시오. 실력이 없으면 못 이깁니다.

자신을 사랑하십시오. 이웃을 사랑하십시오. 그리고 일을 사랑하십시오. 사랑하지 않으면 남을 위해서도 일을 할 수가 없습니다. 공무원은 공복입니다. 공복이니까 봉사해야 하는데, 사랑하지 않고 어떻게 봉사할 수 있겠습니까? 사람을 좋아하는 습성을 길러야 됩니다. 일을 좋아하는 습성을 가져야 됩니다.

선택한다는 것은 나머지를 포기하는 것입니다. 여러분은 공직을 선택했습니다. 나머지를 포기하십시오. 다 포기하지는 않더라도, 말하자면 공직을 선택해놓고 자꾸 '이것 안 했으면 좋았을 텐데. 이 길로만 안 들어왔으면 뭐 했을 텐데.' 그런 말은 하지 마십시오.

공직을 선택한 것은 영광스러운 선택입니다. 그 선택을 사랑하십시오. 그러면 여러분은 무한한 상상력의 세계를 갖게 될 것입니다. 공직자가 창조적 상상력을 가지고 있으면 국민들은 아마 행복하게 살 것입니다. 감사합니다.

질문과 답변

질문 : 일부 언론에서는 참여정부가 성장과 분배 중에서 분배에 너무 비중을 두고 있는 것 아닌가 하는 시각을 가지고 있습니다. 대통령께서는 성장과 분배의 문제에 대해서 어떤 생각을 가지고 계시며, 앞으로 경제정책은 어떤 방향으로 구상하고 계신지 궁금합니다.

대통령 : 전체적으로 우리 경제, 지금 잘 가고 있습니다. 그리고 우리 경제의 기적의 행진도 계속될 것입니다. 해결해야 될 많은 문제들이 있는 것은 사실입니다. 그 문제 중에 아주 중요한 하나가 양극화 문제입니다.

장기적으로 보면 우리 경제의 경쟁력은 우리 사회가 가장 합리화됐을 때 가장 강한 경쟁력을 가질 것입니다. 좀더 멀리 보면 우리 사회가 통합의 수준이 아주 높을 때 가장 강한 경쟁력을 가질 것입니다. 통합된 사회라는 것은 그 사회에 사는 국민 모두가 어느 정도 수용할 만한 만족도를 가지고 있다는 뜻입니다. '나는 이 사회에서 도저히 살 수 없다.' 이렇게 생각하는 사회에서는 국민통합이 이루어질 수 없습니다. 국민통합이 되지 않으면 끊임없는 갈등과 대결, 혼란으로 우리가 성장이나 진보에 바쳐야 될 만한 역량들을 거기에 소모해 버리게 됩니다. 그렇기 때문에 결국 통합의 수준이 높은 사회로 가야 합니다.

그러기 위해서는 어느 정도 미래를 예측할 수 있어야 됩니다. 지금 당장의 복지도 중요하지만 미래를 예측할 수 있는 수준의 보장, 이런 것이 복지에 들어가는 것이죠. 그런데 객관적 불평등 수준과 주관적 불평등 수준을 그래프로 대조해 보면 각 국가마다 현저하게 다릅니다. 그래서 주관적 불평등 수준도 매우 중요한 것입니다. 그 사회의 통합성은 희망을 가진 사람이 많을 때, 그 사회가 매우 진취적이고 활력이 있을 때, 또 풍성한 창의가 생산될 때 높아집니다. 그래서 희망을 가진 사회, 여러 가지 측면에서 균형사회로 가야 합니다.

통합은 그 자체가 보다 더 살기 좋은 사회의 목표이기도 하지만, 지속적인 성장을 위한 중요한 전략이기도 합니다. 성장과 분배라는 것이 문제가 되는 것은 결국 장·단기의 문제입니다. 기업의 관점에서 당장의 이익이 커야 하고 당장의 경쟁력이 있어야 된다고 하면 지금 당장 가장 저렴한 비용으로 기업을 운영할 수 있어야 됩니다. 그러나 장기적으로 보면 기업에 계속 애정을 가지고 창의력을 가진 숙련된 노동자, 그 인적자원이 기업의 재산 아니겠습니까? 우리 국가가 공무원교육원 만들어 가지고 여러분을 고달프게 괴롭히는데, 거꾸로 보면 여러분한테 엄청난 서비스를 하고 있는 것 아닙니까? 투자이기 때문입니다. 인적자원이 밑천이니까, 장기적으로 봤을 때 이렇게 국가가 투자해 가지고 키워 놓은 인재가 우리의 미래를 결정하는 것 아니겠습니까?

마찬가지로 분배라는 것은 미래를 위한 투자입니다. 그래서 이분법적 논리를 가급적이면 버리는 것이 좋습니다. 성장 아니면 분배라는 획일적인 논리를 가지고 '너 성장주의자냐, 분배주의자냐?' 이렇게 묻는 것보다는 '어느 정도 균형을 말할 수 있는 적절한 지표를 당신은 무엇이라고 보느냐?' 이렇게 질문을 하면 좀 더 정확해질 수 있지 않겠습니까?

'어떤 지표가 가장 중요한 지표라고 보며, 그 지표를 어느 수준까지 갔으면 좋겠느냐?' 이런 것이 아닐까 싶습니다.

그래서 제가 최소한 미국 수준까지만 가자고 얘기했습니다. 우리는 GDP 대비 재정지출 비율이 27%대에 있습니다. 미국은 36%대입니다. 시장주의라든지, 국가의 불간섭, 불개입, 국가의 기능을 가장 적게 잡는 전형적인 나라가 미국인데, 그 미국이 36% 쓰고 있는데 우리는 27% 가지고 분배 과잉을 얘기한다면 그것은 지나치지 않은가? 이와 같은 지표에 있어서 미국 수준 정도로는 가야 될 것 아니냐? 또는 그 이상으로 우리가 투자를 해야 할 수도 있지 않겠느냐? 그렇게 대답을 조금 바꿔서 하겠습니다.

말하자면 분배가 중요한가 성장이 중요한가가 아니라 균형이 중요하고, 그 균형점을 우리가 아무리 낮게 보더라도 소위 미국 수준은 가야 될 것 아니냐 하는 것입니다. 미국은 GDP 대비 36%대인 재정지출의 52%를 복지비로 쓰고 있습니다. 이외에도 많은 것이 분배 개념에 들어가겠습니다만, 일단 그렇게 우리가 볼 수 있지 않겠습니까?

질문 : 대통령이라는 직책만큼 격무에 시달리는 자리도 없는데 과중한 업무로 인한 피로나 긴장을 어떻게 해소하시는지 한 수 가르쳐 주시면 좋겠습니다.

대통령 : 대통령의 건강은 국가 기밀입니다. 저는 아침 5시 5분 전에 일어나서 그때부터 6시까지 요가 체조를 합니다. 컨디션이 나쁠 때는

몸을 풀고 적응하는 데 한 시간이 걸리고 컨디션이 좋을 때는 45분 만에 끝나기 때문에 나머지 15분은 스텝머신을 밟고, 그렇게 합니다. 그리고 제가 허리뼈가 좋지 않기 때문에 이것을 버티기 위해서 아주 심하다 할 만큼 허리와 척추근육을 강화하는 운동을 특별히 하고, 그 다음에 팔굽혀펴기를 50개 정도 합니다. 긴장과 피로는 잠으로 풉니다. 참 저도 불행한 사람입니다. 사실은 놀기도 좋아하고 노래도 좋아하는데 잘 하는 게 없어요. 잘하는 게 없고 일을 제일 좋아합니다. 일 때문에 골프를 치면서도 일 생각하고, 계속 일 생각하고 그 시간 남으면 잡니다. 제가 몸 컨디션이 좋은지 나쁜지를 잘 모를 때는 일단 침대에 가서 누워 봅니다. 누워 보고 5분 안에 잠이 들면 내가 무척 피곤하고 좀 쉬어야 되는 때고, 누워 있어도 눈만 말똥말똥 하고 일 생각이 나면 일해야 됩니다. 대개 잠이 저에게는 가장 좋은 피로회복제입니다. 좀 쑥스러운데 어쩌겠습니까. 사실인 것을.

질문 : 대통령님께서 개혁을 추진하시면서 검찰 등 권력기관과의 관계가 많이 바뀐 것으로 알고 있습니다. 이런 변화에 대해 대부분 긍정적인 반응을 보이고 있지만 일부 국민들은 참여정부의 국정장악 능력과 지도력에 의구심을 가지고 있는 것 같습니다. 대통령님은 어떻게 생각하고 계신지 궁금합니다.

대통령 : 대통령이 일하는 데 가장 중요한 힘은 우리의 일반적인 생각하고는 달라서 국회의 지지를 얼마만큼 받느냐 하는 것입니다. 변화를

추구하는 시대에 정책변화의 내용은 대부분 법률로써 이루어지게 돼 있습니다. 그래서 국회에서 법률을 통과시켜 주지 않으면 아무것도 할 수 없습니다. 그런데 1988년 이래로 계속해서 여소야대의 국회를 가지고 있습니다.

그 다음에 그동안 대통령이 힘을 가지는 것은 당에 대한 영향력입니다. 정당을 지배할 수 있는 능력입니다. 조금 서툴게 들릴지 모르지만, 우리 사회에서 완벽하게 논리만으로 조직을 설득하고 그 조직이 그 인품에 감화되고 논리가 타당하므로 지지하고 도와준다는 것은 존재하지 않습니다. 뭔가 지휘할 수 있는 권력적 수단이 주어져야 합니다. 내가 여러분에 대한 임명권이나 평가권 같은 신분에 영향을 미칠 수 있는 능력 없이, 그리고 명령할 수 있는 권한이 제도화돼 있지 않은 상태에서 인품만으로 사람을 지위하라는 것은 이상일 수 있습니다. 나는 그런 지도자를 한 번도 본 일이 없습니다. 역사에서나 현실에서나 한 번도 본 일이 없습니다.

나는 김대중 대통령만큼 유능한 대통령을 본 일이 없는데, 그분도 인품만으로 나라를 이끌어 갔다고는 생각지 않습니다. 불가능합니다. 정당을 지휘할 수 있느냐 없느냐, 그 정당이 국회를 지배하느냐 안 하느냐가 권력에 있어 가장 핵심적인 문제입니다. 지금 정당은 국회 과반수를 지배하지 못하고, 대통령은 그 정당을 지배하지 못하고, 줄 돈도 없고, 명령할 권한도 없고, 당직을 임명할 수 있는 권한도 없고, 무슨 공천권도 없습니다. '저 사람은 안돼.' 하고 끊어 버리면 세상 없어도 그 친구는 국회의원 되지 않던 시절이 있었거든요. 지금은 그것도 없습니다. 새로운 시도입니다.

　내가 검찰이나 어디나 부당한 명령을 한 번만 하고 나면 서로 물리는 것 아닙니까? 그래서 이제 영이 서질 않습니다. 그 다음에 내가 공직 사회에 대해서 인사권을 가지고 있습니다. 최후의 보루는 인사권입니다. 여러분은 대통령이 인격적으로 매력 있고 도와주면 좋긴 하겠지만, 막상 구체적으로 일에 부닥치면 제일 먼저 자기의 신분적 이해관계를 생각하게 돼 있습니다. 그것은 자연스러운 것입니다. 그러면 지금 왜 이렇게 됐냐? 국민들이 대통령한테 하도 데어서 '대통령 힘 빼라.' 그래서 당에서 쫓겨나 버렸어요. 당헌을 바꿨습니다. 물론 나도 그때 같이 동조했습니다. 왜냐하면 시대 흐름이 그렇기 때문에, 대통령이 당을 지배하는 현상을 국민들이 원하지 않았기 때문에, 제왕적 대통령이라고 해서 원하지 않았기 때문에 내놓아 버렸습니다. 그러나 어떻든 지금 이런 상태죠.

　나는 그때는 내놓더라도 야당과의 개별적 협력이 가능할 것으로 착각했습니다. 미국은 그게 됩니다. 한국에서 야당과 개별적으로 거래하다가는 그 국회의원 매장돼 버리죠. 당적 통제가 대단히 강합니다. 내가 오늘도 선학태 교수가 쓴 「민주주의와 상생정치」라는 책을 보고 있는데, 그런 책들을 보면 미국하고 우리하고는 정당 풍토가 너무나 다릅니다. 그러니까 야당 의원 단 한 사람의 지지를 받아낼 수가 없습니다.

　미국은 일상적으로 그것이 가능합니다. 1952년부터 최근까지 미국은 18년간 여대야소이고 30년간 여소야대였습니다. 그 여소야대 시대에다 적당한 거래들을 해 가지고 대통령직을 수행해 왔습니다. 그런데 우리는 잘 안됩니다. 반대 당 간의 대결 각이 너무나 첨예합니다. 이런 상황에서 대통령직을 수행하죠. 그것은 법적으로 주어져 있는 권한입니다. 대통령에게는 여러분을 지휘할 권한이 있습니다. 검찰도 지휘할 권한이 있고 국정원도 지휘할 권한이 있습니다. 단 부당한 명령을 하면 언제 어느 때 사고가 터질지 모르는 상황이 지금의 상황이라고 봐야 합니다. 왜냐하면 문화가 바뀌는 과정에서 많은 사람들이 불만을 갖게 돼 있기 때문에, 부당한 명령은 한마디도 하지 못합니다. 부당한 명령을 하지 못하니까 책잡힐 일도 없습니다. 그러니까 대통령도 법대로 자기가 가진 권한을 최대한 행사할 수 있습니다.

그 다음에는 공부를 열심히 해야 합니다. 대통령이 뭘 모르고 얘기하면 금방 제대로 된 보고서가 안 올라오고, 보고서 몇 번 되돌려 보내면 그때부터 그 조직은 긴장합니다. 왜냐하면 자존심 상하거든요. 명령만으로 움직이냐? 그것은 아닙니다. 자존심 상하지 않으려고 공무원과 대통령 사이에 경쟁을 하는 것입니다. 대통령이 하나 딱 지적해서 국장에게 내려 보내면 그 국장은 대통령을 이기기 위해서 자기도 열심히 공부해 가지고 와서 '이번에도 지적되는가 보자.' 라든지, '요건 몰랐지?' 하는 관계들이 실제로 형성이 됩니다. 누구든지 잘하고 싶어 하기 때문에 대통령이 하나하나 그 성과들을 챙기든지, 직접 못 챙기면 시스템을 통해서 챙기도록 하면 아주 열심히 하게 되는 것이죠.

그러면 두 가지 문제가 있습니다. 대통령이 매일 보고서 안에 파묻혀 버리면 그 이상은 못 갑니다. 그러면 제일 잘하는 공무원과 대통령이 전혀 다른 점이 없어집니다. 대통령은 그래도 천하를 내다보는 통찰력이 있어야 되지 않겠습니까? 그런 것을 위해서 부단히 사람들도 만나고 글도 읽고 해야 합니다. 책도 읽고 해야 되는데, 그런 시간을 확보해야 합니다. 오늘 제 일정은 이것 하나밖에 없습니다. 점심 때 총리 만나서 1주일간 조정할 것 조정하고, 돌아가는 상황과 국정운영의 포괄적인 진로에 관해서 얘기하면서 큰 테두리를 정해 놓으면 그 안에서 서로들 판단해 나가는 건데, 다행히 이 총리랑 나랑은 문제 내놓고 답 쓰라고 하면 거의 비슷한 답을 써냅니다. 비슷하니까 천생연분이고, 참 행복한 대통령이죠. 내가 그렇게 이 한 건 가지고 일과를 끝낼 수 있는 것은 총리가 거의 완벽하게 뒷받침을 하기 때문입니다.

그 다음에 여러 가지 사고라든지 또는 조정을 해야 될 문제라든지 이런 것들을 점검하는 시스템은 이중, 삼중의 망을 가지고 있습니다. 제1차적으로 국무조정실과 국정홍보처, 제2차적으로 우리 홍보수석실과 정책실, 그 다음에 국정상황실 등이 정책과정에 있어서의 문제점들, 혹시 사고가 될 만한, 또 아니면 짚어서 방향 조정을 해 줘야 될 만한 것들은 이중, 삼중으로 전부 점검하고 있고, 그 대부분이 아침에 상황점검회의, 그 다음에 총리의 국정조정회의에서 다 정리가 되고 저한테까지는 안 올라옵니다. 끝내고 난 다음에 '이렇게 정리했습니다.' 라는 보고서만 올라옵니다. 그 보고서의 분량은 하루에 수십 건 정도, 지금은 줄여라 줄여라 해서 열 건 정도 받습니다. 요새 보고서가 좀 많아진 이유는 자료 때문입니다. 예를 들면 OECD의 재정개혁이라든지, 영국의 고용안정정책이라든지, 최근에 받은 독일의 경제상황에 관한 보고서 같은 것인데 시간 있을 때 보게 됩니다. 구체적 현안에 관한 보고서가 한 댓 개 정도 올라오고, 내가 확인이나 조사해 보라고 지시한 것에 대한 보고서도 올라옵니다. 이렇게 일을 하니까 시간의 여유를 상당히 가지고 생각하고, 때로는 글도 쓰고 합니다.

이렇게 시스템에 의해서 관리해 나가고 있고, 지금은 우리 한국사회의 미래과제, 말하자면 미래를 위해서 지금부터 하나하나 해결해 가지 않으면 안되는 정책들에 대해서 심층 분석하고 있습니다. 저는 밤 11시를 잘 넘기지는 않습니다. 11시까지 보고서를 보고 또 써 놓고 합니다. 어떤 때는 보고서 하나 가지고 문제를 지적하고 각종 지시를 하는 데 1시간 반이 걸릴 때가 있습니다.

업무처리의 방법을 바꿔야 될 때는 소위 정책품질관리라는 과정을 통해서 합니다. 문서작성방법이 나와 있는데 매뉴얼에 맞지 않는다든지, 이러이러한 것을 점검해야 된다든지, 어떤 보고서에는 이런 의견이 올라와야 된다든지, 말하자면 보고서 자체로서 질문할 필요가 없도록 명료하게 만들어서 보고서의 완결성을 높아 달라든지 하는 일하는 방법, 이런 것들에 대해 많이 쓰죠. 그게 잔소리가 아니고 체계를 가지고 있습니다.

보고서는 우리가 하는 일의 결정체입니다. 그렇기 때문에 반드시 짚어야 되는 문제들, 행정을 처리하는 데 있어서 시스템과 크고 작은 모든 것들에 대해서 굉장히 깊이 개입합니다. 일하는 방법, 그리고 소위 정부혁신에 관해서는 매우 밀착해서 관리해 나가고 있고, 일상 업무는 총리가 전부 다 하고 있고, 그 다음에 정부혁신이라는 것도 어느 수준 가고 나면 일상 업무가 되기 때문에 넘기고 또 새롭게 하고, 그 다음에 미래과제를 하고 있고, 그러면서도 여유 있게 하고 있습니다.

말하자면 시스템이라는 것이 사람을 이만큼 여유 있게 할 수도 있고, 또 하나하나의 보고서에 대한 꼼꼼함 이런 것이 실제에 있어서는 공무원들을 긴장하게 만드는 그런 통제 수단이기도 합니다. 보고서를 보고 코멘트를 달지 않고 그냥 내려 보내면 그 다음부터 보고서가 해이해지거든요. 이렇게 해서 긴장을 유지해 나가는 것이 서로에게 좋은 것입니다. 그래서 지도력에 대해서는 걱정 안 해도 된다고 생각합니다.

한편으로는 수십 년 동안 균형발전 얘기했지만, 행정중심복합도시 이전이라든지 공공기관 이전 같은 것, 어느 대통령도 못했잖아요. 우리 정부에 와서 하는 것 보니까 대통령이 막강합니다. 아주 약한 측면, 강한 측면을 다 가지고 있는데 앞으로 지속적으로 여소야대가 되면 아마 중요한 문제들이 결정되지 않고 그냥 넘어가 버릴 가능성이 있습니다. 내가 연금 얘기 했죠? 연금이 그만큼 중요한 것인데, 그냥 내버려 두고 있습니다. 이렇게 해서는 어떻게 할 방법이 없고, 노사문제 같은 것도 지금 이대로 길게 가는 것은 적절치 않습니다.

교육혁신에 관한 문제도 교육단체, 교원단체가 너무 강력하게 정부 정책에 저항하는데, 안 할 수도 없는데 국회에서는 어떻게 보면 구경하듯이 하는 측면이 있습니다. 참여정부는 어느 정도 해 왔습니다만, 이 문제는 장기적이고 구조적으로 보면 상당히 많은 문제가 있을 것입니다.

그래서 지도력 문제는 한마디로 설명하기 어렵습니다. 나는 지금 참여정부가 그렇게 지도력이 약하다고 생각지는 않습니다. 대통령이 하고 싶은 일은 다 합니다. 국회에서 걸리는 것 말고는 지금까지 안되는 일은 없는 것 아닌가 생각합니다.

지금까지 개혁이라고 이름 걸어 놓고 못했던 많은 일들, 예를 들면 사법개혁에 관한 문제도 그렇죠? 검·경 수사권 조정에 관한 문제도 그렇죠? 방사성 폐기물 처리장 같이 19년 동안 미뤄 놓았던 것, 참여정부에서 하고 있지 않습니까? 국방개혁도 지금 하고 있지 않습니까? 국회에서 법만 통과시켜 주면 갑니다. 군이 반발하니까 못 했던 겁니다. 참여정부에 와서는 가차 없이 합니다. 군 검찰제도를 국방부로 옮기는 것, 방위사업청 떼내는 것, 군이 좋아하는 것 한 개도 없습니다. 그러나 당위성을 가지고 과감하게 하고 있습니다.

이와 같이 국회에서 법 통과되는 것 말고 정부 내부의 반발과 저항대문에 지금까지 개혁이 좌절된 것은 별로 없는 것 같습니다. 안된 것도 있습니다. 중앙부처의 특별지방행정기관, 좀 정리해야 될 일이 있는데, 지금 못 하고 있죠? 일부 그런 것 외에는 참여정부가 지난날 어떤 정부보다 행정부 내에서의 개혁이라든지 또는 공무원 기강이라든지 혁신이라든지 아주 활력 있게 힘차게 밀고 나가고 있는 중입니다.

제15차 국제적십자사연맹 총회 축사

2005년 11월 11일

존경하는 후안 마누엘 수와레즈 델 토로 국제적십자사연맹 총재님, 각국의 적십자사와 적신월사 대표단 여러분, 그리고 내외 귀빈 여러분,

제15차 국제적십자사연맹 총회를 축하드립니다. 세계 183개국에서 오신 참석자 여러분을 진심으로 환영합니다. 적십자운동은 지난 140여 년간 인류의 고귀한 가치인 인도주의를 실천해 왔습니다. 국가와 민족, 이념과 종교를 넘어 고통받는 이웃이 있는 곳이면 세계 어디든지 달려가 헌신적으로 활동해 왔습니다. 여러분의 숭고한 사랑과 봉사가 세상을 보다 따뜻하게 만들고 있습니다. 여러분 한 분 한 분께 깊은 존경과 감사의 말씀을 드립니다.

내외 귀빈 여러분,

올해로 대한적십자사가 창립된 지 꼭 100년이 되었습니다. 대한적

십자사는 그동안 한국 현대사의 아픔과 기쁨을 함께하며 우리 국민의 든든한 동반자가 되어 주었습니다. 전쟁과 가난으로 어렵던 시절 따뜻한 손길로 소외된 이웃을 감싸 안았고, 재해가 발생할 때마다 누구보다 먼저 치료와 복구에 힘써 왔습니다. 또한 전국 각지에 병원을 세워 의료·보건환경을 개선하는 데에도 크게 기여했습니다.

특히 대한적십자사는 남북 간 화해와 교류의 물꼬를 트는 소중한 역할을 해 왔습니다. 이산가족 상봉에서 식량·비료 지원에 이르기까지 냉전의 빙벽을 녹이는 일에 앞장서 왔습니다. 올해에도 화상상봉과 금강산 이산가족면회소 착공과 같은 중요한 성과를 이루어 냈습니다. 나아가 국제적인 구호활동에도 많은 노력을 기울이고 있습니다. 이 자리를 빌려 대한적십자사와 그동안 성원을 아끼지 않으신 국제적십자사 여러분 모두에게 다시 한번 큰 감사와 격려의 박수를 보냅니다.

각국 대표단 여러분,

우리는 모두 같은 소망을 가지고 있습니다. 반목과 대결의 질서를 넘어 평화와 공존의 시대를 열고, 인간의 존엄과 가치가 존중되는 세상을 만들어 가는 것입니다. 그러나 아직도 가야 할 길이 멉니다. 세계 곳곳에는 크고 작은 분쟁이 계속되고 있고, 빈곤과 질병, 차별과 배제, 환경 파괴와 같은 문제들도 사라지지 않고 있습니다. 과학기술의 발전과 경제성장만으로 모든 문제를 해결할 수는 없습니다. 인류사회의 보다 나은 내일을 위해서는 경쟁만큼이나 연대가 필요합니다. 경쟁을 통해서 새로운 것을 창조해 낼 수 있다면, 연대를 통해 우리는 인류의 보편적 가치를 지켜 낼 수 있습니다. 저는 어떠한 경우에도 인간의 존엄과 평화만은 반드시 지켜 내야 한다고 생각합니다. 여러분이 바로 그 가능성을 보여 주고 있습니다. 적십자가 실천해 온 사랑과 봉사의 연대는 더불어 사는 공동체, 희망이 있는 지구촌을 만드는 밑거름이 될 것입니다. 지금까지 해 오신 것처럼 앞으로도 인도주의의 보루로서 그 역할을 다해 주실 것으로 믿습니다.

참석자 여러분,

한국은 세계에서 하나 남은 분단국으로 평화와 인류애의 소중함을 잘 알고 있습니다. 우리는 여러분과 손잡고 인류사회의 행복을 위해 더 많은 역할을 해 나가고자 합니다. 아무쪼록 이번 총회가 평화를 통한 공존, 연대를 통한 공동번영이 가능하다는 믿음을 확인하는 뜻깊은 자리가 되기를 기대합니다. 다시 한번 총회를 축하드리며, 우리나라에 머무시는 동안 즐겁고 보람된 시간 보내시기 바랍니다.

감사합니다.

전라남도 신청사 개청 축하 메시지

2005년 11월 11일

전라남도 신청사 개청을 진심으로 축하드립니다.

그동안 노고를 아끼지 않으신 박준영 지사와 공사 관계자 여러분, 정말 수고 많으셨습니다. 전남도민 여러분께도 큰 축하의 말씀을 드립니다. 서·남해안 시대가 열리고 있습니다. 전라남도가 가진 문화전통과 자연경관, 그리고 지리적 여건이 빛을 보는 시대가 된 것입니다. 신청사 개청은 전남이 서·남해안 시대의 주역으로 힘차게 도약하는 새로운 전기가 될 것입니다. 앞으로 전남 동부권은 물류와 관광·신소재 산업의 중심지로, 중남부와 광주 근교권은 친환경농업과 생태관광·문화 산업의 거점으로, 서부권은 대중국 전진기지이자 물류·관광·레저 도시로 거듭나게 될 것입니다. 무엇보다 무안과 영암, 해남의 기업도시를 중심으로 펼쳐질 서부권 개발사업은 전남의 미래를 바꿔 놓을 대규모 프로젝트입니다. 이미 국내는 물론 싱가포르 등 해외 투자자들도 큰 관심을 갖고 사업 제안을 하고 있습니다. 정부는 이 사업을 앞으로 우리나라를 먹여 살릴 가치 있는 투자로 생각하고 있습니다. 반드시 성공시켜야 합니다. 조만간 종합적이고 구체적인 계획이 가시화될 것입니다. 고속도로 등 인프라를 차질 없이 확충하고 국내외 투자가 원활히 이루어질 수 있도록 지원을 아끼지 않겠습니다. 나아가 이곳의 성공이 광양과 부산에 이르는 남해안을 새로운 번영의 축으로 만드는 시발점이 되도록 하겠습니다.

2012년 여수세계박람회도 남해안 시대를 앞당기는 좋은 기회가 될 것입니다. 내년 초 유치위원회 출범을 시작으로 중앙정부와 전남, 민간이 함께 최선을 다해서 반드시 유치하도록 하겠습니다. 지난 6월에는 농업기반공사, 한국문화예술진흥원 등 15개 공공기관의 전남 이전이 확정됐습니다. 이들 기관을 중심으로 조성되는 혁신도시도 이곳 전남에 새로운 활력을 불어넣게 될 것입니다. 여러분의 숙원사업인 호남고속철도 건설은 인구나 경제성과 같은 기존의 잣대로만 평가해서는 안된다고 생각합니다. 그렇게 하면 안되는 지역은 항상 안될 수밖에 없습니다. 미래에 비전이 있는가, 국가 전체의 발전을 위해서 필요한 일인가를 가지고 판단해야 합니다. 제가 할 수 있는 일은 적극적으로 추진해서 전남 발전을 앞당기도록 하겠습니다. 임기 중에 성과를 보지 못하는 사업이라도 확실하게 시동을 걸어서 다시는 되돌릴 수 없도록 굳건한 토대를 다져 놓겠습니다. 전남이 발전해야 대한민국이 성공할 수 있습니다. 밝은 미래를 위해 함께 힘을 모아 나갑시다. 그래서 활기 넘치는 전남, 더불어 잘사는 선진한국을 만들어 갑시다. 오늘 신청사 개청이 그 계기가 되기를 바라며, 전남의 무한한 발전과 여러분 모두의 건강과 행복을 기원합니다.

　　감사합니다.

조계종 총무원장 지관 스님
취임법회 축하 메시지

2005년 11월 14일

지관 스님의 총무원장 취임을 진심으로 축하드립니다.

지관 스님께서는 철저한 자기 수행은 물론 대학자로서 불교학 발전에 크게 기여해 오셨습니다. 종단의 여러 중책을 맡으시면서 넓은 안목과 지혜로 큰 신망을 받아 오셨습니다. 많은 국민들이 총무원장 스님께 거는 기대는 그래서 더욱 각별합니다.

앞으로 우리 불교의 자랑스러운 전통을 더욱 되살리고, 부처님의 가르침을 널리 알려서 희망이 넘치는 사회를 만드는 데 앞장서 주시기 바랍니다. 무엇보다 갈등을 극복해서 통합을 이루고, 경쟁과 균형의 조화를 통해 더불어 잘 사는 상생의 내일을 열어 가는 데 큰 역할을 해 주실 것을 기대합니다. 거듭 취임법회를 봉축드리며, 부처님의 대자대비하심이 여러분과 함께 하기를 기원합니다.

톨레도 페루 대통령을 위한 오찬사

2005년 11월 16일

존경하는 알레한드로 톨레도 대통령 각하 내외분, 그리고 귀빈 여러분,

안데스의 아름다운 나라 페루의 귀한 손님을 모시게 된 것을 기쁘게 생각합니다. 각하 내외분과 일행 여러분의 방한을 진심으로 환영합니다. 각하께서 취임하신 이후 페루는 견실한 경제성장 속에 사상 최고의 무역흑자를 이뤄 내고 있습니다. 분권화와 부패 척결, 과거사 청산을 통해 민주주의와 인권국가로서의 이미지를 더욱 높여 가고 있습니다. 국제사회에서의 역할도 인상적입니다. 특히 각하께서는 남미국가공동체 출범에 핵심적인 역할을 담당하셨습니다. 지난달 페루가 압도적인 지지 속에 유엔 비상임이사국으로 선출된 것도 국제사회에서 높아진 페루의 위상을 잘 보여 주고 있습니다. 각하의 지도력과 페루 국민의 저력에 경의

를 표합니다.

대통령 각하,

한국과 페루는 1963년 수교 이래 다방면에서 긴밀한 유대를 맺어 왔습니다. 최근에는 양국의 협력관계가 한층 더 빠르게 발전하고 있습니다. 양국 자원협력위원회를 통해 에너지·광물자원 투자 협의가 활발히 진행되고 있고, 페루의 카미세아 천연가스전 개발에 우리 업체가 참여하고 있기도 합니다. 지난해 교역도 32%나 늘어났습니다.

그러나 아직 시작단계에 불과하다고 생각합니다. 함께 협력할 분야가 참으로 많습니다. 특히 IT, BT를 비롯한 첨단산업과 인프라 건설 등에서 양국의 협력은 서로에게 큰 이익이 될 것입니다. 제3국 공동진출과 같은 또 다른 기회도 만들어낼 수 있을 것입니다. 조금 전 각하와의 정상회담은 매우 만족스러웠습니다. 실질협력을 더욱 확대하는 계기가 되었습니다. 금년 상반기에 서명한 양국의 IT 협력 양해각서와 BT분야 공동연구사업협약 등도 그 좋은 토대가 될 것입니다. 아름다운 산과 바다, 그리고 훌륭한 문화전통을 지닌 양국은 협력을 확대할수록 더욱 믿음직한 친구가 될 것으로 확신합니다.

귀빈 여러분,

톨레도 대통령 각하 내외분의 건강과 페루의 번영, 그리고 양국의 영원한 우정을 위해서 건배를 제의합니다.

감사합니다.

후진타오 중국 국가주석을 위한 만찬사

2005년 11월 16일

존경하는 후진타오 국가주석 각하 내외분, 그리고 귀빈 여러분,

오늘 저녁 10년 만에 중화인민공화국 주석 각하 내외분을 국빈으로 모시게 되어 기쁩니다. 우리 국민과 더불어 진심으로 환영합니다. 우리 내외는 2003년 중국 방문 당시 각하께서 베풀어 주신 환대를 잊지 않고 있습니다. 그리고 오늘까지 모두 다섯 차례의 정상회담을 통해 각별한 우의를 거듭 확인할 수 있었습니다.

각하의 취임 이후 중국은 고도성장을 지속하면서 서부 대개발사업을 의욕적으로 추진해 오고 있습니다. 지난달에는 칭하이~티베트 간 철도가 완공되었고, 두번째 유인우주선 발사에 성공했습니다. 베이징 올림픽과 상하이 세계박람회도 훌륭히 치러 낼 것으로 믿습니다. 이 모두가 과학적 발전관을 토대로 선진 '샤오강 사회'를 실현해 가고 있는 각하의

지도력과 중국 국민의 저력 덕분이라 생각하며 깊은 경의를 표합니다.

주석 각하,

수교 13년째를 맞이한 우리 두 나라 관계는 예상을 뛰어넘을 만큼 빠른 속도로 발전하고 있습니다. 2년 전 각하와 함께 2008년까지 달성키로 한 양국 교역 1천 억 달러는 올해 안에 이루어질 것입니다. 이미 중국은 미국·일본을 앞질러 우리나라의 첫번째 교역상대국이자 투자대상국이 되었습니다. 뿐만 아니라 매일 1만 명에 이르는 양국 국민이 왕래하고 있습니다. 중국에 진출한 우리 기업이 3만 개, 유학생만 4만 5천 명을 넘어섰습니다. 경제·문화 등 모든 분야에 걸쳐 그야말로 국민 간 교류·협력 시대가 펼쳐지고 있는 것입니다.

오늘 정상회담은 이와 같은 '전면적 협력·동반자 관계'를 더욱 심화시키는 전기가 될 것입니다. 특히 수교 20주년이 되는 2012년까지 교역 규모 2천억 달러를 달성하고, 서해안 1일 생활권 시대를 열어 가기로 한 것은 그 의미가 매우 크다고 생각합니다.

내외 귀빈 여러분,

중국은 다섯 차례의 6자회담과 각하의 북한 방문 등을 통해 한반도 평화와 안정에 크게 기여하고 있습니다. 북핵문제 해결을 위한 중국 정부의 노력에 각별한 사의를 표합니다. 귀빈 여러분, 각하 내외분의 건강과 중국의 발전, 그리고 양국의 우의를 위해 건배를 제의합니다.

감사합니다.

2005 바르게살기운동 전국대회 축하 메시지

2005년 11월 16일

바르게살기운동 전국대회를 진심으로 축하합니다.

우리 사회를 건강하고 따뜻하게 만들기 위해 노력해 오신 여러분께 깊은 존경의 말씀을 드립니다. 행사 준비에 애써 주신 제주도민 여러분께도 감사 인사를 전합니다. 지금 우리 앞에는 해결해야 할 과제가 많이 있습니다. 당장 양극화 문제가 시급합니다. 고령화와 저출산·에너지·연금 문제와 같이 10년, 20년 후를 내다보며 대비해야 할 일들도 한둘이 아닙니다.

중요한 것은 국민의 역량을 하나로 모으는 일입니다.

다양한 견해가 있고 이해관계가 다르지만 공동의 목표에 합의할 수 있어야 합니다. 대화와 타협을 통해 서로의 차이를 극복하고 결론을 낼 수 있어야 합니다. 그래야 미래에 있을지 모를 위기를 막고 보다 번영된 내일을 맞이할 수 있을 것입니다. 이 일에 전국회원 여러분의 적극적인 역할을 당부드립니다. 지역사회의 주역으로서 더 큰 사명감을 가지고 우리 사회에 화합과 협력의 길을 열어 가는 데 앞장서 주시기 바랍니다.

바르게살기운동 전국대회를 거듭 축하하며, 여러분 모두의 건강과 행복을 기원합니다.

2005 APEC 최고경영자회의 연설

2005년 11월 18일

현재현 APEC 최고경영자회의 의장님, 그리고 아·태 지역 경제계 지도자 여러분,

안녕하십니까? 조금 전 제가 기억하는 것보다 더 잘 저를 소개해 주신 윌리엄 로즈 시티그룹 수석부회장님, 감사드립니다. 처음엔 저를 소개하지 않고 한국경제만 계속 소개하기에 걱정을 참 많이 했는데, 인내심을 가지고 기다렸더니 저를 아주 잘 소개해 주셨습니다. 대단히 감사합니다. 아시아·태평양 지역 최대의 경영인 포럼이란 명성에 걸맞게 세계적인 기업인 여러분이 함께하고 계십니다. 여러분의 한국 방문을 진심으로 환영합니다.

APEC 정상회의를 불과 세 시간 앞두고 있지만, 저는 이 자리가 좀 더 실속 있는 자리가 될 수도 있다고 생각합니다. 먼저 APEC 최고경영

자회의 10주년을 축하드립니다. 그동안 이 회의는 역내 기업인들이 정상들에게 자문하고 대화하는 채널로서 아·태 지역의 공동번영에 크게 기여해 왔습니다. 여러분의 공헌에 감사드리며, 이번 회의도 정부와 기업 간 이해의 폭을 넓히는 좋은 기회가 되기를 기대합니다.

참석자 여러분,

아시아·태평양 지역은 세계에서 가장 역동적으로 성장하고 있는 번영의 중심무대입니다. 역내 국가 간 교류와 협력도 더욱 가속화되고 있습니다. 한국의 경우만 해도 무역의 70%, 외국인 투자의 64%가 이 지역 안에서 발생한 것입니다. 그러나 APEC의 궁극적인 목표인 아·태 경제공동체 달성을 위해서는 아직 갈 길이 멀다고 생각합니다. 무엇보다 무역과 투자 장벽을 지속적으로 낮춰서 개방된 다자무역체제를 강화해 나가야 할 것입니다. 이와 함께 경제·기술 협력을 통해 역내 국가 간 격차를 줄이는 노력을 병행해 나갈 필요가 있습니다. 한국이 올해 APEC 의장국으로서 '하나의 공동체를 향한 도전과 변화'를 주제로 삼은 것도 같은 이유에서입니다. 오늘 오후 APEC 지도자들은 보고르 목표 달성을 위한 방안을 협의하고, 부산로드맵을 제시하게 될 것입니다. 부산로드맵은 WTO DDA 협상 진전과 자유무역협정 체결을 통한 무역자유화 등 구체적인 방안을 포함하게 될 것입니다.

안전하고 투명한 기업환경을 만들자는 것도 이번 회의의 주요 의제입니다. 대테러 공조, 보건과 재난 위협에 대한 공동대응, 반부패 협력방안 등이 심도 있게 논의될 예정입니다. 또한 올해에는 역내 국가 간의 상호이해를 증진하고 공동체 의식을 고취하기 위해 문화협력을 추진하기로 했습니다. 그리고 그 첫 사업으로 지난 10월 6일부터 14일까지 이곳 부산에서 APEC 특별영화제가 열리기도 했습니다. 이러한 노력들은 역내 국가 간의 다양성을 교류와 협력의 동력으로 승화시키고, APEC을 보다 신뢰할 수 있는 공동체로 만들어 나가는 데 기여하게 될 것입니다.

참석자 여러분,

그러나 '구슬이 서 말이라도 꿰어야 보배'라는 한국 속담이 있습니다. 아·태 지역의 무한한 잠재력을 현실로 만들어 나가는 것은 바로 여러분입니다. 여러분이 주역입니다. 기업인 여러분의 창조적인 협력이야말로 역내 국가 간 협력을 가장 실질적이고 효과적으로 증진시킬 수 있기 때문입니다. 그런 점에서 '아·태 지역의 성공적인 파트너십'을 주제로 모인 이 자리는 그 의미가 매우 큽니다. 여러분의 협력이 깊어질수록 아·태 공동체의 미래는 더욱 앞당겨질 것입니다.

최고경영자 여러분,

여러분은 한국 경제의 장래에 대해 많은 관심을 가지고 계실 것입니다. 결론부터 말씀드리면 한국 경제의 전망은 밝습니다. 우선 경제의 미래를 반영하는 주식시장이 지금 사상 최고의 행진을 계속하고 있습니다. 수출은 유가의 급격한 상승에도 불구하고 지난해 2,500억 달러를 돌파한 데 이어 올해에도 지난 9월까지 12.4%가 증가했습니다. OECD와 IMF는 내년도 한국 경제가 5%내외로 성장할 것이라고 전망하고 있습니다. 국제신용평가기관들도 연이어서 우리의 국가신용등급을 상향조정하고 있습니다.

지금 한국 경제가 가고 있는 길은 분명합니다. 첫째는 과학기술 혁신입니다. 국내 기업이나 외국 기업 모두 투자하고 싶고, 또 투자하면 높은 수익을 얻을 수 있도록 기술혁신과 인재양성에 집중적인 노력을 기울이고 있습니다. 탄탄한 제조업 기반 위에 IT·BT 등 미래 성장산업 육성에 주력하고 있는 우리의 노력을 이번 기회에 여러분들은 직접 확인할 수 있을 것입니다. 한국은 투명하고 공정한 시장을 만드는 개혁도 꾸준히 진행해 왔습니다. 이제 관치경제, 관치금융, 정경유착, 이런 말은 사라지고 있습니다. 민간이 주도하고 실력으로 경쟁하는 시장이 만들어지고 있습니다. 경제 각 부문의 제도와 관행을 글로벌 스탠더드에 맞추어 가고 있고, 사회·문화도 합리성을 높이는 방향으로 빠르게 변해 가고 있습니다.

또한 외국인의 생활환경과 규제를 개선하는 데도 최선을 다하고 있습니다. 이미 1만 6천여 개의 외국인 투자 기업이 한국에 진출해 있고, 이 중 263개는 포춘지가 선정한 500대 기업입니다. 아시아에서 가장 기업하기 좋은 나라를 목표로 2012년까지 외국인 투자를 GDP의 14% 수준까지 끌어올릴 계획입니다. 이러한 노력들을 통해 한국은 명실상부한 선진경제, 동북아 물류와 금융, R&D 허브로 발돋움해 나갈 것입니다. 지금이 한국에 투자해야 할 좋은 기회입니다. 가능성을 보고 도전했을 때 이익도 그만큼 커지는 것 아니겠습니까? 저는 여러분이 꼭 성공하기를 바라고, 한국을 선택하면 반드시 성공할 것이라고 확신을 가지고 있습니다.

참석자 여러분,

우리의 다자무역체제에 대한 지지는 확고합니다. 한국의 경제성장은 자유무역의 기반 위에서 이루어졌기 때문입니다. 앞으로도 적극적인 개방을 통해 선진 통상국가를 실현해 나갈 것입니다. 현재 20여개 주요 교역국과 추진하고 있는 자유무역협정 체결에 지속적인 노력을 기울이고 있습니다. 그리고 WTO DDA 협상의 성공적인 타결에도 적극 기여해 나갈 것입니다. 북핵문제에 대해서는 앞으로도 여러 가지 어려움은 있겠지만, 그리고 시간이 걸리겠지만 궁극적으로 바람직한 결과가 나올 것입니다. 반드시 그렇게 되도록 관련국들과 긴밀히 협력해 나가겠습니다.

최고 경영자 여러분, 그리고 내외 귀빈 여러분,

자유화와 세계화는 돌이킬 수 없는 시대흐름입니다. 그러나 세계화의 진전과 함께 양극화라는 부작용도 늘어나고 있습니다. 우리나라를 비롯한 많은 국가에서 산업과 산업, 기업과 기업 간 양극화와 고용·소득 간 양극화가 더욱더 커지고 있습니다. 교육과 인적자원 투자의 양극화로 고착되어 계층 간 격차가 확대될 것이 우려됩니다. 이러한 양극화는 사회통합을 저해할 뿐만 아니라 소비를 위축시켜 궁극적으로는 시장의 축소와 투자의 위축을 초래할 가능성도 있습니다. 가난의 대물림으로 희망이 없는 사람들이 많아진 사회는 안정될 수 없습니다. 평화를 위협하는 요인이 될 수도 있습니다. 세계화가 주는 성장의 과실을 함께 나눌 수 있는 적절한 방안을 모색해야 할 때입니다. 저는 이번 APEC 정상회의에서 이 문제를 제기하여 회원국들의 지혜를 모아나가고자 합니다. 여기 계신 여러분의 역할도 매우 중요하다고 생각합니다. 정부의 정책적인 노력과 함께 기업인 여러분이 상생과 호혜의 정신을 함께 나누어 갈 때 양극화 완화와 지속가능한 성장이 가능해질 것입니다.

참석자 여러분,

앞으로 우리가 어디로 가야 할지 방향은 나와 있습니다. 그것은 개방과 협력을 통하여 함께 번영하는 미래입니다. 지금 우리에게 필요한 것은 그 비전을 현실로 만들어 나가는 실천과 역량입니다. 멀리 내다보고 더 큰 이익을 위해 힘을 모읍시다. 아·태 공동체의 희망찬 미래를 향해 함께 손잡고 나아갑시다. 이곳 부산은 아시아와 태평양을 잇는 동북아의 중심항만입니다. 여러분이 교류와 우정을 나누기에 더없이 좋은 곳입니다. 이곳 부산은 지난 1950년 한국전쟁 시기에 전국의 국민들이 와서 함께 어울려 살았던 곳입니다. 전 국민이 어려운 시기를 함께 보냈습니다. 그 당시 부산은 전국의 어려운 사람들을 다 품 안에 안았던 넉넉한 관용의 도시였습니다. 그리고 이웃과 함께하는 사랑의 도시였습니다. 항상 부산은 그 역사를 자랑합니다. 그리고 매우 아름다운 도시입니다.

저는 이 도시에서 고등학교를 다녔고, 변호사를 했고, 처음 국회의원을 했습니다. 시장선거에서 떨어지기도 했습니다. 제가 사랑하는 이 고향에서 여러분을 맞이하게 된 것을 정말 기쁘게 생각합니다. 바쁜 일정이지만 부산의 아름다움을 마음껏 즐기고 가시기 바랍니다.

감사합니다.

2005 APEC 기업인자문위원회와의 대화 모두연설

2005년 11월 18일

현재현 APEC 기업인자문위원회 의장님, 각국 정상 여러분, 그리고 회원국 위원 여러분,

반갑습니다. 부산에 오신 것을 진심으로 환영합니다. 먼저 APEC 발전과 무역·투자 자유화, 그리고 역내 기업인 간 협력 확대에 힘써 온 여러분의 노력을 치하합니다.

지난 9월 현재현 의장으로부터 금년도 보고서를 전달받았습니다. 보고서에 담긴 WTO DDA 협상의 성공적 타결, 보고르 목표 달성, 안전하고 투명한 역내 기업환경 조성 등은 민간과 정부가 함께 달성해야 할 과제입니다. 무엇보다 무역장벽을 철폐하고 새로운 규범을 만드는 것이 중요합니다. WTO DDA 협상은 그 분수령이 될 것입니다. 다음달 WTO 각료회의에서 의미 있는 진전이 있도록 공동의 노력을 기울여야 하겠습

니다.

　방금 마친 제1차 정상회의에서는 보고르 목표 달성을 위한 부산 로드맵에 대해 논의했습니다. 각국 정상들은 역내 무역자유화 등 APEC이 앞으로 추진해 나갈 구체적인 방안에 대해 의견을 같이했습니다. 부산 로드맵 하나하나가 기업환경을 개선하는 데 크게 기여할 것으로 믿습니다. 안전하고 투명한 기업환경 조성은 거래비용을 낮추는 데 필수적입니다. APEC은 이번에 반부패를 정부차원의 의제로 채택해서 논의하고 있습니다. 오늘 오전에는 최고경영자회의로부터 반부패 서약서를 전달받았습니다. 작년부터 여러분이 기울여 온 반부패 노력의 결과라 생각하며 감사드립니다.

　여러분의 경험과 전문성은 정부정책 결정과 APEC의 비전을 이뤄가는 데 큰 도움이 되고 있습니다. 역내 기업인들로부터 큰 호응을 얻고 있는 APEC 기업인 여행 카드도 그중의 하나입니다. 오늘도 좋은 제안과 유익한 대화를 많이 나누게 되기를 기대합니다.

　감사합니다.

2005 APEC 정상회의
참석 정상들을 위한 만찬사

2005년 11월 18일

존경하는 각국 정상 내외 여러분, 그리고 내외 귀빈 여러분,

진심으로 환영합니다. 그리고 감사드립니다. 이번 회의에 참석하신 모든 분들께 우리 국민과 부산시민이 보내는 따뜻한 인사의 말씀을 드립니다. 이곳 부산은 제 고향입니다. 제가 공부를 하던 곳이고 정치를 시작했던 곳입니다. 그래서 마치 여러분을 제 고향집에 초대한 것 같은 설레는 마음으로 여러분을 맞이하고 있습니다.

아울러 제 고향자랑도 하고 싶습니다. 부산은 태평양으로 열려 있는 아시아의 관문입니다. 부산항이 24시간 불을 밝히고 있고, 아시아 최대의 영화제를 비롯한 국제행사가 끊임없이 계속되고 있습니다. 지구촌 사람 누구나 마음을 열고 친구가 될 수 있는 곳입니다. APEC의 희망찬 미래를 얘기하기에 아주 좋은 곳입니다.

다시 한번 부산에 오신 것을 환영합니다.

내외 귀빈 여러분,

저는 오늘과 같은 만남이 대단히 중요하다고 생각합니다. 만나서 대화하면 이해가 깊어지고 신뢰가 쌓입니다. 없던 길도 열리고, 보이지 않던 희망도 만들어갈 수 있습니다. 이것만으로도 APEC은 이미 성공했다고 할 수 있을 것입니다. 우리 대한민국은 세계와 함께 호흡하면서 고도성장을 이루고 민주주의를 발전시켜 왔습니다. 앞으로도 우리의 역량에 걸맞는 국제적인 역할과 책임을 다해 나갈 것입니다. APEC 발전을 위해서도 최선을 다하겠습니다.

내외 귀빈 여러분,

아시아·태평양 지역의 평화와 번영, 그리고 여러분 모두의 행복을 위해 건배를 제의합니다. 감사합니다.

2005 APEC 정상회의 정상선언 발표문

2005년 11월 19일

친애하는 APEC 회원국 국민 여러분,

저와 오늘 APEC 정상들은 '하나의 공동체를 향한 도전과 변화'를 주제로 제13차 APEC 정상회의를 개최했습니다. 회의 결과 정상들은 '부산선언'과 'WTO DDA에 관한 특별성명'을 채택하고, 조류 인플루엔자(AI) 대응 방안을 만장일치로 승인했습니다.

주요 내용을 말씀드리겠습니다.

먼저 이번에 채택한 부산선언은 APEC 회원국들이 역내 국민의 후생을 위해서 무역자유화를 계속 증진해야 한다는 데 의견을 같이하고 있음을 밝히고 있습니다. 특히 최근 진행 중인 WTO DDA 협상의 성공적 진전의 중요성을 다시 한번 강조하고, 우리의 입장을 담은 특별성명도 채택했습니다.

아울러 올해 실시한 보고르 목표 중간점검 결과 APEC이 그동안 무역자유화와 경제성장에 많은 성과를 거두었음을 확인하고, 2010년과 2020년으로 각기 정해져 있는 역내 무역·투자 자유화 시한까지 역점을 두어야 할 사항을 정리한 '부산 로드맵'을 채택했습니다. 정상들은 또한 자유무역협정이 역내 교역자유화에 기여한 것을 평가하고, 무역원활화 등 국내 이슈도 중점적으로 추진하기로 했습니다.

안전하고 투명한 아·태 지역이라는 목표와 관련해서는 국민의 생명과 기업의 안전을 보호하기 위한 대테러 활동을 강화하고, 이러한 노력이 선정(善政)과 인권, 거래비용에 부정적인 영향을 미치지 않도록 노력하기로 했습니다. 특히 조류 인플루엔자가 재앙으로 번지는 것을 예방하기 위해 APEC 회원국 간 공동노력 전략을 수립했습니다. 고유가가 경제와 무역에 미칠 부정적인 영향을 최소화하기 위해 수요와 공급 양측면에서 투명성을 제고하는 등 시장 안정화 노력도 강화하기로 했습니다. APEC 정상들은 모든 국민들이 무역 자유화와 경제성장에 따른 혜택을 골고루 공유하는 기회를 가지는 것이 중요하다는 데 인식을 같이하고, 사회·경제적 격차문제와 관련된 도전과 장애요인에 대처하는 방안을 연구하기로 합의했습니다. 아울러 APEC의 구조적 효율성을 제고하기 위한 개혁을 지속적으로 추진하고, 역동적인 APEC을 위해 첨단기술과 혁신을 중시할 것입니다.

끝으로, 역내 공동체 달성을 위해서는 상호 이해를 통해 심리적 장벽을 낮추는 노력이 필요하다고 보고 APEC 회원국 간 문화협력을 강화하기로 했습니다. 이상이 APEC 정상들이 합의한 선언문의 내용입니다.

이 밖에도 한반도 정세와 관련한 문제를 논의하고, 다음과 같이 의견을 모았습니다.

APEC 정상들은 최근 6자회담에서 검증가능한 한반도 비핵화를 위해 긍정적인 진전들이 이루어진 것을 환영했습니다. 우리는 이러한 진전들이 이 지역의 평화와 안정, 그리고 번영에 기여할 것으로 기대합니다. 나아가 정상들은 6자회담에서의 추가적인 실질적 진전, 특히 제4차 6자회담에서 만장일치로 채택된 공동성명을 '공약 대 공약', '행동 대 행동' 원칙에 따라 성실히 이행할 것을 권장했습니다.

여러분, 감사합니다.

2005 APEC 정상회의
내·외신 기자회견 모두말씀 및 질문·답변

2005년 11월 19일

여러분, 안녕하십니까?

제13차 APEC 정상회의를 성공적으로 마치게 된 것을 매우 기쁘게 생각합니다.

APEC은 그동안 아시아·태평양 지역의 공동번영을 이끄는 최대 경제협력체로 발전해 왔습니다. 1994년 보고르 목표 설정과 WTO DDA 협상 지원 등을 통해 이 지역의 교역 확대와 투자 활성화에 크게 기여해 왔습니다. 앞으로도 APEC은 무역·투자 자유화 노력을 지속적으로 추진하고, 경제·기술 협력을 통한 격차 극복 등 무역자유화의 토대를 더욱 튼튼히 구축해 나갈 것입니다.

이번 회의에서도 21개국 정상들은 다자무역체제 강화가 지속가능한 경제발전과 국민복지를 증진시킨다는 데 의견을 같이했습니다. 그리고 다음달 홍콩에서 개최되는 제6차 WTO 각료회의에서 DDA 협상의 주요 쟁점에 대해 합의를 이루어 2006년 말까지 협상을 마무리할 것을 촉구하는 특별성명을 채택했습니다. 또한 정상들은 테러와 자연재해, 조류 인플루엔자, 고유가 등 세계 경제 활성화에 장애가 되는 여러 요인에 대해서도 공동 대처해 나가기로 했습니다. 먼저 테러는 어떠한 명분으로도 용납될 수 없으며, 반드시 근절되어야 한다는 점을 재확인했습니다. 자연재해와 전염성 질병에 대해서는 신속한 정보 교환과 기술 교류를 통해 대처해 나가고, 고유가 문제 해결을 위한 협력도 한층 더 강화해 나가기로 했습니다. 한편 정상들은 무역과 투자 자유화를 더욱 촉진하기 위해 국내 간, 그리고 국가 간 격차를 해소하는 노력을 강화할 필요가 있으며, 이를 통해 안정적이고 지속가능한 시장을 확보할 수 있다는 데 공감하고, 이 문제에 대해서도 앞으로 공동연구를 시행하기로 했습니다.

저는 APEC 정상회의 의장으로서 21개 회원국 정상과 국민 여러분께 깊은 존경의 말씀을 드립니다. 아울러 이번 회의에 함께해 주신 기업인과 언론인 여러분, 그리고 행사 준비와 진행에 적극 협조해 주신 부산 시민 여러분께 감사의 말씀을 드립니다.

감사합니다.

질문과 답변

질문 : 대통령께서는 어제 최고경영자회의 연설에서 세계화의 과실을 이제 공유할 때다, 그래서 양극화와 사회적 격차 해소에 모두가 노력

하자는 말씀을 하신 바 있습니다. 대통령께서 두 차례 정상들과의 자리에서 이런 제안을 하셨을 때 다른 정상들이 어떤 반응을 보였는지 궁금합니다. 또 지원기금 조성을 포함해서 보다 구체적인 실천방안에 대한 논의는 어느 정도 이루어졌는지 말씀해 주십시오.

대통령 : 우리가 보통 양극화라든지, 격차라든지, 빈곤이라는 얘기를 하면 대체로 세계화에 반대하는 견해로 인식하는 경향이 있기는 합니다. 그러나 반드시 그렇지는 않습니다. 저의 이 제안은 세계화를 받아들이고 보다 더 개방을 촉진하는 취지를 전제로 해서 한 제안이라는 점을 명백하게 해 두고 싶습니다.

시장의 확대와 성장이라는 관점에서 볼 때 양극화는 소비를 위축시키고, 따라서 시장을 위축시키고, 결국 투자를 위축시키는 결과를 낳을 수 있기 때문에 지속가능한 시장의 확대와 성장을 위해서는 양극화의 극복이 꼭 필요하다고 말할 수 있습니다. 또한 더 장기적인, 보다 더 근본적인 관점에서 볼 때는 경제도 시장도 사회의 통합과 안정 위에서 발전해 가야 하는 것입니다. 양극화와 격차라는 것이 결국 사회의 통합을 해치는 것이기 때문에 장기적인 경제발전에 문제가 될 수 있다는 인식에서 이 문제를 우리가 해소해 나가야 된다는 제안을 하게 된 것입니다.

어제 제1차 회의에서 여러 정상들이 이와 같은 제안에 대해서 같은 취지의 발언, 동의 내지 지지의 발언을 해 주셨습니다. 일부 말씀내용을 그대로 인용한다면 "시장개방의 혜택이 자국민에게 골고루 배분되도록 하는 것이 중요하다.", "소외되고 취약한 사회 부문을 방치할 경우에 악

영향을 초래한다." 그리고 "소외된 계층에 대한 적절한 교육·훈련 기회 제공이 중요하다." 이런 말씀이 있으셨고, "개도국에 대한 능력배양이 중요하다", "WTO가 개도국이 두려워하는 기구가 되어서는 안된다." 이런 언급도 있으셨습니다. 아울러 사회·경제적 격차 해소 제안을 환영한다는 직접적인 말씀도 있으셨고 "빈곤문제 및 사회·경제적 격차를 해결하는 것이 국가와 지도자의 의무다." 라는 말씀도 있으셨습니다. 낙오하고 소외된 계층에 대한 교육·훈련 기회의 확충, 정보환경의 개선, 중소기업의 적극 육성, 그리고 국가 간 과학기술 이전의 촉진, 정보화 협력 등이 구체적인 방법으로 제시되기도 했습니다. 대개 이러한 방향으로 앞으로 연구가 진행될 것으로 예측하고 있습니다. 그리고 이 원칙은 정상선언에도 명시됐습니다.

질문 : 현재 한국 정부는 대북 포용정책에 대해서 많은 관심을 갖고 추진하고 있습니다. 북핵문제가 해결될 경우에는 그것이 동북아 통합과 협력에 얼마나 많은 도움이 될 것이라고 보시고 계십니까? 그리고 북한이 어떤 도발을 할 경우에 한국 정부가 그와 같은 대북 포용정책을 재고하게 되는 것입니까?

대통령 : 제가 2003년 초 대통령에 취임할 즈음해서 우리 경제 때문에 투자자를 만나거나 또는 해외에 가서 우리 경제를 설명하는 기회가 있을 때 제일 먼저 받는 질문이 북핵문제였습니다. 한마디로 말해서 북핵문제가 안정적으로 해결될 것으로 전망하느냐 하는 것이었습니다.

그것이 우리 경제에 있어 결정적 관건이라는 것입니다. 아울러 어떤 불안이 있는 경우에도 한·미동맹이 그와 같은 위기적인 상황이 생겼을 때 확실하게 받쳐 줄 것이냐 이런 질문도 항상 받았습니다. 따라서 안보적 요인 그 자체만으로도 경제에 매우 중요한 요소라는 것을 먼저 말씀드리고 싶습니다.

북한 핵문제는 남북 간에만 있는 안보 불안요인이 아니고 동북아시아 전체 영향을 미치는 불안요인입니다. 만일에 북핵문제가 잘 해결되면 남북 간 경제협력이 아주 빠른 속도로 진전될 것이고, 나아가서는 남북 간 평화체제가 수립될 것이고, 그것이 나아가 동북아시아 전체의 평화체제, 그리고 경제적 협력체제로 발전해 나갈 것입니다. 따라서 북핵문제는 동북아시아의 경제와 안보에 결정적인 문제이다, 이렇게 말씀드리겠습니다.

다음으로 두번째 질문에 대해서는 우리는 지금 북한과 친구가 되기 위해서 성의를 다해서 대화를 하고 있습니다. 이 대화과정에서 어떤 경우에 대화가 깨질 것이냐, 어떤 경우에 적대관계가 발생할 것이냐 하는 것을 먼저 전제하고 말하는 것은 대화에 도움이 되지 않는다고 생각합니다. 앞으로 결혼을 예상하고 서로 대화하는 사람들이 어디 다른 자리에서 이혼조건에 관해서 누가 묻는다고 대답해 버리면 결혼이 깨질 수도 있지 않겠습니까? 감사합니다.

질문 : 이번 APEC 회의 결과가 보여 준 것과 같이 지역협력은 세계적인 추세로 되고 있습니다. APEC의 지역협력과 동북아의 지역협력을

어떻게 보완적으로 해나가야 한다고 보십니까?

대통령 : 큰 틀에 있어서 WTO라는 기구가 있고, 그 틀 안에서 또는 병행해서 EU, NAFTA, ASEAN, APEC과 같은 이런 중첩적인 지역기구가 있는 것 같습니다. 또 이 지역기구 내에도 여러 국가 간에 작은 기구들이 있고, 개별 국가 간의 FTA도 있는데, 상호간에 배치되는 것이 아니고 긍정적으로 작용하는 중첩적 질서로 존재하는 것 같습니다.

이와 같이 지역협력체라든지 FTA라든지 하는 것은 거기에 함께 참여하지 못한 국가들에게 시장에서 불리한 여건을 주게 되기 때문에 결과적으로는 경쟁적으로 이루어지고, 서로를 자극하는 측면이 있는 것 같습니다. 그래서 그것이 나아가서는 큰 틀에 있어서의 통합을 더욱 촉진하는 효과가 있지 않은가 생각합니다.

그런데 유독 전 세계 경제적 비중에 있어서, 그리고 앞으로 생산력에 있어서 엄청나게 비중이 크고 또 빠른 속도로 성장하고 있는 이 동북아시아 지역에는 지역경제협력체가 존재하지 않습니다. 이것은 장기적으로 보아서 상당히 불리한 여건이 될 수도 있다는 생각을 저는 가지고 있습니다. 또한 경제협력의 블록이라는 것은 대체로 그 지역의 안보적 협력관계로 발전해 나가는 것과 상호관계에 있기도 합니다. 그래서 동북아시아의 경제적 측면에 있어 상호 협력체 내지 공동체라고 하는 것은 안보적 측면에 있어서의 안정을 지향하는 것이기도 하기 때문에, 이것은 동북아시아의 평화와 안정, 그리고 공동번영에 매우 결정적인 토대가 되는 것이라고 생각합니다.

어떻게 추진할 것이냐에 대해서 답변드리겠습니다. 지금 한·일 간 FTA 협상은 진행 중에 있지만 교착상태에 빠져 있고, 한·중 간 FTA는 민간차원에서 공동연구를 하기로 합의가 된 수준에 있습니다. FTA가 지역을 함께 묶는 하나의 방법이 될 수도 있을 것입니다.

한쪽에서는 북핵문제를 해결하기 위하여 6자회담이 열리고 있고, 6자회담이 성공적으로 진행될 경우에 그것은 한반도의 평화체제, 그리고 나아가서는 동북아시아의 다자 안보체제로 대화의 폭을 넓혀 나가는 방향으로 공감대가 형성되고 있습니다. 그렇게 순조롭게 진전이 될 경우에는 북한 경제가 열리게 되고, 그렇게 됐을 때 동북아시아 전체에 있어서의 에너지 협력, 물류 협력, 그리고 새로운 경제의 가능성이 열리게 될 것입니다. 모두에게 이익이 될 것입니다.

우리는 두 가지 문제를 해결해야 합니다. 하나는 오랫동안 이 지역에 있었던 불신과 대결의 경계선을, 우리 마음속에 존재하는 불신과 대결의 경계선을 해소하는 것입니다. 말하자면 냉전이 해소되었다고는 하지만, 냉전 시대의 대결적 구도가 지금도 잠재적인 대결구도로 여전히 영향을 미치고 있기 때문에 이것을 뛰어넘는 역내 국가들 상호간의 접촉과 협력이 필요하다는 것입니다. 또 하나는 불행한 과거로부터 비롯된 국민과 민족 간의 불신, 이것을 뛰어넘기 위한 각국 국민들의 진지한 노력이 필요합니다.

질문 : 이번 회의가 서울이 아닌 부산에 성공적으로 열렸다는 것은 국가균형발전 차원에서도 획기적인 전기가 될 것으로 봅니다. 앞으로 중

요한 국제회의나 행사가 더 많이 지방에서 개최될 수 있도록 중앙정부가 지원해야 될 것이라고 보는데 어떻게 생각하십니까? 부산시가 이번 회의의 성공을 토대로 명실상부한 물류·금융 허브 도시로 도약하기 위해서는 어떤 발전전략을 채택해야 된다고 보십니까?

대통령 : 저는 이렇게 하는 것이 지방이 성공하는 길이라고 생각합니다. 이와 같은 국제적인 행사를 부산에 맡길 때 많은 사람들이 좀 걱정을 했을 것입니다. 그런데 이번에 부산시에서는 그런 걱정이 전혀 필요 없었다는 것을 증명해 주었습니다. 참 잘 준비해 주셨고, 아주 성공적으로 잘 치러 주셨습니다.

우선 아름다운 자연이 받쳐 주었습니다. 그리고 어제 저녁 만찬행사 때 보니까 교향악단, 국악관현악단, 합창단 모두 부산의 자원을 가지고 이렇게 훌륭하게 치러 주셨습니다. 이런 것이 부산의 역량에 대한 신뢰도를 높이는 데 아주 크게 기여했을 것입니다. 2020년 올림픽을 목표로 세운 것도 결코 지나친 일이 아니라고 생각합니다.

성공의 비결은 요구를 잘하고 투쟁을 잘하는 것보다는 역량을 증명하고, 그래서 신뢰를 확보하는 것이라고 생각합니다. 부산은 물류에 관한 한 천혜의 조건에다 오랜 전통과 역사가 있어 아주 유리한 조건을 가지고 있습니다. 역량도 많이 축적돼 있습니다. 금융에 대해서는 아직 제가 뭐라고 단언하기 어렵습니다. 앞으로 지방발전 전략은 스스로 자주적으로 혁신하고, 그리고 역량을 증명해서 모두의 신뢰를 받겠다는 것, 그것이 전략이라고 생각합니다. 균형발전 전략은 참여정부의 첫번째 중요성을 가지는 수준의 전략이고, 또 더 이상 돌이킬 수 없는 수준까지 참여정부 안에서 진전될 것입니다.

중앙과 지방 또 지방과 지방, 지역 간에 서로 작은 자원을 놓고 싸움하는 것으로는 지역이 균형 있게 발전하기 어려울 것입니다. 균형발전이라는 것은 상호간에 협력을 통해서 이루어지는 것이기 때문에 우리 지역의 발전이 있으면 타 지역의 발전 가능성에 대해서도 존중할 줄 아는 포용적인 자세를 가져 나가는 것도 전국적인 균형발전을 성공시키는 하나의 전략이라고 생각합니다. 함께 협력하자고 말씀드리고 싶습니다.

기자 여러분, 그동안 수고 많으셨습니다. 저도 정상회담 하나를 더 마치고 나면 내일은 좀 쉴 생각입니다. 부산은 좋은 곳입니다. 내일 하루라도 부산 구경 잘하고 가십시오. 편안한 하루가 되시기 바랍니다.

감사합니다.

푸틴 러시아 대통령을 위한 만찬사

2005년 11월 19일

존경하는 푸틴 대통령 각하 내외분, 그리고 내외 귀빈 여러분,

각하 내외분과 일행 여러분을 진심으로 환영합니다. 나의 고향인 이곳 부산에서 귀한 손님을 모시게 되어 더욱 기쁩니다. 지난 두 차례 모스크바 방문에서 베풀어 주신 환대를 잊지 않고 있습니다. 다차에서의 기억은 지금도 각별합니다.

세계는 러시아를 주목하고 있습니다. 특히 각하의 취임 이후 러시아는 정치적 안정 속에서 비약적인 경제성장을 이루어 가고 있습니다. 외국인 투자만 해도 지난해 31%나 늘어났습니다. 국제사회에서도 각하의 높은 신망을 바탕으로 세계 평화와 안정에 선도적인 역할을 하고 있습니다. '강한 러시아'를 만들어 가고 있는 각하의 탁월한 지도력과 러시아 국민의 저력에 깊은 경의를 표합니다.

대통령 각하,

한국과 러시아는 공통의 목표와 이해관계를 가지고 있습니다. 교역과 투자는 물론 에너지·자원 협력과 철도 연결사업, 우주과학기술 협력과 같이 서로에게 이익이 되는 일이 많습니다. 한반도 평화와 동북아의 안정이라는 목표도 일치합니다. 테러와 대량살상무기 확산 방지 등 국제적인 문제에 있어서도 견해를 같이하고 있습니다.

오늘 각하와의 정상회담에서도 이를 거듭 확인할 수 있었습니다. 또한 지난해 합의한 '상호 신뢰하는 포괄적 동반자 관계'를 더욱 발전시켜 나가기로 했습니다. 이미 두 나라의 협력은 빠른 속도로 확대되고 있습니다. 올해 교역액이 34% 증가했고, 석유·가스와 같은 에너지 분야 협력도 활발해지고 있습니다. 오늘 체결된 '경제·통상 협력을 위한 행동계획'은 이러한 협력을 구체화하는 좋은 계기가 될 것입니다. 북핵문제의 평화적 해결을 위한 협력도 더욱 강화해 나갈 것입니다. 6자회담 진전을 위한 러시아의 노력에 감사드리며, 앞으로도 적극적인 역할을 당부드립니다.

내외 귀빈 여러분,

푸틴 대통령 각하 내외분의 건강과 러시아의 발전, 그리고 두 나라의 영원한 우정을 위하여 건배를 제의합니다.

감사합니다.

제42회 무역의 날 기념식 연설

2005년 11월 30일

　　존경하는 국민 여러분, 김재철 회장을 비롯한 무역인과 근로자 여러분,

　　마흔두번째 무역의 날을 진심으로 축하드립니다.

　　오늘은 여러분의 잔칫날입니다. 그런데 기분은 제가 더 좋습니다. 저뿐만 아니라 우리 국민 모두가 함께 기뻐하고 또 축하할 것입니다. 특히 오늘 수상하신 분들께 각별한 축하의 인사를 드립니다. 제가 여러분께 드리고 싶은 첫마디는 감사하다는 말씀입니다. 지구촌 구석구석을 밤낮없이 뛰고 있는 기업인 여러분, 그리고 묵묵히 땀 흘려 오신 근로자 여러분, 정말 수고 많으셨습니다. 여러분 모두에게 뜨거운 격려의 박수를 드리고 싶습니다.

　　여러분 덕분에 수출이 3년 연속 두 자리 수 증가율을 기록했습니다.

그리고 작년에 이어 200억 달러 이상의 무역수지 흑자를 실현하게 되었습니다. 고유가와 환율하락이라는 악조건을 이겨내고 달성한 것이기에 더욱 자랑스럽습니다. 우리 국민을 대신해서 다시 한번 감사와 치하의 말씀을 드립니다.

기업인과 근로자 여러분,

저는 여러분을 보면서 우리 국민의 무한한 역량에 대해서, 그리고 한국 경제의 장래에 대해서 큰 희망과 자신감을 갖게 됩니다. 무역규모 5천억 달러 달성은 세계 10대 무역 강국의 위상을 보여 주는 쾌거입니다. 속도에 있어서도 경이적입니다. 1988년 1천억 달러 달성한 이후 2천억, 3천억 달러가 되는 데 각기 7년씩 걸렸습니다. 그런데 2002년 3천억 달러 이후 불과 3년 만에 5천억 달러를 돌파했습니다. 이제 세계 어느 나라를 가도 '메이드 인 코리아'를 만날 수 있습니다. 그것도 값싼 제품이 아니라 누구나 갖고 싶어 하는 명품으로 당당히 대접받고 있습니다. 물론 어려움을 겪고 있는 기업들도 많이 있습니다. 수출경쟁도 갈수록 치열해지고 있습니다. 또 중국이 쫓아온다고 많은 사람들이 불안해 합니다.

그러나 저는 낙관적 전망을 가지고 계속 도전해 보자, 이렇게 말씀드리고 싶습니다. 중국의 성장을 걱정할 것이 아니라 오히려 몇 발짝 앞서 가면서 기회로 삼아 나가자는 것입니다. 이미 여러분이 그렇게 성공하고 계시고, 그래서 가능하다고 믿습니다. 자동차, 휴대폰, 선박 등 주력 제품만이 아니라 부품·소재와 기계산업도 하루가 다르게 경쟁력을 높여 가고 있습니다. 긴장을 늦추지 않고 혁신을 가속화하면 기초체력이 더욱 튼튼해지고, 장기적으로 더 많은 수출, 더 높은 성장을 지속해 갈 수 있을 것입니다.

물론 걱정도 있습니다. 수출 증가에도 불구하고 내수와 고용사정이 크게 나아지지 않고 있습니다. 일자리를 동반하지 않는 수출 증가라는 선진국들의 고민을 우리도 함께 겪고 있는 것입니다. 또한 산업 간 연관 효과도 점차 줄어서 수출이 늘어나는데 어려운 곳은 여전히 어려운 것이 우리 경제가 해결해야 할 문제입니다. 수출의 온기가 우리 경제의 구석구석에 잘 퍼져 나갈 수 있도록 우리 모두가 함께 노력해야 할 것입니다. 대기업과 중소기업 간 상생협력을 강화하고, 부품·소재 산업을 더욱더 육성해서 수출과 내수 부문이 함께 성장할 수 있도록 모두 힘을 모아야 될 것입니다.

무역인과 기업인 여러분,

매년 무역의 날마다 수출에 대한 당부를 드렸습니다. 오늘은 다시 말씀드리지 않겠습니다. 말씀을 안 드려도 여러분이 잘하고 계시기 때문입니다. 오늘은 여러분을 어떻게 도울 것인가, 그것만 말씀드리도록 하겠습니다. 누차 말씀드렸지만, 가장 중요한 것은 기술혁신과 인재양성입니다. 지금까지 해 온 것처럼 열심히 뒷받침하겠습니다. 앞으로 미래시장을 선점할 수 있는 차세대 제품에 대해서는 집중적인 지원을 아끼지 않을 것입니다. IT·BT·NT 등 신기술도 조기에 산업화될 수 있도록 지속적인 노력을 기울여 나가겠습니다. 중소기업과 벤처기업에 대한 지원도 실효성 있게 개선해 가고 있습니다. 조만간 가시적인 성과가 나타날 것으로 기대하고 있습니다.

해운, 문화 콘텐츠 등 서비스산업 수출도 더욱 활성화해 나가야 합니다. 상품 수출과 동등하게 금융과 보험지원 혜택을 받을 수 있도록 법적근거를 마련하겠습니다. 한류 열풍이 서비스 수출 확대로 이어질 수 있도록 마케팅 지원체제도 보강하겠습니다. 부가가치가 높은 서비스 수출은 고급 일자리 창출에도 큰 몫을 하게 될 것입니다.

중동지역 등 산유국의 오일달러를 유치하는 일도 매우 중요합니다. 이들 나라에 대한 플랜트 수출을 더욱 늘리고, 기계류와 같은 연관 품목 수출도 확대해 나가도록 노력할 것입니다. 이를 위해 지금 국무총리가 중동 5개국을 방문해서 활발하게 활동을 벌이고 있습니다.

수출 인프라 구축에도 최선을 다하고 있습니다. 2007년을 목표로 전자무역망구축사업이 착실히 진행되고 있고, 해외 물류지원센터 건립 등도 차질 없이 추진해 나갈 것입니다. 무엇보다도 주요 교역국과 적극적인 FTA 전략을 추진해서 안정적인 수출시장을 확보하고 세계 무역질서에 능동적으로 대처해 나가도록 하겠습니다.

그러나 기업인 여러분,

정부는 길을 닦고 제도를 마련하는 일만 할 수 있을 뿐입니다. 그 길을 달리는 것은 여러분입니다. 기술력과 브랜드 파워를 높이고 시장을 개척하는 일은 결국 우리 기업들이 하는 것입니다. 자신감을 가지고 함께 뜁시다. 손을 잡고 해 나가면 꼭 성공할 수 있을 것입니다. 개방과 자유무역 파고에 적극적으로 도전합시다. 그래서 앞으로 10년 이내에 수출 5천억 달러, 무역규모 1조 달러 시대를 활짝 열어 갑시다. 다시 한번 무역의 날을 축하드리며, 하시는 일마다 큰 성공을 거두시기를 바랍니다.

감사합니다.

국군TV 개국 축하 메시지

2005년 11월 30일

국군장병 여러분, 안녕하십니까?

여러분의 좋은 친구가 될 국군TV 개국을 진심으로 축하합니다. 그동안 개국을 위해 애써 오신 관계자 여러분의 노고를 치하합니다.

국군TV는 우리 병영문화를 개선하는 데 크게 기여할 것입니다. 장병들의 군생활에 활력을 불어넣고, 새로운 지식을 학습하는 기회도 제공하게 될 것입니다. 자녀들의 군생활을 TV로 지켜보는 부모님들도 훨씬 마음을 놓으실 수 있을 것입니다. 저는 국군TV 개국이 우리 군에 대한 국민의 신뢰를 한층 더 높이는 좋은 계기가 될 것으로 믿습니다. 참여정부의 국방개혁에서부터 장병들의 복지문제까지 있는 그대로를 생생하게 보여 줌으로써 '국민과 함께하는 국방'의 중심적인 역할을 해 주기 바랍니다.

국군장병 여러분,

날씨가 많이 추워졌습니다. 모두들 건강한지, 내무반은 따뜻한지 늘 염려가 됩니다. 동료들과 서로 믿고 의지하면서 보람있는 군생활이 되기를 바랍니다.

장병 여러분의 노고를 거듭 치하하며, 국군방송의 무궁한 발전을 기원합니다.

12월

지상파DMB 공동 개국 축하 메시지

2005년 12월 1일

안녕하십니까? 지상파DMB 개국을 진심으로 축하드립니다. IT 강국의 위상을 세계에 드높인 또 하나의 쾌거입니다.

이번 APEC에서도 각국 정상과 기업인들이 우리의 DMB 기술에 찬사를 아끼지 않았습니다. 대통령으로서 정말 가슴 뿌듯했습니다. 그동안 애써 오신 관계자 여러분의 노고에 다시 한번 감사의 말씀을 드립니다. DMB는 우리 경제의 차세대 성장동력입니다. 향후 5년간 생산유발효과가 12조 원에 이르고, 디지털 콘텐츠 산업에도 큰 활력을 불어넣게 될 것입니다. 세계 시장에서의 전망은 더욱 밝습니다. 우리 기술로 시험방송을 추진하는 나라가 빠르게 늘어나고 있습니다. 얼마 전에는 우리 방식이 유럽표준으로 채택되었습니다.

이 기회를 잘 살려 나가야 합니다. 앞선 기술과 서비스로 세계 시장을 우리의 무대로 만들어 나가야 합니다. 반드시 성공해서 IT 코리아의 신화를 유비쿼터스 코리아로 이어갑시다. 다시 한번 개국을 축하드리며, 지상파DMB의 큰 발전을 기원합니다.

2005 전국새마을지도자대회 축하 메시지

2005년 12월 1일

전국새마을지도자대회를 진심으로 축하드립니다. 국가와 지역사회 발전을 위해 노력하고 계신 여러분께 감사와 경의를 표합니다. 대회 준비에 애써 주신 광주시민 여러분께도 감사 인사를 전합니다.

새마을운동은 오늘의 대한민국을 이룩하는 데 크게 기여했습니다. 국민들에게 '잘 살아 보자.'는 희망과 '하면 된다.'는 자신감을 심어 주었고, 이를 국가발전의 동력으로 승화시켰습니다. 지금도 생활의식개혁에서부터 '내 고장 환경 가꾸기'와 민간 사회안전망 운동에 이르기까지 활발한 활동을 펼치고 있습니다. 이제는 균형발전의 시대입니다. 균형발전 없이는 지속가능한 발전도, 국민의 삶의 질 향상도 기대하기 어렵습니다. 행정중심복합도시와 혁신도시, 기업도시 건설 등이 착실히 추진되고 있고, 지방대학을 중심으로 한 지역혁신체계도 구축해 가고 있습니다.

이러한 토대 위에서 앞으로 전국 곳곳을 복지와 문화·안전·교육 등이 잘 갖추어진 살기 좋은 공간으로 만들어 가야 합니다. 농어촌은 자연과 문화가 어우러진 미래형 복합생활공간으로 발전시켜 나가고, 수도권도 좀더 쾌적하고 여유 있는 공간으로 재편성해야 합니다. 새마을지도자 여러분에게 거는 기대가 큽니다. 여러분은 항상 시대적 요구를 앞장서서 실천해 오신 분들입니다. 수도권과 지방, 그리고 도시와 농촌이 다 함께 잘사는 대한민국을 만드는 데 더 많은 역할을 해 주실 것으로 믿습니다.

다시 한번 전국새마을지도자대회를 축하드리며, 여러분 모두의 건강과 행복을 기원합니다.

희망 2006 이웃사랑캠페인 메시지

2005년 12월 3일

국민 여러분, 안녕하십니까?

날씨가 춥습니다. 날씨가 추워지면 걱정이 더욱 많아지는 분들이 계십니다. 혼자 사시는 어르신들, 어린 나이에 동생들 돌보면서 살림살이까지 돌보고 있는 소년소녀가장들, 몸이 불편한 분들, 그리고 기본적인 생계도 안되는 분들, 모두가 함께해야 할 우리의 이웃입니다. 국민 여러분의 관심이 이분들의 몸과 마음을 훈훈하게 해 줄 수 있습니다. 새로운 힘과 용기를 심어 줄 수 있습니다. '사랑의 열매'는 희망한국을 만들어 가는 아름다운 실천입니다. 더불어 살아야 더 잘살 수 있습니다. 함께 나누어야 더 행복해질 수 있습니다. 정부도 최선을 다하겠습니다. 희망 2006 이웃사랑캠페인이 우리 국민의 마음을 하나로 모으는 좋은 기회가 되기를 바랍니다. 여러분 모두 올 겨울 건강하고 행복하십시오.

민주평화통일자문회의 상임위원회 연설

2005년 12월 6일

존경하는 이재정 수석부의장과 민주평화통일자문회의 상임위원 여러분,

안녕하십니까? 지난 7월 인터넷 화상회의 이후 다섯 달 만인 것 같습니다. 정말 반갑습니다. 특히 해외에서 오신 위원 여러분을 진심으로 환영합니다. 조금 전 1만 8천여 자문위원을 대표해서 말씀해 주신 정책건의, 잘 들었습니다. 하나하나 좋은 방안이라고 생각합니다. 심영희 위원님과 김영국 위원님, 그리고 강진성 위원님 수고하셨습니다.

오전 회의에서 참여정부의 통일정책에 대한 통일부 장관의 상세한 설명이 있었을 것입니다. 또 여러분이 충분히 토론했을 줄 압니다. 이번에 논의한 내용을 정부정책에 적극 반영하도록 하겠습니다.

상임위원 여러분,

여러분이 잘 아시는 대로 지금 남북관계는 그 어느 때보다 안정되어 있습니다. 그리고 한반도 평화정착과 남북한 교류·협력에 많은 진전을 이뤄 가고 있습니다. 올해 금강산 관광을 제외하고도 북한을 다녀온 우리 국민이 10만 명에 이릅니다. 분단 이후 지난해까지 방문자 수가 8만 3천 명에 불과했던 것에 비하면 참으로 큰 변화입니다. 남북 교역도 작년보다 60% 가까이 늘어나 올해 1조 원을 넘어섰고, 개성공단 건설도 점차 속도를 내고 있습니다. 지난 8월에 착공한 금강산 이산가족면회소도 이산가족 상봉에 새로운 전기가 될 것입니다.

우리는 이러한 교류·협력을 토대로 남북관계를 한층 더 발전시켜 나가야 합니다. 우선 한반도 비핵화를 조속히 실현하고 평화체제를 구축해야 합니다. 한반도 비핵화는 냉전구조를 해체하고 평화체제를 수립해 가는 첫걸음이 될 것입니다. 또 북·미 간, 북·일 간 국교정상화를 촉진하여 평화와 번영의 동북아 시대를 앞당기는 데 기여할 것입니다. 그런 점에서 9·19공동성명은 반드시 실천되어야 합니다. 이와 함께 남북 간 화해와 신뢰구축에 더욱 힘써야 합니다. 장관급회담과 군사회담, 적십자회담 등에서 합의한 내용을 구체적으로 이행하고, 경제·사회·문화 분야 교류·협력도 더욱 활성화해 나가야 합니다.

올해 남북한은 6·15공동선언 5주년 행사와 광복 60주년 행사를 통해 화해와 신뢰의 기반을 다질 수 있었습니다. 그리고 우리 모두가 잘 아는 대로 이것이 남북대화 재개의 돌파구가 되었습니다. 북한에 대한 전력공급 등에 대해서도 평화를 위한 투자, 번영을 위한 투자라는 적극적인 인식을 가질 필요가 있습니다. 북한 인권문제 역시 좀더 포괄적이고 큰 틀에서 바라보는 전략적 접근이 필요하다고 생각합니다.

정부는 앞으로도 멀리 내다보면서 남북관계를 안정적으로 발전시켜 나갈 것입니다. 북핵문제와 같은 걸림돌을 없애는 데 최선을 다하고, 미래를 위해 해야 할 일은 일관성 있게 준비해 가겠습니다. 이러한 대북정책 추진의 가장 큰 동력은 국민의 지지와 성원입니다. 범국민적 조직인 민주평통이 국민의 뜻을 하나로 모아 장차 통일의 길로 나아가는 데 더 큰 역할을 해 주시기를 당부드립니다. 다시 한번 여러분의 노고를 치하하며, 건강과 행복을 기원합니다.

감사합니다.

국립아시아문화전당 착공식 축사

2005년 12월 7일

존경하는 광주시민 여러분, 문화예술인 여러분, 그리고 내외 귀빈 여러분, 국립아시아문화전당의 착공을 축하드립니다. 그동안 애써 오신 박광태 시장을 비롯한 광주시민 여러분, 축하드립니다. 해외에서 오신 참석자 여러분, 진심으로 환영합니다. 박광태 시장님이 각별히 여러 번 힘주어서 저에 대해 좋은 말씀을 해 주셨습니다. 그 인사가 헛되지 않게 저도 각별히 마음에 담아 두고 광주에 대해서 정성을 쏟겠습니다. 감사합니다.

내외 귀빈 여러분,

앞서 영상물을 통해서 우리는 광주가 이루어 낼 미래를 보았습니다. 그리고 광주시민 여러분의 가슴속에 담긴 열망과 자신감을 함께 확인했습니다. 아시아문화전당은 문화예술의 교류와 연구의 터전으로서 이곳 광주가 대한민국의 문화중심, 나아가서는 아시아의 문화 허브로 커 가는 동력이 될 것입니다.

저는 이미 여러 차례 문화의 시대는 광주가 큰소리하는 시대가 될 것이라고 말씀드린 일이 있습니다. 광주는 아시아 문화중심도시로서 충분한 자격을 갖추고 있습니다. 오랜 세월에 걸쳐 축적된 문화예술의 전통이 있고, 창의적이고 열정적인 시민들이 있습니다. 그리고 도시 전체에 문화적인 활력이 넘치고 있습니다. 뿌리도 튼튼하고 가지도 잎도 무성하다고 생각합니다. 반드시 훌륭한 열매를 맺을 것입니다. 우리는 이미 광주비엔날레를 통해 그 가능성을 확인하고 있습니다.

광주의 미래에 대해 확신이 있는 만큼 정부의 의지도 확고합니다. 광주 전역에 아시아전승문화지구 등 7대 문화지구를 선정해서 각기 특성 있게 발전시켜 나가도록 뒷받침할 것입니다. 오는 2023년까지 여기에 필요한 인프라를 완벽하게 갖출 수 있도록 제도 정비와 시설 확보에 박차를 가해 나갈 것입니다. 지난해 말 제가 유럽을 방문했을 때 광주의 문화전당을 생각하면서 일부러 퐁피두센터를 둘러보기도 했습니다. 마침 국회에서도 여야가 함께 뜻을 모아 아시아문화중심도시특별법 제정을 발의했습니다. 이 자리를 빌려 감사드립니다. 저와 정부도 할 수 있는 모든 노력을 다해 나갈 것입니다. 광산업 발전과 서남권 개발은 문화도시 광주의 든든한 배후가 될 것입니다. 이 사업들도 차질 없이 추진될 수 있도록 최선을 다하겠습니다.

호남고속철도에 관해서 타당성 조사를 해 보았습니다. 타당성이 없다는 결론이 나왔습니다. 지금 타당성이 없다는 것입니다. 그러나 저는 생각을 다르게 해야 된다고 말했습니다. 지금 당장의 경제성이 문제가 아니라 앞으로 더 크게 뻗어나가야 될 광주와 전남, 이 호남권의 미래를 보고 다시 한번 타당성을 판단하도록 권고했습니다. 호남고속철도가 처음 건설될 때에는 아마 상당한 적자를 볼 것입니다. 그러나 2023년, 2030년에 가서는 흑자를 보도록 여러분과 우리가 함께 노력합시다. 그렇게 만들어 나갑시다. 저는 이것이 미래를 내다보는 타당성 조사의 방법이라고 생각합니다. 광주문화중심도시, 정부가 최선을 다하겠습니다만, 정부는 인프라를 구축하고 지원을 할 수 있을 뿐입니다. 이것을 큰 발전의 확실한 기회로 만들어서 키워 나갈 주역은 바로 광주시민 여러분입니다. 저는 여러분께서 잘해 나가실 것으로 믿습니다. 지금까지 해오신 것처럼 힘을 하나로 모으고 창조적인 역량을 발휘해서 지역혁신과 균형발전의 성공모델을 꼭 만들어 주시기 바랍니다.

귀빈 여러분,

문화전당이 들어서게 될 이곳 금남로는 우리 국민에게 각별한 의미를 지닌 곳입니다. 한국 민주주의 역사에서 영원히 지워지지 않을 자랑스러운 역사의 현장입니다. 이제 이곳이 아시아 문화 허브로서 우뚝 서게 될 것입니다. 다양한 문화가 모이고, 그것이 다시 새롭게 창조되어 전 세계로 전파될 것입니다. 이 희망찬 일에 우리의 힘과 지혜를 모아 나갑시다. 그래서 광주와 대한민국의 밝은 미래를 만들어 갑시다. 국립아시아문화전당의 착공을 다시 한번 축하드립니다. 그리고 광주의 무한한 발전과 시민 여러분의 행복을 기원합니다.

감사합니다.

김대중 전 대통령
노벨 평화상 수상 5주년 축하 메시지

2005년 12월 8일

존경하는 김대중 전 대통령님, 그리고 내외 귀빈 여러분,

저는 지금 ASEAN+3 정상회의 참석을 위해 콸라룸푸르를 향해 가고 있습니다. 멀리서나마 김대중 전 대통령님의 노벨 평화상 수상 5주년을 진심으로 축하드립니다.

우리 모두가 아는 대로 김대중 전 대통령님은 평생을 민주주의와 인권, 그리고 남북 화해·협력을 위해 헌신해 오셨습니다. 온갖 핍박과 감옥살이, 심지어 죽음의 공포도 그 숭고한 발걸음을 멈추게 하지는 못했습니다. 그리고 마침내 세계는 21세기 첫 노벨 평화상 수상자로 김대중 전 대통령님을 택했습니다. 저는 김 전 대통령님의 노벨 평화상 수상이야말로 개인의 영광을 넘어 전 세계인이 우리 국민에게 보내는 존경과 찬사이자, 정의는 반드시 승리한다는 역사의 진리를 확인시켜 준 것

이라고 생각합니다.

이제 김대중 전 대통령님께서 일생 동안 추구해 온 가치와 노력들이 결실을 맺고 있습니다.

지금 대한민국은 세계 어디에 내놓아도 손색이 없는 당당한 민주주의 나라입니다. 경제 또한 국민의 정부에서 닦아 놓은 지식정보화와 시장개혁의 토대 위에서 선진경제를 향해 한 발 한 발 전진해 가고 있습니다. 특히 남북관계는 이제 누구도 화해와 협력의 흐름을 거스를 수 없을 만큼 안정적으로 발전해 가고 있습니다. 올해 북한을 다녀온 우리 국민이 10만여 명에 이르고, 남북 간 교역규모도 1조 원을 넘어서게 됩니다. 개성공단과 금강산 이산가족면회소 건설도 순조롭게 진행되고 있습니다.

저는 확신합니다. 역사는 민주주의와 평화를 향한 김대중 전 대통령님의 열정과 공헌을 결코 잊지 않을 것입니다. 독재에 맞서 민주주의 시대를 열고, 한반도 평화와 남북 공동번영의 초석을 놓은 지도자로 영원히 기억할 것입니다.

존경하는 김대중 전 대통령님,

얼마 전 건강이 좋지 못하다는 소식에 걱정이 컸습니다. 이제는 쾌차하셨다니 다소 안심이 됩니다. 앞으로도 더욱 건강하신 모습으로 국가와 민족의 장래를 위해 더 많은 역할을 해 주시기 바랍니다. 다시 한번 노벨상 수상 5주년을 축하드리며, 김 전 대통령님 내외분의 건강과 왕성한 활동을 기원합니다.

감사합니다.

시라주딘 말레이시아 국왕 내외 주최
국빈만찬 답사

2005년 12월 9일

존경하는 사이드 시라주딘 국왕 폐하 내외분, 그리고 귀빈 여러분,

우리 내외와 일행을 위해 이처럼 성대한 자리를 마련해 주신 데 대해 감사드립니다.

어제 저녁 이곳에 도착했습니다만, 말레이시아의 발전상을 피부로 느낄 수 있습니다. 작년에는 7.1% 성장과 무역규모 2,300억 달러를 달성했습니다. 또 집중적인 인프라 투자와 비즈니스 환경 개선으로 동남아의 산업과 물류 허브로 떠오르고 있습니다.

말레이시아의 높아진 위상은 국제사회에서도 잘 나타나고 있습니다. 비동맹회의와 이슬람회의기구 의장국으로서 개도국 간 실질협력 증진에 크게 기여하고 있습니다. 특히 다음 주에 열릴 동아시아 정상회의 출범을 주도해 온 것을 높이 평가하며, 좋은 결과가 있을 것으로 기대합

니다. 이와 함께 다민족 국가인 말레이시아가 이뤄 낸 국민적 통합도 세계의 좋은 본보기라고 생각합니다. 우리는 이 모든 것을 통해 '말레이시아 볼레'라는 말을 실감하게 됩니다. 폐하의 지도력과 말레이시아 국민의 저력에 깊은 존경을 표합니다.

국왕 폐하,

우리 두 나라는 서로에게 꼭 필요한 친구입니다. 지난해 교역규모가 100억 달러를 돌파했습니다. 말레이시아가 ASEAN 국가 중 우리의 첫번째 교역대상국이 된 것입니다. 또한 매년 17만 명의 양국 국민이 왕래하고 있고, 우리 드라마·영화를 비롯한 문화교류도 활발합니다. 오늘 압둘라 아흐마드 바다위 총리와의 정상회담에서는 이러한 양국 관계를 한층 더 발전시키기로 했습니다. 이번에 중소기업협력약정을 비롯해서 모두 6건의 약정을 체결할 것입니다. 기업인을 중심으로 한 민간협력도 더욱 속도를 내고 있습니다. 우리는 이 같은 실질협력이 정치·안보·문화 분야 등으로 더욱 확대되기를 바라며, 폐하의 더 큰 관심을 부탁드립니다.

내외 귀빈 여러분,

폐하 내외분의 건강과 말레이시아의 번영, 그리고 우리 두 나라의 영원한 우정을 위해 건배를 제의합니다.

감사합니다.

한·말레이시아 경제인 만찬간담회 연설

2005년 12월 12일

압둘 라흐만 마이딘 말레이시아 상공회의소 회장님, 손경식 대한상
공회의소 회장님, 그리고 양국 경제계 지도자 여러분,

이렇게 자리를 함께하게 되어 매우 기쁩니다. 좋은 자리를 마련해
주신 양국 경제인 여러분께 감사 인사를 드립니다. 오늘 이 자리에 대한
저의 기대는 상당히 큽니다. 이번 방문의 가장 중요한 목적이 경제협력
이고, 그 협력을 실질적인 성과로 만들어 가는 주역이 바로 여러분이기
때문입니다.

경제인 여러분,

최근 말레이시아의 경제성장이 눈부십니다. 지난해 7%가 넘는 성
장률을 기록했고, 올해도 견실한 성장세를 이어 가고 있다고 들었습니
다. 그리고 이곳에 와서 눈으로 볼 수 있었습니다. 수출도 매년 가파르게

상승하고 있다고 듣고 있습니다. 푸트라자야에도 가 보고, 세렘반 지역도 둘러보았습니다. 말레이시아의 역동적인 변화를 피부로 느낄 수 있었습니다. 조금 전 동아시아 전시회에서도 이러한 사실을 확인할 수 있었습니다. '비전 2020'을 목표로 힘차게 전진하고 있는 말레이시아가 선진국으로 진입할 날도 머지 않았다는 느낌이 들었습니다.

양국의 경제계 지도자 여러분,

지난해 두 나라 간 교역량이 100억 달러를 넘어섰다는 사실은 이미 두 분 회장님께서 말씀해 주셨습니다. 말레이시아가 ASEAN 국가 중에서 우리 한국에게는 최대 교역국가입니다. 세계 전체를 놓고 보더라도 말레이시아는 우리의 아홉번째 교역대상국이고, 우리는 말레이시아에게 여덟번째 교역대상국입니다. 그만큼 서로에게 중요한 나라가 되어 가고 있습니다.

저는 여러 차례 국제회의에서 압둘라 총리를 만났습니다. 만날 때마다 압둘라 총리의 이슬람 세계에서의 지도력, 그리고 ASEAN 지역에서의 지도력, 그 지도력을 넘어 국제적으로 존경받는 지도자로서의 위치에 대해 항상 존경심을 가지고 있었습니다. 그런데 어제 압둘라 총리와 저와의 정상회담에서는 대부분의 논의를 경제문제에 맞추어 대화를 나누었습니다. 어떻게 하면 양국 간 경제협력을 좀더 강화하느냐 하는 것이었습니다.

먼저 두 나라는 IT·BT와 에너지·자원 협력을 더욱 확대해 나가기로 했고, 방위산업과 건설, 과학기술 분야의 협력에 대해서도 아주 진지하게 논의했습니다. 이들 여러 분야에 걸쳐서 여러 개의 협약들을 서로 체결하기로 약속했습니다만, 그중에서도 중소기업협력약정 등 6건의 약정은 아주 중요한 것이었습니다. 이를 토대로 산업과 기술협력을 강화해나간다면 양국 경제에 큰 도움이 되는 것은 물론 동아시아 국가 간 협력 증진에도 좋은 본보기가 될 것이라고 생각합니다. 양국 관계뿐만 아니라 내일 서명하게 될 '한·ASEAN FTA 기본협정'에 대한 기대도 매우 큽니다. 한국과 ASEAN, 특히 말레이시아와의 경제협력을 확대하는 소중한 계기가 되기를 희망합니다.

양국 경제인 여러분,

여러분께서는 때로는 세계 시장에서 서로 경쟁할 분야가 많이 있을 것입니다. 그러나 더 중요한 성공전략은 여러분들이 서로 손잡고 협력할 때 나올 수 있습니다. 전략적 제휴를 통해 각자의 경쟁력을 높여 간다면 세계 시장에서 더 큰 이익을 얻게 될 수도 있을 것입니다. 세렘반에 있는 한국투자기업단지는 이러한 협력의 가능성을 보여 주는 대표적인 사례라고 생각합니다. 제가 가지고 있는 원고에는 세람반 단지가 말레이시아 GDP의 1.5%를 생산한다고 적혀 있습니다. 그런데 어제 이 단지의 공장을 방문해서 설명들은 바에 의하면 1.5%가 아니라 2%라는 것이었습니다. 제가 서울에서 비행기 타고 6시간 정도 걸려서 오는 동안에 GDP 0.5%포인트가 더 늘었다는 결과가 된 것입니다.

여러분, 많이 만나십시오. 자주 만나 많은 대화를 하는 것이 아주 중요하다고 생각합니다. 인터넷에 많은 정보가 넘쳐나고 있지만, 기업하는 사람에게 진짜 기회를 주는 소중한 정보는 만났을 때라야 비로소 교류된다고 들었습니다. 좋은 정보에 생명력을 불어넣는 것은 사람과 사람이 만났을 때 받는 느낌입니다. 그 느낌 중에서도 가장 중요한 것은 서로 신뢰할 수 있다는 느낌이라고 생각합니다. 자주 만나면 더 많은 기회를 만들 수 있을 것이라고 생각합니다.

1990년 이후 중단된 양국 민간경제협력위원회를 다시 되살리기로 오전에 여러분이 합의했다는 소식을 들었습니다. 축하드립니다. 오늘 여러분께서 나눈 대화와 건설적인 제안에 관해서도 조금 전에 보고를 받았습니다. 두 나라의 경제협력 확대에 아주 큰 도움이 될 것입니다. 단순히 오늘의 만남에 그치지 말고, 멀리 내다보면서 서로에게 도움이 되는 방향으로 협력을 지속해 나가시기 바랍니다. 한국 정부도 여러분의 교류와 협력이 강화되는 일이라면 무슨 일이든 최대한 뒷받침하겠습니다. 아무쪼록 저의 이번 방문을 계기로 민간차원의 협력이 더욱 활성화된다면 저에게는 매우 큰 보람이 될 것입니다. 여러분 모두의 발전을 기원합니다.

감사합니다.

한·필리핀 경제인 오찬간담회 연설

2005년 12월 15일

자리를 함께하신 내빈 여러분,

이렇게 뵙게 된 것을 매우 기쁘게 생각합니다. 특별히 오늘 이 자리를 빛내 주신 라모스 전 대통령님께도 감사 인사를 드립니다. 우선 오늘 여러분들의 이 만남을 축하드립니다. 오전에 양국 경제인들이 오랜만에 만나 두 나라 간의 경제협력에 관해서 여러 가지 건설적인 얘기를 나누고 좋은 결론에 도달했다는 보고를 받았습니다.

여러분이 그와 같이 중요한 의논을 하고 있는 시간에 저는 아로요 대통령과 정상회담을 갖고, 앞으로 양국 간 협력을 더욱 돈독히 할 수 있는 방안에 대해 논의했습니다. 여러 가지 대화가 있었습니다만, 그중에서 에너지·자원 분야에서의 협력이 긴요하다는 점에 의견을 같이했습니다. 전력 분야 협력을 활성화하고 필리핀의 광물자원을 공동으로 개발해 나가는 데 서로 힘을 모으기로 합의했습니다. 이번에 서명하는 에너지협력약정과 광물자원협력약정은 이러한 협력을 제도화하고 구체적인 사업 기회를 만드는 든든한 기반이 되리라고 생각합니다.

필리핀이 의욕적으로 추진하고 있는 사회간접자본 건설에 있어서도 협력을 강화해 나가기로 했습니다. 오늘 오후 착수식을 갖는 마닐라 남북철도 연결사업과 양국이 함께 자본과 기술·인력을 투입해서 건설하는 세부화력발전소는 이러한 협력의 상징이 되리라고 생각합니다. 정보통신 분야에서도 양국은 모범적인 협력모델을 만들어 낼 수 있을 것입니다. 한국은 DMB, 와이브로 등 최첨단 IT 기술을 가지고 있습니다. 필리핀 역시 동남아시아에서 IT 분야를 선도하면서 인적자원 양성과 초고속 통신망 구축, 그리고 전자정부 실현에 노력을 기울이고 있는 것으로 알고 있습니다.

필리핀의 우수한 인력과 의욕적인 정책, 그리고 한국의 IT 기술이 함께하면 두 나라에게 큰 이익이 될 수 있는 일을 만들 수 있을 것입니다. 그런 점에서 저는 이 분야의 협력이 보다 긴밀히 이루어지기를 기대하며, 특히 이번에 문을 여는 IT 직업훈련원이 협력을 더욱 촉진하는 계기가 되기를 바랍니다. 또한 저와 아로요 대통령은 양국에 파견된 근로자들에 대해 기여금 납부를 면제해 주는 사회보장협정도 체결했습니다. 이번 협정 체결은 양국 근로자들의 교류를 더욱 활성화하고, 기업의 투자여건을 개선하는 데 큰 도움이 될 것이라고 생각합니다.

한국과 필리핀 경제인 여러분,

우리 두 나라는 1949년 수교 이후 모든 분야에서 긴밀히 협력해 온 전통적인 우방입니다. 필리핀은 한국전 당시 7천여 명의 젊은이들을 보내 주었고, 이러한 혈맹관계를 바탕으로 양국은 지난 반세기 동안 국제무대에서 협력을 강화해 왔습니다. 지금 필리핀에는 200여 개의 우리 기업들이 이곳 젊은이들과 함께 땀 흘리고 있으며, 투자도 날로 늘어나고 있습니다. 한국의 산업현장에도 8천 명이 넘는 필리핀의 근로자들이 우리 경제발전에 한몫을 담당하고 있습니다. 2003년 6월 아로요 대통령께서 한국을 방문하셨을 때 이들 근로자들의 권익에 각별히 관심을 보여주셨고, 그 이후 한국이 제도도 바꾸고 현장의 문화도 바뀌어서 실제로 많이 개선되고 있습니다.

오늘도 한 시간 넘게 아로요 대통령과 만나 양국 정부 간의 경제협력에 관해서 많은 문제를 다루었습니다. 앞으로 4년간 한국 정부는 대외 경제협력 분야에 있어 필리핀을 중심으로 한 동남아 지역에 우리의 노력을 집중할 것이라고 말씀드렸습니다. 이 자리에는 광업진흥공사, 한국전력 등 공기업을 대표하는 분들도 함께 와 계십니다. 이미 오전에 대화를 나눴겠지만, 필리핀 투자에 착수했거나 관심을 가지고 있는 많은 기업 경영자들과 경제단체 대표들도 함께하고 계십니다.

우리가 인터넷으로부터 많은 정보를 얻고 있지만 그중 핵심적인 정보는 만나서 교환하는 것입니다. 저는 대통령이 된 이래 아로요 대통령을 특별히 따로 만나기도 하고 국제회의를 계기로도 여러 차례 만나 대화를 나누었습니다. 일일이 기억하기도 어려울 정도입니다. 보통 그런 계기에 또는 따로 양국 장관들도 자주 만나 많은 문제에 대해 깊이 있게 대화하고 있습니다. 그분들이 항상 손에 두툼한 서류뭉치를 들고 다닙니다. 기업인 여러분이 교역이나 투자하는 데 필요한 제도를 개선하고 장애물을 제거하기 위해 이같이 하고 있는 것입니다.

오늘 아로요 대통령에게 한국의 무역인과 투자자를 위한 원-스톱 서비스 창구를 하나 열어달라고 했더니, 이전에 열었는데 1997년 말 외환위기 이후 지지부진하게 됐다고 했습니다. 이제 무역과 투자가 활발해졌기 때문에 다시 열어 양국의 교류와 협력이 잘되도록 하겠다고 했습니다. 외환위기라는 경제적 난관이 없었다면 한·필리핀 관계가 훨씬 더 발전하고 활발하게 진행되었을 텐데 아쉽다고 생각합니다. 그러나 그런 장애는 다 해소됐습니다. 한국 경제가 착실하게 성장해 가고 있고, 필리핀 또한 수년 동안 안정된 토대 위에서 견실한 성장을 하고 있습니다. 이제 자신감을 가져도 좋다고 생각합니다. 여러분들께서 이러한 변화를 저희보다 더 잘 느끼고 계실 것입니다.

이제 미래에 대해 낙관적 전망을 갖고 더 활발히 교류하며 더 좋은 기회를 만들고, 그것이 양국 국민들에게 더 큰 복지를 만들어 나가도록 여러분이 앞장서 주시기 바랍니다. 두 가지 약속을 드리겠습니다. 이후엔 그런 경제적 충격이 없도록 잘 관리하겠습니다. 그리고 여러분들이 투자하고 기업하는 데 어려움이 없도록 정부가 할 수 있는 한 최선의 뒷받침을 하겠습니다.

감사합니다.

마닐라 남북철도 연결사업 착수식 축사

2005년 12월 15일

존경하는 아로요 대통령 각하, 그리고 내외 귀빈 여러분,

안녕하십니까? 마닐라 남북철도 연결사업의 시작을 진심으로 축하합니다. 이 자리를 통해 우리 두 나라의 우의를 거듭 확인하게 된 것을 매우 기쁘게 생각합니다.

2003년 아로요 대통령께서 방한했을 때 양국이 적극 협력해서 이 사업을 추진하기로 했습니다. 그리고 오늘 그 결실을 보게 되었습니다. 이 사업은 메트로 마닐라의 교통체계를 한 단계 더 발전시키는 것은 물론 북부철도와 함께 필리핀 국내 운송망을 새롭게 구축하는 토대가 된다고 들었습니다.

한국은 앞으로도 필리핀이 추진하고 있는 인프라 구축사업에 적극 참여하고자 합니다. 오늘 오전에 있었던 정상회담과 조금 전 양국 경제

인 간담회에서도 이 분야에 대한 협력을 한층 강화하기로 했습니다. 이러한 협력사업은 지난 50여 년간 쌓아 온 긴밀한 유대관계를 더욱 공고히 해줄 것입니다.

한국 국민은 한국전쟁 당시 7천 명의 필리핀 젊은이들이 자유와 평화를 지켜줬다는 것을 결코 잊지 않고 있습니다. 그리고 조금 전 아로요 대통령 각하께서 우리의 작은 기여를 하나하나 언급하시며 과분하게 칭찬해 주신 것에 대해 한국 국민과 더불어 다시 한번 감사드립니다. 대통령 각하께서 지적한 사업은 성의를 다해 함께하겠습니다. 지적하지 않은 사업과 새로운 과제도 협의해서 만들어 계속 수행할 것입니다. 그렇게 해서 양국 국민 모두에게 이익과 기회가 되도록 노력할 것입니다. 양국 우호협력의 상징인 이 사업이 성공적으로 마무리되기를 기대하며, 필리핀의 무궁한 발전을 기원합니다.

감사합니다.

아로요 필리핀 대통령 내외 주최 국빈만찬 답사

2005년 12월 15일

존경하는 글로리아 마카파갈 아로요 대통령 각하 내외분, 그리고 내외 귀빈 여러분,

나와 우리 일행을 따뜻하게 맞아주신 각하와 필리핀 국민 여러분께 진심으로 감사드립니다. 짧은 일정이지만 밝고 친절하며 예의를 중시하는 필리핀 국민들을 보면서 깊은 인상을 받았습니다. 필리핀을 '동방의 진주'라고 부르는 이유가 단지 아름다운 자연 때문만은 아니라는 것을 느낄 수 있었습니다.

필리핀은 각하의 취임 이후 높은 경제성장을 계속하고 있습니다. 각하께서 국가의 개발방향을 분명히 하고, 솔선수범하는 리더십을 보여주신 덕분이라고 생각합니다. 각하께서 역점적으로 추진하고 계신 5대 경제개혁 성과가 가시화되면 필리핀은 한층 더 비약적인 발전을 이룩하

게 될 것으로 믿습니다. 각하의 탁월한 지도력과 필리핀 국민의 역량에 깊은 경의를 표합니다.

대통령 각하,

필리핀과 한국은 수교 이후 50여 년간 각별한 유대관계를 맺어 왔습니다. 한국전쟁 때에는 7천여 명의 필리핀 용사들이 우리의 자유와 평화를 위해 함께 싸웠습니다. 국민의 힘으로 독재정권을 무너뜨린 민주주의 역사 또한 두 나라를 더욱 가깝게 만들고 있습니다. 경제 분야에서도 한국은 필리핀의 일곱번째 교역국이며, 필리핀은 한국의 다섯번째 투자대상국입니다. 올 들어서도 우리 기업의 투자가 200% 이상 늘어났습니다. 나는 재작년 각하께서 한국을 방문했을 때 합의한 '21세기 미래지향적 포괄적 협력관계'를 더욱 내실 있게 심화시켜 나가야 한다고 생각합니다. 그런 점에서 오늘 각하와의 정상회담은 매우 만족스러웠습니다. 특히 이번에 서명한 사회보장협정과 에너지·광물 분야 협력약정은 양국 간 공동사업을 확대하고, 기업의 투자를 활성화하는 좋은 계기가 될 것으로 기대합니다. 이틀 전 체결한 '한·ASEAN FTA 기본협정'도 양국의 교류·협력을 더욱 증진하는 든든한 토대가 될 것입니다.

대통령 각하,

지난해 40만 명 가까운 한국인들이 이곳 필리핀을 찾았습니다. 필리핀은 또한 ASEAN 국가 중에서 우리 동포가 가장 많이 살고 있는 나라이기도 합니다. 우리 국민들에 대한 각하와 필리핀 정부의 깊은 배려와 관심을 부탁드립니다.

내외 귀빈 여러분,

아로요 대통령 각하 내외분의 건강과 필리핀의 번영, 그리고 양국의 영원한 우정을 위해서 건배를 제의합니다.

감사합니다.

한·필리핀 IT훈련원 개원식 축사

2005년 12월 16일

존경하는 아로요 대통령 각하, 그리고 내외 귀빈 여러분,

한·필리핀 IT훈련원의 개원을 진심으로 축하합니다. 2년 전 아로요 대통령과 이 훈련원을 세우기로 합의했습니다. 그리고 오늘 이처럼 훌륭한 시설을 갖춘 훈련원이 문을 열게 되어 매우 기쁩니다. 짧은 기간에 개원할 수 있도록 노력해 주신 필리핀 정부와 훈련원 관계자 여러분께 감사의 말씀을 드립니다.

우리 한국이 지금의 경제발전을 이루는 데는 우수한 인력과 높은 교육열, 그리고 IT와 같은 첨단산업이 그 원동력이 되었다고 할 수 있습니다. 필리핀 역시 교육열이 높고, 근로자들의 역량 또한 매우 뛰어납니다. 이제 여기에다 앞선 정보통신 기술이 접목된다면 지금의 발전을 더욱 가속화하게 될 것입니다. 이 훈련원은 우리의 IT 경험과 기술을 여

러분과 함께 나누기 위한 것입니다. 충분하지는 못하겠지만, 오랜 친구인 한국이 보내는 우정의 선물로 여겨 주시기 바랍니다. 앞으로도 우리는 이 훈련원의 발전을 위해 최선을 다해 나갈 것입니다. 필리핀의 젊은 인재들이 이곳에서 꿈과 실력을 키우고, 나아가 필리핀 경제의 역군으로 성장할 수 있기를 기대합니다.

저는 이 자리를 끝으로 필리핀 방문을 모두 마치게 됩니다. 각별히 환대해 주신 아로요 대통령 각하와 필리핀 국민 여러분께 깊은 감사를 드립니다. 여러분의 따뜻한 우정, 오래도록 기억할 것입니다. 한·필리핀 IT훈련원의 무궁한 발전을 기원하며, 여러분 모두의 건강과 행복을 기원합니다.

감사합니다.

열린정책연구원 정책계간지 창간 축하 메시지

2005년 12월 19일

「열린미래」의 창간을 진심으로 축하드립니다. 임채정 원장을 비롯한 관계자 여러분의 노고를 치하합니다.

열린정책연구원은 지난해 개원 이후 정기적으로 정책보고서를 발간하고, 국제심포지엄을 개최하는 등 열린우리당의 씽크탱크로서 그 소임을 다해 오고 있습니다. 「열린미래」 발간은 이러한 연구원의 역할을 더욱 활성화하고, 정책정당화를 촉진하는 계기가 될 것으로 믿습니다. 열린정책연구원에 거는 기대가 큽니다. 이제는 정당이 정책으로 승부하는 시대로 가고 있습니다. 더구나 양극화 대책과 같이 당장 시급한 일들도 많고, 저출산과 고령화, 연금과 에너지 문제 등 미래를 내다보며 챙겨야 할 과제가 한두 가지가 아닙니다.

연구하고 토론해서 합리적인 대안을 만들고, 적극적인 홍보로 국민의 지지를 이끌어 내는 정책적 역량을 보여 줘야 합니다. 열린우리당이 지향하는 이념과 정책을 구체화하고, 또 일관성 있게 제시할 때 국민의 신뢰도 한층 더 높아지게 될 것입니다. 열린우리당은 우리 정치사에 새로운 지평을 열어 가고 있는 정당입니다. 자기희생을 각오한 결단 위에 세워졌고, 변화를 통해 선진적인 정당문화를 만들어 가고 있습니다. 앞서서 나아가는 만큼 고민과 진통이 있지만, 스스로 원칙을 지키고 열심히 참여하고 책임있게 행동하면 반드시 성공할 것입니다.

다시 한번 「열린미래」의 창간을 축하하며, 열린정책연구원의 큰 발전을 기원합니다.

2005 청소년특별회의 축하 메시지

2005년 12월 19일

여러분, 안녕하십니까?

청소년특별회의를 진심으로 축하드립니다. 자리를 함께하지 못해 무척 아쉽습니다. 대신 회의에서 다뤄질 의제들은 미리 보고받았습니다. 동아리 활동에서부터 인권문제까지 참 다양하고 깊이가 있다고 느꼈습니다. 여러분이 논의한 내용은 꼭 챙겨서 정책에 반영하도록 하겠습니다.

저는 우리 청소년들이 늘 고맙고 대견합니다. 여러모로 부족한 환경에서도 세계 최고의 역량을 보여 주고 있습니다. 소외되고 어려운 이웃을 배려할 줄 아는 따뜻한 마음씨도 가지고 있습니다. 그런 여러분이 있기에 대한민국의 미래에 대해서 우리는 확신을 갖게 됩니다. 청소년 여러분, 건강한 꿈을 가지십시오. 그 꿈이 여러분의 길을 열어 가는 힘과 용기가 될 것입니다. 꿈을 잃지 않으면 어떤 경우에도 못해낼 일이 없을 것입니다. 자기 자신에게 진실하게 행동하십시오. 절제와 인내가 필요하고, 때로는 난관도 있겠지만 그렇게 하는 것이 결국 승리하는 삶이 될 것입니다.

창조와 혁신은 땀과 열정에서 비롯됩니다. 땀 흘려서 얻은 것이 진정 가치 있는 것입니다. 이제 세계가 여러분의 무대입니다. 뜨거운 가슴을 가지고 열심히 준비하고, 그리고 도전하십시오. 여러분을 믿습니다. 저도 최선을 다하겠습니다. 이번 회의를 거듭 축하하며, 여러분 모두 즐겁고 보람된 시간 되십시오.

자이툰부대 장병에게 보내는 격려 메시지

2005년 12월 24일

친애하는 자이툰사단 장병 여러분,

안녕하십니까? 모두들 건강하지요?

여러분을 만났던 때가 엊그제 같은데, 벌써 1년이 지났습니다. 여러분의 밝고 늠름한 모습이 지금도 눈에 선합니다. 정승조 장군을 비롯한 여러분의 노고에 깊은 위로와 치하를 보냅니다. 지난 한 해 동안 여러분은 많은 어려움 속에서도 이라크의 치안유지와 건설지원, 의료봉사에 이르기까지 모든 일을 성공적으로 수행해 왔습니다. 여러분의 노력에 대해 국내외에서 많은 찬사를 보내고 있습니다. 현지 주민들도 대한민국을 '친구의 나라'라고 말할 정도로 여러분을 신뢰한다는 보고를 받고 있습니다. 정말 장하고 믿음직합니다.

지금까지 잘해 온 것처럼 앞으로도 이라크의 평화와 재건에 큰 역할을 해 줄 것으로 믿습니다. 우리 국민 모두가 여러분을 대한민국 국군의 자랑스러운 용사들로 기억할 것입니다. 다시 한번 여러분의 노고를 치하하며, 임무를 훌륭하게 마치고 건강한 모습으로 귀국하기를 바랍니다.

즐거운 성탄 보내시고, 새해 복 많이 받으십시오.

다이만부대 장병에게 보내는 격려 메시지

2005년 12월 25일

친애하는 다이만부대 장병 여러분,

얼마나 수고가 많습니까? 하태직 부대장을 비롯한 여러분의 노고
에 깊은 위로와 치하의 인사를 전합니다. 여러분 모두 건강하게 잘 지낸
다는 보고는 받고 있지만, 그래도 늘 염려가 됩니다. 그래서 이번에 국가
안보보좌관이 가서 나의 안부를 전하고 여러분의 근무여건도 다시 한번
살펴보도록 했습니다.

지난해 아르빌을 방문할 당시 다이만부대는 찾아보지 못해 아쉬움
이 컸습니다. 다만, 우리 공군 수송기를 이용하면서 여러분의 활약과 다
이만부대의 위용을 실감할 수 있었습니다. 지금까지 여러분은 2,300시
간이 넘는 비행을 통해 우리 군은 물론 동맹국들의 항공 수송까지 적극
지원하는 등 맡은 바 임무를 훌륭하게 수행해 왔습니다. 정말 자랑스럽

습니다. 새해에도 여러분 모두가 대한민국 국군을 대표한다는 자부심을 가지고 막중한 사명을 다해줄 것으로 믿습니다. 아울러 우리 국민 모두가 여러분을 성원하고 있다는 것을 꼭 기억해 주기 바랍니다.

장병 여러분의 노고를 거듭 치하하며, 건강과 무운을 기원합니다.

새해 복 많이 받으십시오.

1월

2006년 신년사

2006년 1월 1일

국민 여러분, 새해가 밝았습니다.

새해에도 만사형통하시기 바랍니다.

유례없는 폭설로 피해를 입으신 지역주민 여러분께 깊은 위로의 말씀을 드립니다. 여러분, 힘내십시오. 정부도 최선을 다해 도울 것입니다. 국민 여러분, 새해에도 역시 경제 걱정이 많으시지요? 너무 걱정하지 마십시오. 많이 좋아지고 있습니다. IMF 위기는 이제 완전히 넘어갔습니다. 후유증도 거의 극복되고 있습니다. 그럼에도 서민들의 살림살이는 아직 어렵습니다. 새해에는 서민 여러분의 형편이 한결 나아질 수 있도록 집중적인 노력을 기울여 나가겠습니다.

여러 가지 갈등으로 인한 혼란과 불안도 적지는 않았습니다. 그러나 새해에는 좀 달라질 것입니다. 그동안 우리의 발목을 잡아 왔던 큰 문제들은 이제 대강 정리가 된 것 같습니다. 올해에는 좀더 차분하게 미래를 준비할 수 있을 것입니다.

대한민국은 역동적인 나라입니다. 지난 30년을 돌이켜 보면 엄청나게 많이 달라졌습니다. 그리고 이 속도는 당분간 계속될 것입니다. 아직도 뛰어야 할 시기라고 생각합니다만, 그러나 한편으로는 속도를 조절하면서 지난 일을 돌이켜 보고 잘못된 것은 바로잡고 차분하게 미래를 설계하는 여유를 가져야 합니다. 지난날과 같은 방식으로는 20년, 30년 후의 미래를 낙관하기는 어렵습니다. 창의적이고 개방적인 사고를 가지고 미래를 위한 전략을 준비해 나가야 합니다. 몇 사람이 그렇게 한다고 우리의 미래가 열리는 것은 아닙니다. 국민 모두가 함께해야 합니다.

국민 여러분,

멀리 보고 깊이 생각합시다. 열린 마음으로 대화합시다. 그리고 민주적 절차에 따라 내린 결론에 대해서는 책임을 함께 지는 사회를 만들어 갑시다. 우리 스스로 만든 규범을 존중하고, 약속은 협력하여 실천해 나갑시다. 그러면 우리들 사이에 믿음이 쌓일 것이고 마침내 하나가 될 것입니다. 그리고 밝은 미래도 보일 것입니다.

존경하는 국민 여러분,

우리 국민은 마음먹은 일은 무슨 일이든 다 해냈습니다. 희망을 가지고, 그리고 자신감을 가지고 힘차게 나아갑시다.

국민 여러분, 새해 복 많이 받으십시오.

행정중심복합도시건설청 개청 기념행사 축사

2006년 1월 12일

존경하는 국민 여러분,

이 자리에 함께하신 충청도민, 그리고 내외 귀빈 여러분,

균형발전 시대를 향한 힘찬 발걸음이 이 자리에서 시작되고 있습니다. 행정중심복합도시건설청 개청을 진심으로 축하드립니다. 조금 전 영상물을 저도 잘 보았습니다. 이곳 대평뜰과 전월산, 그리고 금강과 함께 어우러져 새롭게 탄생할 멋진 도시를 상상해 보면 왠지 가슴이 설렙니다. 개청 준비에 애써 주신 관계자 여러분의 노고를 치하드립니다. 충청도민 여러분께도 축하와 더불어 감사의 말씀을 드립니다.

국민 여러분,

행정중심복합도시는 도시구조와 기능, 건축, 교통, 통신 등 모든 분야에서 최첨단기술과 문화, 생태가 조화를 이룬 세계 최고의 도시가 될

것입니다. 미래의 도시, 살기 좋은 도시가 어떤 도시여야 하는가, 이것을 많은 사람들이 배우러 오는 세계적인 명소가 될 것입니다. 그야말로 우리 국민의 큰 자랑거리가 될 것입니다. 얼마 전 말레이시아를 방문했을 때 신도시 푸트라자야를 들렀습니다. 뭐라고 말로 다 표현해서 전할 수가 없습니다. 참으로 아름다운 도시였습니다. 그 광경을 보면서 말레이시아와 그 국민의 품격을 한 단계 높여 보게 되었습니다. 그러면서 우리 행복도시에 대해서 아주 벅찬 기대를 하면서 귀국했습니다.

그런데 오늘 우리가 이 행복도시 건설을 위한 건설청 출범식을 이 자리에서 하고 있는 것입니다. 흥분되지 않습니까? 행정중심복합도시는 앞으로 만들 10개의 혁신도시와 6개의 기업도시의 본보기가 될 것입니다. 그리고 나아가서는 모든 도시 발전의 방향을 제시하여 우리나라 도시의 수준을 한 단계 끌어올리는 계기가 될 것입니다. 우리 국토가 균형 있게 발전하고, 서울도 지방도 다 함께 살기 좋은 상생의 공간으로 탈바꿈하게 되는, 그야말로 우리나라 전체를 '행복도시'로 만들어 가는 출발점이 될 것입니다.

행복도시건설청의 역할이 아주 막중하다고 생각합니다. 국토를 재편성하고 도시 건설의 역사를 다시 쓴다는 자부심으로 행복도시 건설에 최선을 다해 주기 바랍니다.

국민 여러분,

균형발전 정책이 이제 본격화되고 있습니다. 지난 30년간 말은 무성했지만 이렇다 할 성과를 내지 못했던 일들이 이제 근본적인 해결책을 찾아 가고 있습니다. 정부부처와 공공기관을 지방으로 이전해서 도시

몇 개를 만드는 수준이 아닙니다. 그것을 바탕으로 전국의 도시를 변화시키고 우리 국토를 재편성하자는 것입니다. 끊임없이 팽창하는 도시가 아니라 교육과 의료, 문화, 질 높은 삶의 조건을 골고루 갖춘 활력 있고 살기 좋은 도시를 전국 곳곳에 배치하고, 이 도시들을 거점으로 농촌 마을을 다양하게 만들어서, 도시에서 열심히 일한 사람들이 돌아와 농민들과 함께 농촌의 생태계를 복원하고 공동체를 복원해서 우리 모두 함께 누릴 수 있는 새로운 국토 환경을 조성하는 것입니다.

그렇게 되면 수도권도 숨통을 틔울 수 있을 것입니다. 주택난과 교통난, 환경오염과 같은 과밀의 폐해에서 벗어나 보다 질적인 개발과 관리가 가능질 것입니다. 좀더 여유 있고 넉넉하고 쾌적한 수도권을 만들 수 있을 것입니다. 국제적인 경쟁력을 갖춘 도시로 도약하게 되는 것입니다.

존경하는 충청도민 여러분,

미래는 중부권의 시대가 될 것입니다. 아니 이미 도래한 것 같습니다. 충남은 행정의 중심지로, 대전은 과학기술혁신 1번지로, 그리고 충북은 첨단산업의 메카로서 명실상부한 대한민국의 중심이 되어 가고 있습니다. 정부는 행복도시의 차질 없는 추진은 물론 이곳 충청지역이 국가 균형발전의 중심이 되고 모범이 될 수 있도록 지원을 아끼지 않을 것입니다.

우리 모두의 지혜와 역량을 모아 세계가 부러워하는 아주 아름다운 행복도시를 만듭시다. 우리 후손들에게 자랑스러운 국토, 그리고 자랑스러운 나라를 물려줍시다.

다시 한번 개청을 축하하며, 여러분 모두의 건강과 행복을 기원합니다.

감사합니다.

2006년 신년연설

2006년 1월 18일

국민 여러분, 안녕하십니까?

새해 복 많이 받으십시오.

지난해에도 어려움이 많으셨지요? 지난 3년 동안 정말 고생 많으셨습니다. 이 기간 전체가 제 임기 중이라 국민 여러분께 송구스럽기 짝이 없습니다.

그러나 국민 여러분, 반가운 소식도 있습니다. 우리 경제가 좋아지고 있습니다. 수출이 3년 연속 두 자리 수로 증가하고, 지난해에도 235억 달러 흑자를 냈습니다. 3년간 679억 달러 흑자를 실현했습니다. 그리고 이런 추세는 당분간 계속될 것입니다.

더 반가운 것은 내수가 살아나고 있습니다. 지난해 1/4분기 1.4%로 출발해서 2/4분기 2.8%, 3/4분기 4.0%, 4/4분기에 그 이상으로 꾸준히 상승하고 있습니다. 이제 내수가 살아나면 서민 여러분의 체감경기도 조금은 좋아질 것입니다. 소비의 발목을 잡고 있던 신용불량자 문제도 이제 거의 정상으로 돌아왔습니다. 2003년 3월 295만 명에서 2004년 4월 382만 명까지 늘어났다가 지금은 297만 명 수준으로 다시 줄어들었습니다. 이 모두가 국민 여러분이 어려움을 참고 열심히 노력해 주신 덕분입니다. 국민 여러분께 깊은 감사의 말씀을 드립니다.

국민 여러분,

앞으로 5년 후, 10년 후는 어떻게 될까, 혹시 중국에게 추월당하지는 않을까 걱정하는 분들도 계십니다. 그러나 국민 여러분, 너무 걱정하지 마십시오. 우리도 손놓고 있지는 않습니다. 우리 하기 나름 아니겠습니까? 정부도 대비하고 있습니다. 이미 2003년 8월에 차세대 10대 성장동력을 선정해서 집중적인 투자를 하고 있습니다. 부품·소재 산업, 전통산업의 IT화, 그리고 금융과 물류 서비스산업도 착실하게 키워 나가고 있습니다.

문제는 경쟁력입니다. 핵심전략은 연구개발, 기술혁신, 그리고 인재양성입니다. 정부는 혁신주도형 경제로 확고하게 방향을 잡고 과학기술혁신정책에 역량을 집중하고 있습니다. 연구개발 예산을 전체 재정증가율의 두 배 수준으로 늘려가고 있습니다. 연구개발 투자의 효율성을 높이기 위해 과학기술혁신체계도 완전히 새롭게 정비했습니다. 연구인력 처우개선, 연구 성과에 대한 평가체계 등은 지금 계속 보완해 나가고 있는 중입니다. 이 속도로 가면 머지않아 선진국을 따라잡을 수 있을 것입니다. 잘하면 앞지를 수도 있습니다. 국제평가기관인 IMD 평가에서 이미 과학경쟁력은 15위, 기술경쟁력은 2위까지 올라왔습니다. 대학 교육이 기업의 수요를 충족하지 못한다는 불만도 있고, 아직도 노사관계가 경쟁력의 발목을 잡고 있다는 우려도 있는 것은 사실입니다. 그러나 우리 대학도 달라지고 있고, 노사문제도 많이 좋아지고 있습니다.

그러나 국민 여러분,

걱정도 있습니다. 경제 전체를 보면 잘 가고 있다고 말할 수 있지만, 내용을 가만히 들여다보면 심각한 문제가 있습니다. 바로 양극화 문제입니다. 대기업과 중소기업, 정규직과 비정규직, 그리고 소득 계층 간 격차가 갈수록 벌어지고 있습니다. 중소기업의 이익률은 대기업의 절반에도 미치지 못하고 있습니다. 중소기업 근로자의 월급은 대기업의 60% 정도에 머물고 있고, 비정규직 임금도 정규직의 60% 수준에 불과한 실정입니다. 더구나 이 격차는 1990년대부터 점점 더 크게 벌어지고 있습니다. 더욱 심각한 것은 비정규직 비율이 급속하게 증가했고, 영세 자영업자의 형편도 그동안 많이 나빠졌다는 것입니다. 그 결과로 일자리도 양극화되고 있습니다. 지난 10년간 고소득 일자리와 저소득 일자리는 많이 늘어났고 있는데, 중간소득 계층 일자리는 오히려 줄어들었습니다. 이런 상태가 계속되면 결국 소비가 위축되고 그에 따라 내수시장이 줄어들어 우리 경제가 장기적으로 저성장의 길로 들어설 수도 있습니다.

양극화 문제는 반드시 해결해야 합니다. 양극화는 세계화·정보화 시대의 일반적 현상이라고 합니다. 전 세계가 지금 다 그 현상 때문에 걱정하고 있습니다. 그러나 이 양극화가 가장 결정적으로 악화된 원인은 경제위기입니다. 소득불평등도를 나타내는 지니계수와 5분위배율

이 IMF 위기 때 결정적으로 악화되고, 2003년 불황 때 다시 나빠진 것을 알 수 있습니다. IMF 경제위기로 인해 많은 사람들이 비정규직으로, 그리고 자영업으로 밀려났습니다. 지난 3년간 국민 여러분이 겪었던 불황의 고통도 IMF 위기의 후유증 때문이라고 말할 수 있습니다. 그러나 이제 그 후유증까지도 거의 극복된 것 같습니다. 그리고 이런 위기는 다시 재발되지 않을 것입니다. 그동안 정부는 우리 경제를 원칙에 따라 안정적으로 운영해 왔고, 위기의 징후를 사전에 발견해서 적절하게 대응할 수 있는 시스템을 만들어 운용하고 있습니다.

양극화 문제를 해결하는 핵심은 일자리입니다. 중소기업을 활성화해야 합니다. 중소기업이 살아야 수출의 효과가 내수로 확산되고 일자리가 늘어날 수 있습니다. 정부는 2004년 7월부터 중소기업 정책을 근본적으로 혁신해 가고 있습니다. 중소기업의 실태를 철저히 조사·분석하고 현장의 목소리를 수렴해서 구태의연한 지원방식을 과감하게 털어버리고, 벤처생태계를 조성하는 시장친화적인 방식으로 정책의 내용을 바꿔 가고 있습니다. 대통령이 직접 지휘하고 있습니다. 이렇게 계속하면 이번에는 반드시 달라질 것입니다. 대기업들도 중소기업과의 상생협력에 나서고 있습니다. 기술 지원, 인력 지원, 자금 지원에 모범적인 협력 사례들이 많이 나오고 있습니다. 중소기업 스스로도 변화하고 있습니다. 혁신형 중소기업이 늘어나고 있고, 벤처기업도 점차 활성화되고 있습니다. 과감하게 세계시장으로 뻗어 나가는 중소기업도 많이 있습니다.

서비스산업도 매우 중요합니다. 서비스산업은 일자리를 많이 만들어 내기 때문입니다. 고학력 청년실업 문제를 해결하기 위해서는 서비스산업 중에서도 고급 서비스산업을 집중적으로 육성할 필요가 있습니다. 지금 우리나라는 대학진학률이 80%를 넘어섰습니다. 고급인력의 비율이 세계에서 가장 높다는 뜻입니다. 이 사람들에게 일자리를 만들어 주기 위해서는 금융, 물류, 법률, 회계, R&D, 컨설팅과 같은 분야에서 양질의 일자리를 많이 만들어 내야 합니다. 일부 회의적인 시각이 있음에도 불구하고 동북아 금융중심, 그리고 물류중심, 전문대학원정책을 강력하게 추진하고 있는 이유가 바로 여기에 있습니다.

교육과 의료 서비스는 국민을 위한 보편적 서비스에 정책의 중심을 두어야 합니다. 그러나 대학 교육과 의료 서비스는 고급 일자리를 많이 창출할 수 있는 분야이므로 산업적 측면을 외면할 수는 없습니다. 일자리를 위해서 필요하다면 과감하게 개방하고 서로 경쟁하게 할 필요가 있습니다. 선진국들은 질 높은 교육과 의료 서비스를 전략적 산업으로 집중 육성하고 있습니다. 우리도 대학 교육과 의료 서비스를 산업으로 발전시켜서 국민들이 해외에 나가서 돈을 쓰게만 할 것이 아니라 오히려 외국인들이 한국에 와서 돈을 쓰게 만들어야 합니다. 다만 그렇게 하더라도 정부는 국민에 대한 보편적 서비스가 희생되는 일이 없도록 확실히 할 것입니다. 문화·관광·레저와 같은 서비스산업도 다양하게 육성하고 고급화해야 합니다. 이를 위해 정부는 관광·레저형 기업도시, 서남해안 개발사업, 부산영상도시, 광주문화중심도시, 농촌관광 활성화 등을 추진하고 있습니다.

그런데 이 서비스업을 활성화하기 위해서는 골프와 같은 고급 서비스에 대한 우리 국민들의 인식도 이제는 좀 달라져야 합니다. 사치라고 비난할 일만은 아니라고 생각합니다. 이미 소비무대가 세계화되었습니다. 지난해 우리 국민 다섯 명 중 한 명이 해외를 다녀왔습니다. 우리나라 가계 소비 100만 원 중에서 4만 5천 원을 해외에서 쓰고 있다는 통계가 나와 있습니다. 그중 일부라도 국내로 돌리게 하고, 또 외국인들이 한국에 와서 돈을 쓰게 환경을 만들어 줘야 합니다.

국민 여러분,

많은 일자리를 만들어 낼 수 있는 분야는 또 있습니다. 보육·간병·교통·치안·식품안전·재해예방·환경관리와 같은 사회적 서비스 일자리입니다. 말하자면 전통적으로 정부가 해 왔던 사회적 서비스 일자리입니다. 정부는 그동안 사회적 일자리를 통해 이 분야 일자리를 늘려 왔습니다. 올해는 지난해의 두 배 가까운 13만 개를 공급할 예정입니다만, 그동안에는 이 분야를 일시적인 실업대책 수준에서 공공근로 형태로 운영해 왔습니다만, 이제는 적극적인 일자리 창출정책으로 바꿔 나가야 합니다. 우리나라의 공공 서비스 분야 종사자는 선진국의 60% 수준에 불과합니다. '작은 정부'만 주장할 것이 아니라 이 분야에서 안정된 일자리를 많이 만들어서 대국민 서비스의 품질과 국민의 삶의 질을 함께 높여 나가야 합니다.

국민 여러분,

그동안 정부는 비정규직을 줄이고, 정규직과의 임금격차를 줄이기 위해 많은 노력을 해 왔습니다. 비정규직보호법안을 지금 국회에 제출해 놓고 있고, 임금체불·불법파견에 대한 근로감독을 강화하고 있습니다. 특수직 근로 종사자를 위한 종합적인 보호대책도 세우고 있습니다. 이와 함께 자금과 경영기술 지원 등 영세자영업자에 대한 대책도 이미 마련해서 착실하게 추진하고 있습니다. 고용지원 서비스는 일자리대책의 핵심 인프라입니다. 정부는 고용지원 서비스제도를 일자리 불안을 해소해 가는 가장 중요한 정책으로 추진하고 있습니다. 앞으로 3년간 6조 원을 투입해서 직업능력 개발과 직업알선이 결합된 튼튼한 고용안정망을 구축해 나갈 것입니다. 올해 그 확실한 토대를 놓겠습니다.

그러나 정부의 정책과 제도만으로는 임금격차와 비정규직 문제를 해결하는 데 한계가 있습니다. 시장이 달라져야 합니다. 기업이 정규직 고용을 기피하고 비정규직 고용을 선호하고 있습니다. 이것은 당장 비용을 줄이고자 하는 기업의 계산입니다. 또 한편으로는 경영여건이 나빠졌을 때 해고가 어렵다는 불안감 때문이기도 합니다. 법과 제도로만 보면 우리나라 노동의 유연성은 상당히 높은 편입니다. 그러나 대기업 노조는 단체협약상 높은 고용보장을 받고 있어서 일단 고용하면 실제로는 해고가 매우 어렵고, 이것이 시장의 분위기를 지배하고 있기 때문에 노동의 유연성에 대한 기업의 불만이 높은 것입니다. 결과적으로 교섭력이 강한 소수의 노동자들은 두터운 고용보호를 받고 있는 반면, 비정규직 노동자들은 더욱 늘어나게 되는 상황에 빠지게 된 것입니다.

이 문제를 해결하기 위해서는 무엇보다 대기업 노동조합의 양보와 결단이 필요합니다. 그러나 이를 위해서는 경제계도 때로는 과감하게 양보해서 노사 간 대타협을 이끌어 내기 위한 노력을 해야 합니다. 기업들도 노사관계에 대한 태도와 경영전략을 바꾸어야 합니다. 잘 훈련되고 심리적으로 안정된 인적자원이 경쟁력의 핵심이라는 인식을 갖고, 정규직을 늘리고 교육·훈련을 강화해서 장기적인 대비를 해 나가야 합니다.

그러나 국민 여러분,

일자리만으로 양극화 문제가 다 해결되는 것은 아닙니다. 일할 능력이 없거나 혼자서 감당할 수 없는 상황에 있는 분들은 사회안전망으로 국가가 보호해 주어야 합니다. 그동안 재정이 허용하는 범위 안에서 사회안전망을 최대한 확충해 왔습니다. 1997년에 비해 사회보장예산은 세 배 이상 늘었습니다. 기초생활보장 대상자도 40% 이상 확대됐습니다. 올해에도 기초생활보장 대상자를 12만 명 늘리고, 갑자기 위기에 몰린 분들을 대상으로 긴급복지지원제도도 시행할 예정입니다. 특히 가족들의 힘만으로는 감당하기 어려운 치매·중풍 노인과 중증 장애인들은 국가가 책임지고 돌봐 드리도록 하겠습니다. 앞으로 요양시설 확충과 노인수발보험제도, 그리고 장애수당 확대 등을 통해 2009년까지는 이 문제를 확실히 해결해 나가도록 하겠습니다.

국민 여러분,

서민생활의 핵심은 역시 부동산과 사교육비 문제라고 할 수 있을 것입니다. 8·31대책의 후속 입법이 완료되었습니다. 앞으로 투기는 발붙이지 못할 것입니다. 집값을 안정시키고, 서민들이 '내집 마련'의 꿈을 실현할 수 있도록 주택의 공급도 확실하게 늘려 나가겠습니다. 학생들은 아직도 입시지옥에 시달리고 있고, 서민들은 과중한 사교육비로 허리를 펴기 어렵습니다. 2004년만 해도 약 8조 원 가량 들었다고 합니다. 이 문제는 과열경쟁과 왜곡된 경쟁구조 때문입니다. 대학 입시 하나로 인생의 성패가 결정되는 사회에서는 모든 것을 걸고 경쟁할 수밖에 없습니다.

그러나 이 문제도 점차 해결되어 갈 것입니다. 대학 교육을 특성화하고 입시방법도 다양화해 나가고 있습니다. 그러면 앞으로 공교육은 정상화될 것입니다. 이미 중등교육 현장에서 많은 변화가 일어나고 있고, 정부도 '방과후 학교' 등을 통해 사교육을 학교 안으로 끌어들이는 정책을 강력하게 추진해 갈 것입니다. 저소득층에 대한 교육비 지원도 강화해서 가정형편 때문에 교육기회를 잃고 빈곤이 대물림되는 일은 없도록 하겠습니다. 이렇게 해 나가면 적어도 지금 초등학교에 다니는 아이들은 입시지옥에서 해방되고, 우리 부모님들도 10년 내에 사교육비의 굴레로부터 벗어날 것입니다.

국민 여러분,

저출산·고령화 문제는 우리의 미래를 불안하게 하는 새로운 도전입니다. 더 이상 미룰 수 없는 오늘의 과제입니다. 정부는 위기의식을 가지고 이 문제에 대한 본격적인 대책에 착수하고 있습니다. 올해부터 5년간 총 19조 원을 투자하는 저출산 종합대책을 마련했습니다. 고령화 문제는 국가가 최소한의 효도를 책임져야 한다는 자세로 대처하고 있습니다. 노인들이 건강하고 품위 있게 살 수 있도록 사회적 환경을 만들어 나갈 것입니다. 이를 위해 노인 일자리 창출과 고령친화산업 발전에 집중적인 노력을 기울이겠습니다. 나아가 2030년을 내다보고 종합적인 계획을 세우고 있습니다. 아이 키울 걱정이 없고, 평생 일하고 싶을 때 일할 수 있고, 건강과 노후가 보장되는 사회로 가기 위한 새로운 전략과 이를 뒷받침하는 재정계획을 마련해서 지금부터 준비해나갈 것입니다.

국민 여러분,

지금까지 여러 문제들에 대해 나름대로 정부정책과 대안을 말씀드렸습니다. 그러나 양극화를 비롯해서 우리가 부닥치고 있는 문제들을 해결하고 미래의 도전에 대비하기 위해서는 우리의 생각과 행동이 달라져야 합니다. 말하자면 우리 사회가 보다 책임 있는 사회가 되어야 한다는 것입니다. 책임 있게 생각하고 책임 있게 행동하는 사회가 될 때 우리 사회가 우리 문제를 해결할 수 있는 능력을 갖추게 될 것입니다.

책임 있게 생각하고 행동한다는 것은 현실을 있는 그대로 직시하고 문제를 있는 그대로 인정하는 데서 출발해야 합니다. 비판과 문제 제기도 사리에 맞는 '대안 있는 비판'이 되어야 하고, 이를 책임 있게 실천하는 자세가 필요합니다. 그리고 나의 주장과 이익만을 관철하려 할 것이 아니라 상대방을 존중하고 대화와 타협으로 합의를 이루어 낼 줄 아는 상생의 문화를 만들어 가야 합니다.

민주주의 사회에서 주장과 비판의 자유는 존중되어야 합니다. 이점에 있어서는 참여정부에서도 많은 진전이 있었습니다. 지난해 '프리덤하우스'는 한국의 정치적 자유를 세계 최고 수준으로 평가했습니다. '국경 없는 기자회'는 아시아 국가들의 언론자유에 대한 평가에서 우리나라를 첫번째 언론자유국가로 꼽았습니다.

그러나 돌이켜 보면, 대안 없는 주장과 비판 때문에 반드시 해결되어야 될 문제를 그르칠 뻔한 경우가 한두 번이 아니었고, 아직 해결이 지체되고 있는 일도 적지 않습니다. 이미 해결되었다고 하는 문제들도 엄청난 시간과 사회적 비용을 지불해야 했습니다.

참여정부 초기에 카드 사태로 금융 시스템이 붕괴될 상황에 처했을 때, 이 사태에 대해서는 금융기관들의 책임이 없지 않았음에도 불구하고 어느 금융기관도 이 문제를 해결하기 위해 선뜻 나서지 않았습니다. 언론과 전문가들도 시장에 맡길 일이지 정부가 나설 일이 아니라는 원론적 주장만 펼쳤을 뿐 마땅한 해결책을 제시하지는 않았습니다. 만일 정부가 나서지 않고 90조 원에 이르는 카드채가 지급불능의 사태에 빠졌다면 우리 경제가 지금 어떻게 되었겠습니까? 생각해 보면 참으로 아찔한 일이었습니다.

지난 3년간 경제가 어려웠던 것이 사실입니다. 그러나 더 힘들었던 것은 끊임없는 위기설과 파탄론이었습니다. 경제는 심리라고 하지 않습니까? 그런데 함께 대안을 제시하고 힘을 모아야 할 우리 사회의 지도층까지 우리 경제에 대해서 지난 3년간 끊임없이 비관적 전망을 쏟아 냈습니다. 2004년 경제가 한 고비를 넘긴 다음에도 위기론을 들고 나와 국민들을 불안하게 만들었습니다. 부동산 문제 역시 크게 다르지 않습니다. 지난해 8·31대책을 내놓았을 때 일부 정치권이나 일부 언론의 태도를 보면 입으로는 찬성하면서도 실제로는 마치 부동산정책이 실패하기를 바라는 것처럼 행동했습니다.

쌀 개방 문제를 한번 돌이켜 봅시다. 1994년 당시 개방은 예고된 것이었습니다. 우리 정치권은 아무런 준비 없이 개방 반대만 외치다가 결국은 문을 열고 말았습니다. 변화하는 현실을 외면했던 것입니다. 농민들은 벼랑 끝에 선 처지라서 다른 어떤 선택도 어려웠을 것입니다. 그러나 저를 포함하여 우리 정치권이 보여준 태도는 참으로 무책임한 것이었습니다.

더욱 안타까운 것은 그 이후 10년입니다. 10년의 유예를 받았으면 철저히 대비했어야 했음에도 불구하고 10년 후에 다가올 제2차 개방에 대해서 역시 제대로 준비하지 않았습니다. 그 결과 이번에 또다시 엄청난 홍역을 치렀습니다. 그뿐이 아닙니다. 어렵게 협상해서 다시 유예기간을 연장했지만, 정치권은 본질이 아닌 문제를 가지고 국정조사로 비준의 분위기를 흩뜨려 놓았습니다. 그리고 대문을 막고 쪽문만 여는 것인데도, 여론은 마치 이번 협상과 비준으로 쌀시장이 새롭게 개방되는 것처럼 왜곡되었습니다.

국민 여러분,

몇 가지 사례들을 말씀드렸습니다만, 결코 저는 아니다, 이렇게 말씀드리는 것은 아닙니다. 저를 포함한 우리 사회 전체의 책임을 말씀드리는 것입니다. 그리고 문제는 이런 일들이 지난 일들만은 아니라는 것입니다. 지금도 계속되고 있습니다.

국민연금 문제가 바로 대표적인 사례입니다. 연금법 개정안이 국회에 간 지 2년이 되었지만 아직 해결이 되지 않고 있습니다. 이대로 가면 안된다는 것은 분명한 데도 모두가 남의 일처럼 내버려 두고 있습니다. 또 앞에서 말씀드린 일자리대책, 사회안전망 구축, 그리고 미래대책을 제대로 해 나가기 위해서는 많은 재원이 필요합니다. 2030년까지 장기 재정계획을 세워보면 아무리 재정의 효율성을 높이고 지출구조를 바꾸더라도 재원이 절대적으로 부족합니다. 미래를 위해서 해결하지 않을 수 없는 일이라면, 어디선가 이 재원을 조달하지 않으면 안됩니다. 그럼에도 오히려 감세를 주장하는 사람들이 있습니다.

여론조사를 해 보아도 세금을 올리자는 사람은 없습니다. 아껴 쓰고, 다른 예산을 깎아서 쓰라고 합니다. 정부는 이미 톱다운(top down) 예산을 도입해서 예산절약과 구조조정을 강력히 추진하고 있습니다. 그리고 탈세를 막기 위해 거래의 투명성을 높여 가고 있습니다. 그러나 이러한 정책으로는 한계가 있습니다. 근본적인 해결책을 찾지 않으면 안됩니다.

그동안 참여정부의 정책이 분배위주라는 여러 가지 주장들이 있었고, 심지어 '좌파정부'라는 말까지 나왔습니다. 그러나 우리나라의 재정규모는 GDP 대비 27.3%입니다. 미국 36%, 일본 37%, 영국 44%, 스웨덴 57%인 데 비하면 턱없이 작은 규모라고 할 것입니다. 복지예산의 비율은 더 적습니다. 앞의 나라들이 중앙정부 재정의 절반 이상을 복지에 쓰고 있는데, 우리는 4분의 1밖에 되지 않습니다. 정부정책에 의한 소득격차 개선효과도 아주 낮습니다. 어떤 기준으로 보더라도 좌파정부 논란은 결코 사리에 맞지 않는 주장입니다.

사정이 이런데도 마치 복지과잉으로 경제성장에 지장이 있을 것처럼 주장하는 사람들이 많이 있습니다. 이처럼 현실을 이해관계에 따라 왜곡해서는 안됩니다. 이해관계가 다르고 정책이 다르더라도 사실은 왜곡할 것이 아니라, 사실은 사실대로 인정해야 합니다. 정치권과 경제계, 언론과 학계도 책임 있는 자세로 대안을 마련하는 데 지혜를 모아 주실 것을 당부드립니다.

존경하는 국민 여러분,

결국 상생협력의 결단이 필요합니다. 그것이 우리 민주주의가 나아가야 할 방향입니다.

과거 1970~1980년대에는 부당한 독재에 맞서 싸우는 것이 민주주의의 과제였습니다. 1987년 이후에는 권력의 투명성과 합리성을 높이는 것이 우리 민주주의의 과제였습니다. 그러나 이제 이런 문제들은 대부분 해결되었습니다. 이제는 대화와 타협, 그리고 상생의 민주주의로 우리 민주주의의 수준을 한 단계 끌어올리는 일입니다.

우리 국민들의 수준은 이미 앞서 가고 있습니다. 지난해 자원봉사자 수가 800만 명을 넘어섰고, 기부문화도 대단히 활성화되고 있습니다. 사회복지공동모금회의 모금실적이 이미 목표를 초과하고 있습니다. 노사 합의로 임금을 동결하는 대신 정년을 연장하는 기업들도 늘어나고 있습니다. 이제 우리 정치권을 비롯한 사회 각계와 지도층들이 결단을 해야 할 때입니다. 각자의 목소리만 내세울 것이 아니라 대화하고 타협하고 서로 양보하는 새로운 사회문화를 만들어 가야 합니다.

특히 교섭력이 취약한 노동조합에 대해서는 우리 경제계가 먼저 한 발 양보해서 대화의 물꼬를 터 줘야 합니다. 이러한 결단이 노·사·정 대화로, 그리고 사회적 대타협으로 이어져야 합니다. 새롭게 사고해야 합니다. 책임 있게 행동해야 합니다. 대화와 타협으로 상생의 문화를 함께 만들어 나갑시다.

국민 여러분,

우리 정부도 더욱 책임 있게 해 나가겠습니다. 바로 책임 있는 정부가 되겠습니다. 무엇보다 원칙을 흔들림 없이 지켜 나가겠습니다. 투명하고 공정한 사회를 만드는 노력을 일관성 있게 계속해 나가겠습니다.

정경유착의 고리가 끊어지고 선거문화도 깨끗해졌습니다. 이것은 누구도 부인하지 못할 것입니다. 올해 지방선거만 잘 치르면 깨끗한 선거문화는 확고하게 뿌리를 내릴 것입니다. 당내 선거는 민주주의의 기초입니다. 어떤 선거보다 투명하고 공정해야 합니다.

권력기관도 더 이상 정권을 위한 기관이 아닙니다. 이제 국민을 위한 기관으로 돌아왔습니다. 어떤 기관도 과거처럼 특별한 권력을 가지고 있지 않습니다.

경제에 있어서도 원칙을 지켜 왔다고 자부합니다. 그리고 앞으로도 그럴 것입니다. 무리한 경기부양 유혹이 없었던 것은 아니지만 힘겹게 버티며 원칙을 지켰습니다. 그래서 국민 여러분이 좀 오래 고생을 하셨습니다. 그러나 앞으로 상승기간은 더 오래갈 것이라고 믿습니다. 투명하고 공정한 사회를 만드는 개혁도 빠르게 진행되고 있습니다. 사학법 개정도 우리 사회의 투명성을 높여 가기 위한 것입니다. 재산권을 박탈하거나 교육을 간섭하려는 것이 아니라는 점을 이해해 주시기 바랍니다.

언론과의 관계도 원칙대로 해 왔습니다. 그동안 언론과의 갈등 때문에 많은 어려움을 겪었고, 많은 사람들이 적당하게 타협하라고 했지만 저는 그렇게 하지 않았습니다. 우리 언론문화가 많이 달라졌다고 생각합니다. 특히 정권과 언론과의 관계가 근본적으로 달라졌습니다. 더 이상 유착관계는 없습니다. 이제 여기에서 만족하지 않고 각자 자기의 책임을 다하면서 국가를 위해서, 그리고 역사를 위해서 함께 협력하는 창조적 협력관계를 만들어 갈 것을 제안합니다. 마치 대청소를 할 때처럼 나라 분위기가 어수선하고 혼란스럽다고 느끼는 분들이 계실 것입니다. 그러나 이

시기만 잘 넘기면 우리 사회의 투명성이 몰라보게 높아질 것입니다.

미래를 위해서 꼭 필요한 일은 반드시 하겠습니다. 뒤로 미루지 않겠습니다. 어려움이 있더라도 책임 있게 해 나가겠습니다. 19년을 미뤄 왔던 방폐장 문제가 마침내 해결됐습니다. 개방 문제도 거역할 수 없는 대세입니다. 적극적으로 대처해서 우리 경제를 선진화하는 기회로 삼아 나가야 합니다. 그동안 여러 나라와 자유무역협정을 추진해 왔습니다. 우리 경제의 미래를 위해서 미국과도 자유무역협정을 맺어야 합니다. 지금 대화가 시작됐습니다만 조율이 되는대로 협상을 시작하도록 하겠습니다.

국민 여러분,

국가 제도의 기반을 튼튼하게 정비하겠습니다. 통계·기록관리와 같은 기본적인 행정 인프라부터 새롭게 구축해 가고 있습니다. 부동산 보유와 거래실태를 정확하게 파악하기 위한 부동산 데이터베이스, 그리고 조세와 연금을 투명하고 공정하게 하기 위해 소득 파악 시스템도 완비해 가고 있습니다. 당장 제품 한두 개를 생산하는 것보다 생산설비 자체를 정비한다는 자세로, 눈에 보이지 않는 부분까지 시스템을 선진국 수준으로 갖추어 나갈 것입니다.

행정의 과학화로 정책의 품질을 높여 나가겠습니다. 작년 7월부터 정책품질관리제도를 도입해서 입안에서 평가까지 각 단계마다 점검할 사항들을 빠짐없이 챙기고 있습니다. 또한 전략적 감사를 통해 국책사업에 대한 구조적인 문제점 여러 가지도 하나하나 고쳐 나가고 있습니다.

지난 수십 년간 계속 강조해 왔지만 아직 성과를 제대로 거두지 못하고 있는 정책들도 더러 있습니다. 이제 이런 일도 없도록 하겠습니다. 국민과 약속한 정책은 근본적으로 해결해 나가겠습니다. 중소기업정책, 균형발전정책, 이번에는 확실히 성과가 있도록 하겠습니다. 이렇게 일하도록 공직문화를 혁신해 나가고 있습니다. 이제 우리 공무원들도 더 이상 '철밥통'이라는 소리를 듣지 않을 것입니다. 민간기업 수준으로 행정의 효율성이 높아질 것입니다.

올해는 신상필벌의 평가 시스템과 고위공무원단제도를 도입해서 책임 있게 일하고 경쟁하는 공직사회를 만들어 나갈 것입니다. 우리 공직사회의 혁신 분야에서도 세계적인 모범사례를 더 많이 만들어서 '혁신한국'을 세계 일류의 브랜드로 내놓도록 하겠습니다.

멀리 내다보고 가겠습니다. 지금 우리가 자랑하는 CDMA 기술도 십수년 전에 준비했던 것이고, 오늘 우리가 고생하고 있는 경제적 어려움도 따지고 보면 10년 전 IMF 위기로부터 비롯된 것입니다. 그렇듯이 제가 하고 있는 일도 성과나 부작용은 대부분 다음 정부 이후에 나타날 것입니다. 임기 안의 성과에 연연하지 않고 멀리 내다보고 할 일은 뚜벅뚜벅 해 나가도록 하겠습니다.

존경하는 국민 여러분,

새해를 맞아 국민 여러분께 '희망이 있다. 잘 될 것이다.'는 말씀만 드리려고 했는데, 다소 부담이 되는 말씀까지 드렸습니다. 그러나 국민 여러분, 잘 될 것입니다. 우리는 그동안 불가능하다고 했던 많은 일들을 이루어 냈습니다. 마음만 먹으면 못해낼 것이 없을 것입니다. 희망과 자신감을 가지고 미래를 대비해 나갑시다. 올해, 그리고 그 이후에도 대한민국 기적의 대행진을 계속 이어갑시다.

국민 여러분, 감사합니다.

부산항 신항 개장식 축사

2006년 1월 19일

존경하는 부산시민과 경남도민 여러분, 그리고 내외 귀빈 여러분,

신항 개장을 온 국민과 더불어 축하합니다. 참으로 장관입니다. 앞으로 장장 10km에 걸쳐 펼쳐질 신항의 모습을 상상하면 벌써부터 가슴이 벅찹니다. 이곳 신항은 제가 해양수산부 장관 시절, 민자사업 협상을 타결 짓고 기공식을 가졌던 항만입니다. 그래서 더욱 기쁩니다. 그동안 밤낮없이 땀 흘려 온 항만 관계자 여러분, 정말 수고 많으셨습니다. 신항 개장을 손꼽아 기다려 오신 부산시민과 경남도민 여러분께도 축하와 감사 인사를 드립니다.

내외 귀빈 여러분,

올 연말에 3선석이 추가로 준공되고, 2008년까지 18선석, 2011년까지 30선석을 모두 갖추게 되면 신항은 그야말로 동북아 해운물류의

허브가 될 것입니다. 329만 평에 이르는 배후부지와 연결교통망도 차질 없이 개발해 나가도록 하겠습니다. 물류와 첨단산업 클러스터로 빠르게 발전하고 있는 부산·진해 경제자유구역 또한 신항의 가치를 더욱 높여 줄 것입니다.

저는 5년 전 신중에 신중을 거듭한 끝에 당초 24선석이던 신항 규모를 30선석으로 늘렸습니다. 그만큼 확신이 있었기 때문입니다. 그리고 그 확신은 지금 하나하나 현실로 실현돼 가고 있습니다. 여러 해운선사들이 새로운 기항지로 신항에 큰 관심을 보이고 있습니다. 얼마 전 2단계 부두 민자사업자 선정에서는 55개 업체 5개 컨소시엄이 치열한 경쟁을 벌였다고 들었습니다. 신항은 반드시 성공할 것입니다. 정부도 확실하게 지원할 생각입니다. 개발이 계획대로 추진되고 항만이 조기에 활성화되고, 나아가 동북아 물류 중심기지로서 확고히 자리잡을 수 있도록 제 임기 동안 굳건한 토대를 다져 놓도록 하겠습니다.

내외 귀빈 여러분,

중국 항만의 급성장에 대해 불안해 하는 분들도 많이 있는 것으로 알고 있습니다. 그러나 걱정할 일이 아닙니다. 우리 신항은 경쟁력이 있습니다. 입지도 좋고 항만의 지원 인프라도 잘 갖추어져 있습니다. 특히 운영의 노하우가 많이 축적되어 있습니다.

항만 개발에 박차를 가하는 한편, 운영의 효율성과 서비스의 질을 높여 나가면 세계 최고의 경쟁력을 가질 수 있을 것입니다. 이미 항만에 계신 여러분은 무파업 선언으로 고객의 신뢰를 높여 왔습니다. 지난해에는 노·사·정이 노무인력 공급체계 개편에 합의하는 역사적인 결단을 내렸습니다. 이렇게 힘을 하나로 모아 나간다면 앞으로 어떤 일이 생기더라도 극복하지 못할 일이 없을 것입니다. 정부도 여러분의 결단과 노력이 모두에게 좋은 결과로 이어질 수 있도록 성심껏 지원할 것입니다.

부산시민과 경남도민 여러분,

신항 시대의 개막은 부산항이 새롭게 변모하는 계기가 될 것입니다. 컨테이너 처리 기능이 상당부분 신항으로 옮겨지면, 부산북항은 관광·레저·비즈니스 공간까지 고루 갖춘 그야말로 부산의 새로운 얼굴이 될 것입니다. 우선 부산시민들의 새로운 삶의 터전이 될 것이고, 또한 이 지역의 내놓을 만한 관광명소가 될 것입니다. 그렇게 되면 부산은 세계적인 해양관광도시로서 한 단계 더 도약하고, 시민 여러분의 삶의 수준도 한층 높아질 것입니다. 부산에서 시작해서 거제, 통영, 광양, 목포에 이르는 남해안 벨트는 새로운 번영의 축으로 발전하게 될 것입니다.

내외 귀빈 여러분,

이곳 신항은 부산·경남의 밝은 미래, 나아가 선진한국을 여는 희망의 진원지입니다. 함께 힘을 모아서 반드시 성공시킵시다. 동북아 물류 허브의 꿈을 함께 실현합시다. 다시 한번 신항 개장을 축하드리며, 새해 여러분 모두의 건강과 행운을 기원합니다.

감사합니다.

신년 기자회견 모두연설 및 질문·답변

2006년 1월 25일

존경하는 국민 여러분, 그리고 내외신 기자 여러분,

안녕하십니까? 오늘은 지난 신년연설에서 다 말씀드리지 못했던 내용과 그 이후 제기된 쟁점에 관해 간략히 말씀드리고 여러분의 질문을 받도록 하겠습니다.

작년 4/4분기 성장률이 당초 예상보다 높은 5.2%를 기록했습니다. 우리가 예측했던 대로 올해는 5% 안팎의 성장이 가능할 것 같습니다. 이러한 성장이 내수 확산과 일자리로 이어지고, 나아가 중소기업과 서민 여러분의 호주머니로 연결되도록 최선을 다해 나가겠습니다. 올 들어 일부 지역의 부동산값이 다시 들썩거리고 있습니다. 시장원리와 맞지 않는 일시적인 현상이라고 생각합니다만, 정부는 만일의 사태에 대비해서 이미 예정했던 대로 추가적인 정책을 지금 검토 중입니다. 어떤 경우에도 부동산 투기가 서민들의 주거안정을 교란하는 일이 없도록 완벽한 조치를 취할 생각입니다.

국민 여러분,

저는 신년연설에서 우리의 재정과 복지지출 규모에 대해 책임 있는 논의가 필요하다는 말씀을 드렸습니다. 그런데 저의 이 말을 바로 증세 논쟁으로 끌고 가서 정략적 공세로 이용하고 있는 사람들이 있어서 이 부분에 관해서 잠시 말씀을 드리겠습니다.

결론부터 말씀드리면, 대통령은 당장 증세를 주장하지 않습니다. 대통령도 국민이 원하지 않는 일은 할 수 없습니다. 대통령이 하고자 한다고 마음대로 다할 수 있는 일은 아닙니다. 국민이 반대하는 일을 무리하게 하려고 한다면 그것은 어리석은 일이 될 것입니다. 저는 단지 우리 재정의 규모와 복지지출의 실상을 말씀드렸을 뿐입니다. 이것은 나라의 장래를 위해서 매우 중요하고 심각한 문제입니다. 대통령 혼자서 해결할 수 있는 문제도 아닙니다. 반드시 국민 여러분께 진실을 말씀드리고 대책을 함께 의논해야 할 문제라고 생각합니다. 대통령도 혼자서 할 수 없는 일은 국민 여러분께 상의드리는 것이 도리라고 생각합니다.

정부로서도 세금을 올리지 않고 해결할 수 있는 모든 방안을 다 강구하겠습니다. 이미 강도 높은 세출 구조조정과 예산 효율화를 통해 씀씀이를 최대한 줄여가고 있습니다. 앞으로도 그렇게 할 것입니다. 정부 정책 사이트인 '국정브리핑'에 들어가서 '구체적인 근거 없이 예산낭비라고 하지 마라'는 글과 '관련기사'를 보시면, 우리 정부가 예산지출을 줄이기 위하여 하고 있는 일이 소상하게 소개되어 있습니다. 참고해 주시기 바랍니다.

또한 현행 세율과 조세체계 안에서 감면제도를 합리적으로 개선하고, 거래의 투명성을 높여서 세원을 넓게 발굴하고, 고소득 자영업자들의 탈세를 막기 위한 노력도 계속해 나가고 있습니다. 오히려 지금은 증세논쟁을 할 때가 아니라 감세 주장의 타당성을 따져 보아야 할 때라고 생각합니다. 한편으로는 막대한 재정이 필요한 '기초연금'을 주장하면서, 다른 한편으로는 감세를 주장하는 사람들이 있기 때문입니다. 말하자면 돈쓸 일은 끝없이 내놓으면서도 세금을 깎자는 주장의 타당성과 책임성을 따져 보지 않으면 그나마 어렵게 꾸려 가고 있는 지금의 우리 재정마저 위태롭게 될 우려가 있기 때문입니다.

국민 여러분,

지방선거가 4개월 정도 남았습니다. 이번 선거는 지난 17대 총선에서 이룬 공명선거의 큰 흐름이 확고한 문화로 정착되는 계기가 되어야 할 것입니다. 정부는 깨끗하고 공정한 선거 관리에 최선을 다할 것입니다. 규칙을 지키는 사람이 손해 보지 않고, 부정과 반칙을 하는 사람이 반드시 패배하는 선거가 되어야 합니다. 당내 경선은 모든 공직선거의 기본입니다. 정당도 더 이상 성역일 수는 없습니다. 특권을 주장해서도 안 됩니다. 야당 탄압은 없어진 지 이미 오래됐습니다. 불법행위를 근절하는 데 예외가 있어서는 안될 것입니다. 다시는 부정선거 문제가 사회적 과제가 되지 않도록 국민과 정부, 여야 모두가 함께 힘을 모아 나가야 하겠습니다.

사회취약계층의 생계와 인권을 침해하는 각종 폭력과 부조리는 철저히 근절하도록 하겠습니다. 공사장 노동자, 생계형 노점상, 영세 유흥업소 종사자 등을 상대로 협박과 갈취를 일삼는 행위가 발붙이지 못하도록 특단의 대책을 세워 나갈 것입니다. 이와 함께 국민 여러분을 불안하게 하는 조직폭력, 학교폭력, 사이버폭력, 정보지폭력 등 '4대 폭력'은 반드시 뿌리 뽑도록 하겠습니다.

국민 여러분,

그동안 정부는 균형외교, 자주국방, 남북 간 신뢰구축이라는 원칙을 가지고 일관성 있게 외교안보를 추진해 왔습니다. 우리는 미국에 대해 동맹으로서 최고의 예우를 다하면서도, 할 말은 하고 협력할 것은 협력하면서 더 큰 신뢰를 쌓아 가고 있습니다. 그동안 한·미 간에 쌓여 있던 여러 가지 현안문제들은 다 풀었습니다. 한·미동맹의 장래에 관한 공동연구와 한국군의 전시작전권 환수 문제를 매듭지을 수 있도록 미국과 긴밀히 협의해 나갈 것입니다.

북핵문제의 평화적 해결을 위해서도 최선을 다하겠습니다. 한반도 평화체제 구축을 위한 관련국들과의 협상도 진지하게 준비해 나가겠습니다. 지난 십수년간 미루어 왔던 국방개혁도 이제 본격화될 것입니다. 다음 임시국회에서 국방개혁기본법이 통과되면 2020년을 목표로 군 구조개편과 국방운영 혁신계획을 차질 없이 추진해 나가도록 하겠습니다. 시끄럽고 어려운 일이라고 해서 할 일을 뒤로 미루지는 않겠습니다. 오랜 숙제들을 하나하나 풀어 가고 있습니다.

행정중심복합도시와 국가균형발전정책이 본격적으로 진행되고 있습니다. 19년을 미뤄 왔던 방사성 폐기물 처리장 부지 문제가 이제 해결의 길로 들어섰습니다. 대한민국 수도 한복판에 자리잡고 있는 미군기지 이전에 관한 문제도 이제 완전히 가닥이 잡혔습니다. 수년 안에 그 땅은 우리 국민의 손으로 돌아올 것입니다. 10년 이상 끌어 왔던 사법개혁도 모든 준비가 끝나고 입법만을 남겨 놓고 있습니다.

아직 해결되지 않은 숙제의 하나는 철도 적자 문제입니다. 이 문제도 철도공사에만 맡겨 놓을 일이 아니라 정부가 나서서 근본적인 해결책을 강구해 나갈 것입니다. 더 이상 장기 미해결 과제를 다음 정부로 미루는 일은 없도록 하겠습니다.

감사합니다.

질문과 답변

질문 : 지난 신년연설에서 왜 답을 먼저 내놓지 않고 논쟁을 점화시켰는지, 그리고 답이 있다면 언제쯤 내놓을 생각이신지 말씀해 주십시오. 오늘 재원확충 방안과 관련해서 세금을 올리지 않고 모든 해결방안을 다 강구하겠다고 말씀하셨는데, 지난번 신년연설과 오늘 입장이 약간 모순되는 것은 아닙니까?

대통령 : 국정은 국민과 함께 하는 것입니다. 대통령이 어떤 문제의식을 가지고 있더라도 국민들이 받아들이지 않으면 그 정책은 실현될 수 없습니다. 그래서 모든 문제에 대해서 대통령이 답을 먼저 내놓아야 한다는 생각은 반드시 옳지는 않다고 생각합니다. 그리고 현실적인 것도

아니라고 생각합니다.

여러분, 한번 기억해 보십시오. 대통령이 말한다고 해서 그것이 다 책임 있는 일이 되고, 또 그것이 현실적인 일이 되었습니까? 어떤 경우에는 이미 국민들이 주장하기도 하고, 또 이미 어떤 언론이 오랫동안 주장해 오던 문제도 대통령이 주장하면 바로 태도가 바뀌고, 그것이 바로 정치적 공격의 빌미가 된 일도 한둘이 아닌 것으로 기억하고 있습니다.

국민연금 문제만 하더라도 국민연금 재정재계산제도는 지금의 야당이 주장해서 국민의 정부 때 입법된 제도입니다. 그 법적 근거에 의해서 국민연금 재정재계산을 현실화하는 법안을 정부에서 제출했는데, 그것이 몇 년째 전혀 다른 논리, 다른 주장에 발목이 잡혀 국회에서 잠자고 있지 않습니까? 국민연금 재정재계산제도는 기초연금제도와는 논리적으로 반드시 전제관계에 있지 않습니다. 재정재계산은 재계산대로 하고 기초연금제도는 따로 우리가 재원을 마련해서 충분히 논의할 수 있는 문제임에도 불구하고 기초연금제를 주장하면서 재정재계산제도의 입법화를 거부하고 있지 않습니까?

언제든지 대통령이 모든 대답을 먼저 내놓고 가는 것만이 국정을 효율적으로 운영하는 방법은 아니라고 생각합니다. 또 그것만이 책임 있는 일은 아니라고 생각합니다. 실제로 정부가 절약하고 다른 예산을 깎아 쓰고, 또 세원을 더욱더 넓게 발굴하고, 말하자면 낮은 세율 넓은 세원 이런 원칙으로 가고, 또 조세감면 폭을 상황의 변화에 따라서 끊임없이 재조정하고 가더라도 미래의 복지 수요를 충족할 수 있는 재정을 확보하는 데는 한계가 있다고 생각합니다.

그러나 아직 국민들이 동의하지 않고 있기 때문에 저는 주어진 여건하에서 최선을 다하겠다고 오늘 말씀드린 것입니다. 그리고 증세 문제를 가지고 논쟁을 하기 전에 감세 주장에 대해서 먼저 논쟁을 하는 것이 필요하지 않겠느냐고 말씀드린 것입니다.

질문 : 부동산과 관련한 새로운 추가대책을 구체적으로 설명해 주시고, 언제 윤곽이 드러날 것인지 말씀해 주시기 바랍니다. 아울러 최근 주식시장, 국제 유가, 환율이 몹시 불안한데 어떻게 대응해 나갈 것인지를 말씀해 주십시오.

대통령 : 먼저 부동산 문제에 대해서 말씀드리겠습니다. 본시 8·31 대책 후속 입법이 다 되고 나면, 수요·공급을 통해서 가격을 안정시킬 수 있는 대책을 중심으로 여러 가지 안정대책을 내놓으려고 준비하고 있었습니다.

구체적인 내용은 오늘 제가 말씀드리는 것보다 정부에서 정책을 거의 마무리 손질하고 있는 중이니까 그 이후에 내놓도록 하겠습니다. 대통령이 주재하는 회의를 거치고 확정해서 단계적으로 적당한 방법으로 발표할 것입니다.

발표 부분에 있어서도 매우 주의 깊게 대처해 나가려고 합니다. 정책이라는 것은 어떤 면에서 게임입니다. 부동산정책을 무력화하기 위한 노력들이 지금 우리 사회에서 진행되고 있습니다. 여기에 우리 정부가 대처해야 됩니다.

문제는 국민들이 어느 쪽을 믿느냐가 중요한 것입니다. 아무리 잘된 정책이라도 국민들이 믿지 않으면 상당 기간 효과가 나타나지 않습니다. 그래서 이 문제에 대해서 국민들의 신뢰를 확보하는 정책이 필요하기 때문에 오늘 제가 이 자리에서 설익은 정책을 불쑥 내놓은 것은 적절하지 않다고 생각합니다.

그러나 분명한 것은 역시 부동산도 시장에서 움직인다는 것입니다. 시장의 기재를 잘 활용해서 어떤 경우에도 부동산 투기 이익은 발생하지 않도록, 투기하는 사람은 반드시 손해를 보도록 제도화해 놓으면 일시적으로 시장에서 저항하는 흐름이라든지, 또는 이런저런 이유로 이 정책을 교란하고자 하는 사람들의 노력은 무력화될 수밖에 없습니다.

저는 법칙을 믿습니다. 지금까지는 이와 같이 부동산 투기를 막는 완벽한 정책을 여러 가지 저항으로 채택하지 못했기 때문에 부동산 가격이 계속 반복해서 악순환을 해 왔던 것입니다. 완벽한 제도를 만들면 완벽하게 막을 수 있습니다. 분명하게 말씀드리겠습니다. 부동산 투기는 결코 성공하지 못할 것입니다.

다음에 유가, 환율, 세계 경제의 흐름 등에 있어서 불안요인이 없는 것은 아닙니다. 그러나 이런 정도의 불안요인이 없었던 때가 있었습니까? 언제나 이와 같은 불안요인은 있게 마련입니다. 또 대외적인 불안요인이 없으면 대내적으로 노사분규라든지, 또는 그 밖에 여러 가지 불안요인들이 거론되지요.

여러 가지 불안요인을 뚫고 지난 3년간 고생할 만큼 하고 이제 경제가 회복의 길로 들어섰습니다. 그래서 올해 우리 경제에 다소 낙관적 전망을 할 수 있게 된 근거가 이와 같은 불안요인을 다 극복하고 나온 것이기 때문에 더욱 값진 것입니다. 예를 들면 환율 원화가치가 계속적으로 절상됐음에도 불구하고, 기름 값이 계속 올라갔음에도 불구하고 우리 경제가 이를 극복하고 회복해 가고 있다는 것이 경제를 낙관하고 있는 근거입니다.

낙관적인 전망을 가지고 있는 사람만이 난관을 극복할 수 있습니다. 비관적인 전망을 가진 사람은 난관을 이겨 내기 어렵습니다. 스스로 건강에 대한 의지와 확신이 있는 사람이 건강을 회복하는 것이지, 건강에 대해서 회복할 의지도 없고 확신도 없는 사람은 병이 잘 낫지 않는다고 합니다. 이 점에 대해서 우리 언론들도 낙관적인 것은 낙관적인 것대로 보는 자세가 좀 필요한 것이 아닌가 부탁드리고 싶습니다.

질문 : 지난해 대연정 구상 제안, 그리고 올 초에 유시민 의원 입각 파동 등 대통령께서 주요한 의사결정을 하실 때 정치권과의 교감이 부족하다거나 혹은 사회적 공감대 형성 과정이 부족해서 보편적 국민 정서와 동떨어진 제안이 종종 있다는 비판이 있습니다. 또 최근에는 너무 역사와의 독대에 빠져 있는 것이 아니냐는 말도 나오고 있습니다. 이러한 지적에 공감을 하시는지, 그리고 대통령께서 생각하는 바람직한 정치 스타일은 무엇인지, 혹시 이 같은 스타일을 바꾸실 의향이 있는지 묻고 싶습니다.

대통령 : 대연정은 우리 한국 국민들에게는 매우 익숙하지 않은 정

치 용어입니다. 그런데 세계적으로는, 특히 선진국에 있어서는 대단히 익숙한 정치 용어이고 또 실제로 현실입니다. 그리고 대연정을 하고 있는 나라들이 진보 또는 변화의 발목을 잡고 있는 국가적 과제들을 훨씬 더 효율적으로 해결해내고 있습니다. 그래서 '우리도 한번 생각해 봅시다.' 라고 제안을 드린 것입니다.

용어에 있어서 대연정은 우리 국민들에게 대단히 생소한 용어였을지 모르지만 그 내용에 들어 있는 구상의 얼개는 제가 대통령 후보 때부터 얘기했던 것입니다. 2002년 대통령 후보 시절에 경향신문과 인터뷰하는 대목이었다고 생각하는데, 2004년 총선에서 또다시 여소야대가 된다면 그때는 소위 프랑스식 동거정부 같은 것도 한번 검토해 보겠다, 프랑스 헌법과 우리 헌법이 다르고 정치 상황이 다르기 때문에 경우에 따라서는 내각제에 준하는 대폭적인 권력의 이양을 통해서 합의의 정치를 한번 해 보겠다는 취지를 이미 밝힌 바 있고, 이후에도 그런 얘기를 여러 번 했습니다.

결국 대연정은 압도적인 우세를 가진 정치세력이 없을 때, 말하자면 여야의 정치세력이 팽팽하게 대립돼서 풀어야 될 국가적 과제가 제대로 풀리지 않을 때 그것을 풀어 나가는 하나의 정치적 형태로서 얼마든지 생각해 볼 수 있는 것이고, 여러 번 얘기했던 것입니다. 소위 '합의의 형태'로 가자고 이런 제안을 드린 것입니다. 용어는 생소하게 들렸을지 모르지만 내용은 이미 여러 차례 예고했던 것입니다. 다만 많은 분들이 주목하지 않았을 뿐입니다. 이 점에 대해 저는 우리의 정계·학계·언론계에서 오히려 좀 소홀함이 있지 않았느냐, 이렇게 불만을 말씀드리고 싶습니다.

이 문제는 앞으로도 내각제냐 대통령제냐 하는 논의보다는 정치운용의 현실에 있어 압도적 다수가 끌고 가는 정치, 소연정이라고 하는 합의를 통해, 연대를 통해서 과반수를 차지해서 타협과 대립의 정치가 적절하고 조화롭게 가는 정치 모델, 그리고 그조차도 잘 이루어지지 않을 때 이번 독일의 예에서 보듯이 대연정 구조, 큰 정치세력의 합의적 형태를 통해서 국가적 과제를 해결해 나가는 이와 같은 정치 모델, 이런 데 대해서 앞으로 관심을 좀 가져 주시면 좋겠다고 생각합니다. 그래야 우리 정치가 발전할 수 있습니다.

그 다음에 유시민 의원 입각 문제는 여러 차례 취지를 말씀드렸습니다. 어느 나라 대통령 또는 총리가 각료를 임명하는 데 당에 가서 표결이나 토론에 부치는 일이 있습니까? 모든 사람의 지지를 받는 각료 후보가 그렇게 많지는 않습니다. 다 부분적으로 찬성하고 부분적으로 반대하는 사람이 있을 수 있는 것입니다.

오히려 제가 실수를 했다면 처음부터 못 들은 척하고 바로 임명했으면 될 텐데 좀 의논해 보자고 임명을 유보했던 것이 문제를 크게 만들었습니다. 그 점은 제 실수로 인정합니다. 유보해 놓으니까 소리가 크게 터져 나와 버린 것입니다. 그러나 저는 그 소리가 과반수의 목소리도 아니고 열린우리당 전체 의사를 대변하는 목소리라고 생각지는 않습니다. 대통령이 인사를 하면서 100% 동의하는 그런 인사를 하는 것은 아니라고 생각합니다.

다음에 역사와의 독대는, 그렇게까지 제 스스로를 거창하게 생각하고 있지는 않지만 항상 한 시대의 조류와 그 조류에 역행하는 파도 사이에서 언제든지 어떤 선택의 큰 고민을 하고 있는 것은 사실입니다. 몇 가지 예를 들 수 있지만 하나 극단적인 예를 들면, 1990년 1월 3당합당이 이루어질 때에도 그것을 저는 거부했는데, 큰 흐름을 거역하는 것이었습니다. 그것을 군이 역사와의 독대라고 얘기하면 할 수도 있겠죠.

그것은 정치하는 사람에게 언제나 끊임없이 고민하지 않을 수 없는 그런 문제라고 생각합니다. 또 나머지 예는 말씀드리기가 좀 그렇습니다. 대통령 선거 막바지에 가서도 당선을 위해서 제 스스로 용납할 수 없는, 그야말로 역사를 위해서 용납할 수 없는 타협을 많은 사람들이 권고했을 때도 저는 '낙선을 선택하겠다. 그것은 원칙이 아니다.' 그렇게 반대했던 일도 있습니다.

그래서 '여러 사람들의 의견이 다 역사의 흐름에 부합하느냐?' 하면 그렇게 볼 수는 없다고 생각합니다. 유신헌법에 반대했던 많은 사람들이 경우에 따라서는 그 당시 다수 국민의 여론과 꼭 일치했다고 말할 수 있겠습니까? 이런 것은 꼭 대통령 아니라도 항상 고심하면서 그때그때 가장 합리적인 선택, 또 현실적이면서도 이상적이고, 이상적이면서도 현실적인 균형점을 찾아 나가는 것, 그것이 우리 모두의 고민 아니겠습니까? 저는 결국 균형점의 문제라는 생각을 하고 있습니다. 저는 또 끊임없이 그 시기 시기의 여론과 일치하지 않는 선택을 해 왔고, 마침내는 그 선택에 의해서, 또 그 선택을 포괄적으로 국민들에게 인정받아서 대통령이 됐다고 생각합니다. 앞으로도 그 시기 시기의 파도에 흔들리지 않고 큰 조류를 보고 가는 그와 같은 선택, 그러면서도 현실을 크게 벗어나지 않는 균형 있는 선택을 위해서 계속해서 고민할 것입니다. 그리고 때로는 어려움에 부닥치는 선택을 회피하지 않을 것입니다.

질문 : 올해 지방선거를 앞두고 정부 차원의 대책이 있으면 설명해 주시고, 아울러 검·경 수사권 조정과 관련해서 대통령께서는 어떤 의향을 가지고 계신지 말씀해 주십시오.

대통령 : 투명한 정치, 투명한 선거에 관해서는 여러 차례 의지를 말씀드린 바 있습니다. 선거라는 것이 출마하는 사람에게는 절실한 것이라서 아무래도 계속해서 반칙의 유혹을 받는 것 같습니다. 또 반칙이 전혀 효과가 없으면 안 할 텐데 자꾸만 효과가 있을 것만 같은 기대가 있고 하니 계속해서 그와 같은 일을 반복하게 됩니다.

그러나 지금까지 우리 정부가 해 온 것을 보면 원칙대로 해 왔다고 생각합니다. 다른 어느 때보다 철저히 하고 있다고 생각합니다. 그리고 이번 지자체 선거에서도 반칙하는 사람은 결코 성공하지 못할 것입니다. 그 이전 선거 때는 부정이 원체 많아서 으레 그러려니 하다가, 요즘은 그렇지 않은데 몇 가지가 불거지니까 엄청난 부정이 있는 것처럼 보일지도 모르지만 부정행위가 많이 줄어들었습니다. 또 지금 전례가 없는 여당에 대해 수사, 압수수색까지 하고 있지 않습니까? 저도 그렇고 우리 정부기관의 의지도 이 점은 확고한 것 같습니다. 한번 믿고 가 보시죠. 저는 자신 있습니다. 이번 선거도 모범적인 선거가 될 것입니다. 반드시 그렇게 하겠습니다.

검·경 수사권 문제는 아직 제가 어떤 결정을 내릴 단계는 아닌 것 같습니다. 지금 계속해서 협의를 하고 있는 것으로 알고 있는데, 여러 가지 돌출사건들도 있고 해서 그 진행이 좀 더딘 것이 아닌가 싶습니다만, 아직은 제가 결론을 내릴 때는 아닌 것 같습니다. 당사 기관 간에 합의가 이뤄지면 좋겠고, 또 아니면 당정협의를 통해서 합의가 이뤄지기를 기대합니다. 이렇게 가다가는 아무것도 안되겠다, 꼭 대통령이 어떤 결정을 내려야 되겠다는 그런 상황이 되면 결정을 내리도록 하겠습니다. 아직은 조금 더 기다릴 여유가 있다고 생각합니다. 물론 최종적인 것은 국회의 입법을 통한 것이기 때문에 국회가 결정해야 되겠지만, 두 기관 간에 적절한 조정이 되도록 일단 정부안으로서 성립시키겠다는 뜻입니다.

질문 : 북한이 불법행위에 가담했다는 데 동의하시는지, 이에 대해 어떤 조치가 취해져야 된다고 보시는지, 그리고 미국은 6자회담 과정이 진행될 수 있도록 제재를 철회해야 한다고 보는지에 대해서 묻고 싶습니다.

대통령 : 북핵문제 해결에 관해서 한·미 간에 이견은 없습니다. 협상을 통해서 대화로 문제를 해결합니다. 이 점에 관해서 이미 공식적으로 미국 정부와 한국 정부는 공식적으로 합의해 놓고 있습니다.

다만, 한국 정부는 북한의 체제에 대해서 문제를 제기하고 압박을 가하고, 또 때로는 붕괴를 바라는 듯한 미국 내의 일부 의견에 대해서는 동의하지 않고 있습니다. 미국 정부가 그와 같은 방법으로 문제를 해결하려고 한다면 한·미 간에 이견이 생길 것입니다. 그러나 아직은 미국 정부가 그렇게 하고 있지 않기 때문에 아직은 이견이 없습니다.

북한이 위조지폐와 관련해서 어떤 불법행위를 했는지, 그 점에 대해서 어떤 의견을 가지고 있는지에 대해서는 책임진 실무자들 간에 근거라든지, 또는 주변 국가들의 인식이라든지, 그것이 핵문제의 해결과 어떤 연관이 있는지, 그리고 북한 정권을 압박하고자 하는 어떤 의도가 있는 것인지에 대해서 면밀하게 따져서 상호간에 그 문제에 대한 여러 가지 의견들, 사실 확인과 의견조율이 필요한 문제이기 때문에 아직 대통령이 결정적인 의견을 밝힐 때가 아니라고 생각합니다. 또 그 문제까지 대통령이 직접 관여해서 결론을 내리는 것은 대단히 위험한 일이라고 생각합니다. 그렇기 때문에 실무자에게 맡길 것은 실무자에게 맡기겠습니다.

질문 : 일본 정부는 양국 정상회담을 바라고 있습니다. 대국적인 견지에서 대통령님께서 먼저 손을 내밀 생각은 없으신지 궁금합니다.

대통령 : 어떤 문제에 관해서 의견이 서로 다를 때에는 보편적 원칙을 따라가는 것이 가장 좋은 것입니다. 그것이 원칙입니다. '과거사 문제에 대해서 어떻게 할 것이냐?' 라는 것은 일본의 주장대로만 할 수도 없는 것이고 한국의 주장대로만 할 수도 없는 것입니다. 이미 세계 여러 나라에서 좋은 선례들이 있습니다. 그리고 그것이 보편적인 절차로 이해되고 있습니다. 말하자면 세계적으로 승인되고 있는 것이라고 생각합니다.

한·일관계 문제도 그와 같은 원칙에 의해서 풀어야 합니다. 야스쿠니 신사참배의 의미는 고이즈미 총리 혼자서 그 의미를 해명한다고 객관화되는 것이 아니라, 그 참배행위가 우리 한국 국민들에게 받아들이지는 의미도 고려해야 하고, 그것이 객관적으로 갖는 의미를 존중해야 합니다. 아직까지 객관적으로 어떤 의미를 갖느냐에 대해서 누가 판단을 내려 준 일은 없지만 우리 모두가 함께 짐작해 볼 수 있는 일이라고 생각합니다. 이런 큰 원칙이 전제되고, 그 다음에 타협이 있고 양보가 있는 것이지 이 원칙을 벗어난 양보와 타협은 오래가지 못합니다. 일시적인 미봉에 불과한 것입니다. 이 원칙으로 한·일관계가 풀려 나갔으면 좋겠다고 생각합니다.

저는 경제·문화와 정치 문제는 다소 분리될 수 있다고 생각합니다. 또 정치·외교상의 문제라고 하더라도 그것은 전면적으로 관계를 끊고 또 계속하는 문제가 아니라 그 정치·외교의 범위 내에서도 적절한 대응, 말하자면 요구할 것은 요구하고 항의할 것은 항의하고 거부할 것은 거부하는 외교가 필요하다고 생각합니다. 그래서 우리의 정당한 요구가 받아들여지도록 우리도 여러 가지 노력을 다할 것입니다. 포기하지 않을 것입니다.

질문 : 혁신도시와 기업도시 건설이 정권이 바뀌거나 시간이 지나면서 흐지부지 되는 것 아닌가 하는 우려가 제기되고 있습니다. 행정중심복합도시 토지 보상 문제에 대한 대통령님의 견해를 묻고 싶습니다.

대통령 : 혁신도시, 기업도시 또는 행정중심복합도시, 이것을 참여정부의 의지만으로 만든 것은 아닙니다. 더 이상 미룰 수 없는 시대적 요구이고 많은 국민들의 간절한 요구가 있기 때문에 정책으로 현실화된 것입니다.

어느 정부가 이것을 하기 싫어서 시작하지 않고 좀 미룰 수는 있지만 시작된 것을 되돌리지는 못합니다. 저는 혹시 정권이 바뀌더라도 이 사업은 차질 없이 갈 것이라고 생각합니다. 또 돌이킬 수 없도록 참여정부 임기 안에 굳건하게 토대를 놓을 것입니다. 그 점에 있어서 너무 걱정하지 않아도 좋을 것이라고 생각합니다. 이 정책은 돌이킬 수 없는 정책이 될 것입니다.

보상 문제에 관해서는 더 완벽한, 더 많은 보상을 요구하는 주민들의 요구도 일리가 있습니다. 그러나 또한 우리가 국가제도로서 보상제도를 가지고 있는데 지금 전체적으로 보상제도가 그렇게 무리한 것은 아닙니다. 부동산 가격이 사업을 전후해서 너무 움직이고 상승하기 때문에 결과적으로 차이가 생겨서 항상 이런 갈등이 생깁니다만, 우리 국가가 가지고 있는 제도는 대체로 적절한 것이라고 생각합니다.

부분적으로 미흡한 부분은 손질하라고 이미 여러 차례 지시를 해서 구체적인 적용과정에서 그전과는 상당히 다르게 시행하고 있습니다. 너무 부당한 결과에 대해서 그것을 보완하는 여러 가지 제도들을 마련해서 시행하고 있습니다. 방법도 아주 다양하게 만들어서 꼭 돈으로만 보상되는 것이 아니라, 다른 여러 가지 불편을 제거하고 혜택을 더 주는 방법으로 보상하고 있습니다. 그러나 전체 국가적인 제도를 모든 사업에 적용되는 원칙적 제도로 가지고 가는 한 모든 요구를 다 들어줄 주는 없습니다. 적절한 선에서, 조금 시간이 걸리겠지만 보상을 원하는 주민들과 보상 당국 사이에서 원만하게 합의가 이루어질 것으로 기대하고 있습니다. 잘될 것입니다.

질문 : 얼마 전 꺼낸 탈당 얘기의 정확한 뜻을 듣고 싶습니다. 그리고 민주당과의 통합문제에 대해서도 대통령님의 생각을 듣고 싶습니다.

대통령 : 당 내에서 탈당을 말하는 사람이 있기 때문에 거기에 대해서 언급한 것입니다. 탈당하겠다는 뜻으로 말씀드린 것이 아니고, 당 내에서 그와 같은 얘기도 나오고 있으니 옛날에 있었던 얘기들을 과거형으로 얘기한 것입니다.

당정관계는 지금 태스크포스팀이 만들어져서 연구하고 있습니다. 여러 나라 정치에서 결국 국가원수 또는 행정수반이 된 정치 지도자와 정당과의 관계가 어떻게 운영되고 있는지에 대해서 차제에 많은 연구가 이루어질 것입니다. 연구는 연구입니다. 대개 그 관계의 설정을 어느 것으로 선택할 것이냐 하는 것은 새 지도부가 뽑히면 그때 가서 논의할 것입니다. 그때 모든 문제를 다 논의할 수 있을 것입니다.

통합문제에 관한 의견은 그렇습니다. 당 보고 이래라 저래라 말하고 싶지 않습니다. 다만 제가 가지고 있는 소신은, 그래도 열린우리당의 창당정신은 어느 지역에서도 정당 간 경쟁이 있어야 한다는 대원칙을 기본으로 하고 있다고 생각합니다. 좀더 구체적으로 말씀드리면 영남에서도 호남에서도 정당 간 경쟁이 있어야 합니다. 영남도 호남도 그 자체 규모가 어지간한 한 나라 규모만한데, 거기에 정치의 경쟁이 없으면 지방의 정치는 후퇴할 수밖에 없습니다. 그렇게만 말씀을 드리겠습니다.

증권선물시장 개장 50주년 축하 메시지

2006년 1월 25일

안녕하십니까? 증권선물시장 개장 50주년을 진심으로 축하합니다.

불과 12개 기업으로 출발했던 증권시장이 이제 세계 9위의 거래규모를 가진 자본시장으로 성장했습니다. 자본조달의 창구로서, 건전한 투자의 장으로서 우리 경제발전에 큰 밑거름이 되어 주었습니다. 그동안 증권시장 발전에 기여해 온 관계자 여러분께 깊은 감사의 말씀을 드립니다. 선진경제로 가기 위해서는 무엇보다 금융산업이 중요합니다. 금융산업이 발전해야 기업의 수준이 높아지고, 고학력 일자리도 많이 생깁니다.

정부는 지금 동북아 금융중심 전략을 착실하게 추진하고 있습니다. 지난해 통합거래소를 출범시킨 데 이어, 올해는 자본시장통합법을 제정해서 금융시장을 선진화해 나갈 것입니다. 오는 3월에는 금융전문대학원도 설립할 예정입니다.

그러나 역시 기본은 시장입니다. 효율적이고 신뢰받는 자본시장을 만드는 데 더욱 노력해 주실 것을 당부드립니다. 다시 한번 개장 50주년을 축하하며, 여러분의 건승을 기원합니다.

대통령 노무현의 3년 : 분열을 극복하고 상생의 정치를 하는 대통령 노무현

초판 1쇄 펴낸 날 2019년 6월 24일

엮 은 이   편집부
펴 낸 이   장영재
펴 낸 곳   (주)미르북컴퍼니
자 회 사   더휴먼
전   화   02)3141-4421
팩   스   02)3141-4428
등   록   2012년 3월 16일(제313-2012-81호)
주   소   서울시 마포구 성미산로32길 12, 2층 (우 03983)
E-mail   sanhonjinju@naver.com
카   페   cafe.naver.com/mirbookcompany

(주)미르북컴퍼니는 독자 여러분의 의견에
항상 귀 기울입니다.